GORĄCE KRZESŁA

prawolubni

GORĄCE KRZESŁA

arne dahl

Przekład
Dominika Górecka

Wydawnictwo Czarna Owca
Warszawa 2016

Tytuł oryginału:
HELA HAVET STORMAR

Redakcja
Ewa Kaniowska

Projekt okładki
Magdalena Zawadzka

Zdjęcia na okładce:
© ostill / Shutterstock
© totojang1977/ Shutterstock
© fotohunter/ Shutterstock

Skład
Dariusz Piskulak

Korekta
Maciej Korbasiński
Piotr Królak

Wydanie I

Druk i oprawa
Drukarnia Read Me

Wydrukowano na papierze Ecco Book Cream 70 g/m², vol. 2,0
dystrybuowanym przez antalis

ISBN 978-83-7554-619-4

ul. Alzacka 15a, 03-972 Warszawa
www.czarnaowca.pl
Redakcja: tel. 22 616 29 20; e-mail: redakcja@czarnaowca.pl
Dział handlowy: tel. 22 616 29 36; e-mail: handel@czarnaowca.pl
Księgarnia i sklep internetowy: tel. 22 616 12 72; e-mail: sklep@czarnaowca.pl

JEDNOSTKA OPCOP, EUROPOL

Centrala – Haga, Holandia:

PAUL HJELM: doświadczony szwedzki policjant kryminalny, szef operacyjny tajnej, ale coraz bardziej rozpoznawalnej jednostki Opcop działającej w ramach Europolu.

JUTTA BEYER: pedantyczna policjantka kryminalna z Berlina, dorastała w byłej NRD; coraz lepiej współpracuje jej się z Arto Söderstedtem.

MAREK KOWALEWSKI: warszawski gliniarz od papierkowej roboty, zwalczał przestępczość gospodarczą w Europie Wschodniej; ostatnio coraz częściej wstaje od biurka.

MIRIAM HERSHEY: brytyjska policjantka, dawniej tajna agentka MI5. Tworzy doskonały duet z Laimą Balodis.

LAIMA BALODIS: litewska policjantka nowego pokolenia, w przeszłości prowadziła działania infiltrujące mafię. Cicha i bohaterska.

ANGELOS SIFAKIS: zrównoważony zastępca szefa jednostki, zwalczał korupcję w Atenach; osiąga kolejne sukcesy głównie z pomocą komputera.

CORINE BOUHADDI: policjantka z wydziału narkotykowego w jednym z najbardziej brutalnych miast Europy, Marsylii. Muzułmanka. W życiu kieruje się zasadą „w jedności siła”.

FELIPE NAVARRO: elegancki ekspert do spraw przestępstw gospodarczych z Madrytu; dzięki swoim gockim korzeniom jest w równym stopniu północnym i południowym Europejczykiem.

ARTO SÖDERSTEDT: policjant kryminalny ze szwedzkojęzycznej części Finlandii, w przeszłości między innymi adwokat mafii, naukowiec i nauczyciel w szkole policyjnej.

Biuro lokalne – Sztokholm, Szwecja:

KERSTIN HOLM: była wysokiej rangi funkcjonariuszka policji na kierowniczym stanowisku i szefowa Drużyny A. W tej chwili szefowa lokalnego biura jednostki Opcop w Sztokholmie.
JORGE CHAVEZ: doświadczony, energiczny śledczy biegły w obsłudze komputera, ma żonę, która jest jego lepszą połową.
SARA SVENHAGEN: ekspertka od przesłuchań, dawniej zajmowała się sprawami dotyczącymi wykorzystywania seksualnego dzieci, czyjaś znacznie lepsza połowa.

1

Sztil

Wyspa I

Livorno, 8 maja

PÓŁPRZEZROCZYSTOŚĆ ZASŁONKI. Coś jakby zza niej wyzierało. A teraz powoli, powolutku, jakiś ruch. Zasłonka unosi się, ostrożnie. Faluje miękko, jak w *slow motion*. Rozchyla się. Zaczyna odsłaniać.

Zobaczyć to, co widział. Poczuć to, co czuł. Przez cały czas. Naprawdę przez cały czas.

Właśnie tak to musiało wyglądać, gdy kapitan złamał rozkaz i pozwolił mu wejść na pokład. Dokładnie tak, jak to teraz wygląda za tą dziwnie roztańczoną zasłonką z tiulu. Nie powinna się poruszać. Bo swoim powolnym, falującym ruchem odsłania całkowicie gładką taflę wody. Flauta.

Sztil.

Tak rysował się świat w oczach Diedy, gdy w chłodny, wiosenny dzień wniesiono go na pokład starej barki. Ostoi spokoju, być może nawet pokoju. Znów pojawiła się nadzieja dla ludzkości.

Naturalnie nie mógł tak pomyśleć. Przynajmniej nie świadomie. Być może przeszła mu taka myśl przez głowę, ale nie została wyrażona takimi słowami. Był na to stanowczo za mały. Miał dziesięć lat, a przed nim rozpościerało się gładkie lustro rzeki. Pokrywała ją wciąż jeszcze cienka, cieniutka błona lodu, a stara barka przecinała ją jak ostrze noża. Zaskakująco cicho.

Po obu stronach rzeki rozpościerał się jałowy, niemożliwy do ogarnięcia wzrokiem krajobraz, który widać było z tylu okien w ciągu ostatnich tygodni. Ciągle tylko okna. Najpierw okno pociągu, potem okno baraku, a na koniec okno łodzi. Jeśli to coś można było nazwać łodzią.

Kapitan znów spojrzał ze smutkiem na Diedę. Zaledwie tydzień wcześniej przewoził na swojej starej barce drewno. Teraz wiózł coś zupełnie innego. Jego życie też się zmieniło.

Płyną w cztery barki, cztery drewniane barki, które od dziesiątków lat przewoziły ciężką tarcicę przez najsurowszy z surowych krajobrazów. Barka Diedy płynie pierwsza. Rozcina nieruchomą taflę czarnej wody swoim niespodziewanie ostrym cięciem.

To było tak dawno temu, tak daleko, a jednak tak blisko. Druga połowa maja, nawet trochę później niż teraz. Nie powinno być aż tak zimno. W mieście, w którym dorastał Dieda, nastała już wiosna, prawie lato. Zaczynało się zielenić, kiedy złapali go w mieście, które było całym jego światem. Wciąż nie rozumie dlaczego. Czy to dlatego, że nie miał rodziców? Dlatego że babcia nie posyłała go codziennie do szkoły? Dlatego że zapomniał zabrać swój nowy paszport? Nie wie, niczego nie rozumie. Wie tylko, że kapitan jest miły. Poklepuje Diedę po głowie, ale na jego twarzy wciąż rysuje się smutek.

Dzień jest wyjątkowo spokojny. Przyroda zastygła, zamarzła, przerywając swój odwieczny ruch. Zupełnie jakby wiedziała, co za chwilę się wydarzy. Jakby instynktownie reagowała na to, co niezgodne z naturą.

Są w drodze już od ponad dwóch tygodni. Większość trasy przebyli pociągiem. Jest ich wielu, tyle wie na pewno, tysiące, dostają niewiele chleba i niewiele wody. Zbiorowy głód jest coraz bardziej odurzający, coraz bardziej niebezpieczny. Niedługo będą jednak na miejscu. Tak powiedział kapitan.

Dieda ufa kapitanowi.

Niedawno zatrzymali się na chwilę. Przybili do nabrzeża, gdzieś w oddali wyczuwało się miasto. Dieda był wtedy na dole, pod pokładem. Smród, jęki, krzyki. Gwałtowne bójki o dostęp do nielicznych otworów okiennych. Kilku twardzieli na czele z tym łysym, którego Dieda pamiętał jeszcze ze swojej dzielnicy. Przed którym zawsze się chował. Tak wtedy, jak i teraz.

Zniszczony przez papierosy głos łysego:

– Znów, kurwa, płyną!

Nagłe poruszenie wśród ponad tysiąca więźniów, z których wszyscy reagują dokładnie tak samo. Po jęku powinien się rozlec szmer pełnego zawodu oburzenia, ale na to nie ma tu miejsca. Zamiast tego przepychanie. Po ścianach, po podłodze. Ludzie umierają, Dieda słyszy to wyraźnie. Słyszy odgłos śmierci. Nie wie jeszcze, jak go nazwać, ale ten dźwięk rozlega się również w jego ciele, we wnętrzu jego głowy. Przyciskają go do ściany i czuje, jak opór, który przez ostatnie dwa tygodnie utrzymywał go przy życiu w tym rozszalałym piekle, zaczyna go opuszczać.

Nagle śmierć nie wydaje mu się aż taka zła.

To, co wydarzyło się potem, rozegrało się w wąskiej smudze światła, która pozostała z jego świadomości. Pokrywa nad jego głową otworzyła się. Potężna, silna dłoń sięgnęła w dół. Nagle znalazł się na pokładzie, dygocząc na całym ciele, ale z każdą sekundą silniejszy od czystego, zimnego powietrza.

– Rozkaz – mruknął kapitan. – Nie będzie mi jakiś dupek rozkazywać.

Pierwszy raz Dieda odważył się spojrzeć w oczy kapitanowi. Był w nich głęboki smutek.

– Już niedaleko – dodał po chwili kapitan – ale nie jestem pewien, czy tam, dokąd płyniecie, będzie wam dużo lepiej.

Z początku jest tylko ledwo dostrzegalną nierównością, małą, szarą plamką na idealnie czarnej tafli rzeki, tuż przed granicą pola widzenia. Nie wygląda nawet, jakby rosła. Wydaje się, że zastygła wraz z resztą przyrody. Zwykła nierówność, okruch w wielkim, bacznie obserwującym oku natury. Nic więcej.

Potem złudzenie znika. Powraca ruch. Szara plamka robi się coraz większa i większa. Na koniec zamienia się w wyspę.

Są na miejscu.

Barki opróżniane są po kolei. Wyspa pachnie bagnem. Zgnilizną.

Dieda jest jeszcze taki mały. Nie wie nawet, co to jest bagno, zgnilizna. Ciało reaguje jednak instynktownie. Reagują geny. Zgnilizna próbuje przeniknąć do jego wnętrza.

Do tego jest zimno. Wokół same bagna, tylko tu i ówdzie kilka topoli. Stare trzewiki Diedy zapadają się w brei, która powoli zaczyna zastygać. Zastyga, czeka, próbuje stać się niewidoczny. Drepcze, żeby nie przymarznąć do ziemi. Drepcze w miejscu. W miejscu zapomnianym przez Boga.

Chaos, liczenie skazańców z czterech wielkich barek; buczące mrowie, mrowiące buczenie. Połowa z nich ledwo chodzi, zatacza się, niezdolna do poruszania się na rozmokłej ziemi. Wynoszą zmarłych, trupi zapach miesza się z zapachem bagna. Staje się zapachem bagna. Jest już zapachem bagna.

Strażnicy zajęci są znoszeniem na ląd worków jutowych. Od skazańców różnią się tylko tym, że w drżących dłoniach trzymają dubeltówki. Skazańcy dopadają do nich. Rozrywają worki. Ze środka wysypuje się coś białego. Mąka wypada z sapnięciem i unosi się niczym wysłany na próżno sygnał dymny, który pod wpływem wszechogarniającej wilgoci już po chwili zamienia się w drobne, białe grudki spadające na ziemię, niczym zapowiedź nadchodzącej zamieci śnieżnej. Dieda wyczuwa jej bliskość. Strażnicy strzelają do napierających więźniów. Mąka miesza się z krwią. Biało-czerwona grudka pada na wilgotną ziemię przed stopami

Diedy. Płytka krwi, myśli. Ma ochotę ją zjeść. Głód szaleje w jego ciele. Nie dotyka jej jednak.

Mężczyzna w mundurze, który wszedł na pokład z nabrzeża, przywołuje tragarzy noszących worki. Choć próbuje wyglądać poważnie i surowo, w jego oczach widać strach. Dieda rozpoznaje ten strach. Wie, jak wygląda w ludzkich oczach. Nauczył się również – to była trudna lekcja – co strach potrafi zrobić z człowiekiem.

Ten w mundurze krzyczy coś do jego kapitana. To ostatni raz, kiedy Dieda go widzi. Barki odpływają. Okrążają wyspę. Dieda widzi je w oddali, już po drugiej stronie. Rozładowują się. Przez chwilę wydaje mu się, że widzi minę kapitana, gdy zmuszają go, żeby wysypał mąkę prosto na ziemię. Kopiec mąki sterczy niczym ośnieżony szczyt góry. Poza tym nie ma nic, tylko ta wielka góra mąki. Nie widzi, żeby wyładowywali cokolwiek innego do jedzenia, nie ma chleba, wody, suszonej ryby, którą im przecież obiecano. Nie ma też naczyń do gotowania, pieczenia, jedzenia i picia. Tylko ta góra mąki. Ani śladu pieców, w których można by upiec chleb.

Co się robi z *samą mąką*? Zjada?

Gdy barki znikają w dole rzeki, wokół kopca mąki ustawia się ochrona. Tuż przed zmierzchem zaczyna padać śnieg. I nie są to zwykłe opady, tylko prawdziwa śnieżyca. Przez noc góra mąki zamienia się w prawdziwy ośnieżony szczyt.

Skazańcy próbują wykrzesać ogień, żeby się ogrzać, ale wilgotne drewno topoli nie chce się palić. Tylko z kilku stosów udaje się rozpalić słabe ogniska, a Dieda nie chce się do nich przeciskać. Nie chce, żeby znów go popychali i po nim deptali. Zamiast tego owija się ciaśniej w swoje ubrania i dziękuje w myślach babci i Bogu – tak, Bogu trochę też, choć w niego nie wierzy – za to, że babcia zawsze kazała mu się ciepło ubierać. „Nigdy nie wiadomo – mówiła – co cię czeka w życiu”.

Babcia. Ciekawe, o czym teraz myśli, co robi. Pewnie zachodzi w głowę, co się z nim stało.

Czy zostały jej jeszcze jakieś łzy?

Noc będzie ciężka, naprawdę ciężka. Dieda dołącza do jednej ze spokojniejszych grup trzymających się nieco z boku, pod lasem. Siedzą blisko siebie, Dieda chłonie ich ciepło przez śnieżną zamieć. Sam pewnie też oddaje trochę ciepła, choć tego nie zauważa. Chce się tylko ogrzać.

Obok niego siedzi blondynka w niepasującej tu jasnozielonej długiej sukience, jakby zatrzymali ją w operze podczas przerwy. Ma tyle lat, ile miałaby teraz jego matka, gdyby tylko miała odwagę dalej żyć. Ma na imię Faina, rozmawiają przez chwilę szeptem, zanim zaśnie, opierając głowę o jej ramię. Gdy zaczyna świtać, czuje, jakby nawet na moment nie zmrużył oczu.

Budzi się w ramionach Fainy, są lodowate. Śnieg pokrył niemal całkowicie jej jasnozieloną sukienkę. Krzyczy, nie chce już więcej patrzeć na śmierć. Faina porusza się, jęczy. I wtedy dostrzega.

Przez noc prawie całkiem bose stopy Fainy przymarzły do ziemi. Została przytwierdzona.

Kilka osób próbuje ją uwolnić. Kopią, rozgrzebują, uwalniają. Ktoś przynosi koc, okrywają jej ramiona. Dieda ogrzewa jej stopy na swoim brzuchu. Faina patrzy na niego zza zasłony łez.

Gdy wysuwa jej stopy spod kurtki, zauważa, że są niebieskie. Faina nie może chodzić. Dieda obiecuje, że jej pomoże. Zbiera topniejący śnieg i ubija go w kulkę, żeby mogła ją włożyć do ust.

Przed górą mąki tworzy się wielka, wzburzona rzeka ludzi. Kolejka z pięciu tysięcy osób. Pięćdziesięciu strażników, cztery namioty dla lekarza i felczerów, i tych najciężej chorych, kilku dowodzących w mundurach, z ich twarzy bije strach, który może się przerodzić w cokolwiek.

Ludzie nabierają mąkę do tego, co mają. Niektórzy używają czapek, inni gromadzą ją gołymi rękoma. Przesypuje im się przez palce.

Kolejka rozpada się, jeszcze zanim się utworzy. Zapanowuje chaos. Strażnicy znów strzelają. Kolejne ciała. Ktoś mówi, że w głębi lasu widział górę trupów.

Dieda siedzi obok Fainy ze wzrokiem utkwionym w swojej starej czapce. Wpatrują się w mąkę. Faina kręci głową. Patrzą na siebie. Naprawdę mogłaby być jego matką.

W ich spojrzeniach jest obietnica. Że siebie nie zostawią. Nie opuszczą.

– Można ją zmieszać z wodą – odzywa się w końcu Faina.

– Nie ma wody – mówi Dieda.

– Przecież jesteśmy na środku rzeki – mówi Faina i uśmiecha się, zmęczona.

To bardzo szczególny uśmiech. Pierwszy raz w życiu Dieda rozumie, co znaczy matka. Naprawdę rozumie.

Z obydwu stron widać wodę. Siedzą niedaleko miejsca, w którym zostawiły ich barki. Na brzegu jest tłum ludzi. Dieda nie chce tam iść, już nigdy więcej nie chce poczuć takiego ścisku jak na barce. Ostrożnie kieruje się z czapką w stronę góry mąki. Po tamtej stronie też widać brzeg, tam też widział barki. Wydawało mu się, że było na nich trochę mniej ludzi.

Strażnicy stoją w szeregu wokół góry mąki. Są obrzydliwi. Uliczni zbóje z bronią w ręku. Dieda wzdryga się i wybiera drogę naokoło, żeby ich nie mijać.

I trafia do piekła.

Z początku nie widzi, co to jest. Coś leży między dwoma zagajnikami topól. Minie dłuższa chwila, zanim wrażenia wzrokowe połączą się w całość, zanim rozrzucone członki ułożą się w ludzkie kształty.

Góra trupów. Nagle przypomina sobie, że już o niej słyszał. Że istniała lub istnieje, przynajmniej do czasu, gdy strażnicy radzili sobie ze zbieraniem zwłok w jednym miejscu. Teraz zmarli leżą po prostu tam, gdzie upadli.

Dieda zatrzymuje się. Zastyga ze strachu i z przerażenia. Choć jest w tym coś jeszcze. Być może szacunek. Trwająca krótką chwilę kontemplacja nad straconym ludzkim życiem, które było w tych wszystkich ciałach.

Na topniejącym śniegu widać jakieś dziwne ślady. Nie rozumie, co to jest. Krwistoczerwone smugi. Nie może już na nie patrzeć. Musi iść dalej.

Skręca nad wodę. Powinna się znajdować za tym gęstym zagajnikiem. Spogląda przez gałęzie. Woda jest czarna. Na tym brzegu również są ludzie, choć nie ma ich tylu, ilu po drugiej stronie. Niektórzy wyłowili z wody drewno i teraz łączą szczapy przy użyciu kory. Budują tratwy. Tylko dokąd uciekną? Prosto w głuszę?

Nie oni jednak przyciągają uwagę Diedy, tylko ci, którzy siedzą lub leżą na brzegu. Wielu z nich ma przy sobie czapki lub kapelusze, wszystkie tak samo zabrudzone kleistą mazią, która przypomina wymiociny. I Dieda rozumie. Rozumie aż nadto dobrze.

Skoro woda z rzeki nie nadaje się do picia ani nie można jej ugotować, bo nie ma jak rozpalić ognia ani nie ma naczyń, to niby jak mają przeżyć? Bez wody?

Tak bardzo chce mu się pić.

Schodzi na sam brzeg. Przez chwilę wpatruje się w czarną rzekę, a potem powoli wsypuje do niej mąkę. Patrzy na rosnącą pod wodą chmurę, która rozpływa się i znika niesiona prądem rzeki. Wraz z nią znika ostatnia nadzieja.

Musi zebrać więcej śniegu. Tylko do czego? Do czapki?

Śnieg szybko topnieje. Zamienia się w brązową maź.

Musi wrócić do Fainy. Zebrać dla niej trochę śniegu. Uratować ją. Poczuć w niej matkę, której nigdy nie miał.

Gdy wraca przez zagajnik, dochodzi go jakiś nieznany dźwięk. Był pewien, że nie ma już takich dźwięków – przez ostatnie tygodnie usłyszał już niemal wszystko, co można usłyszeć. Z wyjątkiem *tego*.

Nie da się tego opisać.

Dieda rozchyla gałęzie i staje nagle oko w oko z mężczyzną. Dziwne, ale to nie obłęd w oczach mężczyzny przykuwa jego uwagę. Dawniej pewnie wywołałby u niego panikę. To jednak nic w porównaniu z tym czymś.

Z tym czymś, co spływa z jego wciąż przeżuwających coś ust.

Z krwią płynącą po jego podbródku i dalej w dół.

Mężczyzna odskakuje w bok, mija go w biegu i znika w topolowym zagajniku. Zza jego pleców wyłania się góra trupów. Wokół niej coś się porusza. To ludzie, coś z niej wygrzebują. Ludzie ociekający krwią innych ludzi. Ludzie, którzy przestali być ludźmi.

Coś ogarnia Diedę. Niepokój. Choć to za słabe słowo.

Pędzi jak oszalały. Biegnie jak nigdy dotąd. Na drugi brzeg nie jest daleko – w tę stronę poszło mu przecież szybko – teraz jednak droga ciągnie się w nieskończoność. Powietrze zamieniło się w zawiesistą maź, jego rozpędzone nogi donikąd go nie niosą. Wszystko dzieje się absurdalnie powoli. Rzeczywistość istnieje gdzie indziej. Głód i pragnienie doganiają go, świat traci kontury. Prawdziwy jest tylko lęk.

Niebo spogląda na niego swoim szarym okiem.

Z daleka widzi koc, którym dobrzy ludzie okryli dziś rano ramiona Fainy. Nie widzi jeszcze jej pięknej jasnozielonej sukienki, ale ma wrażenie, że spod koca wystają jej niebieskie stopy.

Tak, myśli, i to „tak" będzie pamiętać aż do chwili śmierci.

Tak, Faina jest nietknięta.

Potem zbliża się jeszcze bardziej. Zauważa jej stopy. To naprawdę są stopy. Przymyka powieki i udaje, że nie widzi szarego oka nieba. Dziękuje wyższym siłom. Nigdy więcej jej nie opuści.

Nigdy więcej.

Koc wygląda dziwnie. Czy Faina się w niego zawinęła? Na pewno tak. Pewnie zmarzła. Nie widzi jej głowy, jej jasnych włosów.

Jest już na brzegu lasu. Koc wygląda naprawdę dziwnie. Jest płaski. Nie widać śladu jasnozielonej sukienki. Ale widać stopy. Niebieskie, skostniałe z zimna stopy wystają spod koca.

Dieda unosi koc. Przyglądające się mu obojętnie oko nieba jest jeszcze bardziej szare niż wcześniej.

Nie ma Fainy. Są tylko jej stopy. Skąpane we krwi.

Nie rozumie. Pada na kolana i tępo patrzy przed siebie. Podnosi lewą stopę Fainy. Jest niebieska. I wtedy dociera do niego. Dociera do niego z nieubłaganą mocą, która przewyższa wszystko, czego do tej pory doświadczył.

Odcięli jej stopy, bo nie chcieli ich zjeść. Bali się, że mogą być zatrute.

Nie ma już nic.

Nic.

Zasłonka z tiulu okazuje litość. Zatrzymuje się w tańcu. Półprzezroczysta, zasłania znów scenę. Dziwny powiew ustaje. To, co dzieje się w półprzezroczystości, spowija mgła łaski, ale nie zapomnienia. I tylko serce się porusza. Nigdy się nie przyzwyczai. Nigdy się nie uspokoi.

Póki nie przestanie bić.

Dłoń, która odchyliła zasłonkę, już nie drży. Morze za oknem pozostaje niezmącone. Wiatr omija brzegi Toskanii.

Ból płynący z tego, co przekracza pamięć, powoli się przeistacza. Konkretyzuje się i umiejscawia. Gdy oczy wciąż jeszcze patrzą na półprzezroczystą zasłonkę, niekontrolowany ból przechodzi w kontrolowaną rozkosz. Cudowna precyzja ostatnich już dni.

Dni, zanim nadejdzie czas.

Spowiedź i prawda

Haga, 9 maja

WBREW WSZELKIM PROGNOZOM w Hadze spadł deszcz. Wiosna w pełni już dojrzała, ale wyglądało, jakby nie chciała pogodzić się ze swoim wiekiem. Tylko wieczór gładko przeszedł w noc. Deszcz chłostał asfalt za oknem restauracji. Drżące odbicia ulicznych latarni migotały w czarnych jak noc kałużach.

Starzy kompani Paul Hjelm i Arto Söderstedt siedzieli w Café Rootz na skrzyżowaniu Raamstraat i Grote Markstraat. Milczeli przez całą kolację, a teraz przyszła pora na calvadosa.

– Samobójca – odezwał się Hjelm po chwili.

Söderstedt pokręcił powoli głową.

– Jest niedzielny wieczór – powiedział, sącząc calvados. – Tak łatwo ci ze mną nie pójdzie.

– Wiem – odpowiedział Hjelm.

Potem znów milczeli przez chwilę.

Zdradliwa pauza.

– Nie – odezwał się w końcu Söderstedt. – Nie uda ci się mnie w to wciągnąć, nawet jeśli będziesz milczał jak zaklęty.

– Wiem – odpowiedział Hjelm.

Znów upłynęła chwila.

– Nawet jeśli będziesz milczał jak szef – powiedział Söderstedt.

– Rodzina już w Szwecji? – zapytał Hjelm.

– Linda wróciła z Australii – odpowiedział Söderstedt. – Założę się, że trudno o większego lenia w jej wieku. Ja też bym chętnie wrócił do domu. No, ale pojawił się...

Paul Hjelm milczał jak zaklęty.

Arto Söderstedt wbił w niego swoje jasnoniebieskie oczy i powiedział:

– Pamiętasz, moja druga córka.

– Linda – powtórzył Hjelm. – Wiem. Wszystko u niej dobrze?

– Tak, chociaż nadal podróżuje po świecie bez celu i sensu. Pewnie aż za dobrze.

– To tak jak jej ojciec.

Znów zamilkli. Hjelm przechylił kieliszek i złoty eliksir spłynął powoli do jego ust, nie myślał o niczym; w ten sposób powstawała próżnia, która zasysała ukryte myśli innych.

– Nie podróżuję zbyt wiele po świecie – westchnął Söderstedt. – Kiedy brałem tę robotę, miałem nadzieję, że będzie tego trochę więcej.

– Być może teraz nadarzy się okazja – powiedział Hjelm i zamilkł.

– On się nie zabił – odezwał się po chwili Söderstedt.

– Wszystko na to wskazuje – odpowiedział Hjelm bez cienia triumfalnego uśmiechu na twarzy. – Stary profesor. Trwające niemal pół wieku małżeństwo, które nagle tak nieprzyjemnie się skończyło. Nieszczęśliwy rozwodnik. Ta sprawa trafiła na moje biurko tylko dlatego, że działał w obrębie strefy, która automatycznie uruchamia różne narodowe i międzynarodowe systemy alarmowe.

– I słusznie – stwierdził Söderstedt. – Tam nic nie ma, i ty o tym wiesz, Paul. Nic a nic. Jest tak czysto, że ktoś musiał tam posprzątać. Samobójstwo zostało upozorowane, to się widzi. Nie odebrał sobie życia. To klasyczny przykład sfingowanego samobójstwa. Kto wie, może wciąż jeszcze żyje.

– Wiszące zwłoki to chyba wystarczający dowód...

– No dobra, zgoda, ale tylko w *tej* kwestii. Na pewno jednak nie w kwestii samobójstwa. Założę się, że zostało sfingowane.

– Nic na to nie wskazuje. Klasyczny jest tu tylko upadek naukowca, który powiesił się na sznurze. Rozwód, alkohol, pracoholizm, samotność, ograniczone kompetencje społeczne, niechęć do przebywania w towarzystwie innych. Wszystko to, co zagraża wielu z nas.

– Nas? – zdziwił się Söderstedt.

– Nas, białych, heteroseksualnych mężczyzn w średnim wieku – powiedział Hjelm.

– Od kiedy ten prostacki stereotyp wszedł do powszechnego użycia? – mruknął Söderstedt. – Dlaczego nie pozwolisz mi się po prostu delektować calvadosem?

– Bo jeszcze nie jesteśmy tacy starzy – odpowiedział Paul Hjelm, odchylając się na krześle. – No dalej, Arto. Na dobrą sprawę codziennie dzieje się coś nowego i zaskakującego w tej cholernej robocie. I choć rzadko są to miłe niespodzianki, same w sobie są czymś dobrym. Człowiek *uczy się* przez zaskoczenie. Bez przerwy się uczy.

– Okropna jest ta twoja wiara w postęp, Paul. To pewnie przez to, że jesteś takim typowym *late bloomer*, twój okres dorastania przypadł na czas spędzony w Drużynie A. Przez ponad trzydzieści lat leżałeś odłogiem i nagle rozkwitłeś. Świat stanął przed tobą otworem. Byłeś pozbawionym złudzeń i zgnuśniałym kryminalnym w Alby w czasie, gdy ja pisałem prace z teorii marksizmu na Uniwersytecie w Uppsali. Potem chyba mnie przegoniłeś. Powiedziałem *chyba.*

– Z *czego*?

– Nie rozumiem?

– Pisałeś prace akademickie z teorii marksizmu?

– Tak, napisałem klasyczną pracę pod tytułem „Marksizm na co dzień" – przytaknął Söderstedt i ze smutkiem stwierdził, że calvados się skończył. – Zamówmy jeszcze kolejkę – dodał i skinął na kelnerkę.

– Pamiętaj, że jutro pracujemy – zauważył Hjelm. – Poniedziałek rano, *all work and no play*.

– Czy mam przez to rozumieć, że nie wypijesz jeszcze jednego kieliszka?

– Wręcz przeciwnie.

– Masz szczęście.

Na stoliku pojawiły się kolejne kieliszki. Po chwili rozkosznej ciszy Arto Söderstedt odezwał się, jakby po dłuższym namyśle:

– Byłem po tamtej stronie. Widziałem świat, w którym kapitalizm równa się przestępczość. Gdzie wszystko kręci się wokół żądzy władzy, poczucia, że jest się silniejszym od innych, że można innych wykorzystać. Gdzie brak empatii nie tylko jest warunkiem osiągnięcia sukcesu, lecz także wzbudza autentyczny podziw. Wygrywa ten, kto ma najmniej empatii. Pracowałem dla takich ludzi. Byłem ich rzecznikiem, młodym przebojowym adwokatem, który mówił za nich, uszlachetniał ich słowa. Tłumaczył innym, że ich działania są stosowne i niezbędne w danej sytuacji.

– Pamiętam – przytaknął Paul Hjelm. – W Finlandii. Jakiś czas temu...

– Dawno temu, ale tego się nie zapomina. Świat wokół mnie – ja zresztą też – zaczął pachnieć zgnilizną. Mimo wszystko uważam to za wartościowe doświadczenie. Dzięki niemu jestem wyjątkowo wyczulony na brak empatii. Potrafię dostrzec go wszędzie, tak mi się wydaje, również tam, gdzie można się tego najmniej spodziewać. Brak empatii występuje nie tylko w biznesie – nawet jeśli to właśnie tam przynosi wymierne efekty – ale również w szpitalach, szkołach, w systemie opieki społecznej i organizacjach charytatywnych, w kościele, i oczywiście w policji. Wszędzie tam, gdzie umiejętność wczucia się w czyjąś sytuację ma do spełnienia jakąś funkcję.

– Również wśród marksistów? – uśmiechnął się Paul Hjelm.

– Naturalnie – odpowiedział Arto Söderstedt. – Gdy świat, w którym żyłem, zaczął trącić zgnilizną, musiałem dokonać politycznego przewartościowania. Było dla mnie jasne, że tych ludzi trzeba powstrzymać, że system polityczny nie może dalej nagradzać osób pozbawionych empatii i pozwalać im, by kształtowały rzeczywistość. Przeszedłem na pozycję skrajnej lewicy i napisałem kilka dosyć radykalnych artykułów do lewicowych pism.

– A potem zostałeś policjantem – zauważył Hjelm.

– No tak, być może nie był to najrozsądniejszy ruch w moim życiu, ale było coś w myśli lewicowej, co uruchomiło mój wewnętrzny radar, który – przyznaję – może był wtedy aż nadto wrażliwy. Nagle dostrzegłem coś w rodzaju selektywnej ślepoty, pojawiającej się znienacka, bez uprzedzenia. Wyłaniające się nagle wyspy mało wyrafinowanego antyhumanizmu. Wściekłość, która wymykała się spod kontroli i kazała bić, mordować, rzucać cegłami, która popychała do ludobójstwa. Zmusiło mnie to, bym zaprzestał dzielenia ludzi na tych dobrych po lewej i złych po prawej stronie. Dziś jestem pewien, że w każdej grupie istnieją zarówno prawdziwi humaniści, jak i ludzie całkowicie pozbawieni empatii. Trzeba naprawdę się nauczyć – a proces nauki trwa długo – dostrzegać w człowieku jednostkę. Mając przy tym ciągle włączony radar.

Paul Hjelm pokiwał głową i spojrzał na Arto Söderstedta, który sprawiał wrażenie wyczerpanego. Najwyraźniej już od dawna nie miał okazji wygłaszać tak płomiennej mowy obronnej.

– Dobrze powiedziane – odezwał się w końcu Hjelm. – Choć kompletnie bez związku z profesorem Udem Massicottem.

– Wszystko ma z tym związek – odparł Söderstedt. – Naprawdę wszystko.

– Jak to?

– Wystarczy sobie przypomnieć, jak wyglądał jego dom.

– Nie widzę znaków, które ty widzisz – powiedział Paul Hjelm.

– Za to widzisz inne?

– Widzę tylko tyle, że naukowiec, a już zwłaszcza lekarz o pozycji takiej jak Massicotte, powinien wiedzieć, że powieszenie na krótkim sznurze należy do najbardziej bolesnych rodzajów śmierci, jakie znamy. Na długim sznurze łamie się kark i człowiek traci świadomość, jeszcze zanim się udusi. Na krótkim wisi w pełni świadomy do momentu, aż przestanie oddychać. A to trwa bardzo długo.

– No tak, ale przecież samobójstwo to forma kary wymierzonej samemu sobie – zauważył Arto Söderstedt. – To znaczy, jeśli podchodzi się do tego na serio i nie jest zwykłe wołanie o pomoc. Wówczas może chodzić o czystą pogardę wobec samego siebie. Na przykład: „Teraz umrzesz tak marnie, jak marne było twoje życie, ty śmieciu".

– Czy było tam coś, co by wskazywało na ten rodzaj pogardy?

– Nie było tam niczego, co by temu przeczyło.

– Co jeśli odwrócimy role?

– Spróbujemy kontynuować z zamienionych pozycji.

Przez chwilę patrzyli się na siebie. Zupełnie jakby rzeczywiście zamienili się pozycjami. To była szczególna chwila. Naturalnie trzeba ją było przerwać.

– Tak naprawdę nie zmieniłem pozycji – odezwał się w końcu Arto Söderstedt i opróżnił kieliszek. – To, że nie wierzę w hipotezę samobójstwa, nie ma nic wspólnego z osobą samego profesora, tylko z tym, jak wyglądały jego dom i miejsce pracy.

– Gdybym miał podać w wątpliwość teorię samobójstwa, to pewnie z powodu krótkiego sznura... – powiedział Paul Hjelm,godząc się na tę narrację, i on również wychylił kieliszek calvadosa. Tyle że swój.

– I co, podasz?

– Profesor Udo Massicotte brał udział w tajnym projekcie UE mającym na celu rozpoznawanie terrorystów, którzy przeszli operacje plastyczne. Wysoko wykwalifikowany lekarz z dostępem do całego spektrum środków trujących. To dosyć dziwne, żeby ktoś taki jak on powiesił się na krótkim sznurze.

– A więc to sprawa dla Opcop?

– Tak mi się wydaje – przyznał Hjelm. – Nie dostaniemy jednak zbyt dużo czasu na znalezienie dowodów. Pomóż mi zrobić kolejny krok. Co miałeś na myśli, mówiąc o jego domu i miejscu pracy?

Arto Söderstedt westchnął głęboko i skinął na kelnerkę. Dopiero potem powiedział:

– Oba te miejsca wyglądają dokładnie tak, jak z pewnością zawsze wyglądały. Gdzieniegdzie porządek, gdzieniegdzie bałagan. Tak jakby Massicotte dopiero co wstał z krzesła, przeciągnął się, wziął łyk kawy, a potem powiesił się na krótkim sznurze. Ta codzienność mi tu nie pasuje. To, co za chwilę zrobi, to coś ekstremalnego, wyjątkowego. Nawet jeśli nie zostawia po sobie listu pożegnalnego – bo nie zostawił – powinien był zrobić *coś* wyjątkowego z miejscem, które zaraz opuści. Na przykład rozwalić wszystko albo posprzątać. Dać wyraz swojemu zdenerwowaniu. Tymczasem jest zupełnie normalnie, a nie powinno być. Ta cała normalność pachnie ściemą.

Paul Hjelm podpisał rachunek i sięgnął po drobne na napiwek.

– Faktycznie twarde dowody – powiedział.

Arto Söderstedt również sięgnął po drobne, rzucił je na stół i podniósł się z krzesła.

– Tak naprawdę jednak w ogóle nie o to chodzi – powiedział Söderstedt, kierując się w stronę drzwi.

Hjelm pomachał obsłudze na do widzenia i ruszył za nim.

– Nie?

– Nie – odpowiedział i otworzył elegancko drzwi przed swoim szefem.

– Nie mam dziś siły się z tobą przekomarzać – powiedział Paul Hjelm i wyszedł na deszcz. – W takim razie o co w tym chodzi?

– O pomieszczenie w piwnicy – powiedział Arto Söderstedt.

Raport pierwszy

Nazwa: Raport CJH-28347-B452
Numer umowy: A-MC-100318
Cel: Aktualizacja, oczekiwanie na odpowiedź
Data roku bieżącego: 21 marca
Poziom: The Utmost Degree of Secrecy

Zgodnie z umową od dnia dzisiejszego dostarczane będą na bieżąco raporty dotyczące poszukiwanego obiektu, nazywanego dalej „W".

Raporty na temat okresu poprzedzającego relokację nie zostały zamówione. Pierwszy raport obejmuje więc okres od momentu opuszczenia przez „W" zakładu. Miało to miejsce, gdy był jeszcze w wieku, który w materiale źródłowym określony jest mianem „przedświadomego".

„W" został adoptowany przez wielojęzyczną rodzinę dyplomatów Berner-Marenzi, która zgodnie z intencjami zamawiającego przemieszczała się po całym świecie, wciąż zmieniając miejsce zamieszkania. Skutkiem tego młody „W" nigdy nie miał jednego języka ojczystego, tylko już na pierwszych etapach przyswajania języka w jednakowym stopniu miał kontakt z hiszpańskim ze strony ojca Marii i niemieckim ze strony jej matki oraz włoskim ze strony ojca Luigiego i niemieckim ze strony jego matki. Ponieważ rodzina do kontaktów ze światem z reguły używała języka angielskiego, w przypadku „W" możemy mówić, że miał od zera do pięciu języków ojczystych.

Potrzebowaliśmy sporo czasu, żeby zlokalizować bezpośrednie źródło dotyczące pierwszych lat życia „W". Stanowi je pięć dzienników autorstwa Marii Berner-Marenzi pisanych na przemian po hiszpańsku i niemiecku, od roku 1979 do 1994.

Pierwsza wzmianka na jego temat pojawia się w dzienniku jego przybranej matki, gdy „W" ma cztery lata. Jest najmłodszym z trojga dzieci, wszystkich adoptowanych, ponieważ Maria Berner-Marenzi cierpiała na chorobę genetyczną, z którą wiązała się bezpłodność i na którą prawdopodobnie by zmarła.

Gdyby dane jej było żyć dalej.

Rodzina wyjeżdża z Manili na Filipinach, gdzie Luigi Berner-Marenzi był włoskim konsulem generalnym, spędza rok w Dubaju w Zjednoczonych Emiratach Arabskich, po czym Maria zostaje ambasadorem Hiszpanii w Bukareszcie w Rumunii. Wkrótce to właśnie tam, w realiach najbardziej skorumpowanego spośród reżimów socjalistycznych, „W" rozpocznie szkołę. Jeszcze zanim nauczy się porządnie pisać, rumuński stanie się jego szóstym językiem.

Pierwszy tekst jego autorstwa, jaki po nim pozostał, jest jednak napisany po angielsku, ponieważ „W" chodzi do międzynarodowej szkoły dla dzieci dyplomatów w dzielnicy Lipscani w Bukareszcie. Maria przepisała jego wypracowanie do dziennika. Zatytułowane jest „Moje wakacje" i brzmi następująco (z poprawionymi błędami):

„Latem byliśmy nad jeziorem Garda i kąpaliśmy się. Było zimno. Pierwsza do wody weszła Una. Było dużo kamieni. Przewróciła się. Tata wbiegł za nią, żeby ją wyciągnąć. Ja kąpałem się w innym miejscu, sam je znalazłem. Przyszła Vera. Ale to było moje miejsce. Rozpłakała się i znalazła swoje. Było dużo gorsze. Ona też się przewróciła. Tata pobiegł za nią. Pływałem sobie, a tata krzyczał na Unę i Verę. W wodzie było bardzo przyjemnie".

Za to krótkie wypracowanie dostał wysoką ocenę, bez uwag. W tym miejscu warto jednak zacytować fragment entuzjastycznej opinii, jaką wystawiła mu jego nauczycielka angielskiego: „»W« próbuje opanować swoją nadmierną ruchliwość i potrafi bez większego wysiłku wywiązywać się ze szkolnych zadań. Gorzej radzi sobie z pracą w grupie, co jest związane z tym, że »W« przejawia wyraźne cechy przywódcze".

Kolejna dłuższa wzmianka dotyczy regat na Morzu Czarnym. „W" ma wówczas dziewięć lat i opanował już pływanie w najbardziej popularnej w tym czasie kategorii laser, na ważącej nieco ponad pięćdziesiąt kilogramów, lekkiej jednoosobowej joli. Ściga się ze znacznie starszym przeciwnikiem w rumuńskich mistrzostwach juniorów, w mieście portowym Mangalia. Sprzyjająca Ceauşescu lokalna prasa donosi, że „W" zajmuje drugie miejsce. Trzy dni później wynik zostaje zmieniony. W gazecie pojawia się jedynie krótka wzmianka, że zwycięzca został zdyskwalifikowany z powodu szerzenia antykomunistycznej propagandy. Zwycięzcą zostaje „W".

Pierwotny zwycięzca nazywał się Costin Florescu i miał w tym czasie czternaście lat. W rozmowie z naszym lokalnym przedstawicielem Florescu zdradził, że dzień po zawodach w szkole w jego rodzinnym mieście Constanta widziano młodego mężczyznę trzymającego w ręku jasnoniebieską kartkę papieru. Gdy on sam wrócił z Mangalii dzień później, wydarzyło się, co następuje:

„Gdy wszedłem do szkoły, czekała już na mnie pełna delegacja z dyrektorem na czele. Bez słowa pokazali na moją szafkę. Drżącymi rękoma wyciągnąłem klucze. Otworzyłem. W środku leżała kartka nawołująca do obalenia systemu komunistycznego. Miała jasnoniebieski kolor".

Gdy krótko po tym incydencie rodzina przeprowadza się do Paryża, w związku z przyjęciem przez Luigiego Bernera-Marenziego posady włoskiego attaché kulturalnego we Francji, młody „W" i jego siostry mają okazję poznać kolejny język. I to właśnie po francusku jedenastoletni „W" pisze kolejny z zachowanych tekstów źródłowych. Wspomniany tekst, ćwiczenie z pisania, jest jedynym tekstem „W" napisanym przez niego odręcznie i zachowanym w The International School of Paris w Szesnastej Dzielnicy. Nosi tytuł „Apprendre le français", a jego tematem miały być trudności w nauce języka francuskiego. Wszystko wskazuje, że dzięki temu wypracowaniu już po dwóch semestrach „W" został zapisany do École Massillon, jednej z elitarnych paryskich szkół katolickich:

„Francuski wcale nie jest trudny. Gdy przed paroma dniami stałem na boisku, podszedł do mnie Louis i jego dwóch kumpli. Zaczęli mnie wyzywać, ale niczego nie rozumiałem. Z wyrazu ich twarzy domyśliłem się jednak, co mówili. To było dziecinne. Chwilę z nimi rozmawiałem. Kiedy odszedłem, zaczęli się bić".

Tekst jest jak widać wyjątkowo zwięzły. Uzupełnieniem dla niego są jednak zapiski matki w dzienniku:

„»W« wrócił dziś ze szkoły bardzo zadowolony. Mój mały chłopiec jest już taki dorosły. Zrobił się przy tym nieco tajemniczy, i choć wyraźnie widziałam, że coś się stało – miał taki zawadiacki błysk w oku, który zauważyłaby każda matka – nie chciał zdradzić się choćby słowem. Dopiero podczas wyśmienitej kolacji przygotowanej przez Anaïs, gdy mój chłopczyk delektował się podanym *foie gras*, udało mi się wyciągnąć od niego kilka słów wyjaśnienia. Rozpromienił się, mówiąc: »Dziś nauczyłem się francuskiego, mamo«. Nie wiem oczywiście, co dokładnie miał na myśli, ale kiedy to usłyszałam, zrobiło mi się ciepło na sercu. Zastanawiam się, ile wiedzy potrafi się zmieścić w tym drobnym ciele. Obie jego siostry mają kłopoty z przyswojeniem siódmego języka. Mylą zarówno zasady gramatyki, jak i ortografii. Luigi mówi, że to dlatego, że »W« jest najmłodszy i że małym dzieciom najłatwiej jest się uczyć nowych języków, ale ja wiem, że to nie jest jedyny powód".

Należy dodać, że w domu dyplomatów w Szesnastej Dzielnicy pracowała gosposia o imieniu Anaïs, i to ona odegra główną rolę w epizodzie, którym pozwolimy sobie zakończyć nasz pierwszy raport. Z dwóch dostępnych świadectw wyłaniają się dwa całkiem odmienne profile psychologiczne. Pierwszym jest znów dziennik matki – jest rok później, „W" niedługo skończy trzynaście lat:

„Dziś musieliśmy pożegnać się z Anaïs. To dla nas prawdziwy cios. Ta, jak do tej pory myśleliśmy, cudowna istota z Prowansji, która przez ponad rok zamieniała nasze codzienne kolacje w prawdziwe uczty, nie wspominając już o świątecznych posiłkach, w tym tygodniu pomówiła mojego małego chłopczyka tak poważnie, że nie mieliśmy wyboru. Musiałam zareagować natychmiast, żeby jej trącący fałszem lament nie zdążył dotrzeć do nie zawsze tolerancyjnych uszu Luigiego. Kazałam jej natychmiast opuścić nasz dom, sowicie jej to zresztą wynagradzając".

W archiwach paryskiej policji zachowało się również zeznanie niejakiej Anaïs Criton, i zwłaszcza jeden jego fragment jest wart zacytowania:

„Przysięgam, że znalazłam w jego pokoju probówkę opisaną »Protobiamid«. Nie, niestety jej nie mam, odłożyłam ją na miejsce. Gdyby jego matka dowiedziała się, że grzebałam w szufladach młodego »W«, moje dni byłyby policzone. Za drugim razem, kiedy to się stało, było jednak dużo gorzej. Zdaję sobie sprawę, że on ma dopiero dwanaście lat, inspektorze, ale to nie jest zwykły dwunastolatek. Gdyby pan widział jego oczy. Tak, wiem, że spojrzenie dwunastolatka nie stanowi żadnego dowodu, ale po co miałby mieć ten protobiamid w domu? To jest substancja, która reaguje silnie na białko, tyle zrozumiałam z rozmowy z moim przyjacielem chemikiem, ale nic więcej nie wiem. Z wyjątkiem tego, jak straszliwie piecze. Piekło mnie tak strasznie, że drapałam się do żywego. Tak, tam na dole. Wstydzę się do tego przyznać, ale moje łono było potem całe zakrwawione. Tak, wiem oczywiście, że sperma składa się głównie z białka, ale czy mogę przedstawić panu moją teorię? A nawet więcej niż teorię, inspektorze, zapewniam pana. Tak, wiem, że formalnie to nie stanowi żadnego dowodu, ale wiem też, że protobiamid jakimś sposobem znalazł się w moich majtkach i że to strasznie bolało, inspektorze, naprawdę strasznie. Moja teoria? No ale panie inspektorze, przecież to chyba jasne. »W« ukarał mnie za to, że spotykam się z mężczyznami. Posmarował moje majtki protobiamidem i kiedy włożyłam je na siebie po stosunku z mężczyzną, nastąpiła reakcja. Czy mam coś jeszcze dodać?".

W naszych poszukiwaniach „W" na razie nie udało nam się ustalić niczego więcej. Ponieważ nie mamy jeszcze żadnych wzmianek na temat miejsca jego aktualnego pobytu, jesteśmy zmuszeni zostawić go na tym etapie, u progu okresu dojrzewania.

Czekamy teraz na odpowiedź od zleceniodawcy. Czy mamy kontynuować nasze poszukiwania? Spodziewamy się, że można jeszcze pozyskać wiele materiałów dotyczących okresu poprzedzającego zniknięcie, i sugerujemy, żeby poszukiwania były kontynuowane do czasu pojawienia się wyraźniejszych tropów. Nie powinno to trwać bardzo długo.

Zebranie

Haga, 10 maja

JUTTA BEYER jechała na rowerze. Słońce łagodnie świeciło, a po wczorajszym wieczornym deszczu nie było nawet śladu. Można by pomyśleć, że jest już za późno na kapryśną kwietniową pogodę, ale z drugiej strony na świecie na wiele już było za późno. Choć to akurat Jutta Beyer wiedziała od dawna. Było to uczucie, które zarówno nasiliło się, jak i osłabiło w ciągu ubiegłego roku.

Nasiliło się wraz z rosnącą wiedzą na temat współczesnej przestępczości europejskiej. Osłabiło, ponieważ po raz pierwszy od bardzo dawna kochała swoją pracę. Prawie zaczynała w nią wierzyć.

Gdy skręciła na swoim bajecznym kalkhoffie wyprodukowanym w niemieckim Cloppenburgu, zdarzyło się coś, co zwykle działo się o tej porze dnia. Zobaczyła kolegę, który zajęty był przypinaniem swojego roweru.

– Nie, Marek – powiedziała, jeszcze zanim zsiadła z roweru.

– Nie pytałem – uśmiechnął się Marek Kowalewski. – Ale dzień dobry, Jutta.

– Zawsze jest problem, kiedy przypinamy rowery tym samym łańcuchem – powiedziała Jutta Beyer, zapinając łańcuch.

W tym samym momencie na parking dla rowerów wjechał zabytkowy minibus marki Toyota Picnic. Marek i Jutta pomachali w stronę kredowobiałego kierowcy, który pomachał im w odpowiedzi i zniknął w rdzawym obłoku za rogiem.

– Arto był jeszcze bledszy niż zwykle – zauważył Kowalewski, gdy szli w kierunku wejścia do starego budynku Europolu. – Słońce mogłoby już mocniej przygrzać.

– Że też nie dokończyli nowego budynku na czas – powiedziała Beyer. – W tym już powoli przestajemy się mieścić.

– Tak działa Unia – stwierdził Kowalewski. – Mnóstwo planów, długi rozbieg. Za to Polska idzie jak burza.

– Po raz pierwszy w historii – zauważyła Beyer.

Minęli w ciszy ochroniarza i weszli po schodach.

– Miałaś udany weekend? – zapytał w końcu Kowalewski.

– Bez szału. Byłam na rowerze w Antwerpii.

– W Belgii? Przecież to ze sto sześćdziesiąt kilometrów?

– Sto czterdzieści. Da się to zrobić na prawdziwym kalkhoffie, choć pewnie nie na twoim polskim rzęchu.

– Jeśli już, to holenderskim. Byłem w Krakowie. Mama jest chora.

– Coś poważnego?

– Owszem, silny atak hipochondrii. Trzy rodzaje raka naraz. W koszu znalazłem podartą opinię lekarską. Posklejałem ją, ale zadowoliłem się zdaniem „stan zdrowia jak u wysportowanej trzydziestopięciolatki".

Jutta Beyer poczuła, że jak zwykle nie udało jej się utrzymać dystansu do Marka Kowalewskiego. Roześmiała się, gdy wbijali kod do drzwi prowadzących do otwartej przestrzeni biurowej zajmowanej przez Opcop. W środku znad dziwnie połączonych biurek podniosły się właśnie Miriam Hershey i Laima Balodis.

– Zebranie – powiedziała Balodis i machnęła ręką.

– Katedra? – zapytała Beyer.

– Nie – powiedziała Hershey. – *Whiteboard*.

Kowalewski stał, przyglądając się swoim wyjątkowo oszczędnym w słowach koleżankom. Zamyślił się nad siłą przyzwyczajenia. Nad tym, jak szybko powstają kryptonimy i codzienne rytuały. Katedrą nazywali dużą salę konferencyjną z kasetonami na suficie i monitorami z informacjami ze wszystkich dwudziestu siedmiu krajów członkowskich UE. *Whiteboardem* było zarówno nieoficjalne miejsce spotkań na końcu otwartej przestrzeni biurowej, jak i ekran dotykowy, który zastąpił klasyczną białą tablicę.

Za biurkiem stojącym przy białym ekranie siedział Paul Hjelm, szef Opcop, zasłonięty stertą papierów. Obok niego przy komputerze majstrował jego zastępca, chudy jak patyk Grek Angelos Sifakis. Biały ekran dziwnie zamigotał, Sifakis wykrzywił się co najmniej tak samo dziwnie i zanurkował z powrotem do twardego dysku znajdującego się za biurkiem.

Dwie osoby były już na miejscu, gdy Kowalewski, Beyer, Hershey i Balodis usiedli na swoich krzesłach. Francuzka Corine Bouhaddi i Hiszpan Felipe Navarro. Arto Söderstedt doczłapał ostatni, wyłaniając się z najodleglejszych zakamarków biura, gdzie jeszcze przed chwilą przytulał wysoką, jasnowłosą kobietę. Marek Kowalewski spojrzał na nią z uznaniem. Była przedstawicielką lokalną i zawsze trzymała się trochę z boku podstawowego składu. Spróbował przypomnieć sobie jej imię. Była chyba ze Szwecji? Miała jakieś takie dziwne nazwisko. Wreszcie sobie przypomniał: Svenhagen.

Sara Svenhagen.

Jedna z zaledwie dwanaściorga przedstawicieli lokalnych znajdujących się na miejscu.

Angelos Sifakis wstał zza biurka, spojrzał na ekran, który przestał migać, i powiedział z typowym dla siebie spokojem:

– No dobrze, rozpoczynamy naradę składu podstawowego.

Paul Hjelm podniósł wzrok znad sterty kartek i skinął w stronę Sifakisa, który wyświetlił zdjęcie starszego mężczyzny o smutnych oczach powiększone do rozmiaru elektronicznej tablicy. Hjelm odchrząknął i zabrał głos:

– Profesor Udo Massicotte, światowej klasy chirurg plastyczny. To nasze zadanie na ten tydzień. W ostatnią sobotę odebrał sobie życie przez powieszenie. Miał sześćdziesiąt siedem lat i działał w obrębie strefy podwyższonego bezpieczeństwa, a konkretnie przy tajnym projekcie UE dotyczącym rozpoznawania operowanych plastycznie terrorystów. Obiecano nam kilkudniowy dostęp do tego projektu, ale jeśli przez ten czas niczego nie znajdziemy, zostanie odcięty. Dlatego właśnie chciałbym, żebyśmy zajęli się tym na poważnie, a nie snuli podejrzenia. Jeśli przez kilka dni niczego nie znajdziemy, odpuszczamy. Możemy również nawiązać współpracę z NATO, ale jeśli włączą się w to Amerykanie, będą pewnie chcieli prowadzić swoje własne dochodzenie.

– Czyli że ta sprawa łączy się z terroryzmem? – odezwała się Miriam Hershey, która w przeszłości pracowała w MI5 w Wielkiej Brytanii.

– Możliwe – przyznał Hjelm.

– Czym dokładnie się zajmował? – zapytał Kowalewski

– Sprawa trafiła na nasze biurko, ponieważ chodzi o projekt UE, ale wciąż mamy za mało informacji. Projekt prowadzono w Strasburgu, brało w nim udział pięciu naukowców i ekspertów od spraw bezpieczeństwa różnego typu. Przed chwilą dostaliśmy zgodę, żeby dwoje z was pojechało na miejsce i porozmawiało z pozostałą czwórką. Projekt prowadził Udo Massicotte, pozostałe nazwiska znajdziecie tutaj.

Sifakis wpisał coś na komputerze i na ekranie pojawiły się cztery nazwiska osób prawdopodobnie różnych narodowości.

– Czy operacje plastyczne terrorystów to częste zjawisko? – zapytała Jutta Beyer.

– Czytałam o tym – powiedziała Laima Balodis. – Zachodnie służby bezpieczeństwa od dawna mają problem z identyfikacją arabskich terrorystów i najwyraźniej coraz więcej z nich to wykorzystuje i poddaje się operacjom plastycznym.

– Dalsze informacje dotyczące projektu dostaniecie ze Strasburga od Hershey i Balodis – powiedział Hjelm.

– Samolot odlatuje dokładnie za godzinę z Schiphol – powiedział Sifakis. – Taksówka już czeka, bilety, rezerwację hotelu i dalsze informacje dostaniecie na komórki. *Off you go.*

Hershey i Balodis spojrzały po sobie i westchnęły.

– Pewnie, co gorsza, tanimi liniami? – zapytała Hershey.

– Kupcie sobie majtki na lotnisku – rzucił Kowalewski.

– Lećcie już – powiedział Hjelm.

Tak też zrobiły. Przecięły szybkim krokiem biuro i wybiegły przez drzwi.

– To nie było miłe – powiedział Arto Söderstedt. – Mogliście powiedzieć im o tym rano.

– Decyzja zapadła trzy minuty przed waszym przyjściem – powiedział Hjelm.

– A to nie było samobójstwo? – zapytała Jutta Beyer.

– Nie wydaje nam się – powiedział Hjelm. – Są pewne znaki.

– Znaki?

– Arto? – zaczepił Paul Hjelm.

Arto Söderstedt spojrzał na niego przeciągle i powiedział:

– Lepiej, żebyście spojrzeli na to, niczego z góry nie zakładając.

– Wszystkie materiały, jakimi dysponujemy, są już w waszych komputerach – powiedział Sifakis. – Przejrzyjcie je i powiedzcie, co o nich myślicie.

Paul Hjelm spoglądał na swój zespół, którego członkowie tworzyli już mniej lub bardziej zgrane pary. Tyle zostało z wyjściowej jednostki Opcop, która w zeszłym roku została tak tragicznie zdziesiątkowana i jeszcze nie doczekała się następców. Być może miało się to zmienić, a może wcale nie. Nie potrafił pozbyć się myśli, że jakiś władca wymierzał mu karę. Chyba że tym władcą było jego własne Sumienie.

Wyrzuty Sumienia.

Tak Hershey i Balodis, jak Beyer i Söderstedt byli dla siebie naturalnymi partnerami. Navarro i Kowalewski siedzieli głównie w komputerach, podobnie jak Sifakis, więc łatwo przychodziły im zarówno praca w pojedynkę, jak i tworzenie ze sobą nawzajem chwilowych aliansów. Najczęściej z boku zostawała Bouhaddi. Potrzebowała partnera. Już choćby tylko ze względu na nią musiał znaleźć zmienników za nieodżałowanych Fabia Tebaldiego i Livinię Potorac.

Wrócił do swojego dyrektorskiego gabinetu i włączył radio, żeby wyciszyć się nieco przy muzyce przed telefonem do NATO. Proste, ale majestatyczne dźwięki Beethovena ułożyły się w stanowczo za długi fragment hymnu Europy, *An die Freude*, zanim wyłączył radio i podniósł słuchawkę.

W otwartej przestrzeni biura Jutta Beyer sprawnie przeglądała zawartość komputera i w końcu powiedziała:

– No, dużo to tu nie ma...

– Są zdjęcia – powiedział Arto Söderstedt – i jeszcze protokół. Powiedz, co tu widzisz.

Potem zapadł w swego rodzaju letarg, który Beyer dobrze już znała. Czekał na nią.

Zabrała się do przeglądania zdjęć z willi Massicottego pod Charleroi w Walonii i z jego gabinetu w prowizorycznych lokalach stworzonych na potrzeby projektu na posesji należącej do Europejskiego Trybunału Praw Człowieka w Strasburgu. Massicotte powiesił się w swojej willi, w garderobie połączonej z sypialnią. Oczy Beyer skanowały zdjęcia, gorączkowo szukając znaków. Gdy zajęła się czytaniem raportów z dochodzeń belgijskiej policji, letarg Söderstedta przeszedł w sen zimowy. Wyglądał, jakby temperatura jego ciała spadła o kilkanaście stopni.

Corine Bouhaddi zerknęła na niego z boku i pokręciła głową. Po chwili powiedziała:

– Na ile udowodniony jest jego alkoholizm?

– Co? – zawołał siedzący obok Marek Kowalewski.

– Znalazłam coś na ten temat w dokumentacji belgijskiej policji, ale nie widzę źródła. Chyba doniosła na niego jakaś sąsiadka.

– Fakt – powiedział Kowalewski. – Zauważyłem. Za to rozwód jest udokumentowany bardzo dobrze. Doszło do niego pół roku temu.

– Przepraszam – odezwał się głos zza biurka obok. – W protokole z obdukcji jest mowa o marskości wątroby.

Bouhaddi i Kowalewski obrócili się, spoglądając na Navarra, z którego twarzy trudno było cokolwiek wyczytać.

– *Levercirros* – wyjaśnił. – À propos alkoholizmu.

– Dziękuję – powiedziała Bouhaddi. – Dobra, w takim razie to mamy.

– Dwa lata temu pojawił się artykuł o starym małżeństwie Massicotte w „La Nouvelle Gazette" – powiedział Kowalewski, z twarzą przytkniętą do monitora.

– Jesteś krótkowidzem? – zapytała Bouhaddi.

– Czekam, aż mi się wyrówna z wiekiem. Płuca odzyskałem już pół roku po Queens. Cytuję: „Oboje wiemy, że zestarzejemy się i umrzemy razem". Rok później, kiedy on miał sześćdziesiąt siedem lat, a ona sześćdziesiąt cztery, biorą rozwód. Zostawiła go. Pił, a potem się powiesił. Nie wiem, co tu jeszcze można zobaczyć.

– Może picie było bardziej przyczyną niż skutkiem – powiedziała Bouhaddi.

– Niewykluczone – powiedział Kowalewski. – A może zarówno przyczyną, jak i skutkiem, i przez to zbyt ciężkim do zniesienia.

– W chwili śmierci miał we krwi prawie dwa promile – przeczytał Navarro z boku. – Jeden przecinek osiem.

– Ogólnie rzecz biorąc, wszystko wskazuje w tym samym kierunku – powiedziała Bouhaddi. – Rozwód, alkohol, pracoholizm, samotność, ograniczone kompetencje społeczne, unikanie towarzystwa innych.

– Ale to się wydaje zbyt oczywiste – zawołała Jutta Beyer. Temperatura ciała Söderstedta wyraźnie podskoczyła już podczas minimalnego ruchu potrzebnego, by pochylić się do przodu.

– Rozwiń – powiedział.

– Można by pomyśleć, że Massicotte po prostu wstał od biurka i stwierdził: „No, a może by tak odebrać sobie życie. Może to by mi dodało trochę energii". Zero emocji.

– Hmm – zastanowił się Söderstedt, niczym Sherlock Holmes.

– Nie mam racji? – zapytała Jutta Beyer, ledwo łapiąc oddech.

– Nie mam pojęcia – powiedział Arto Söderstedt, z powrotem zapadając w letarg – mów dalej.

Beyer spojrzała na niego zawiedziona i wróciła do przeglądania materiałów.

– Krótki sznur? – zapytała Corine Bouhaddi.

Kowalewski podniósł wzrok.

– Sznur?

– Tak – powiedziała Bouhaddi. – Garderoba była wysoka. To był wysoki taboret, bardziej drabina. Bez problemu mógł użyć długiego sznura. I nie cierpieć.

– Czy nie wymagasz zbyt wiele racjonalności od samobójcy?

– Przecież wszystko inne jest tu racjonalne – powiedziała Bouhaddi, wzruszając ramionami.

– Teraz to widzę – krzyknęła Jutta Beyer najciszej, jak potrafiła.

Bardzo trudno jest cicho krzyknąć.

Członki Söderstedta odtajały, tym razem jednak nieco wolniej.

– Co widzisz? – zapytał.

– Pomieszczenie w piwnicy – powiedziała Beyer.

– Rozwiń proszę – powiedział Söderstedt, wyciągając szyję. Wyglądał, jakby przespał całą zimę.

– Profesor Udo Massicotte miał dużą willę – powiedziała Beyer. – Dużą i mocno zapuszczoną, jeśli dobrze rozumiem pierwszy raport. On sam też był zaniedbany, jeśli dobrze rozumiem drugi. Marskość wątroby i tak dalej. Rozwiedziony, doświadczył osobistej porażki. Potem zaniedbał willę. Miał co prawda panią do sprzątania – to ona go znalazła – najwyraźniej jednak nie przykładała się zbytnio do pracy. Wszędzie był kurz. Z wyjątkiem jednego miejsca. Pomieszczenia w piwnicy, które zostało starannie wysprzątane.

– Dziękuję – powiedział Arto Söderstedt i wstał. – Pewnie na dodatek wiesz, jak daleko jest do Charleroi. Dziwne miejsce jak na kogoś, kto jest jednym z czołowych chirurgów plastycznych. Nie wiem, czy wiecie, ale Charleroi ma opinię najbrzydszego miasta na świecie. Organizowane są nawet specjalne wycieczki dla tych, którzy chcą popatrzeć na brzydotę.

– Trochę ponad dwieście kilometrów – powiedziała Jutta Beyer.

– Powinniśmy dojechać w dwie godziny, prawda?

– Nie twoim złomem.

– Moja toyota picnic tęskni za kuracją odmładzającą w najbrzydszym mieście świata – powiedział zdecydowanie Söderstedt, naciągając marynarkę, i ruszył w kierunku drzwi.

– Nie powinniśmy zapytać szefa? – zapytała Jutta Beyer.

Na te słowa Arto Söderstedt znieruchomiał. Beyer dogoniła go i spojrzała na niego zaskoczona. Pochylił się w jej stronę i powiedział z naciskiem:

– Jutto Beyer, jeśli kiedyś zobaczysz, że *pytam szefa* o pozwolenie, obiecaj mi, że zaprowadzisz mnie prosto na skałę starców.

Wyspa II

Morze Liguryjskie, 10 maja

TAK JAKBY WSZYSTKO było na odwrót. Tak jakby teraz było przeciwieństwem tego, co wtedy. I tam.

Słońce, fale. Smak soli. To, co życiodajne. I nawet one. Zużyte symbole radości życia, które teraz płyną obok statku. Suną wzdłuż stewy dziobowej.

Gdyby wyciągnąć rękę, można by ich teraz dotknąć. Dotknąć ich zimnej, gładkiej skóry. Człowiek wmawia sobie, że wie, jak to jest, ale zanim naprawdę jej nie dotknie, nie wie nic. Naprawdę nie wie, choć mu się tak wydaje. To duża różnica.

Ręka wysuwa się zza relingów. Krótkie wyczekiwanie, a potem skok. Precyzja ogromnego, wrzecionowatego ciała. Skóra ledwo muska czubki palców, pozwala im przesunąć się wzdłuż ciała, a potem znowu znika. Jakby znaleźli się w innym czasie, w którym w jednej sekundzie potrafi się zmieścić przeciągły, ostrożny dotyk.

Choć wrażenie, jakie pozostaje, jest zupełnie inne. Chłód na opuszkach palców. Jakby to był jakiś inny rodzaj skóry. Bardziej niebieskiej od skóry delfina. Skóra stopy. Zimna skóra stopy.

Dziwny pogrzeb.

Ból odziedziczonego wspomnienia, który przeszywa głowę ze wszystkich stron, gdy wyspa wyłania się z błękitnej, śródziemnomorskiej toni wody. Przychodzi dokładnie w chwili, gdy woda marszczy się od nagłego podmuchu wiatru.

Zmarszczki na wodzie utrzymują się jeszcze przez chwilę. Łączą w sobie przeciwstawne stany.

Bryza.

Bryza budzi Diedę, gdy kończy kopanie dwóch dołków w ziemi. Wdmuchuje w niego życie. Jest tak nieprawdopodobnie, nieziemsko zmęczony.

Ukrywał się przez całą lodowatą noc, miał zmysły wyostrzone do granic możliwości. Tej nocy nie miał o kogo oprzeć głowy. Nie było przy nim mamy – tej, która mogłaby nią być. Nie było Fainy. Nie miał nikogo, u kogo mógłby się schronić.

Nie ma sensu szukać schronienia. I tak wszyscy umrą.

Gdy zaczęło świtać, wygramolił się z topolowego zagajnika, ludzie zaczęli się ruszać. Ci, którzy jeszcze potrafili. Poczuł się trochę bezpieczniej.

Nikt go teraz nie zje.

Dieda budzi się, gdy bryza gładzi jego policzek. Spogląda na dołki w ziemi, jakby patrzył prosto w bezdenne, obojętne oczy. Zasnął, gdy je wykopywał, gdy gołymi rękoma grzebał w przemarzniętym do dna bagnie. Zasnął, pochylając się nad dołkami.

Z jedną ręką na skórze.

Na zimnej skórze stopy.

Z czcią spuszcza niebieskie stopy Fainy do dwóch grobów. Nie chce myśleć o tym, co się stało z resztą jej ciała. Przekracza to jego zdolność pojmowania, która i tak poszerzyła się drastycznie w ciągu ostatnich tygodni. Rozciągnęła się w nieodwracalny sposób. Nic już nie będzie takie jak kiedyś.

Mimo to o tym myśli. Tak jak myśli się o czymś, o czym nie chce się myśleć. Widzi kawałki mięsa, czaszkę, obgryzione do czysta fragmenty szkieletu.

Chce wymiotować, ale nie ma czym.

łka przez chwilę. Nikt nie przychodzi. Nic się nie dzieje. Jego ciałem wstrząsają konwulsje, kiedy przemarzniętymi butami zagarnia ziemię z powrotem do dołków i wyrównuje powierzchnię. Potem odmawia modlitwę. Nie wie, do czego lub do kogo, ale modlitwa mówi o tym, jak to jest *stracić mamę po raz drugi.*

Podnosi się. Ma dziesięć lat i próbuje objąć wzrokiem wszystko, czego nie rozumie. Czy można zrozumieć to, co niepojęte?

Dieda przygląda się ludziom chwiejącym się na krawędzi śmierci, wydającym z siebie niekończący się jęk, od którego nie da się uciec, nawet na jedną ze wszystkich minut doby. Przygląda się im i zastanawia, co tu właściwie robią. Dlaczego zostali tu przywiezieni? Czyje życie stanie się lepsze dzięki temu, że tysiące mieszkańców miasta słania się, idąc przed siebie na smaganej wiatrem, piekielnej wyspie pośrodku czarnej jak smoła rzeki zapomnianej przez Boga? Dlaczego miałoby to być dobre dla choćby jednego człowieka? W tej samej chwili podejmuje decyzję. Postanawia, że jeśli przeżyje, jeśli mimo wszystko wydostanie się żywy z tej cholernej wyspy kanibali, dowie się *dlaczego*.

Potężne, wielkie *dlaczego*.

Objąć wzrokiem, właśnie. Cypel od tego skraju lasu. Groteskowa góra mąki, która sterczy po drugiej stronie wyspy. Kilku ubranych w mundury mężczyzn, którzy wyglądają na przerażonych. Felczerzy z kilkoma marnymi namiotami dla chorych. Łańcuch strażników wokół nich, uzbrojeni uliczni zbóje ze śmiercią w oczach, zwerbowani w tanich barach małych miast. Całkowicie nieobliczalni. Granica drzew. Za nią jest sterta trupów. I *oni.* Tam są – zjadacze.

Nie ma nikogo, u kogo mógłby szukać schronienia. Nikogo nie ma. Ci, którzy nie są groźni, są potencjalnymi ofiarami. Cała jego nadzieja w tym, że jest taki mały. Że na jego kościach nie ma aż tak dużo mięsa.

Dzięki babci Dieda jest cieplej ubrany niż pozostali. Już samo to jest ryzykowne. Czasem wydaje mu się, że ktoś zerka z boku na jego ciepłą kurtkę. A czasem nawet na jego ciepłe trzewiki, których i tak nie byliby w stanie na siebie włożyć. Choć przecież na racjonalne argumenty nie ma tu miejsca. Nie mają nic wspólnego z tą wyspą. Buty wyglądają na ciepłe, kropka.

Prześlizguje się między grupami przy akompaniamencie niekończącego się jęku. Nie ma gdzie się zatrzymać. Zaczyna rozumieć, że jego jedyną szansą jest pozostawać w ciągłym ruchu. Mimo to nie ma odwagi opuścić cypla i wejść w las. Ani nawet iść wzdłuż brzegu. To tam są ci desperaci. Ci, którym wydaje się, że mogą uciec. Ci, którzy brodzą w lodowatej wodzie i zbierają z plaży śmieci i szczątki łodzi, żeby zbudować tratwy. Nikogo nie obchodzą. Dieda im nie ufa, w ich spojrzeniach *nie ma już życia*.

Ale to i tak nic w porównaniu z lasem. Z ludźmi tam. Czasem widzi ich, jak stają na granicy lasu i rozglądają się. To już nie są ludzie. Patrzą jak dzikie stworzenia. Dziwna, zwierzęca ostrość spojrzenia. Dieda tego nie rozumie, ale rozpoznaje. Ma swój sposób, by tego unikać: nie wierzyć, nie ufać. Musi być sam. Musi być szybki.

Trudno jest być szybkim, kiedy się głoduje. Coraz bardziej to odczuwa. Coraz dobitniej. Nie pada już śnieg, nie ma więc już nawet wody do picia.

Gdy idzie brzegiem wokół cypla, po raz kolejny zastanawia się, dlaczego tu są. Na wyspie. To znaczy dlaczego naprawdę. Przecież niemożliwe, żeby to była stacja końcowa. Władze muszą chyba wiedzieć, że nie da się tu żyć. Tu nie ma nic, zupełnie nic. Tylko śmierć.

Przecież mogli ich zabić od razu.

Czuje, jakby wszystko to było jednym wielkim nieporozumieniem. Jakby komuś przyszło do głowy coś, co nie ma nic wspólnego z rzeczywistością. Skoro tak, to nieporozumienie *musi zostać wkrótce wyjaśnione*. Musi istnieć inna stacja końcowa niż ta wyspa. Musi istnieć horyzont czasowy, punkt końcowy. Ktoś musi już tu jechać. Ta sytuacja musi wkrótce zostać wyjaśniona. Trzeba tylko wytrzymać możliwie jak najdłużej.

Ta myśl dodaje mu sił. Oni są już w drodze. Ktoś musi być już w drodze. Przecież jest opieka medyczna – taka, jaka jest – są felczerzy, strażnicy, jest góra mąki. Coś poszło nie tak, ale nie chodziło przecież o to, żeby tu zginęli.

Istnieje czas. Istnieje koniec. To nie będzie trwać wiecznie.

Przeżyć, właśnie. To wszystko. Przetrwać. Na tyle długo, żeby mogli przyjechać i go stąd zabrać.

Kieruje się logiką dziesięciolatka, która każe mu iść, mimo wszystko opuścić cypel i podążać wzdłuż brzegu, nawet jeśli to oznacza, że oddzieli się od ludzkiej masy. Gdzie jeszcze przed chwilą czuł się najbezpieczniej.

Teraz już nie. Nie ma nikogo, komu mógłby zaufać. Nikogo. Teraz musi już tylko wytrzymać.

Wschodni brzeg. Z dala. I właśnie wtedy ten widok.

Obraz.

Z lasu wychodzi człowiek, w otoczeniu swojej grupy, bandy. Bezwzględny gang na czele z łysym, którego Dieda pamięta jeszcze ze swojej dzielnicy. Przed którym zawsze się chował. Tak wtedy, jak teraz.

Mają krew w kącikach ust, na policzkach.

Kleista maź kapie im z podbródków.

Widzi wyraźnie, choć są daleko. Widzi wyraźnie pomimo odległości. Czerwień zdaje się świecić własnym światłem. Jakby rzeczywistością rządziła logika nocnego koszmaru, zgodnie z którą każdy z nich, jak na rozkaz, obraca swoje szeroko otwarte oczy w jego stronę. W stronę Diedy, gdy ten idzie wzdłuż linii wody. W ich spojrzeniach jest tyle energii, tyle siły. Są tak różne od zrezygnowanych spojrzeń tych, co budują tratwy. Dieda rusza wzdłuż brzegu. Ich spojrzenia są do siebie takie podobne. Nie bije z nich nic, nic a nic. Przestały błyszczeć. Nie ma w nich życia. Spojrzenia zgasły, oczy umarły. Ciała wykonują swoje zwyczajowe odruchy jak kury z obciętymi głowami. Aktywność, która zaczęła się jeszcze za życia i teraz się kończy, w chwili śmierci.

Nie to jednak Dieda widzi w spojrzeniach, przed którymi próbuje uciec. Choć jeszcze na barce widział to tak wyraźnie. Widział, jak również ich spojrzenia gasły jedno po drugim. Na koniec zgasło nawet spojrzenie łysego. Gdy barka dopłynęła do brzegu i znów odpłynęła. Zobaczył to, zanim przez stłoczonych pasażerów przeszła fala, gdy już miał zginąć, stratowany, i dopiero teraz dociera do niego, co takiego widział. Zanim kapitan złamał rozkaz i wyciągnął Diedę na pokład, Dieda zobaczył tego łysego, jak zapada się w siebie, a jego hardy wzrok odpływa w nicość.

W takiej chwili wszystkie spojrzenia są do siebie podobne.

Choć nie teraz. Jest w nich nie tylko energia z mięsa i krwi. Bynajmniej nie tylko. Tu nie chodzi o fizjologię. To raczej spojrzenie ludzi, którzy przekroczyli granicę, za którą zaczyna się coś zupełnie innego.

Dieda odwraca się i rusza w przeciwnym kierunku. Widzi, jak ich oczy obracają się w różne strony, jak u drapieżników. Albo robotów.

Wreszcie ma odwagę przestać biec. Idzie wzdłuż brzegu. Desperaci budują swoje tratwy. Nie wyglądają, jakby można było na nich uciec. Obraca się. Nic nie wskazuje na to, żeby banda łysego szła za nim. Szukają ofiar tam, gdzie jest ich najwięcej, gdzie są najsłabsze. Nie tutaj. W każdym razie jeszcze nie teraz.

Dopiero kiedy obchodzi wyspę do połowy, dociera do niego, że jest za mała, żeby zapewnić odosobnienie. Nie znajdzie na niej tajemnych kryjówek, w które mógłby się wślizgnąć i zniknąć, zapaść w sen, zaczekać na ratunek. Mimo to szuka. Szuka gorączkowo.

Wokół wszędzie są ludzie, kręcący się w kółko skazańcy. Nie da się znaleźć ustronnego, odosobnionego miejsca. Mimo to próbuje. Sunie wzdłuż krawędzi lasu, ostrożnie. Większość z nich jest niegroźna, ich puste spojrzenia nie wzbudzają lęku, ale są też inne; nieodłączne poczucie zagrożenia.

Większość skazańców zdaje się instynktownie to wyczuwać. Wzdłuż linii lasu utworzyli rodzaj obręczy – perwersyjna gloria ziemi niczyjej. Nie ma tam nikogo. Gdy przygląda się innym, widzi, jakby odbijali się od niewidzialnej ściany znajdującej się kilkanaście metrów od krawędzi lasu. Idzie dalej, zauważa, że wszędzie wygląda to podobnie, ze wszystkich stron absurdalnie małego lasu. Jakby człowiek instynktownie wyczuwał zagrożenie.

To właśnie tam powinien się znaleźć. To tam może się schować, żeby poczuć coś, co przypomina spokój. To tam może zaczekać, przeczekać. Musi zamienić ziemię niczyją w swoją własną. I nikt nie może tego zauważyć.

Zakrada się. Próbuje stać się jak najmniej widoczny. Godzina za godziną, kuca, wypatruje zakamarków, zagłębień, wąskich przejść, jest zdumiewająco systematyczny w swoich poszukiwaniach. I nagle słyszy – w poprzek niekończącego się jęku – cichy, cichusieńki szmer. Tak cichy, że musi znaleźć się pół metra od niego, żeby go usłyszeć, musi podnieść kolejne warstwy gałęzi, które na niego opadły. Ale jednak tam jest.

Źródełko.

Woda kapie jak powstrzymywane przez Boga łzy.

Dieda rozgląda się uważnie, serce bije mu tak mocno w piersiach, że czuje, jakby za chwilę miało mu wyskoczyć, jakby miało się położyć obok źródełka jak kawałek spragnionego mięsa. Pochyla się i zbliża usta do wody. Nigdy jeszcze nie smakowała tak dobrze. Woda chrzcielna, święcona, olej chorych, przejście do czegoś tak dziwnego jak nadzieja.

Gdy Dieda zaspokaja pierwsze pragnienie, przykrywa z powrotem źródełko gałęziami. Stara się, żeby wszystko wyglądało na nienaruszone, niepozorne, niezauważalne. Choć przecież sam będzie musiał tu trafić. Próbuje znaleźć sposób. Znak, którego nie zrozumie nikt poza nim. Znajduje patyk w kształcie litery Y i wbija go między gałęzie. To będzie jego znak.

Potem kontynuuje swoją wieczną wędrówkę przez ziemię niczyją, przez cały czas w pełnej gotowości. W każdej chwili wzrok drapieżnika może paść na niego, wie o tym, nieustannie jest tego świadomy. Jeszcze nigdy życie nie wydawało mu się aż tak ulotne.

I właśnie wtedy dostrzega. Fragmenty materiału na drzewie. Z początku tylko to. Zawiązany, zawieszony materiałowy worek na zgiętej od ciężaru gałęzi topoli. Rozpoznaje materiał, ale nie potrafi go z niczym skojarzyć. Dopiero kiedy podchodzi bliżej, przypominają mu się szorstkie worki jutowe, w których przywieziono mąkę, zanim usypano z niej wielki kopiec. Coś jednak nie pasuje. Coś przeciska się powoli przez gruby splot materiału. Gęsty płyn sączy się z worków, z każdego po kolei.

Gdy już później, w jamie, będzie miał szczęśliwie dla siebie dużo czasu, zdziwi się, jak długo zajęło mu zrozumienie przy topoli, że przez gruby splot jutowy sączyła się krew. Kolejną rzecz zauważył jednak szybciej. I zrozumiał.

Z jednego z worków wystaje kawałek innego materiału, trochę pognieciony, ale dużo ładniejszy. Ma jasnozielony kolor.

Dieda instynktownie odskakuje do tyłu. Robi kilka szybkich, chwiejnych kroków. I upada. Upada do tyłu na gałęzie. Leży, choć to nie ból w dole pleców nie pozwala mu się podnieść. Nawet nie widok nieskończonej obojętności szarego sklepienia nieba. I nawet nie świadomość tego, co oznacza jasnozielony materiał. To coś innego. To połączenie przerażenia i nadziei, które zamienia go w sopel lodu.

Słychać było, kiedy złamał gałęzie i upadł. Pewnie przy tym krzyknął. Widzi tylko szarą przestrzeń i kontury. Kontury jamy. Dziury, która mogłaby być norą. Kryjówką. Jeśli tylko oczy drapieżników nie zajrzą do środka, zwabione dźwiękiem i łatwą zdobyczą. Zdobyczą w pułapce. Którą wystarczy rozerwać na kawałki, tu i teraz. Zawinąć w worek i zawiesić na topoli, na zapas. Znów połączy się z Fainą. Będzie się kołysać obok resztek jej jasnozielonej sukienki. Resztek jej ciała.

Dieda czeka. Pole widzenia staje się panoramiczne. Obojętnie szary pierścień. W każdej chwili zza krawędzi może spojrzeć na niego drapieżnik. To wyczekiwanie nie przypomina niczego innego. Czeka na śmierć albo życie, tak jak czeka w nowym pokoju hotelowym. Nawet nie wie, jak tu trafił. Ostatnie, co pamięta, to zimny dotyk, krótkotrwała bliskość opuszków palców i chłodnej skóry delfina. Potem już nic. Nawet najmniejszego fragmentu wspomnienia. Dopiero teraz, na widok właściciela hotelu. Łysy. Nagły powrót do topolowego zagajnika. Na krawędź lasu. Drapieżne spojrzenie łysego.

Nie. Minęło. Przynajmniej na chwilę. Zniknęło. Choć to oczywiste, że nie zniknęło naprawdę. Zobaczyć to, co widział Dieda. Poczuć to, co czuł. Przez cały czas. Naprawdę cały czas.

Pokój hotelowy jest ascetyczny. Na niewielkim biurku leży broszura turystyczna z niezbyt dokładną mapą. Nie rusza jej. Nie potrzebuje mapy. Ma już wszystko starannie przygotowane. Jak zwykle.

Musi jeszcze tylko zaplanować przyszłość. Pięć dób żmudnego planowania.

I znów zasłonka z tiulu w oknie; dłoń, która odciąga ją na bok, już nie drży. Dwie wyraźnie oddzielone wioski rozpościerają się przed otwartym morzem. Nasilająca się powoli bryza marszczy lekko powierzchnię wody.

Znów pojawia się lodowate zimno, niekontrolowany ból przechodzi w kontrolowaną rozkosz. Rozpakowuje torbę, wyjmuje etui. Kładzie po kolei każdy przedmiot. Na niewielkim biurku zapanowuje porządek. Teraz pozostało już tylko czekać.

Tak jak Dieda czekał w jamie.

Wieczorne wyjście

Sztokholm, 11 maja

DAWNO JUŻ TYCH DWOJE nie było razem w knajpie i jeszcze długo potem zastanawiali się, jak właściwie do tego doszło, że trafili na Götgatsbacken. Nie była to nawet ich dzielnica. Rezydowali na Östermalmie w mieszkaniu, które powoli stawało się dla nich za ciasne. Córki dorastały i coraz częściej okazywały swoje niezadowolenie z faktu, że muszą dzielić ten sam pokój.

Małżonek, policjant na wcześniejszej emeryturze, poczuł się nagle tak bardzo zmęczony ich narzekaniem, że zaproponował małżonce wieczorne wyjście do restauracji, kino, i ewentualnie knajpę. Czynna zawodowo małżonka, która nie przebywała z rodziną tak dużo jak małżonek, w pierwszej chwili nie wydawała się przekonana. Małżonek jednak osłabił jej opór – zwyczajnie ją zagadał – i w końcu wyszli.

Film, który chcieli zobaczyć – potrzeba było nie lada wysiłku, żeby znaleźć coś, co podobałoby się im obojgu – pokazywany był jednak, jak się okazało, tylko na Södermalmie, w kinie przy Medborgarplatsen, musieli więc przejechać całe miasto. Zjedli spokojną kolację w wykwintnej restauracji rybnej w Söderhallarna, a potem, krokiem chwiejnym od białego wina, poszli zniszczonymi chodnikami w kierunku kina.

Jak to często bywa w związkach, mieli całkowicie odmienne zdanie na temat tego, co powinno się zrobić ze swoimi przemyśleniami po wydarzeniu kulturalnym.

Małżonek chciał rozmawiać, dyskutować, spierać się, odkrywać. Małżonka zamknęła się w sobie jak muszla – „potrzebowała czasu, żeby to przepracować". W atmosferze, którą z powodzeniem można by określić jako markotną, szli dalej przed siebie Götgatan, nie wiedząc tak naprawdę, dokąd idą, aż małżonek nie wytrzymał i przyciągnął do siebie małżonkę, mocno przytulił i najzwyczajniej w świecie poprosił o wybaczenie. Po trwającym blisko minutę uścisku wreszcie zmiękła. Potem po prostu weszli przez najbliższe drzwi w ścianie.

Powinni byli wyjść już wtedy, gdy małżonka – z miejsca wyczuwając nieciekawą atmosferę panującą w środku – delikatnie pociągnęła małżonka za rękaw. Powinni byli obrócić się na pięcie właśnie w tym momencie. Małżonka powinna była móc zadecydować.

Tak się jednak nie stało. Powiew odległej przeszłości pchał małżonka do przodu, kierował go automatycznie w stronę baru. W poprzednim życiu zareagowałby na taki ścisk i harmider panujący w środku w zwykły wtorek. Tylko że on nie żył już w tamtym życiu. Teraz żył w innym.

I być może właśnie dlatego kilka minut później stał się zwykłym świadkiem, a nie przenikliwym, czujnym policjantem. Którym – pamiętał to jak przez mgłę – kiedyś był.

W tej chwili cała jego uwaga skupiła się na złożeniu zamówienia, choć wokół niego zaczęło nagle nieprzyjemnie pachnieć. Zbyt często ignorowano go przy barach w różnych częściach kraju, żeby raz jeszcze miał przez to przechodzić. Zignorował nieprzyjemny zapach, postanowił być wyniosły i pewny siebie, innymi słowy – zaznaczyć swoją obecność, i po chwili ku swojemu zdumieniu przeciskał się przez tłum z piwem i kieliszkiem białego wina w ręku.

Małżonka usiadła przy najbliższym wolnym stoliku, zaledwie kilka metrów od baru, i dopiero kiedy usiadł naprzeciwko niej, stopień jego koncentracji nieco się zmniejszył. Rozejrzał się po lokalu. Był to klasyczny, zapyziały pub utrzymany w szkockiej stylistyce. Zatęchła tapicerka pachniała starym dymem tytoniowym.

Najbardziej uderzający był jednak mimo wszystko poziom hałasu. W stosunkowo niewielkim lokalu kłębiła się masa ludzi. Małżonek widział, że usta małżonki poruszają się, ale nie wydobywały się z nich żadne dźwięki. Pokręcił głową i przechylił się w jej stronę nad stołem, ale jedyne, co udało mu się usłyszeć, to *że coś mówiła*. *Co takiego* mówiła, wciąż nie rozumiał. Ona również pokręciła głową, odchyliła się do tyłu, znów się nadąsała i wzięła duży łyk wina. Gdy odstawiła kieliszek, był w połowie pusty. Lub też w połowie pełny. Nie chcąc być gorszy, małżonek uniósł swój kufel i doprowadził go do podobnego stanu równowagi między półpustym i półpełnym.

Spojrzał zasępiony na ekran telewizora wciśniętego między rzędy butelek za barem. Przez krótką chwilę małżonek zastanawiał się, czy barmanowi zdarzyło się kiedyś przez przypadek trzasnąć butelką w sam środek ekranu, ale potem zauważył, że kieliszek małżonki jest już pusty. Małżonek opróżnił kufel i rzucił małżonce pytające spojrzenie. Rozłożyła ręce i wyglądało, jakby powoli wracał jej humor. Pochyliła się do przodu i powiedziała:

– No dobra, skoro się upierasz. Jeszcze raz to samo.

To akurat usłyszał.

Okej, jeszcze raz to samo, ale na tym koniec. W lokalu nieco się uspokoiło.

Zaczął się przedzierać w stronę wodopoju, od którego dzieliło go zaledwie kilka metrów. Przy barze stało sporo ludzi w małych grupkach. Pierwsza falanga, którą musiał ominąć, stała na lewo od baru, pochłonięta rozmową, która musiała już trwać od jakiegoś czasu. Omiótł wzrokiem czterech, pięciu mężczyzn, żaden z nich nie był zbyt wysoki. Docierały do niego urywki zdań, ale nie próbował ułożyć ich w całość, usłyszał „cholerne wyzwanie" i „pieprzony mafioso". Kilku z nich mówiło po szwedzku z lekkim akcentem, i być może we wcześniejszym życiu małżonek by na to zareagował. Co prawda wiedział, że w barach coraz częściej można było usłyszeć pełne podziwu rozmowy o „mafiosach", przestępczy sposób myślenia był coraz bliższy świadomości przeciętnego Svenssona, jednak we wcześniejszym życiu nie zlekceważyłby ich tak całkowicie jak teraz.

Przecisnął się po obwodzie drugiej grupy, nieco większych mężczyzn – mniej więcej jego wzrostu – którzy rozmawiali podniesionymi głosami. Ten największy, w skórzanej kurtce, wygłaszał łamanym angielskim wykład na temat kobiecych pośladków. Również ta grupa składała się z czterech, pięciu mężczyzn, i gdy spojrzenie małżonka padło na jednego z nich, coś w nim drgnęło. Członkowie grupy mieli południowoeuropejskie rysy i był niemal pewien, że rozpoznaje tego niskiego, elegancko ubranego mężczyznę.

Było to jednak coś związanego z daleką przeszłością, w której już go nie było. Dlatego dał sobie spokój i przecisnął się do baru.

Tam stała trzecia grupa. Tym, co zwróciło jego uwagę przy barze, był zapach, który – co zrozumiał dopiero potem, gdy było już po wszystkim – poczuł już kwadrans wcześniej, kiedy stanął w progu. Ale wtedy był tak zdeterminowany, by złożyć zamówienie, że nie zarejestrował jego źródła wzrokiem. Za to zarejestrował węchem. Ponieważ również tym razem nie udało mu się złożyć szybko zamówienia, miał czas na to, żeby się obrócić i przyjrzeć się uważniej, skąd dobiega smród. Nie było w tej kwestii wątpliwości.

Było ich trzech, jeden bardziej zaniedbany od drugiego. Gadali trzy po trzy. Trzech zniszczonych przez życie mężczyzn w trudnym do określenia wieku, prawdopodobnie młodszych, niż na to wyglądali, stało tam i prowadziło coś, czego raczej nie dało się nazwać rozmową, co najwyżej trzema monologami w kanonie. Ich głosy splatały się ze słabym dźwiękiem dobywającym się ze stojącego między butelkami za barem telewizora, na którego ekranie prezenter niemal bezgłośnie poruszał ustami. Małżonek słyszał odgłosy, ale nie mógł połączyć ich w nic sensownego. Obrócił się z powrotem do barmana, udając jeszcze groźniejszego, niż zwykł to robić, od kiedy przestał być policjantem. Gdy próbował nawiązać kontakt wzrokowy z ospałym barmanem, dotarł do niego fragment czegoś, co prawdopodobnie przez chwilę było rozmową.

– Skoro już mowa o przepaleniu – odezwał się wysoki głos. – Pamiętacie tego ćpuna, co po jednej dawce potrafił sprzątać przez jakieś osiemnaście godzin? No wiecie, przy Skanstull? Affe Amfetamina. Ja pierdolę, Bohusgatan.

– Affe Anorektyk – odezwał się ten, który mówił staccato. – Pamiętam. Potrzebował osiemnastu godzin, żeby wszystko z siebie wypocić.

– Chyba przedawkował – burknął niski głos. – Ale jeszcze przez prawie dobę wydawało mu się, że żyje. Wysprzątał mieszkanie, na okoliczność znalezienia jego ciała. Gliny myślały, że to morderstwo, nigdy nie widziały tak czystej dziupli. Nigdzie nie było nawet odcisku palca. Kompletnie *clean*. Słyszeliście o tym?

– Affe, racja – odezwał się wysoki głos. – Legenda. Ronne i chłopaki wynajmowali go na godziny. Nikt tak dobrze nie sprzątał.

– Dopiero teraz to, kurde, znaleźli – odezwał się niski głos. – Nieźle, że rozwój może iść do tyłu. Słyszeliście?

– Słyszymy tylko twoje *bowel movements* – odezwał się głos staccato. – Nie tak to nazywaliście w Stanach? Zamiast „zesrać się".

– Ej, ale serio, kurwa. To to odkryliśmy już trzydzieści lat temu. A Affe był analfabetą. Nazywał się Affe Analfabeta.

– Mówimy o tej samej osobie? – zazgrzytał głos staccato. – Nie było przypadkiem jeszcze jednego kolesia, który się jakoś tak nazywał i który zawsze trzymał gazetę do góry nogami?

– Agge – ucieszył się wysoki głos. – Ale Agge miał coś nie tak z głową, prawda, Lasse? Widział wszystko do góry nogami.

– Tak jak noworodki – odezwał się niski głos. – Mózg musi dopiero nauczyć się obracać obraz z powrotem. Mózg Aggego nigdy się tego nie nauczył. Ej, ale przecież to był, kurwa, Affe. To ta sama osoba.

– Niby jak, kurwa, miałby wtedy tak dobrze sprzątać? – odezwał się głos staccato. – Żeby odkurzyć sufit, musiałby chyba zawisnąć jak jakiś cholerny nietoperz?

W tej samej chwili małżonkowi udało się ściągnąć na siebie uwagę barmana. To sprawiło, że wyczuł ruchy za swoimi plecami trochę później, niż powinien.

Szybkie ruchy, w różnych kierunkach.

Miał wrażenie, że pierwsza grupa, ta na lewo za nim, nagle się poruszyła. Obrócił głowę, żeby zobaczyć, co się dzieje. Gdy się odwracał, zauważył, że druga grupa, złożona z południowych Europejczyków, również skierowała swoją uwagę na tę pierwszą, ale byli tak pochłonięci dyskusją na temat kobiecych pośladków, że nie zdążyli zareagować na to, co małżonek zdążył dostrzec jak przez mgłę, kiedy już całkiem obrócił głowę.

Trzech, czterech mężczyzn z pierwszej grupy ruszyło przed siebie, przeszło za jego plecami. Kątem oka zauważył fantazyjną fryzurę w stylu rockabilly. Grupa przepchnęła go, zdążając w kierunku baru. Złapał za blat, żeby nie upaść. Dokładnie w chwili, gdy usłyszał ogłuszającą eksplozję na prawo, jeden z pijaczków na lewo złapał go z całej siły za kurtkę i przyciągnął do siebie. Zdążył jeszcze zobaczyć, jak gasną mu oczy, zanim usłyszał drugi ogłuszający huk. Próbował uwolnić się z uścisku pijaka, ale ten trzymał się kurczowo.

Zerknął przez ramię i zobaczył, jak dwóch południowców opada na podłogę; w tym samym momencie zalało go coś ciepłego. Usłyszał trzeci wybuch, nie tak silny, jego słuch i tak był już przytępiony, i wtedy obrócił twarz z powrotem w stronę pijaka. Nie napotkał już żadnego spojrzenia. Same białka oczu. I świszczący oddech.

Na twarz małżonka wylała się z ust pijaka kaskada krwi. Mężczyzna zwolnił ucisk wokół jego kurtki i opadł bezwładnie na podłogę. Małżonek złapał się za twarz, jego palce oblepiła głęboko czerwona krew.

Obrócił się znów w kierunku południowców, ale jego ciało nie chciało współpracować. Stopy utknęły pod potężnym ciałem pijaka i małżonek też upadł bezwładnie. Upadł z twarzą skierowaną ku resztkom grupy południowoeuropejskiej. Niewiele zdążył zobaczyć, ale to mu wystarczyło.

Jeden albo dwóch pognało do drzwi, dwóch mięśniaków leżało na ziemi, a ich ciała tworzyły coś na kształt ramy wokół nóg niewysokiego eleganta. Niski stał dalej, opierając się wygodnie prawą ręką o bar. Tyle tylko, że nie miał już twarzy.

Małżonek poczuł jakieś chrupnięcie, gdy z nienaturalnie wykręconą nogą leciał na podłogę. Po drodze uderzył jeszcze czołem o bar i potem nic już nie widział.

Zanim stracił przytomność, usłyszał jeszcze dwie rzeczy. Usłyszał strzał z Götgatan. I usłyszał krzyk małżonki, który tylko częściowo rozpoznawał:

– Ależ Viggo!

Rozbawiony stracił przytomność.

Wiele wątków

Haga, 12 maja

FELIPE NAVARRO zatrzymał się w progu swojego świeżo wyremontowanego trzypokojowego mieszkania. Ponieważ był człowiekiem ceniącym sobie określone rytuały, jego wahanie nie uszło uwagi siedzącej przy stole w kuchni żony Felipy. Spotkali się wzrokiem. Powiedział:

– Wiem, że mówiłem ci to już wiele razy. Ale naprawdę *promieniejesz*.

– Nigdy mi tego nie mówiłeś – powiedziała Felipa.

Przez chwilę się obserwowali. Potem ona uśmiechnęła się łagodnie, a on wyszedł.

Czy uśmiech Felipy dawniej też był taki łagodny? Od kilku miesięcy próbował ustalić, czy rzeczywiście w jej aurze dało się wychwycić jakąś różnicę. Najwyraźniej jednak nigdy wcześniej jej tego nie powiedział. Czego to dowodziło? Pewnie tego, że nie potrafił odróżnić swoich własnych myśli od słów, a to raczej nie wróżyło niczego dobrego.

Wszystko nagle się zmieniło. Nie spodziewał się tego. Przecież nie było w tym nic niespotykanego. Nigdy nie myślał o tym jak o jakiejś rewolucji. Gdy jednak stało się jasne, że Felipe Navarro zostanie ojcem, świat nabrał nowych barw. Zupełnie nowych. Wszystko stało się ostrzejsze, bardziej wyraziste. To, co rozmyte, ustąpiło mocniejszym kolorom, a gdy ultrasonograf pokazał, że urodzi się syn, poczuł szczęście, jakiego nie doświadczył jeszcze nigdy w życiu.

I zaraz potem niepokój, dezorientację. Kto sprowadza dziecko na taki świat? Nie mógł dojść do ładu sam ze sobą, a w czasie jazdy samochodem do dawnego budynku Europolu jego myśli odpłynęły w nieznanym kierunku. Dopiero po chwili krzątania się po biurze zauważył, że było pusto.

Całkowicie pusto.

Przez drzwi do biura Opcop weszła Corine Bouhaddi. Rzuciła mu krótkie spojrzenie.

– Wyglądasz na lekko zagubionego, Felipe.

Na co pewnie zareagował w sposób świadczący o jeszcze większej dezorientacji.

– Katedra – wyjaśniła Bouhaddi i ruszyła w kierunku masywnych dębowych drzwi.

Gdy Felipe Navarro wszedł do dużej sali konferencyjnej, wszystko wróciło do normy. Poczuł, jakby znalazł się z powrotem u siebie.

Paul Hjelm siedział na swoim miejscu za katedrą, a Angelos Sifakis opuszczał ekran rozwijający się z kasetonowego sufitu, od którego sala wzięła swą nieoficjalną nazwę.

– Proponuję, żebyśmy podsumowali stan dochodzenia po dwóch dniach pracy – powiedział Sifakis. – Miriam Hershey i Laima Balodis były w Strasburgu, żeby odwiedzić zespół UE do rozpoznawania terrorystów po operacjach plastycznych i porozmawiać z czterema współpracownikami Massicottego. Jak wam poszło?

Niczym pływaczki synchroniczne Hershey i Balodis przesunęły palcami po panelach dotykowych swoich laptopów. Głos zabrała Balodis:

– Udo Massicotte powiesił się w sobotę wieczorem. W piątek był jak zwykle w pracy. Było w niej również, tak jak zwykle, czworo jego współpracowników. Żaden z nich nie zauważył, żeby tamten piątek różnił się czymś od pozostałych dni tygodnia. Krótko mówiąc, Massicotte zachowywał się jak zawsze.

– Gdy wyszedł z biura o godzinie szesnastej zero siedem w piątek po południu – mówiła dalej Hershey oschłym tonem, ale przy tym niezwykle profesjonalnie – w środku została tylko jedna osoba, sekretarka projektu, Amandine Darleux. Była zajęta przepisywaniem na czysto ostatniego *pro memoria* Massicottego, rozesłała je mailem do zespołu i wyszła z biura o godzinie szesnastej pięćdziesiąt trzy.

– Zakładam, że je czytałyście? – powiedział Paul Hjelm.

– Tak – odpowiedziała Balodis – i porównałyśmy z wcześniejszymi. Nie znalazłyśmy nic, co by pod względem treści albo tonu różniło się od notek z wcześniejszych tygodni. Ostatnie znane słowa, jakie wyszły z ust Uda Massicottego, były najzwyklejszą biurokratyczno-naukową papką.

– Czy w waszych jednogłośnych relacjach wyczuwam jakieś „ale"? – zapytał Hjelm.

– Szczerze mówiąc, to nie wiemy – powiedziała Hershey, wpisując coś na klawiaturze laptopa. – Lepiej wy zdecydujcie.

Gdy na ekranie pojawiła się twarz noszącej okulary kobiety po pięćdziesiątce na tle książek o tytułach takich jak *A Systematic Review of Ethical Principles in the Plastic Surgery Literature*, głos zabrała Laima Balodis:

– Profesor Sanne Røddik Munk, jedna z czworga naukowców w zespole Massicottego.

Hershey włączyła nagranie. Profesor Sanne Røddik Munk poruszyła się i przemówiła po angielsku z lekko duńskim akcentem:

– Tak jak już mówiłam, nie zauważyłam, żeby w zeszłym tygodniu profesor Massicotte zachowywał się inaczej niż zwykle. Był jak zawsze ostrym, lecz kompetentnym szefem, jednym z najlepszych współcześnie chirurgów plastycznych i wiodącym naukowcem w swojej dziedzinie.

– To znaczy w jakiej? – usłyszeli głos Balodis spoza kadru.

– Jak już panie zauważyły, wchodząc do budynku, wiele spraw objętych jest tu tajemnicą – powiedziała Røddik Munk i splotła dłonie na biurku niczym lekarz. – Mogę jednak powiedzieć, że chodzi o dwuczęściowy program komputerowy. Na pierwszym etapie analizowana jest twarz po rzekomej operacji plastycznej – żeby stwierdzić, *czy* rzeczywiście doszło do ingerencji. Na drugim etapie rekonstruowana jest oryginalna twarz, przede wszystkim na podstawie układu kości. Brzmi banalnie, ale takie nie jest.

– Rozumiem – rozległ się głos Hershey. – Czy nie było żadnych zastrzeżeń do pracy Massicottego w ciągu ośmiu miesięcy, które minęły od początku projektu? Nie miał słabszych momentów?

– W żadnym wypadku. Nie zawsze łatwo się z nim pracowało, ale zawodowo nie było z nim nigdy żadnych problemów.

– A prywatnie? – zapytała Balodis. – Istnieją podejrzenia, że nadużywał alkoholu.

– Nigdy wcześniej o tym nie słyszałam, dopiero kiedy wspomniała pani o tym przed godziną – powiedziała Røddik Munk. – A lekarze raczej nie mają trudności z dostrzeżeniem tego rodzaju objawów.

– Pewnie też z ich ukryciem? – powiedziała Hershey.

Sanne Røddik Munk wykonała głową ruch, który mógł być zarówno przytaknięciem, jak i zaprzeczeniem.

– Niewątpliwie – zgodziła się. – Niezależnie od tego, jak było naprawdę, nigdy nie wpłynęło to na jakość jego pracy.

– W poniedziałek rano dostaliście mailem pośmiertne *pro memoria* – powiedziała Balodis. – To chyba musiało być dziwne uczucie?

– Tak, to było okropne – przyznała Røddik Munk.

– A czy to *pro memoria* również było takie jak zwykle? – zapytała Hershey.

– Zawsze zadajecie pytania na zmianę? – wykrzyknął Kowalewski i od razu został uciszony.

– Tak – odpowiedziała z ekranu profesor Røddik Munk. – Tak, no tak...

– Tak, no tak...? – powtórzyła Hershey.

– No tak, w zasadzie nie było w nim nic dziwnego. Zwyczajne PM.

– *Zbyt* zwyczajne – wykrzyknął Söderstedt i również został uciszony.

– Zupełnie zwyczajne – profesor Røddik Munk zawiesiła głos. – Być może *zbyt* zwyczajne.

Miriam Hershey zatrzymała nagranie i zmierzyła Arto Söderstedta swoim przenikliwym, orzechowobrązowym spojrzeniem.

– Jakim, kurwa, cudem udało ci się podejrzeć nagranie? – zapytała z wyrzutem.

Söderstedt pokręcił głową i powiedział:

– Chodzi bardziej o ogólną atmosferę wokół tej sprawy. Wszystko jest tu trochę zbyt zwyczajne. Bardzo rzadko zdarza się, żeby wszystko było jak zawsze, gdy ktoś planuje odebrać sobie życie. Ludzie robią wtedy dziwne rzeczy, takie czy inne, szczególnie wtedy, gdy w dodatku mają problemy z alkoholem. A Massicotte niczego takiego nie zrobił.

– Co miała na myśli profesor Røddik Munk? – zapytał Hjelm, pokazując na ekran.

Hershey pokręciła zirytowana głową i uruchomiła ponownie nagranie. Sanne Røddik Munk zawiesiła głos i po raz pierwszy wyglądało, jakby miała wątpliwości. Rozległ się głos Laimy Balodis:

– Co chce pani przez to powiedzieć? *Zbyt* zwyczajne?

– Ech – powiedziała Røddik Munk i machnęła ręką. – Nie potrafię tego wyjaśnić. Gdybym nie wiedziała, że napisał to dzień przed tym, jak się powiesił, pewnie nawet nie zwróciłabym na to uwagi.

– I o to chodzi – powiedział Arto Söderstedt. – Jeśli skończyłyście, możemy przejść dalej?

– Czy to wszystko? – zapytał Paul Hjelm. – Jakie są wasze ogólne odczucia?

– Nie przepadam za ogólnymi odczuciami – powiedziała Hershey i zatrzymała film. – Być może fakt, że nie ma się na czym oprzeć, oznacza po prostu, że nic tu *nie ma*. Zastanawiam się, czy nie mamy tu do czynienia z klasycznym samobójstwem, do którego zwykle dochodzi nagle. Życie staje się coraz trudniejsze do zniesienia, aż w końcu człowiek podejmuje decyzję. Nie ma w tym nic dramatycznego, samobójstwo trwa już od lat.

– Zgadzam się – powiedziała Balodis. – Hipoteza robocza: samobójstwo.

– A ja się nie zgadzam – powiedziała Jutta Beyer. – Byliśmy przecież w domu Massicottego w Charleroi...

– Choć raczej bez mojej zgody – przerwał Paul Hjelm.

Jutta Beyer poczerwieniała. Arto Söderstedt nie.

– Nieprawdopodobnie brzydkie miasto – powiedział. – Nawet moja toyota picnic spłonęła rumieńcem.

Na co Beyer poczerwieniała jeszcze bardziej i dodała:

– Massicotte mieszkał sam od rozwodu. Całkiem spora, ale zapuszczona willa. Dom rozwodnika. Mnóstwo nieużywanych pokoi. Miał sprzątaczkę – to ona znalazła go w niedzielę po południu – ale nie przykładała się chyba do pracy. Lub też Udo był bałaganiarzem.

– Było dużo kurzu? – zapytał Hjelm.

– Z wyjątkiem jednego miejsca – powiedziała Beyer. – Niewielkiego pomieszczenia w piwnicy, które było bardzo starannie wysprzątane.

– Coś się działo w tym pomieszczeniu – powiedział Söderstedt. – I to aż do samego końca. Nigdzie nie było nawet kłębka kurzu, żadnych śladów DNA. Skoro założenie jest takie, że Massicotte został zamordowany przez profesjonalistę, który dopilnował, żeby wszystko wokół garderoby, gdzie wisiał – pracownia, kuchnia, sypialnia – wyglądało jak zwykle, dlaczego wysprzątał odosobnione i kompletnie puste pomieszczenie w piwnicy?

– I jak brzmi twoja odpowiedź? – zapytał Hjelm.

– Moja wstępna odpowiedź – odpowiedział Söderstedt i rozsiadł się wygodnie na ławce – jest taka, że nasz drogi Udo został zamordowany w tym pomieszczeniu. Następnie ciało zostało przeniesione do garderoby i powieszone. Potem zabójca przywrócił pozory normalności.

– Wciąż jednak nie mamy żadnego DNA z tego pomieszczenia – naciskał Hjelm. – I mamy trupa, który nie wskazuje na nic innego niż powieszenie na krótkim sznurze.

– Zleć dokładniejsze badanie tego pomieszczenia – powiedział Söderstedt. – I trupa. Na pewno coś znajdziemy.

Paul Hjelm przyglądał się przez dłuższą chwilę Arto Söderstedtowi. Następnie skinął i powiedział:

– Dopilnuję tego. Przejdźmy do pytania o pozostałą działalność zawodową Massicottego. Znaleźliśmy coś tutaj, Angelos?

Angelos Sifakis odchrząknął i rozpoczął wykład, w czasie którego Arto Söderstedt pozieleniał z zazdrości:

– Współczesna chirurgia plastyczna została wynaleziona przez Włocha Gasparego Tagliacozziego podczas wojen w szesnastym wieku. Fragmenty ciał walały się po zbrukanej krwią ziemi, Tagliacozzi próbował je przyszywać. Potem nie działo się zbyt wiele aż do pierwszej wojny światowej, kiedy to nowy rodzaj ran, ciężkie rany postrzałowe i szarpane, zdeformowały twarze Europejczyków. Próbowano przywracać im pierwotny wygląd i zaczęło powstawać coraz więcej klinik chirurgii plastycznej. Gdy dostrzeżono potrzebę nie tylko przywracania funkcji uszkodzonego ciała, lecz również odtwarzania jego *wyglądu*, narodziła się chirurgia plastyczna. Triumfalny pochód, który doprowadził do jej ugruntowania jako odrębnego pola wiedzy naukowej, trwał przez jakieś pięćdziesiąt lat, od roku tysiąc dziewięćset trzydziestego do tysiąc dziewięćset osiemdziesiątego. Udo Massicotte urodził się w tysiąc dziewięćset czterdziestym czwartym i ukończył uczelnię medyczną w Turynie jako specjalista z dziedziny chirurgii plastycznej w tysiąc dziewięćset siedemdziesiątym drugim. Brał udział w wielu międzynarodowych projektach i wkrótce zyskał renomę jednego z największych chirurgów plastycznych na świecie, i to właśnie wtedy, gdy chirurgia plastyczna przechodziła okres najszybszego rozwoju. Ponieważ z czasem zajął się zwykłą chirurgią estetyczną, jego prestiż w świecie nauki zaczął przygasać, za to jego konto w banku puchło odwrotnie proporcjonalnie. Zaczął już pod koniec lat siedemdziesiątych u siebie w kraju, ale od początku lat osiemdziesiątych intensywnie podróżował, przede wszystkim do Brazylii i Tajlandii, i niemal na pewno można powiedzieć, że miał udział w prawdziwym boomie chirurgii plastycznej w obu tych krajach. Następnie zabrał się za Europę Wschodnią i przyczynił do stworzenia zrębu tego, co dziś nazywane jest turystyką medyczną, czyli tanimi operacjami plastycznymi na przykład w Belgradzie, Nowym Sadzie, Pradze, Budapeszcie i Zagrzebiu. Gdy już był za stary, żeby operować osobiście, nie przeszedł na emeryturę, jak by się tego pewnie można spodziewać, tylko wrócił do działalności naukowej i rozpoczął trzeci etap swojej kariery, który ostatecznie doprowadził go do stanowiska kierowniczego jednostki badawczej w Strasburgu.

Paul Hjelm pochylił się nad katedrą i powiedział:

– Czy byłoby nieuprzejme stwierdzić, że głównym atutem profesora Uda Massicottego w trakcie aplikowania o tę atrakcyjną posadę było zoperowanie *wystarczająco wielu terrorystów*, by uznano go za eksperta w tej dziedzinie?

– Nawet jeśli pił na umór – przytaknęła przejęta Jutta Beyer.

– Wiemy przecież, że chirurgia plastyczna dosłownie eksplodowała w byłej Jugosławii tuż po wojnie domowej – powiedział Marek Kowalewski. – Nie ma wątpliwości, że jeśli Massicotte działał w Belgradzie lub w Zagrzebiu w latach dziewięćdziesiątych, to widział dostatecznie dużo, żeby stanowić zagrożenie.

– Być może jako jedyny potrafił zidentyfikować nową twarz przywódcy grup paramilitarnych – odezwała się Jutta Beyer.

– I nie tylko tam – powiedział Sifakis ze wzrokiem przyklejonym do ekranu. – Niemal we wszystkich miejscach, gdzie zakładał praktykę chirurgiczną, kwitła przestępczość. Nie on był jej sprawcą, naturalnie, ale jeśli wczytać się dokładnie, wydaje się, że w jego otoczeniu dużo się działo. Jego nazwisko pojawia się w różnych materiałach dochodzeniowych, jako świadka, świadka koronnego, czasem jako eksperta. To były sprawy od wymuszania i powiązań mafijnych po handel ludzką skórą i innymi organami. Handel ludźmi pojawia się w protokole, podobnie jak kilka przypadków korupcji politycznej w Brazylii i Tajlandii. Poza tym mamy cały szereg mniej lub bardziej nietypowych przestępstw, takich jak zorganizowany handel zwłokami, handel kokainą, a nawet kanibalizm, nie wspominając już o wyjątkowo dziwnej historii związanej z ogromną liczbą manekinów wożonych statkiem po całym świecie w kontenerze chłodniczym, ubranych w ludzką skórę, z której były stopniowo rozbierane w każdym kolejnym porcie. To tylko jeden z wielu przykładów.

– Biorąc to wszystko pod uwagę, można zrozumieć, dlaczego nie cieszył się zbyt wielkim poważaniem w środowisku naukowym – powiedziała Miriam Hershey.

– Najdziwniejsze jest to, że tak szybko wrócił – powiedziała Laima Balodis. – Gdy tylko roztrzęsioną starczą dłonią odłożył skalpel na półkę, znów był naukowcem i profesorem. Tak jakby dwadzieścia lat spędzonych w bezpośrednim kontakcie ze światem przestępczym było zwykłym epizodem.

– Z drugiej strony – powiedział Marek Kowalewski – działał w strefie, która przyciąga do siebie przestępczość dowolnego rodzaju, choć sama nie jest nigdy o nic oskarżana, nawet o błędy lekarskie, o co chyba każdy lekarz prędzej czy później zostaje oskarżony. Powinniście oddać mu sprawiedliwość i docenić jego wkład w szerzenie wiedzy w krajach unijnych i w tych, które lubicie nazywać pozostałościami bloku wschodniego.

– Jacy *my*? – wykrzyknęła Jutta Beyer.

– Wy, zachodni Europejczycy – powiedział Kowalewski z łagodnym uśmiechem.

– I nie ma tam nic na temat terrorystów? – zapytał Arto Söderstedt. – Nawet najmniejszej wzmianki?

– Najmniejszej – powiedział Sifakis. – Wszystko inne, ale nie to.

– Czy nie jest to według ciebie *wymowna* nieobecność? – zapytał Paul Hjelm.

– Być może – powiedział Sifakis. – Ale to ciągle tylko insynuacje.

Hjelm skinął znów głową i powiedział:

– Tak czy inaczej, wygląda na to, że przestępczość, z którą Massicotte w ten czy inny sposób stykał się podczas prowadzenia swojej niezależnej działalności gospodarczej, obejmowała jego sferę zawodową, prawda?

Odpowiedział mu tylko pomruk.

– W takim razie przejdźmy do jego życia prywatnego – powiedział Navarro i przeniósł wzrok na Kowalewskiego.

– Tak – powiedział tamten przeciągle. – Pytanie o życie prywatne Massicottego w chwili jego śmierci jest pytaniem retorycznym.

– Profesor Udo Massicotte był wyjątkowo skrytym człowiekiem – powiedziała Corine Bouhaddi. – Ożenił się już w trakcie studiów, w przełomowym roku sześćdziesiątym ósmym, w wieku dwudziestu czterech lat, i rozwiódł dopiero na starość, na początku bieżącego roku, po ponad czterdziestu latach małżeństwa. Próbowaliśmy skontaktować się z wdową, ale od rozwodu, zdaje się, mieszka za granicą. Nie mają dzieci ani też żadnych bliskich krewnych czy przyjaciół. Znaleźliśmy dalekiego znajomego, który chyba słyszał, że była żona Uda, Mirella Massicotte, przebywa na Fuerteventurze, i rzeczywiście mamy potwierdzenie, że wyleciała na Wyspy Kanaryjskie z lotniska pod Puerto del Rosario w lutym tego roku. Stamtąd na razie się nie ruszała, wysłaliśmy więc zapytanie do lokalnej policji. Nie dostaliśmy jeszcze odpowiedzi.

– Z drugiej strony są po rozwodzie – zauważył Kowalewski. – Najwyraźniej nie chcieli utrzymywać ze sobą kontaktu. Nic nie wskazuje na to, żeby wdowa choć w najmniejszym stopniu interesowała się tym, co takiego robił jej były małżonek w ciągu ostatnich miesięcy swojego życia.

– Mimo wszystko powinniśmy z nią porozmawiać – stwierdził Hjelm. – Teraz jednak chcielibyśmy wiedzieć, czy jest coś, co powinno zwrócić naszą uwagę we *wcześniejszym* życiu prywatnym profesora. Felipe?

– Tak – westchnął Navarro. – Jeśli to możliwe, mam jeszcze mniej do przekazania. Tak jak już mówiłem, był wyjątkowo skrytym człowiekiem. Wszystko wskazuje na to, że poświęcił się całkowicie pracy. Miał tylko życie zawodowe. Z tego, co dziś usłyszeliśmy, wygląd mieszkania zdaje się to odzwierciedlać?

– Tak myślę – powiedziała Jutta Beyer. – Dom wyglądał, jakby ktoś mieszkał w nim wbrew swojej woli, tylko dlatego że powinno się mieć również jakieś życie prywatne.

– Wciąż pozostaje dla mnie tajemnicą, dlaczego spośród wszystkich prowincjonalnych dziur we wszechświecie wybrał akurat Charleroi – powiedział Söderstedt.

– Tylko dlatego, że *chcesz*, aby wszystko było tajemnicą – powiedział Paul Hjelm.

– Nie – odpowiedział Söderstedt. – *Chcę*, żeby wszystko było proste. Problem w tym, że takie nie jest. Ten człowiek był prawdopodobnie miliarderem, dlaczego więc, do cholery, zamieszkał w najbrzydszym mieście na świecie?

– Ustalmy więc – wtrącił Hjelm. – Rzeczywiście *był* miliarderem?

– Chciałem właśnie o tym powiedzieć, ale mi przerwano – powiedział Navarro naburmuszony.

– Nie przerwano ci – powiedział Söderstedt. – Na tym między innymi polega sztuka konwersacji.

Navarro, który do perfekcji doprowadził tak często zaniedbywaną sztukę ignorowania, mówił dalej:

– Udo Massicotte *nie był* miliarderem. Na prywatnych kontach, które do tej pory udało nam się namierzyć, miał łącznie jakieś dwadzieścia tysięcy euro. Podobna suma została przekazana żonie po rozwodzie, co zgodnie z belgijskim prawem powinno stanowić połowę całkowitego majątku. Skoro tak, nie było więcej pieniędzy. Przynajmniej nie na prywatnych kontach. Wszystkie jego firmy przejęła fundacja charytatywna, ale na razie nic więcej nie wiem na ten temat. Dosyć to wszystko enigmatyczne.

– Czy możesz dalej popracować nad rozpoznaniem sytuacji majątkowej? – zapytał Paul Hjelm, choć nie było to właściwie pytanie.

Navarro przytaknął.

– Coś jeszcze? – dodał Hjelm.

– Kryminalistyka sądowa i lekarz sądowy – powiedziała Corine Bouhaddi. – Przyczyna śmierci wydaje się oczywista. Klasyczne uduszenie przez powieszenie na krótkim sznurze. Jak wynika z protokołu lekarza sądowego, trwało to około minuty i albo była to piekielnie długa minuta, albo stracił przytomność od razu wskutek ilości spożytego alkoholu. Miejmy nadzieję, że to drugie. Żadnych innych zewnętrznych ani wewnętrznych oznak przemocy. Żadnych środków nasennych ani trujących.

– To znaczy oprócz znacznej ilości alkoholu we krwi – powiedział Navarro. – Jeden i osiem dziesiątych promila. W zasadzie wszystko logicznie się układa. Był załamany po rozwodzie, pił w samotności i w końcu się powiesił.

– Na sznurze są tylko jego odciski, podobnie na taborecie, na który wszedł, i w garderobie – powiedziała Bouhaddi. – Żadnych śladów włamania. Ostatni raz wcisnął przycisk na klawiaturze komputera o godzinie dwudziestej drugiej jedenaście w sobotę wieczorem, co by się zgadzało z ustalonym drogą obliczeń czasem zgonu, „około dwudziestej drugiej trzydzieści". Tu są zdjęcia.

Bouhaddi wyświetliła na ekranie serię zdjęć. Przedstawiały mężczyznę wiszącego w garderobie i ciało na różnych etapach obdukcji.

– Jak dokładne było badanie toksykologiczne przeprowadzone przez policję belgijską? – zapytał Hjelm.

– Poszerzone, tak przynajmniej wynika z protokołu. Rozmawiałem z lekarzem sądowym, zamówił poszerzoną analizę toksykologiczną, żeby nie przeoczyć jakichś nietypowych substancji trujących. Poza tym zachowały się próbki krwi.

– Mimo to zatrzymamy go w chłodni – powiedział Hjelm. – I poślemy do niego naszego własnego lekarza sądowego po *second opinion*. Zadowolony, Arto?

– Powiedzmy – odpowiedział Söderstedt.

Hjelm już miał zacząć zbierać ze stołu swoje papiery, gdy odezwała się Balodis, ze wzrokiem utkwionym w swojej koleżance Hershey:

– Grupa badawcza w Strasburgu zajmowała się poszukiwaniem *metody* identyfikacji zmian dokonanych podczas operacji plastycznych, nie konkretnych terrorystów. Innymi słowy, nie była obiektem gróźb, a jednocześnie była równie tajna, co nasza.

Hershey mówiła dalej:

– Konsultowałyśmy się z różnymi służbami bezpieczeństwa na wschodzie i zachodzie, nie zaobserwowali żadnej aktywności terrorystycznej, która choć w najmniejszym stopniu byłaby powiązana z tą niewielką grupą w Strasburgu. Potem jednak doznałyśmy iluminacji.

– Iluminacje są u nas w cenie – powiedział Hjelm, ledwie kryjąc ciekawość.

– W tego typu projekcie musi istnieć rzeczywisty *przedmiot badań* – powiedziała Balodis. – Takie rozważania nie mogą być czysto teoretyczne, choć właśnie to próbowali nam wmówić członkowie zespołu w Strasburgu.

– Musieli przecież pracować z *prawdziwymi* przypadkami osób po operacjach plastycznych – powiedziała Hershey – lub z domniemanymi terrorystami.

– Kiedy ich trochę przycisnęłyśmy, okazało się, że w tej metodzie rzeczywiście wykorzystuje się kilkunastu zatrzymanych i zoperowanych plastycznie terrorystów. Odwiedzają ich, robią pomiary czaszki, rentgen, pobierają próbki, prześwietlają i eksperymentują.

– Skazani przebywają w więzieniach w całej Europie – mówiła dalej Hershey. – Członkowie zespołu spędzają wiele czasu na podróżowaniu do więzień.

– I – powiedziała Balodis z emfazą – mamy ich listę, jak się okazuje, *dwunastu* terrorystów. Połowa to islamiści, połowa – zachodni prawicowi ekstremiści.

– Co ciekawe, są do siebie wyjątkowo podobni – zauważyła Hershey.

– Czyli że – powiedział Hjelm bezbarwnym głosem – mamy listę terrorystów, którzy najwyraźniej domyślili się, czym zajmują się nasi naukowcy. I którzy prawdopodobnie dysponują środkami, żeby poinformować o tym swoje ugrupowania. Czy ta lista została dokładniej sprawdzona?

– Rozpoczęto weryfikację – powiedziała Balodis. – Moim zdaniem znajduje się na niej co najmniej *jedna* islamska organizacja, która powinna nas zainteresować.

– Tylko czy ta islamska organizacja nie wysadziłaby go raczej w powietrze? – zapytał Marek Kowalewski. – Tak precyzyjnie sfingowane samobójstwo nie do końca brzmi jak akcja Al-Kaidy.

– Miriam i Laima idą dalej tym tropem – powiedział Hjelm. – Dobra robota, moje panie.

– Teraz kolej na szefa – powiedział Navarro, wbijając w niego wzrok.

– W zasadzie nie mam już nic do dodania – powiedział Hjelm ze spokojem. – Dziś jest środa dwunastego maja. Jeśli w tym tygodniu nie zatrzymamy nikogo podejrzanego, chcą mieć wszystkie nasze materiały dochodzeniowe najpóźniej w poniedziałek siedemnastego.

– Chcą? – wybuchnął Kowalewski.

– Zarząd Europolu – powiedział Hjelm.

– Który przekaże dochodzenie komu?

Hjelm skrzywił się lekko i powiedział:

– Nic więcej nie musicie wiedzieć. Uważam, że i tak dużo dzisiaj zrobiliśmy, znaleźliśmy wiele wątków, które można dalej rozwinąć. Idźcie więc i je rozwijajcie. Bez zbędnego przeciągania oczywiście.

Karczma

Sztokholm, 12 maja

BYŁO ICH TROJE, szli przez długie więzienne korytarze. Szli tam i z powrotem, z piętra na piętro, mijając odnowione cele, których ściany przesiąknięte były jednak atmosferą czynnego tu przez setki lat więzienia.

Więzienia na wyspie skazańców.

Starszy mężczyzna spoglądał czasem na młodszą kobietę i na jeszcze młodszego mężczyznę, ale jego zdziwienie nie znajdowało punktu zaczepienia. Wreszcie nie wytrzymał i zapytał:

– Co ja tu robię?

– Musimy cię przesłuchać, przecież wiesz – odpowiedziała kobieta.

– Woleliśmy zrobić to z dala od komendy – odpowiedział mężczyzna.

– I wybraliście w tym celu więzienie? – spytał drwiąco starszy mężczyzna.

– Jeśli nie przestaniesz marudzić, będziemy musieli cię zamknąć – stwierdził młodszy mężczyzna.

– Zresztą jeszcze nie otworzyli – odpowiedziała kobieta, zerkając na przegub ręki. – Mamy jeszcze kilka minut.

– Kilka naprawdę ciężkich minut – powiedział młodszy mężczyzna.

Zapadła cisza. Więzienne mury wyzierały spod warstwy werniksu. W drzwiach znów pojawiły się kraty. Temperatura wyraźnie spadła. Korytarz wypełniło śmiertelne przerażenie wylewające się z dziesiątek, a raczej setek więziennych cel.

– Okej – powiedziała kobieta. – Schodzimy.

I zeszli. Po ciężkich, wydeptanych więziennych schodach z wilgotnego kamienia. Po drodze spotkali niemiecką rodzinę z dziećmi.

Gdy rodzina ich minęła i ucichły ostatnie niemieckie czasowniki kończące zdania, trójka była już na dole w pubie. Przed chwilą otworzyli. Podeszła do nich kelnerka i zaprowadziła do wolnego stolika. Było ich całkiem sporo o tak wczesnej porze. Weszli niewątpliwie pierwsi.

– Dalej nie rozumiem, po co to było – powiedział starszy mężczyzna. – Byłem już kiedyś na Långholmen. To dla mnie żadna nowość. To dopiero było więzienie przez duże W. Wsadzałem tu prawdziwych przestępców, nie to co wy, młodzi.

– Ej, weź – powiedział młodszy mężczyzna. – Chcieliśmy to zrobić poza budynkiem policji. Tylko nie mów, że to też ci się nie podoba?

– Przyjechałem tu prosto ze szpitala. Mam wstrząśnienie mózgu i skręconą lewą kostkę.

– Dlatego właśnie chcieliśmy to zrobić w jak najbardziej niezobowiązującej atmosferze, Viggo – powiedziała kobieta, zawołała kelnerkę i złożyła stereotypowe płciowo zamówienie.

– I ty, Kerstin, nazywasz atmosferę więzienia niezobowiązującą?

– To jest *dawne* więzienie – odpowiedziała. – Prawda, Jorge?

Młodszy mężczyzna dostał zamówione przez siebie piwo, uniósł kufel i powiedział:

– Początek przesłuchania godzina siedemnasta zero trzy dwunastego maja. Obecni są policjanci Jorge Chavez i Kerstin Holm, jego przełożona, jak również były policjant, Viggo Norlander. Na zdrowie.

– Będziemy musieli potem dokładnie przesłuchać tę taśmę – powiedział Viggo Norlander, unosząc kufel.

– Po pierwsze nie ma żadnego „my", Viggo – powiedział Jorge. – Jest dwoje policjantów i jeden cywil. Po drugie nie ma żadnej taśmy. Tylko na początku naszej wspólnej kariery stosowaliśmy taśmy, to znaczy kasety.

– Mimo wszystko – powiedział Viggo Norlander, wytaczając argument najcięższego kalibru.

– Po pierwsze, nic nie nagrywamy – powiedziała Kerstin Holm, sącząc białe wino. – Porozmawiajmy zupełnie nieoficjalnie o tym, co wydarzyło się wczoraj wieczorem na Götgatsbacken.

– Rozumiem, że czytaliście zapis nocnego przesłuchania z Södersjukhuset? – powiedział Viggo Norlander. – Chciałbym zauważyć, że byłem wtedy jeszcze lekko oszołomiony.

– Dlatego właśnie musimy zrobić to raz jeszcze, w lepszych warunkach – powiedział Jorge Chavez.

– I z tego powodu, że rozpoznałem tego małego eleganta przy barze, wy włączacie się do sprawy? Jako jednostka Europolu?

– Rozpoznałeś go? – zapytała Kerstin Holm.

– Chyba już to powiedziałem mundurowemu w szpitalu?

– Sprawdzamy tylko – powiedział Jorge Chavez. – Powiedziałeś, cytuję: „Ja pierdolę. Wyglądał, jakby zamierzał wznieść toast, tyle że nie miał już połowy głowy". Koniec cytatu. *Nie powiedziałeś*, że go rozpoznałeś.

– Nie wiem, skąd go kojarzę – powiedział Viggo Norlander. – Pamiętam tylko, że widziałem gdzieś jego twarz. Tę, której nie miał. To znaczy już nie miał.

– Bo widziałeś – przytaknęła Kerstin Holm. – Na zdjęciach z międzynarodowych listów gończych przez co najmniej piętnaście lat. Podczas przesłuchania w szpitalu powiedziałeś, że mówili na niego „mafioso", choć to nie do końca się zgadza. Nazywał się Isli Vrapi, był Albańczykiem i należał do elity handlarzy bronią. Wiecznie poszukiwany, wiecznie obecny w orbicie konfliktów zbrojnych na całym świecie. Możliwe, że był najważniejszym nieoficjalnym dostawcą wszelkiej możliwej broni dla nieformalnych ugrupowań we wszystkich miejscach kuli ziemskiej. I wielu formalnych.

– Tylko co on, do cholery, robił w Szwecji?! – wybuchnął Norlander.

– To jedno z naszych zasadniczych pytań – powiedział Chavez. – Mamy liczne sygnały z zagranicy, że szykowała się duża – naprawdę duża – dostawa broni. Na rzecz jeszcze nieznanej organizacji terrorystycznej.

– I dlatego włączył się w to Europol?

– Powiedzmy – powiedziała Holm. – Nasze drugie zasadnicze pytanie brzmi: co do cholery wydarzyło się w tej knajpie wczoraj wieczorem?

– Jesteś naszym honorowym świadkiem, Viggo – powiedział Chavez. – To jest, jak na szwedzkie warunki, *gruba* sprawa, więc rozumiesz, jak ważne jest twoje zeznanie. Pięciu zabitych w strzelaninie, do której doszło w zatęchłym pubie na Götgatsbacken. Media oszalały ze szczęścia.

– Dzięki nocnym zeznaniom twoim i innych świadków mamy już pewien obraz sytuacji – powiedziała Holm. – Wszystko zaczęło się o dwudziestej trzeciej jedenaście.

– Potem wszystko potoczyło się cholernie szybko, to fakt – powiedział Norlander i potarł posiniaczone czoło.

– Świadkowie są zgodni co do tego, że wszystko trwało jakieś dwadzieścia sekund – powiedziała Holm. – A więc widziałeś dwie „grupy", w każdej czterech lub pięciu mężczyzn, z czego pierwsi byli stosunkowo niscy i „łamanym szwedzkim" rozmawiali o „cholernym wyzwaniu" i „pieprzonym mafioso", za to drudzy byli potężniejsi,

„południowoeuropejscy", pochłonięci dyskusją na temat kobiecych pośladków po angielsku. Na razie się zgadza?

– Tak naprawdę były *trzy* grupy – powiedział Norlander. – Była jeszcze grupa pijaczków, która o coś przez chwilę się spierała, a potem jeden z nich umarł w moich ramionach.

– Prawdopodobnie po prostu znalazł się nie tam, gdzie powinien – powiedział Chavez. – Dostał nożem w plecy. Poza tym straciły życie cztery osoby, handlarz bronią Isli Vrapi i dwóch jego do tej pory niezidentyfikowanych ochroniarzy, którzy zginęli od tej samej broni. Na ulicy z tej samej broni został zastrzelony kolejny mężczyzna. Nie był uzbrojony, ale udało się go zidentyfikować. To szwedzki drobny przestępca o nazwisku Taisir Karir, dwadzieścia sześć lat, czterokrotnie karany za różne wykroczenia.

– Sprawdźmy, czy twoja interpretacja tego zdarzenia zgadza się z interpretacją sztokholmskiej policji – powiedziała Kerstin Holm, wzmacniając się łykiem białego wina. – Grupa łobuzów ze sztokholmskich przedmieść zauważa w pubie na Götgatsbacken nieznanego przestępcę i postanawia go zastrzelić, bo to dla nich „cholerne wyzwanie". Nie mają ukrytych zamiarów, żadnego scenariusza – jedna z najgorszych od dawna strzelanin na terenie Sztokholmu spowodowana jest samobójczym odruchem naćpanych rohypnolem i sterydami bandziorów.

Viggo Norlander podniósł wzrok znad piwa, które studiował uważnie już od dłuższej chwili, i powiedział:

– Nie.

– No ale przecież to właśnie widziałeś?

– Pozornie.

– Chciałbym zauważyć, że tę wersję wydarzeń rozpracowuje sztokholmska policja – powiedział Chavez. – Zdaje się jednak, że ty uważasz inaczej?

– Moim zdaniem było ich pięciu.

– Co?

– Nie czterech, tylko pięciu. W tej drugiej grupie też było pięciu. Wyglądali jak handlarze bronią.

– Cztery osoby, nie licząc Taisira Karira, tak? I jeden z nich wbił przy okazji nóż w plecy Lassego Dahlisa? Nie pamiętasz ich twarzy?

– Dahlisa?

– Lasse Dahlis alias Lars-Erik Dahlberg. Znany pijaczyna z Söder.

– Nie, nie pamiętam żadnych twarzy. Było ciemno, a cała moja uwaga była skupiona na barmanie. Taki typ, co to generalnie ma cię w nosie. Nie pamiętam nawet twarzy tego, no, Lassego Dahlisa.

– Pamiętasz jednak, że byli niscy? To znaczy?

– Coś jak ty.

– Jak ja? – krzyknął Chavez.

– No może nie do końca – zastanowił się Norlander. – Może pomyślałem tak dlatego, że ochroniarze tego tam, Rappiego, byli tacy wyrośnięci.

– Vrapiego – poprawił go Chavez. – Isliego Vrapiego.

Viggo Norlander zamilkł.

– Coś mi nie pasuje z tą waszą jednostką Europolu – powiedział po chwili. – Zadaniem Europolu jest zbieranie i rozprowadzanie danych. Za to wy, zdaje się, robicie coś innego. Jak to się stało, że mój dawny partner jest teraz wtyczką w Hadze? Przecież znalazł już idealne zajęcie, zwieńczające jego karierę zawodową, posadę w szkole policyjnej w Ulriksdal. I nagle z jakiegoś powodu zostaje zwykłym ELO w Europolu – i zrywa kontakt ze swoim najlepszym przyjacielem. A teraz jeszcze pojawiacie się wy i prowadzicie równoległe dochodzenie z policją sztokholmską. Nie doceniacie chyba Viggo Norlandera? Zresztą nie pierwszy raz...

– Mamy rozkazy – powiedział Chavez sztywno.

– Nie wygłupiaj się, Jorge. Co się z tobą stało? Po co ukrywać coś przed emerytem, który nikogo nie obchodzi, który od kilku lat trzyma raka na dystans i który utknął w uroczym chaosie życia rodzinnego? Lepiej powiedzcie, żebym mógł znów spotkać się z Artem. I znów mógł mu powiedzieć „stul pysk". Serio.

Jorge i Kerstin spojrzeli na siebie. Jorge zrobił niepozorny gest, z którego należało odczytać: to ty jesteś szefem.

Kerstin Holm rzeczywiście była szefem. Szefem szwedzkiej sekcji Opcop, która składała się z trzech osób – dwojga z nich była przełożoną.

Podjęła decyzję, i to szybciej, niż się tego spodziewała.

– Jesteśmy supertajni – powiedziała.

– Rzeczywiście superhipertajni – powiedział Viggo Norlander. – Dobra, chrzanić to. Przecież wiecie, że możecie mieć do mnie stuprocentowe zaufanie. Chcę tylko jeszcze raz pogadać z Artem. I zrozumieć, czym się zajmujecie. Ta sprawa należy do policji sztokholmskiej. Współpracują z Interpolem. Udział Europolu zrozumiałbym, gdyby działała w jego strukturach jakaś grupa operacyjna. A takiej nie ma.

– Uwielbiam, kiedy Szwed używa trybu przypuszczającego – powiedział Jorge Chavez. – Mam na myśli Szweda z krwi i kości, takiego jak Viggo Norlander.

– Mój ojciec był Duńczykiem – zauważył Norlander.

– A Viggo znaczy „wojownik" – powiedział Chavez. – Pamiętam.

– W Europolu działa testowa grupa operacyjna – powiedziała powoli Kerstin Holm. – Prowadzi ją Paul Hjelm, a Arto Söderstedt wchodzi w jej skład. Podobnie jak Jorge, Sara i ja, tyle że tutaj, na miejscu. Żadne z nas nie może o tym mówić. Robię teraz wyjątek, ponieważ znajdujemy się daleko od komendy, a ryzyko, że zostaniemy podsłuchani, jest niewielkie. Piśniesz o tym choć słowo poza tym gronem, a ja i Jorge możemy trafić do więzienia. Rozumiesz, Viggo?

Viggo Norlander zamrugał jak głupek.

– Tak – odpowiedział.

– Skoro tak – powiedziała z naciskiem Kerstin Holm. – Dlaczego wersja policji sztokholmskiej jest fałszywa?

– Te bandziory patrzyły na Isliego Vrapiego z podziwem, nie zastrzeliliby go. Daliby uciąć sobie nogi, żeby zostać jednym z jego ochroniarzy. Choć wtedy raczej by mu się nie przydali. Tyle że oni są zbyt tępi, żeby to zrozumieć.

– Najwyraźniej to jednak oni go zastrzelili. Dlaczego?

– Myślimy tak samo po latach spędzonych w Drużynie A, wy i ja – powiedział Norlander. – Wiecie, że dziwne jest to gadanie o „wyzwaniu" i „mafiosie". Dlaczego gang z przedmieść, w którego szeregach znajduje się lokalny bokser Taisir Karir, wpada na pomysł, żeby zlikwidować światowej sławy handlarza bronią? Tylko dlatego, że to dla nich „wyzwanie"? Nie sądzę.

– A dlaczego?

– Nie wiem. Nie miałem, że tak powiem, okazji się nad tym zastanowić. Miałem poważne wstrząśnienie mózgu. Leżałem nieprzytomny. Co innego wy. Co myślicie?

– Nie wiem – powiedział Jorge Chavez. – Coś tu śmierdzi.

– Co za głęboka analiza – powiedział Viggo Norlander.

– Najwyraźniej to jednak nie Taisir Karir zastrzelił Isliego Vrapiego – powiedziała Kerstin Holm – ponieważ nie znaleziono przy nim broni. Można oczywiście założyć, że któryś z jego kolegów albo ochroniarz, który go zastrzelił, zwinął mu broń, kiedy leżał martwy na ulicy. Prawdopodobnie jednak to któryś z tamtych czterech „niskich" popełnił potrójne zabójstwo.

– Poczwórne – poprawił Norlander.

– Akurat *to* już nie jest takie pewne – powiedział Chavez. – A nawet mało prawdopodobne. Zmierzając w kierunku otoczonego ochroniarzami gangstera z zamiarem zamordowania go, wbija jeszcze nóż w jednego z trzech rozgadanych pijaków. Podbiega z nożem w jednej ręce i pistoletem w drugiej i wbija ten nóż prosto w serce Lassego Dahlisa, jak jakiś szalony pirat. Od tyłu. Dziwne, prawda?

– Prawda – przyznała Kerstin Holm – dziwne.

– Czy mogę przez chwilę zabawić się w policjanta? – zapytał Viggo Norlander.

– Pod warunkiem, że nie zaczniesz bawić się w doktora – powiedział Chavez.

– Kerstin, dlaczego powiedziałaś, że mamy tu do czynienia z „bandą zamroczonych rohypnolem i sterydami bandziorów"? Czy została przeprowadzona analiza toksykologiczna ciała Taisira Karira?

– Ten środek nosi dziś nazwę od zawartej w nim substancji czynnej flunitrazepamu, środka uspokajającego z grupy benzodiazepin – powiedziała Kerstin Holm. – Dawniej funkcjonował pod nazwą Rohypnol i przez pewien czas zażywało go wielu groźnych przestępców. Ostatnio trochę się uspokoiło, ale Taisir Karir w chwili śmierci miał we krwi zarówno flunitrazepam, jak i anaboliczne sterydy. Bystry jesteś, Viggo.

– No wiesz. Kto raz był gliną, ten zawsze nim pozostanie. Przez te narkotyki staje się to bardziej zrozumiałe, prawda, państwo policjanci? To była zgraja zdesperowanych, zamroczonych, wyrośniętych dzieciaków z przedmieść, które nie osiągnęły w życiu niczego. Chcieli tylko zapisać się na kartach historii. Stare, znane „chcę być kimś" – równie dobrze mogłoby paść na jakiegoś aktora albo gwiazdę telewizji. Za zabójstwo trafia się na pierwsze strony gazet. Zauważają Isliego Vrapiego i przebiega im przez myśl: „teraz, kurwa, ludzie nas zapamiętają". Mają przy sobie – o czym powinienem był pomyśleć, zanim zaciągnąłem żonę w takie podejrzane miejsce – broń. Przyszli tam, żeby się napić i dać wyraz swojej życiowej frustracji. Być może doszłoby do jakiejś innej tragedii, gdyby nie było tam Vrapiego. Ale on tam jest. To ich pobudza. Znają swoich idoli. To poprawi ich image. Stoją tam, naradzają się. Mają przed sobą „cholerne wyzwanie", bo zauważyli „największego mafiosa". To jakby sprzątnąć Arkana. Sława na całe życie, choćby było krótkie. Pośmiertna sława jest jeszcze ważniejsza. Nagle ci naćpani bohaterowie z przedmieść znaleźli sens życia. Sprzątnąć Isliego Vrapiego to gruba sprawa. Diabelski bonus. *Sure*, jest *criminal mind*, stoi po właściwej stronie prawa, ale będzie niezłe trzęsienie ziemi, jeśli się go pozbędą. *Let's do it*. Do tego potrzeba jednak lidera. Coś takiego można zrobić tylko wtedy, gdy jest ktoś, kto powie ci, że masz to zrobić. *Przywódca*.

– Uważasz, że był tam przywódca? – zapytała Holm.

– Na pewno – powiedział Norlander. – Inicjator.

– Widziałeś go? – zapytał Chavez, wziął łyk piwa i pochylił się ciężko nad stołem.

Viggo Norlander rozejrzał się po pomieszczeniu, w którym dawniej prawdopodobnie mieściła się więzienna stołówka, zamyślił się i powiedział:

– Chcieliście tu dotrzeć, co?

– No, całkiem miłe miejsce – powiedział Chavez i rozejrzał się.

– Do tego punktu – powiedział ze spokojem Norlander. – Do potencjalnego przywódcy.

– Czy ktoś w grupie wydał ci się dominujący? – zapytała Kerstin Holm. – Widziałeś dużo więcej, niż ci się wydaje.

– Zauważyłem, jak już powiedziałem, że doprowadziliście mnie do tego punktu – powiedział Norlander. – Czyli że zależało wam na odpowiedzi właśnie na to pytanie. Ja jeszcze raz odtworzę w głowie wczorajszy wieczór, tak jak lubicie, gdy robią to świadkowie, najlepiej w *slow motion*, a wy opowiecie mi, co sądzicie. Z waszej podejrzanej pozycji operacyjnych glin z Europolu.

– Nie wierzymy w przypadki – powiedziała Kerstin Holm tonem pozbawionym emocji. – Wszystko wskazuje na to, że Isli Vrapi szykował poważną dostawę broni. Jego likwidacja zbiega się poza tym z kilkoma innymi wydarzeniami w Europie. Nie rozumiemy jeszcze powiązań zewnętrznych, jeśli takie w ogóle istnieją, ale pierwsze sygnały są niepokojące.

Viggo Norlander rozejrzał się po przerobionym na pub, gospodę i hotel budynku więziennym i przez chwilę miał wrażenie, jakby zobaczył samego siebie. Podobnie jak więzienie na zawsze już pozostało więzieniem, choć tak bardzo starano się to ukryć, tak i on dalej był policjantem, choć tak bardzo starał się być kimś innym.

Był po prostu cholernie ciekaw.

Odtworzył tamtą scenę w pamięci, tym razem wolniej. Żona przestaje się dąsać. On podnosi się z krzesła, żeby podejść do baru i zamówić jeszcze jedną kolejkę. Bez konkretnego powodu stuka kieliszkiem wina o kufel piwa stojący na stoliku, brzęknięcie przebija przez zgiełk i melodię reklamową w telewizji, posyła Astrid spojrzenie z ukosa i oddala się. Do baru nie jest daleko, ale panuje tłok. Niemal od razu zauważa grupę osób stojącą trochę na lewo, ale jednak na jego drodze, musi ich jakoś wyminąć. Prawda, że na nich spojrzał? Musi zatrzymać obraz, chociaż wzrok utkwiony ma w barze, ostrożnie wydobyć go z najciemniejszych zakamarków pamięci, przywołać twarze. Prawda, że powinno się udać? Potem nie dzieje się nic ważnego, zwykłe pieprzenie pijaczków – markotnego Lassego Dahlisa o niższym głosie z właścicielem wysokiego głosu i tego od staccato – przykuwa całą jego uwagę. Potem nie widzi już tej grupy. Musi raz jeszcze przejść drogą w stronę baru.

Oszczędne ruchy, lekkie odbicie w prawo, żeby ich wyminąć. Zatrzymuję się. Obserwuję. Co widzę? Przechodzi mi przez myśl, że są niscy – czy to dlatego, że widziałem już tych mięśniaków na prawo stojących wokół handlarza bronią, którego nazwiska nigdy nie zapamiętam? Może to ich rozmiary sprawiają, że tamci wydają się mali. Muszę się zatrzymać. Zatrzymać ten moment, przejść się wokoło w zastygłym krajobrazie. Prawie niemożliwe. Twarze? Nie, nic z tego. A może jednak?

– Macie jakieś zdjęcie Taisira Karira? – zapytał.

Chavez zdążył je już wyjąć. Przysunął je bliżej w jego stronę. Norlander przyjrzał się mu. Twarz przestępcy. Gdzie on stał? Czy potrafi umiejscowić tę twarz w zatrzymanym kadrze, po którym przechadzało się jego wewnętrzne ja?

– Metr sześćdziesiąt osiem – powiedział Chavez. – Czarna skórzana kurtka.

Czarna? Czy nie wszystkie ubrania stają się czarne w krajobrazie cieni zatrzymanego kadru? Czy nie wszyscy w grupie na lewo mają metr sześćdziesiąt osiem? Czy nie wszystkie twarze chowają się w cieniu, robią się nie do poznania?

Kręcił się w kółko po wnętrzu. Wszystko było zamrożone w bezruchu. Świat duchów, w którym niemal całkiem zanikły cechy charakterystyczne. Ludzie jak świece, zgaszeni, płynni, wypaleni. Groteskowy półświat minionej chwili.

Czas płynął.

Zobaczył czyjąś fryzurę. To wszystko.

Norlander pokręcił głową.

– Przykro mi – powiedział. – Widzę tylko czyjąś fryzurę. Taką w stylu rockabilly. Poza tym mój mózg niczego nie znajduje.

– Szkoda – powiedział Chavez i wziął do ręki zdjęcie. – Mimo wszystko próbuj. Poszukamy zdjęć bandziorów noszących fryzury w stylu rockabilly.

– Nie możecie mi powiedzieć, o co w tym chodzi?

– Nie wiemy – przyznała Kerstin Holm. – Czołowy ekspert w dziedzinie rozpoznawania ingerencji chirurgicznych u terrorystów popełnił w Belgii samobójstwo, i to w dosyć podejrzany sposób. A teraz zamordowano groźnego handlarza bronią podejrzanego o przygotowywanie przerzutu broni. *Dla terrorystów.* Oczywiście może to być przypadek. Dużo wskazuje na to, że to przypadek. *Prawdopodobnie* to przypadek.

– Ale...? – powiedział Viggo Norlander.

– Otóż to – powiedział Jorge Chavez. – Nie wierzymy w przypadki.

2

Bryza

Raport drugi

Nazwa: Raport CJH-28401-B452
Numer umowy: A-MC-100318
Cel: Aktualizacja, oczekiwanie na odpowiedź
Data bieżącego roku: 31 marca
Poziom: The Utmost Degree of Secrecy

Druga faza poszukiwań rozpoczyna się pod koniec okresu paryskiego „W", gdy jego przybrany ojciec, Luigi Berner-Marenzi, obejmuje stanowisko attaché kulturalnego we Francji. Po incydencie z majtkami gospodyni Anaïs Criton „W" uczy się dalej w The International School of Paris, by dwa semestry później rozpocząć naukę w École Massillon, jednej z elitarnych szkół katolickich w mieście. Ma wówczas czternaście lat. Dostaje najwyższe oceny, a życie w ekskluzywnej Szesnastej Dzielnicy w Paryżu wydaje się pozbawione zmartwień. W tym okresie dziennik przybranej matki Marii Berner-Marenzi utrzymany jest w beztroskim tonie, a przybrane siostry Una i Vera pojawiają się w nim znacznie częściej niż „W".

O dwóch osobach wspomina bardzo rzadko. O „W" i o sobie samej. Jakby nie chciała o nich pisać, szybko zmienia temat na męża Luigiego albo na Unę i Verę. Zdaje się, że to bezpieczny teren. Z lektury wynika jednak wyraźnie, że o ile „W" cieszy się wsparciem i miłością matki, o tyle jego relacje z ojcem coraz bardziej się komplikują.

Źródeł z okresu paryskiego jest zaskakująco mało. Czas gimnazjum i liceum zwykle zostawia po sobie – również na początku lat dziewięćdziesiątych – sporą liczbę różnych śladów. Nie dotyczy to jednak „W". Tłumaczymy to w ten sposób, że świadomie usunął on swoje ślady podczas późniejszego, krytycznego okresu życia.

Dlaczego właściwie zarówno Maria, jak i „W" znikają powoli z dzienników? Czy Maria ma wrażenie, że go traci, nie tylko w gęstych mgłach okresu dojrzewania, lecz także w szerszej perspektywie życiowej? Co takiego rozgrywa się pomiędzy matką a synem w ciągu tych krytycznych lat? Jeden akapit wydaje się tu szczególnie wymowny.

Udało nam się przeanalizować wszystkie kolejne przyjęcia urodzinowe, aż do trzynastych urodzin, które zostały opisane w dzienniku Marii. W dniu (oczywiście umownych) czternastych urodzin „W" brak jednak notatek. Dzień zostaje pominięty milczeniem. Wraz z piętnastymi urodzinami „W" ta cisza przechodzi w coś jeszcze innego:

„Mój chłopczyk jest już taki dorosły. Dziś obchodzimy jego piętnaste urodziny. W szkole idzie mu bardzo dobrze i rośnie z niego elegancki młody człowiek. Co prawda od odwiedzin tego mężczyzny miał częste wahania nastroju, ale dziś rano, kiedy został przez nas obsypany prezentami i czułościami, piękny uśmiech rozjaśnił jego naburmuszoną zwykle buzię i poszedł do szkoły z ochotą i radością. Uśmiechnął się jeszcze bardziej, kiedy Vera go przytuliła, to jego ukochana siostra. Musiał wiedzieć, że zamierzamy wyprawić mu prawdziwe przyjęcie wieczorem, w Restaurant du Palais Royal w Galerie de Valois. Luigi zrezygnował nawet z kolacji w Luwrze z kilkoma europejskimi ministrami spraw zagranicznych. Spotkaliśmy się w restauracji, Luigi, Una, Vera i ja, i czekaliśmy na naszego chłopczyka. Zrobiła się siódma, dziesięć po siódmej, dwadzieścia, a on wciąż nie przychodził. Luigi zaskakująco długo robił dobrą minę przed Uną i Verą. Podarowaliśmy naszemu chłopczykowi najnowszy telefon komórkowy, Luigi też ma taki, zakupiony przez ambasadę. Zapytałam, czy może mi go podać. Na ekranie zobaczyłam tylko krótki tekst. Pierwszy raz zobaczyłam wiadomość SMS. Napisał po francusku, krótko i treściwie: »Mam inne plany na wieczór«. Luigi się wściekł i urządził prawdziwą scenę w eleganckiej Restaurant Palais du Royal. Zatrzęsła się ziemia".

Potem następuje wymowna cisza, nie tylko na temat incydentu w urodziny, ale w ogóle na temat „W". Mija ponad miesiąc, zanim pojawi się kolejna wzmianka:

„Jesień w Paryżu jest taka ponura. Niestety moim chłopcem targają podobne zawieruchy, i to coraz gorsze. Nie jest to spowodowane tylko pogorszeniem się stosunków z Luigim, problem sięga znacznie głębiej. Wtedy o tym tak nie myślałam – jest tak lubiany, mój chłopiec, tak często i licznie odwiedzany – teraz jednak zrozumiałam, jak zmieniły go odwiedziny tego mężczyzny. Usiłuję sobie przypomnieć jego nazwisko, ale mi umyka. Czuję, że muszę się dowiedzieć, kim naprawdę był. I co takiego powiedział. Nie wiem, czy odważę się podjąć ten temat z moim chłopcem. Czuję jednak, że mimo wszystko powinnam".

Potem w dziennikach pojawia się już tylko jedna wzmianka o „W". Ostatnia. Jest to w ogóle ostatnia notatka w całym dzienniku, co trochę dziwi, biorąc pod uwagę, ile arkuszy pozostało do końca piątego tomu. Ostatnie strony są jednak puste.

Notatka pochodzi z listopada tego tragicznego 1994 roku:

„Ile to ja się nadenerwowałam. Wreszcie zebrałam się na odwagę i zastukałam. Cisza. Nerwowo wykręcałam nadgarstki. Zrozumiałam, że to, co za chwilę się wydarzy, zadecyduje, tak, właśnie tak, o przyszłości całej naszej rodziny.

Nacisnęłam ostrożnie klamkę i napotkałam wzrok mojego chłopca siedzącego jak zwykle przed komputerem. Nie wiem, jak opisać to spojrzenie.

Przełamałam ten zaklęty krąg, weszłam do pokoju i zamknęłam za sobą drzwi. Powiedział tylko jedno słowo, tonem, który wciąż jeszcze, choć minęło już kilka godzin, sprawia, że cała się trzęsę: »Wiedziałaś«. Nic więcej.

Czy jeszcze kiedyś znów mi zaufa? Pod koniec rozmowy zabrzmiała nuta pojednania, choć teraz trzęsę się nawet jeszcze bardziej. Nalał mi wody. Widział, jaka jestem zdenerwowana.

To dygotanie rozlewa się po całym moim ciele, gdy piszę, czuję się naprawdę źle. Pocę się i mam wrażenie, jakby w całym mieszkaniu krążyły postacie, które chcą mi wyrządzić krzywdę. Wszystko zaczyna się rozmywać.

Z półmroku wyłania się tylko nazwisko. Nazwisko mężczyzny, który odwiedził mojego chłopczyka. Nazywał się Massicotte".

W tym miejscu dziennik nagle się kończy. Maria niczego więcej już w nim nie napisze.

Z braku innych źródeł byliśmy zmuszeni przeprowadzić szeroko zakrojone poszukiwania na terenie Paryża w listopadzie 1994. W tym okresie nazwisko Marii Berner-Marenzi nie pojawia się w żadnych oficjalnych dokumentach. Po brawurowej akcji wymierzonej we włoską ambasadę, o której nie będziemy się tu jednak rozpisywać, weszliśmy w posiadanie kilku nieoficjalnych dokumentów, z których jeden wskazywał na to, że attaché kulturalny Luigi Berner-Marenzi pod koniec listopada tego roku odwiedził raz prywatną klinikę na Rue de la Chaise. Nie znaleźliśmy żadnych innych informacji. Wydobycie z kliniki dokumentów objętych tajemnicą wymagało nadzwyczajnych środków, otrzymaliśmy jednak w końcu kartotekę Marii, cierpiącej na „ciężki zespół paranoidalny", który dopiero po czasie okazał się mieć przyczyny fizyczne, nie psychiczne. Została otruta substancją, która w tamtym czasie nazywana była protobiamidem. Wykazała to dopiero obdukcja. Maria zmarła na przełomie listopada i grudnia, nie odzyskawszy równowagi psychicznej.

To, że podczas pogrzebu rodzina podpisała się w kronice Notre Dame jako „Luigi, Una i Vera Berner-Marenzi", nie musi naturalnie oznaczać, że „W" zdążył już opuścić dom rodzinny, niemniej jednak jest to prawdopodobna interpretacja. Ponieważ to właśnie w tym czasie zleceniodawca stracił go z oczu, taka hipoteza wydaje się jeszcze bardziej zasadna.

Powoli zbliżamy się do obecnego stanu dochodzenia. Jeśli wyjdziemy od błahego sformułowania, jak „mój chłopiec jest tak lubiany" czy „tak często odwiedzany", możemy wrócić do nieco wcześniejszego fragmentu, który w pierwszej chwili nie wydaje się mieć nic wspólnego z „W", ale który z perspektywy czasu należy jednak uznać za znaczący. Fragment ten dotyczy okresu tuż przed „wizytą tego mężczyzny" i brzmi następująco:

„Po mieszkaniu kręci się teraz tyle różnych osób. Wprawdzie nie wszyscy ci »przyjaciele« mi się podobają, ale mimo to ukrywam ich wizyty przed Luigim, ponieważ wiem, że to by go tylko rozsierdziło. Ale ten »Le Chameau«, który potrafi wyskoczyć znienacka nawet z najciemniejszego kąta w mieszkaniu, zaczyna mnie niepokoić. Ma taki okropny uśmiech".

Początkowo nie łączyliśmy „Le Chameau" z osobą „W", ale z perspektywy czasu wydaje się to logiczne, szczególnie że w ówczesnych rejestrach karnych pojawiają się wzmianki o młodym oszuście i fałszerzu o nazwisku Jacques Rigaudeau z przedmieść Clichy-sous-Bois, człowieku o wielu przydomkach, między innymi „Le Chameau", „Wielbłąd" – przezwisko, którego według kartotek policyjnych „dorobił się w dzieciństwie z powodu wady anatomicznej pleców przejawiającej się podwójnym garbem, dzięki doskonałemu leczeniu coraz mniej widocznym". Podobnie zresztą jak sam Jacques Rigaudeau od pięciu lat. Jeszcze do tego wrócimy.

Nie ma wątpliwości, że „W" po swoim dziwnym, ale pod każdym względem zrozumiałym występku wobec służącej Anaïs Criton, przechodzi przemianę. Bezwzględność, dotychczas wyrażająca się w słowach, i pomysłowość, która wcześniej ujawniała się jedynie sporadycznie – w stosunku do sióstr, rumuńskiego żeglarza i nowych kolegów z klasy w Paryżu – obierają wraz z powodowanym zazdrością czynem wobec Anaïs Criton nowy kierunek. „W" wchodzi w okres dojrzewania świadomy swoich umiejętności. Zaczyna się dystansować wobec ojca, wpada w „nieodpowiednie" towarzystwo, odsuwa się od ukochanej matki i nie przychodzi na przyjęcie z okazji swoich urodzin. Zdobywa również substancję o nazwie protobiamid, która wciąż jest nam bliżej nieznana.

Na tym etapie przemiany do „W" przychodzi mężczyzna o nazwisku Massicotte. Maria, jego matka, chce z nim o tym porozmawiać, ale jednocześnie najwyraźniej wie, że chodzi tu o coś wyjątkowo delikatnego, wyczuwa, że sama nie jest bez winy. Gdy w końcu dochodzi do rozmowy, atmosfera jest dokładnie tak nerwowa, jak się tego spodziewała, choć „W" mówi tylko „Wiedziałaś". W każdym razie „pod koniec rozmowy pojawia się ton pojednania", a on podaje jej szklankę wody. Pytanie, czy dzieje się to spontanicznie, czy też planował to od dawna, dla Marii Berner-Marenzi nie ma już jednak większego znaczenia. Pije wodę z protobiamidem i zapada na chorobę, której towarzyszą zaburzenia urojeniowe i która w końcu prowadzi do jej śmierci.

Nieobecność „W" na pogrzebie sugeruje, że już wtedy zapadł się pod ziemię i że w wieku piętnastu lat związał się ze światem przestępczym. Prawdopodobnie to właśnie dziewiętnastoletni oszust i fałszerz Jacques Rigaudeau zapewnia mu nową tożsamość po zabójstwie matki.

Warto zauważyć, że nawet jeśli zniknięcie Rigaudeau pięć lat temu o kilka miesięcy poprzedza pierwszy wypadek z serii, której dotyczy nasze bieżące zadanie, zdaje się, że to właśnie wtedy „W" podejmuje decyzję, to wtedy przygotowuje obecne działania – oznaczone kodem MC – likwidując wszelkie ślady swojego dotychczasowego życia, również ten, że „Le Chameau" pomógł mu zniknąć w Paryżu. Nie dociera jednak do dzienników, które jakimś sposobem trafiają do Australii, gdzie udało się nam je zlokalizować. I to dzięki nim przygotowaliśmy grunt pod dalsze badania, a konkretnie następujące kroki:

Rozpoznać otoczenie przestępcze Jacques'a Rigaudeau w listopadzie 1994, żeby sprawdzić (pierwszą?) fałszywą tożsamość „W". Dokąd udaje się piętnastolatek o sfałszowanej tożsamości?

Zebrać jak najwięcej informacji na temat substancji o nazwie protobiamid, żeby w ten sposób zlokalizować dalsze powiązania przestępcze „W". Czy w jego otoczeniu był jakiś chemik?

Celem powyższych działań jest naturalnie znalezienie „W" i powstrzymanie jego obecnej aktywności opisanej kodem MC. Wcześniejsze instrukcje zalecające nielikwidowanie go uznajemy zgodnie z ostatnimi wytycznymi zleceniodawcy za przedawnione. Pracujemy w tej chwili w oparciu o przeciwne założenia.

Pojawia się naturalnie pytanie o znanego dobrze zleceniodawcy profesora Uda Massicottego. Tutaj, podobnie jak i w kwestiach opisanych powyżej, czekamy na dalsze instrukcje.

La Mortola

Capraia, 14 maja

ZA ZASŁONKĄ Z TIULU, która od dłuższej chwili już nie powiewa, zapada ciemność. Gdy unosi się ku wysokiemu, zaróżowionemu wieczornemu niebu, ciemność jest już nie tylko brakiem światła, lecz niezależną siłą.

Siłą natury.

Zupełnie jakby ta siła trwała od czasów Diedy, unosząc się nad wyspami, również tą tutaj. Obłok. Fragment otchłani czasu, który czeka na swoje zadośćuczynienie.

Właśnie to zostaje teraz podarowane Diedzie.

Zadośćuczynienie.

Wewnętrzny głos:

„Któż mi zesłał tę myśl? Skoro tylko zmarli mogą się stąd wydostać, muszę zająć miejsce zmarłego".

Musi nauczyć się tego na pamięć.

Całkowity bezruch. Pięć dni intensywnego planowania dobiegło końca. Ciemność sączy się do wnętrza niewielkiego pokoju hotelowego, wypełnia go. Ból kołuje jak drapieżny ptak nad polem zmierzchu. Nie ma nic, co by odróżniało niemal całkowicie pozbawiony kontrastów pokój hotelowy od zatrzymanego kadru. Nic a nic.

A więc już czas.

Nareszcie.

Przedmioty ułożone na niewielkim biurku trafiają w ściśle określonym porządku do etui. Następnie do torby, którą zakłada na ramię. Wychodzi w letni wieczór.

Nie jest tak ciemno, jak wydawało się z wewnątrz. Rzadko tak bywa. Mała wioska Paese sprawia wrażenie opuszczonej i tam, gdzie oddziela się od sąsiedniej wioski Porto, znikają wszelkie ślady cywilizacji.

Wzdłuż wijącej się serpentyny, zbudowanej z trudem przez więźniów z Colonia Penale Agricola, ciągną się w górę zboczy tarasy uprawnej ziemi. Czarno-biała tęcza we wszystkich odcieniach ciemności położyła się na zboczach wzgórz.

Torba jest ciężka, ale tego nie czuje. Czuje tylko oddech, ciężkie, coraz cięższe oddechy. Tak oddychał Dieda w swojej jamie.

Nadchodzi zimna noc. Dieda otula się jeszcze ciaśniej w ciepłe ubrania, które dała mu babcia, porusza bez przerwy palcami w ciepłych trzewikach. Przez ten czas znika okrąg, który stanowi całe jego pole widzenia, otoczenie jamy połyka lodowata noc. W każdej chwili ktoś może tu zajrzeć.

Oddechy Diedy odbijają się echem nad wieczornym krajobrazem Caprai, gdy serpentyna wygina się nagle na zakręcie i każe spojrzeć na Morze Liguryjskie tam, gdzie zniknęła Korsyka. Odcienie mroku, które wciąż jeszcze nie przeszły w czerń, sprawiają, że morze przypomina gotujący się dziegieć, choć prawie nie ma wiatru, jedynie lekka, słaba bryza. Jest dziwnie cicho. Przedziwnie ciężko.

Capraia znana jest również jako nawiedzona wyspa. Być może właśnie to odczuwa jako ciężar. Choć niekoniecznie. Takie wrażenie ma na każdej wyspie. Skumulowane cierpienie więźniów tworzy jakiś rodzaj grawitacji, ciężar, który wciska przypadkowego turystę w ziemię. Nagromadzone na tak małej powierzchni cierpienie, nie mogąc znaleźć ujścia, promieniuje.

Jak tam. Na *tamtej* wyspie. Na wyspie Diedy.

Na ostatnim odcinku zmrok zapada już naprawdę. Wyjmuje latarkę z torby, drgająca smuga światła na zwężającej się serpentynie ujawnia fertyczne ruchy wieczornych zwierząt. Jaszczurki, coraz większe pająki, czasem nawet wąż, który powoli sunie przez drogę, niczym niezagrożony.

Zapadnięte kamienne schody nie różnią się zbytnio od drogi, biegną w górę wyschniętego krajobrazu. Stożek światła zatrzymuje się, kołysze się rytmicznie w takt oddechu Diedy, który w końcu się uspokaja, i dopiero gdy cisza znów staje się absolutna – nie słychać nawet cykad – smuga światła podąża dalej schodami pod górę i do środka, przez wyłom w murze.

Ciśnienie rośnie z każdą minutą, grawitacja staje się silniejsza. Kamienne mury więzienia są tylko sylwetką majaczącą w ciemności. Sylwetką, którą przebijają tu i ówdzie plamy bezdennej czerni wyzierającej zza przekrzywionych lub zarwanych drzwi więziennych cel. Ziemisty piasek pod stopami, kępki wysuszonej od słońca trawy, którą światło latarki zdaje się wprawiać w ruch. Gdzieniegdzie gwiazdy przeświecają przez gęstniejącą pokrywę chmur.

Dokładnie tak, jak to widać na zdjęciu lotniczym, na więziennym dziedzińcu są kamienne schody. Można usiąść tam, na otwartej przestrzeni, przypominającej tarczę rozjaśnioną światłem latarki. Dawniej potrzeba było odwagi, żeby to zrobić. Teraz już nie. Siła przyzwyczajenia. Człowiek potrafi zaakceptować niemal wszystko.

W norze Diedy jest noc.

Ostatnia noc. Na zawsze ostatnia.

Projekt, który z początku wydawał się nie mieć końca, teraz dobiega kresu. Co teraz? Co będzie, gdy już szale się zrównoważą? Nie myśli jeszcze o tym, nie wybiega jeszcze tak daleko.

„Któż mi zesłał tę myśl? Skoro tylko zmarli mogą się stąd wydostać, muszę zająć miejsce zmarłego".

Fasada budynku więziennego jest surowa. Czas jeszcze nigdy nie płynął tak powoli. Rozłożysta sylwetka zaczyna zanikać, pochłaniana przez ciemność, wyniosła bryła z dwoma wydłużonymi ramionami rozpływa się, parterowe rzędy cel zlewają się z mrokiem, kontury porozrzucanych nieopodal budynków rozmywają się, zanikają, wszystko staje się nocą.

Wszystko.

Wzrok zatrzymuje to, co zostało z głównego budynku, próbuje nie dopuścić do tego, żeby ostatecznie połączył się z nocą. Żółte światło latarki tańczy przed stopami. Zapach Morza Śródziemnego unosi się w ciemnościach, lekka bryza zabiera go ze sobą. Zapach Morza Śródziemnego w nocy. Niepowtarzalny.

I nagle światło przebija mrok. Drugie światło. Niebieskawe mrugnięcie.

Jak z jakiejś odległej latarni przez gęstość nocy.

Tym razem jednak z wnętrza budynku więziennego.

Głęboki wdech nocy. Oddech Diedy. Grawitacja sprawia, że ciężko się podnieść. Bezruch, gdy zatrzymuje się smuga światła.

Kolejne mignięcie z wnętrza celi. Ustalony sygnał. Dwa krótkie, jeden długi. Wszystko się zgadza, nie może się nie udać.

Ostatni raz przekonuje się w myślach.

Pozwolili. To na nich czeka obłok czasu. To na nich czekał Dieda. Nie tylko pozwolili, ale zarządzili. Zażądali niezbędnych ofiar dla wyższego dobra.

The greater good.

Nie są niewinni.

Ten tam w środku też nie jest niewinny, ten, który tak posłusznie mruga swoją latarką.

Dwa krótkie, jeden długi.

Smuga światła na ścianach celi. Spotkanie żółtawej i niebieskawej poświaty na kępie suchej trawy na progu. Świateł dwóch generacji. Niebieskie błyski diod przenikają się z łagodniejszym żółtym światłem.

Dwa krótkie, jeden długi. Jeszcze jeden, jakby z przyzwyczajenia.

Głos ze środka, zachrypnięty, ponaglający.

– Wejdź, wejdź.

Przepołowione drzwi wyglądają, jakby zrosły się z zawiasem, trudno się przez nie przecisnąć. Niebieskawe światło przesuwa się po surowych, nierównych kamiennych ścianach, aż wreszcie jego źródło zastyga w okienku w głębi celi. Niebieskawe diodowe światło tworzy koło na ścianie tuż obok przepołowionych drzwi celi. Gdy wielki mężczyzna odsuwa rękę od latarki leżącej w okienku, niebieskawe koło przez chwilę drży.

Podchodzi bliżej, tak blisko, że czuć jego oddech, gdy mówi po angielsku z amerykańskim akcentem:

– Potrafię zrozumieć zabawę w chowanego, ale to już przesada.

Żółtawe światło unosi się w kierunku głowy mężczyzny, nie oślepiając go. Stożek światła zatrzymuje się na jego piersi, odbija w kierunku twarzy, oświetlając wyraźny podbródek. Mężczyzna wygląda dziwnie, twarz ducha, cień powiela rysunek okularów. Poza tym jest elegancko ubrany, w ten niezobowiązujący, jakże znajomy sposób.

Zawsze tak samo.

Kolejny wydech. Oddech tak samo ostry, tym razem jednak wyraźniejszy. Oddech starego mężczyzny. Starego, zdenerwowanego mężczyzny, ale nie starego, wystraszonego mężczyzny. Chyba raczej starego, zniecierpliwionego mężczyzny.

Ćwiczona tyle razy kwestia, ledwo rozpoznaje swój własny głos:

– W tej torbie mam materiały. Chwileczkę.

Torba opada na kamienną podłogę. Dźwięk metalu uderzającego o metal. Ktoś podejrzliwy mógłby na to zareagować. Ten mężczyzna jednak taki nie jest. Nie wyczuwa w nim niepokoju, żadnego strachu, już raczej zdyszane, pełne napięcia oczekiwanie.

Najważniejsze to umieć rozpoznać ich największe pragnienie. To, za czym pobiegną, zapominając o swoich przyzwyczajeniach, zakorzenionych silniej niż u większości.

Dlatego dziwi się, gdy to, co się dzieje, nie dzieje się tak, jak tego oczekiwał. Światło z obu źródeł odbija się na powierzchni metalu, mieszanina niebieskawego i żółtawego światła na ostrzu.

W pierwszej chwili mężczyzna odsuwa się do tyłu. To naturalna reakcja. Ramiona unoszą się w górę, ręce wysuwają się do przodu. Daremna, nieco wzruszająca pozycja obronna jeszcze sprzed epoki kamienia łupanego. Całkowicie nieskuteczna w obliczu współczesnej broni.

Potem jednak coś się dzieje. Nagły, gwałtowny zwrot. Zamiast odskoczyć, mężczyzna rzuca się do przodu, na nóż. Chwyta za rękojeść. Coś się nie zgadza. Tylko co? Nóż nie wchodzi jak trzeba. Coś nie jest tak, jak być powinno, ale co?

Spojrzenie zza grubych szkieł okularów. Nie ma w nim agresji, nadmiaru testosteronu, raczej zaskoczenie, jakiś nowy rodzaj zaskoczenia. Uścisk wokół rękojeści słabnie, gdy wielkie ciało naciera z szeroko otwartymi oczami.

Nóż oswobodzony.

Wszystko dzieje się bardzo szybko, a mimo to ma wrażenie, jakby działo się bardzo powoli. Maksymalne *slow motion*.

Gdy upada pod ciężarem wielkiego mężczyzny, bezgraniczna świadomość przenika rozbitą plamami światła ciemność. Plecy uderzają o kamienną podłogę.

Musi zignorować ból, pełna koncentracja.

Gdy nóż powoli zagłębia się pod żebra mężczyzny, zauważa jakiś ruch nad jego ramieniem. Zatrzymuje spojrzenie na drżącym przedmiocie *na* jego ramieniu. Nie, on tkwi *w* ramieniu. Głęboko w ramieniu.

To strzykawka, prawdziwa końska strzykawka. Przebiła się przez marynarkę mężczyzny i sterczy, wczepiona.

Ostatnie oddechy mężczyzny. Słabe, rzężące. Wydycha krew.

Jego twarz zamiera w zaskoczeniu.

Nagle kolejny ruch, z tyłu, w ciemnościach celi. Ciało wielkiego mężczyzny blokuje, nie pozwala się poruszyć.

Bez szans.

I nagle, tuż za granicą smugi światła, czyjeś kroki. Spojrzenie przez ramię, nad konającym potężnym mężczyzną. Przecięcie niebieskiego koła tuż przy drzwiach. Przez chwilę widać twarz.

Człowiek. Ich spojrzenia się spotykają.

Wyjątkowo dziwna chwila, która rozciąga się w nieskończoność.

Mężczyzna przy drzwiach, w kręgu niebieskawego światła, jego piękna twarz niemal promienieje. Ostre, przykuwające spojrzenie. Zdziwienie, zaskoczenie, ale również świadomość celu.

Etui w ręku mężczyzny, podobne, ale mniejsze. W sam raz na końską strzykawkę.

Stawia kilka przerażających kroków. Wielkie ciało przygniata go, nie ma szans, by się poruszyć. Piękny mężczyzna kuca obok. Ostre, krótkie spojrzenie. Badawcze. Potem kręci głową i już go nie ma.

Znika.

Zapada oszałamiająca cisza.

Nóż obraca się lekko. Musi się powstrzymać przed wyciągnięciem go, nim walka nie dobiegnie końca. Unikać krwi, dopóki się da.

Wyczekiwanie. Obserwacja.

Wyczołguje się spod spodu. Potężne ciało osuwa się bezwładnie na kamienną podłogę.

Uwalnia nóż. Rozciąga się. Sprawdza dokładnie plecy. Chyba nic nie pękło. Ból promieniuje wzdłuż kręgosłupa, ale może kontrolować ruchy.

Podchodzi do wejścia. Spojrzenie w ciemność pod przepołowionymi drzwiami, uczepionymi na zawiasie. Ciemność na zewnątrz jest gęsta. Ciężka. Głęboka. Przytłaczająca. Obecność silniejsza niż na jakiejkolwiek innej wyspie. Wyjątkowo wielka siła ciążenia. Nic nie świadczy o tym, żeby miał tam być jeszcze inny człowiek.

Z wyjątkiem jednego.

Gdyby nie ta końska strzykawka, która wciąż sterczy z barku potężnego mężczyzny, całe zdarzenie można by potraktować jako projekcję. Można by pomyśleć, że piękny mężczyzna o przenikliwym spojrzeniu w ogóle nie istniał.

Tylko gdzieś w największej głębi.

Nawet nie próbuje zrozumieć. Nie teraz.

Carpe diem. Ciesz się chwilą. Jak zawsze.

Czy to możliwe? Czy nie wszystko zostało zniszczone?

Nie, wciąż jest możliwe. Ciągle jest szansa.

Nadchodzi wyciszenie. Spokój. Chłód po upalnym dniu. Spokój po burzy.

Pocieszenie.

Złote sekundy. Gdy wszystko trafia na swoje miejsce. Sprawiedliwość została wymierzona, przynajmniej na chwilę. Sprawiedliwość dla Diedy.

Już czas.

Musi usunąć końską strzykawkę, by zdjąć marynarkę i koszulę.

Po wyciągnięciu igła okazuje się długa, strzykawka jest mocna, w sam raz, żeby przebić nawet najgrubsze ubrania.

Prędzej czy później trzeba to będzie przemyśleć. Ale nie teraz. Strzykawka ląduje w zewnętrznej kieszeni torby.

Nie może dotknąć strzykawki. Nie może nawet zbliżyć się do czubka igły.

W największej kieszeni walizki znajduje się etui podobne do tego, które miał ze sobą ten piękny mężczyzna, ale większe, również wtedy, gdy jest otwarte.

Kilkakrotnie porządnie zaciska zęby. Wgryza się. Czuje napływającą ślinę.

Przystępuje do działania.

W ruchu

CORINE BOUHADDI rozejrzała się po mieszkaniu, zastanawiając się, dlaczego jest taka przygnębiona. Nagle poczuła bijącą ze ścian samotność. Zobaczyła jakąś postać w holu, wielką, atletyczną, niemal czarnoskórą Berberyjkę, i choć minęły co najmniej dwie sekundy, zanim zrozumiała, że to jej odbicie w lustrze, nie to było w tym wszystkim najgorsze. Najgorszy był wyraz twarzy. Wyraz niemal całkowitej rezygnacji.

Przyzwyczaiła się do tego, że jest sama, była sama z wyboru, sama podróżowała, żyła wedle zasady „w jedności siła". Teraz jednak tak się nie czuła. Nie wiedziała dlaczego.

Raz przez przypadek usłyszała, jak ten szczery do bólu Szwed Jorge Chavez powiedział o niej, że jest „kobietą, której integralność wyplenia każdy przejaw życia biologicznego w promieniu pół mili". To wspomnienie nieco ją ożywiło. Odbicie w lustrze roześmiało się, czyli ona sama również się roześmiała.

Jej spojrzenie powędrowało w kierunku zwiniętego dywanika modlitewnego stojącego obok lustra. Był związany pożółkłą opaską i stanowczo za bardzo zakurzony. Ani razu od czasu przeprowadzki do Hagi nie rozwinęła go w stronę Mekki. Szczerze mówiąc, w Marsylii też nie zdarzało jej się to zbyt często, przynajmniej od kiedy – pod wpływem młodzieńczego buntu – podjęła studia z gender na

Uniwersytecie Aix-Marseille i w akcie politycznej wściekłości znalazła dla siebie mieszkanie. Opuściła wspólnotę – bezpieczną, stabilną wspólnotę rodzinną – a jeszcze nie znalazła nowej. Pozwoliła się wyrwać wraz z korzeniami więcej razy, niż ktokolwiek inny mógłby tego sobie życzyć, i z wyjątkiem przeprowadzki w dzieciństwie z Maghrebu, z rodzinnego miasta Safi położonego na marokańskim zachodnim wybrzeżu, za każdym razem robiła to tylko i wyłącznie z własnej woli.

W jedności siła.

Na koniec spojrzała na popielniczkę stojącą na stoliku kawowym. Leżało w niej kilka kolorowych niedopałków, a lekko słodkawy zapach dymu wciąż unosił się w mieszkaniu. Zero alkoholu, tak zawsze mogła powiedzieć, jestem muzułmanką, nie piję alkoholu. Od tego stwierdzenia niedopałki jointów w popielniczce nie zrobiły się mniej żałosne.

Roześmiała się i wyszła z mieszkania. Rowerowa przejażdżka po chłodnej o poranku Hadze oczyściła jej płuca, a następnie głowę, i gdy na schodach Europolu dołączył do niej Felipe Navarro, poczuła, jak robi jej się jakoś dziwnie ciepło w środku. Nagle przyszło jej do głowy, że na swój sposób kocha Europę. Choć Navarro wydawał się skwaszony, z jakiegoś powodu czuła się jak w *domu* w tym pięknym, choć trochę groteskowym miasteczku, które stało się pępkiem Europy. *Omfalos*. No może nie do końca jak w domu – wciąż nie miała stałego partnera – ale wszystko było na dobrej drodze.

Na widok Paula Hjelma królującego za katedrą w Katedrze Corine Bouhaddi od razu pomyślała o ojcu. Felipe Navarro bez słowa podszedł do ekranu i ustawił go tak, żeby elektroniczna tablica z biura była widoczna również z Katedry. Potem czekała ją już tylko czysta przyjemność. Bouhaddi odchyliła się, zasłuchała i poczuła, że jej samotna noc i równie samotny poranek zniknęły bez śladu.

– Można by pomyśleć, że jest środek tygodnia – powiedział Navarro – a przecież jest sobota. Dzień odpoczynku. Pracujemy dzisiaj, ponieważ nie posunęliśmy się do przodu w sprawie Massicottego. Nie udało nam się również znaleźć niczego, co by łączyło Massicottego z operowanymi twarzami terrorystów z jednej strony i tym szczególnym zabójstwem poszukiwanego międzynarodowym listem gończym handlarza bronią Isliego Vrapiego w sztokholmskiej knajpie z drugiej. To, że takie powiązanie istnieje, jest przypuszczeniem naszego szefa opartym w całości na jego intuicji.

– Nie tylko – odezwał się Paul Hjelm zza swojej katedry. – Jak señor Navarro z pewnością wie, od różnych wywiadów wojskowych otrzymaliśmy informacje o wzmożonej aktywności terrorystycznej.

– Co nie znaczy nic więcej, niż tylko „wzmożony ruch terrorystów islamskich".

– Co miałeś na dziś zaplanowane? – odpowiedział ze spokojem Hjelm.

– Słucham?! – wykrzyknął Navarro.

– Jakie sobotnie plany ci pokrzyżowaliśmy?

– Spacer brzegiem morza z señorą Navarro? – podsunął Marek Kowalewski z głębi audytorium, na co Navarro łypnął na niego z wściekłością.

– Nie chodzi o mnie – mruknął. – Po prostu uważam, że to zwykła strata czasu i pieniędzy.

– Przed publicznością taką jak ta trudno udawać – powiedział Arto Söderstedt. – *Zawsze chodzi o coś innego*.

– Liczne detektywistyczne mózgi już nad tym pracują i przetwarzają informacje – odezwał się Angelos Sifakis. – No, zgadujcie.

– Ominęło go coś ważnego – stwierdziła Miriam Hershey. – Dostał burę, a teraz odgrywa się na nas. Osobiście. Coś ważnego i osobistego.

– Zgadzam się – powiedział Sifakis. – Dopiero co jednak poinformował nas, że przeprowadzka zakończona, robotnicy już poszli. Nie chodzi więc o nic praktycznego.

– Czy to, że nie może spędzić zasłużonego weekendu z żoną, nie wystarczy za wytłumaczenie? – odezwała się Laima Balodis.

– Tyle że wtedy nie odgrywałby się na nas – odezwał się Kowalewski. – Tu chodzi o nas. Nie planował się z nami dziś spotkać. Jest zły, bo *nie* planował się dziś z nami widzieć. Spotkanie z nami to przeszkoda, której się nie spodziewał.

– Czyli miał omówić z żoną coś, co dotyczyło nas – powiedziała Jutta Beyer. – Czy nam o czymś powiedzieć, czy nie?

– Dokładnie tak – powiedział Sifakis. – Masz rację, Jutta. On lub jego żona mieli nam coś powiedzieć. A teraz musi z tym poczekać. To jest właśnie ta wściekłość, którą widzimy.

– Upadliście wszyscy na głowy – mruknął Navarro, sprawnie kryjąc uśmiech. – Czuję się jak pielęgniarz w domu wariatów. Teraz już rozumiem, dlaczego mam taką pensję.

– A co takiego ważnego miałeś – wtrąciła Balodis – albo czego nie miałeś nam przekazać?

– Gratulacje – wtrącił Söderstedt.

– No właśnie, gratulacje – powiedziała Beyer, podnosząc się z krzesła.

– Co więcej, jak na Gota przystało, sprawdził już płeć – powiedział Kowalewski i również wstał.

– Chłopak czy dziewczyna? – zapytała Hershey, już stojąc.

– No żeż kurwa – powiedział Felipe Navarro i wybuchnął śmiechem.

Katedra rozbrzmiała gromkimi brawami.

– Chłopak – powiedział Navarro i poczerwieniał. – Syn.

– Przyjmij nasze gratulacje – powiedział Paul Hjelm i dodał: – Możemy kontynuować?

Członkowie jednostki Opcop usiedli na swoich miejscach. Felipe Navarro spojrzał na ekran, ale wzdrygnął się i powiedział błagalnie:

– Tylko nie mówcie Felipie, że wiecie.

– Nie puścimy pary z ust – powiedział Hjelm, choć był już gdzie indziej myślami. – Nikogo z was nie oświeciło w nocy? Lub może znaleźliście coś nowego?

– Ciekawe jest to powiązanie handlu bronią z chirurgią plastyczną – odezwał się Marek Kowalewski. – Obudziłem się w środku nocy i pomyślałem „twarz". Tu musi chodzić o twarz. Morderca z misją specjalną i specjalnym ekwipunkiem jest w drodze do Europy. Dwie osoby z zewnątrz wiedzą, jak wygląda. Po pierwsze handlarz bronią, który sprzedał mu broń, a po drugie chirurg plastyczny, który zoperował go tak, że nie można go rozpoznać. Obaj zostają zamordowani w ciągu zaledwie kilku dni. Tak musi być. Teraz nikt nie wie, jak on wygląda. A on jest w drodze tutaj. Żeby zrobić coś wielkiego.

W Katedrze zaległa cisza.

– Chcesz powiedzieć, że ktoś przygotowuje mu pole działania? – odezwał się po chwili Hjelm.

– Tak – odpowiedział Kowalewski. – Niezależna jednostka terrorystyczna ma do wykonania zadanie. Oczywiście nie wiedzą, kim jest morderca, prawdopodobnie nie wiedzą też, jaki jest plan, ale zadanie jest konkretne: zlikwidować dwie osoby tak, żeby wyglądało to na coś zupełnie innego. Na przykład samobójstwo albo rozróbę w barze.

– Bardzo ciekawa myśl – powiedział Hjelm. – Choć bardzo hipotetyczna. Jak idzie sprawdzanie terrorystów badanych przez grupę Massicottego w europejskich więzieniach?

W tej samej chwili zadzwonił jego telefon. Sygnał był wyraźny i intensywny. Odebrał, przez chwilę słuchał. Na jego czole pojawiła się zmarszczka świadcząca o tym, że coś się stało. Coś naprawdę ważnego.

Jednostka Opcop przyglądała mu się z zapartym tchem. Bardzo rzadko zdarza się, żeby tak wiele dało się wyczytać z pojedynczej zmarszczki na twarzy mężczyzny w średnim wieku.

W końcu się rozłączył. Obrócił lekko głowę, we wnętrzu Katedry jak w pudle rezonansowym rozszedł się dźwięk chrupnięcia. Następnie powiedział:

– Dzwonił dyrektor. Dziś w nocy doszło do kolejnego zdarzenia o podobnym charakterze. Znaleziono kolejną prominentną osobę. Tym razem również mamy do czynienia ze strefą, która uruchamia różne narodowe i międzynarodowe systemy alarmowe. Także w tym przypadku nie ma oczywistego związku z wcześniejszymi zdarzeniami.

Zamilkł i zapadł się w otchłań komputera. Po chwili klikania podniósł wzrok i powiedział:

– Na jednej z włoskich wysp zginął polityk. Był członkiem europarlamentu, bloku politycznego o rozpoznawalnej nazwie Zjednoczona Lewica Europejska, europosłem od siedmiu lat, z Pragi. Nazywał się Roman Vacek i wyglądał tak. – Paul Hjelm kliknął zdjęcie na monitorze komputera i wyświetlił je na ekranie.

Zobaczyli potężnego mężczyznę w garniturze, w okularach z rogowymi oprawkami i z szerokim, wzbudzającym zaufanie uśmiechem.

– Ma niewątpliwie ciekawą przeszłość – dodał po chwili Hjelm. – Rocznik czterdzieści cztery, absolwent praskiej akademii medycznej, uciekł na Zachód, choć nie w czasie praskiej wiosny sześćdziesiątego ósmego, tylko później, wiosną tysiąc dziewięćset siedemdziesiątego piątego, przy okazji konferencji genetycznej w Liverpoolu. Następnie żył na emigracji w USA, pracował na Uniwersytecie Johnsa Hopkinsa w Baltimore aż do upadku muru, tak, a nawet dłużej, do podziału dawnej Czechosłowacji na Czechy i Słowację. Zaczął się angażować politycznie w działalność partii o nazwie KSČM, a z czasem stał się pełnoetatowym politykiem.

– KSČM – powtórzyła Laima Balodis. – Czy to nie...?

– Owszem – powiedział Hjelm. – Jedna z najbardziej aktywnych europejskich partii komunistycznych od czasu upadku muru, Komunistická Strana Čech a Moravy, Komunistyczna Partia Czech i Moraw.

– Uciekł przed komunistami – zastanowiła się Jutta Beyer – a potem sam został komunistą?

– Na to wygląda – powiedział Hjelm ze wzrokiem utkwionym w ekranie komputera. – Mówił o sobie „eurokomunista".

– Ważniejsze jest to – powiedział Arto Söderstedt – że mamy tu kolejnego martwego lekarza o wysokiej i eksponowanej pozycji na poziomie europejskim.

– A najważniejsze jest to – powiedział Hjelm – że nie mamy czasu. Włoska policja ogrodziła dla nas miejsce zdarzenia. Lokalni przedstawiciele Opcop są już podobno na miejscu, a dyrektor Europolu zapewnił, że mamy do dyspozycji helikopter. Będzie tutaj za, no tak, za kwadrans. Zabieram ze sobą dwoje, troje z was i lecę tam.

– Dokąd? – zapytała w końcu Corine Bouhaddi.

– Na miejsce zdarzenia – powiedział Hjelm. – Na wyspę Capraia niedaleko wybrzeża Toskanii. Ty, Corine, Jutta i Arto lecicie ze mną. Reszta zajmie się przeglądaniem materiałów na temat Romana Vacka, Uda Massicottego i Isliego Vrapiego. Spróbujcie ustalić, co ich łączyło. Pogłębcie wyszukiwanie na tyle, na ile to możliwe. Angelos rozdzieli i poprowadzi pracę. Włączeni są wszyscy, przedstawiciele lokalni również. Na mnie już czas. Ci, którzy lecą do Toskanii – proszę za mną. Angelos, przejmij.

Bouhaddi cieszyła się jak dziecko, gdy szła za Hjelmem, Beyer i Söderstedtem. Ostatnie słowa, jakie usłyszała, zanim wyszli z Katedry, padły z ust Angelosa Sifakisa:

– No to słyszeliście, jak wygląda sytuacja. Zbierzmy się wszyscy. Chodźcie tu bliżej.

Gdy znaleźli się za drzwiami, Hjelm zebrał całą trójkę i powiedział:

– Samochód już czeka, zawiezie nas do szpitala. Helikopter nie startuje z budynku Europolu, media na pewno zwróciłyby na to uwagę. Wciąż jesteśmy tajną grupą.

Dziewięć minut później, za kwadrans dziewiąta, cała czwórka odleciała z platformy dla helikopterów na szpitalu Bronovo i obrała kurs ponad Europą. Około osiemdziesięciu mil przez przestrzeń powietrzną co najmniej pięciu krajów, spędzonych w ubogiej w tlen kabinie, wywołało chorobę powietrzną u ponad połowy zespołu. Ponieważ pilot – zatrudniony prywatnie i z obowiązkiem dochowania tajemnicy – poszerzył grono pasażerów do pięciorga, z czego troje czuło się naprawdę źle podczas podróży, zrobili przerwę na tankowanie i przelecieli nad Alpami.

Paul Hjelm był jednym z tych, których dopadła choroba powietrzna, choć próbował udawać, że nic się nie dzieje. Osiemnaście metrów nad Hagą Arto Söderstedt zwymiotował na Juttę Beyer, która z kolei zwymiotowała po minucie nieprzerwanego blednięcia. Reszta podróży była tak zwaną próbą wytrzymałości.

Corine Bouhaddi jako jedyna czuła się dobrze. Zaskakująco dobrze. Jakby całe jej życie nagle stało się lekkie i przyjemne.

Ponieważ lecieli z północnego zachodu, od strony Nicei, a nie z Livorno na północnym wschodzie, wyspa wyglądała na niezamieszkaną. Wyłonili się powoli znad zachmurzonego horyzontu. Bouhaddi rozejrzała się wokół siebie.

Beyer i Söderstedt siedzieli zarzygani, Hjelm był blady, ale skupiony. Zbierał siły, jak to się mówi.

Elitarna jednostka.

Roześmiała się i w tej samej chwili zobaczyli w dole więzienie. Przed sporym budynkiem, którego kamienne mury miały ten sam brązowo-żółty pustynny kolor, co ziemia wokół niego, dostrzegli schody. Okolica wyglądała na opuszczoną. Budynek główny składał się z podwyższonego sześcianu i dwóch skrzydeł. Kondygnacje z celami więziennymi mieściły się w obu skrzydłach. Wokół olbrzyma leżały rozrzucone rozmaite budynki.

W środku było pełno ludzi. Policja, plastikowe taśmy, dziennikarze, radiowozy. Pod górę serpentynami sunęły dwa wozy policyjne, charakterystyczne czarne wozy carabinieri z czerwonymi pasami. Pośrodku więziennego dziedzińca przygotowano miejsce – pewnie nie obyło się bez komentarzy – dla helikoptera z Europolu. Gdy schodzili do lądowania, Bouhaddi zastanawiała się, jak Hjelmowi udało się wytłumaczyć ich obecność. Jak długo mogli nazywać się obserwatorami? Czy nikt ich jeszcze nie przejrzał?

Wysiedli z helikoptera w stanie, ogólnie rzecz biorąc, mizernym. Przebiegli przez strumień powietrza pod wirującymi płatami jak w hollywoodzkim filmie, którego reżyser chciał się pochwalić budżetem. Podeszli do postaci ewidentnie grającej tu główną rolę. Nie wyglądała na bardzo potężną, ponieważ stała w towarzystwie dwóch znacznie lepiej zbudowanych mężczyzn.

Bouhaddi nie od razu ją rozpoznała. Ostatnio widziała ją dawno temu. Na ścianie w Katedrze w Hadze. Donatella Bruno. Szefowa włoskiego oddziału Opcop.

– Donatella – krzyknął Hjelm, żeby przekrzyczeć cichnący powoli wirnik helikoptera.

– Paul – poruszyła ustami Donatella Bruno i skinęła głową.

Hjelm przedstawił, wciąż krzycząc, resztę grupy. Helikopter nie miał zamiaru ucichnąć.

– Dziś wcześnie rano znalazł go jakiś niemiecki trekingowiec – zawołała Bruno. – Na razie zatrzymaliśmy go w jednej z naszych cel. Może Beyer mogłaby z nim pogadać?

– Zajmiesz się tym, Jutta? – zawołał Hjelm.

Beyer skinęła głową i ruszyła za jednym z barczystych mężczyzn w kierunku drzwi jakieś kilkanaście metrów dalej, w dawnym budynku więzienia.

– Czy wiemy już, kiedy doszło do zgonu? – zapytał Hjelm, który nareszcie mógł zacząć różnicować ton głosu. Helikopter zakrztusił się i ucichł.

– Przywieźliśmy ze sobą lekarza sądowego – powiedziała Donatella Bruno, pokazując drogę. – Podejrzewa, że do zgonu doszło wczoraj późno wieczorem, prawdopodobnie między dziesiątą a dwunastą. Nie żyje od ponad dwunastu godzin. Pomyślałam mimo wszystko, że na was zaczekam. Jestem ciekawa, co tu zobaczycie.

Zbliżali się do głównego budynku, do przepołowionych drzwi na lewo w środkowej części. Na zewnątrz leżała niebieska plandeka. Hjelm pokazał na nią pytająco.

– Drobnica – powiedziała Donatella Bruno. – Na razie z tym zaczekajmy.

Podeszli do celi więziennej. Połowa drzwi sterczała z otworu, jakby przyrdzewiała do zawiasów. Włożyli ubrania ochronne ze skrzyni stojącej przed drzwiami i gdy odziani w stylowe niebieskie ochraniacze na nogi przekraczali wysoki próg, odezwała się Bruno:

– Pozwólcie, że wam przedstawię, europarlamentarzysta, profesor Roman Vacek. Z widocznym ugryzieniem w ramię.

Na zimnej, kamiennej posadzce leżał na brzuchu wielki mężczyzna z nagim torsem i rozłożonymi na boki ramionami. Tuż pod barkiem prawego ramienia widać było miejsce po dużym fragmencie ciała oderwanego aż do kości.

– I to nazywasz ugryzieniem? – krzyknęła Corine Bouhaddi.

– To nie jest kwestia „nazywania" czegokolwiek – odpowiedziała Donatella Bruno. – To *jest* ugryzienie. Lekarz sądowy twierdzi, że prawdopodobnie uda się nam odtworzyć odcisk zębów poprzez analizę rany. Wiemy również, że ten porządny kęs miał miejsce po śmierci.

– Po śmierci? – powtórzył Hjelm.

– Nie żył już, kiedy został nadgryziony – odpowiedziała Bruno.

– Rozumiem, co to znaczy – odpowiedział Hjelm zmęczonym głosem. – Jaka jest w takim razie przyczyna śmierci?

– Nie wiedzą tego jeszcze nawet uczeni w piśmie – odpowiedziała Bruno. – Pewni jesteśmy tylko tego.

Chwyciła mocno ramię Romana Vacka i udało jej się go podciągnąć na tyle, że nad wyschniętą kałużą krwi, na górnej lewej części brzucha ukazała się duża rana cięta. Następnie opuściła go z powrotem i odetchnęła.

– Pchnięcie nożem – powiedziała Bouhaddi. – Ale nie ma noża?

– Nie ma noża – przytaknęła Donatella Bruno. – Jest za to pewna komplikacja. Spójrzcie tutaj. – Wskazała palcem.

Przyjrzeli się miejscu pod owłosionym barkiem Romana Vacka. Spomiędzy siwych włosków wyłoniła się okrągła czerwona dziurka.

– Marynarka, koszula i krawat leżą tam pod plandeką – powiedziała Donatella Bruno, pokazując na drzwi. – Marynarka i koszula zostały przekłute dokładnie w tym samym miejscu. Krew nie zdążyła dopłynąć. To świeże ukłucie.

– Czyli zastrzyk – powiedział Paul Hjelm. – Jedna z dwóch możliwych przyczyn śmierci.

– Jeśli dobrze widzę – odezwała się Corine Bouhaddi – to pchnięcie nożem jest klasycznym pchnięciem tuż-pod-żebrami-i-w górę-przez serce. Musiało być śmiertelne.

– Chyba że już wcześniej nie żył – zauważyła Bruno.

– Zwróćcie uwagę na ilość krwi – odezwał się Hjelm. – Jeśli nóż wbija się w bijące szybko serce, tryska krew. Jeśli serce już się zatrzymało, krwi jest mniej, choć nawet pchnięcie dokonane już po śmierci powoduje silny krwotok.

– Dziękuję za ten wykład – uśmiechnęła się Donatella Bruno. – Jak jest w takim razie w tym wypadku? Wystarczająco dużo krwi dla szefa?

– Trudno powiedzieć – powiedział Hjelm i przez ułamek sekundy zastanawiał się, czy zmarszczyć czoło, czy uśmiechnąć się ironicznie. – Duży mężczyzna, dużo krwi. Biorąc to pod uwagę, nie wygląda, jakby *trysnęła*. Co pewnie z kolei jest związane z siłą, z jaką został wbity nóż, i z tym, w którym momencie został wyjęty.

– Od tego mamy techników – odezwał się Arto Söderstedt spod zakratowanego okienka. – Ale nie od tego. Zauważyliście, że wciąż się świeci?

Pokazał palcem na latarkę leżącą we wnęce okiennej i świecącą niebieskawym światłem nakierowanym do wnętrza celi. W środku było na tyle ciemno, że na przeciwległej ścianie, obok zniszczonych drzwi rysowało się jasnoniebieskie koło.

– Żarówki LED nie pobierają zbyt wiele energii, dlatego postanowiliśmy na razie jej nie ruszać – powiedziała Donatella Bruno. – Technicy tylko wstępnie sprawdzili miejsce zdarzenia, nie przeszukali go dokładnie. Woleliśmy zaczekać na was. Powiedzcie, jeśli zrobiliśmy coś źle.

– Domyślam się, że „zrobiliśmy" oznacza „zrobiłam" – powiedział Paul Hjelm. – Nie, nie „zrobiliście" niczego źle. Jesteśmy bardzo wdzięczni za tę możliwość.

– Dlaczego ona tam leży? – przerwał Söderstedt.

– Był środek nocy – powiedziała Bruno. – Potrzebne było światło.

– *Komu* potrzebne było światło? – nie odpuszczał Söderstedt, przyglądając się uważnie nowoczesnej latarce.

– No cóż – odpowiedziała Bouhaddi. – Sprawcy?

– Naturalnie jeszcze na wiele pytań trzeba będzie odpowiedzieć – dodał Söderstedt. – W pierwszej kolejności oczywiście: co takiego robił tutaj europarlamentarzysta Roman Vacek? Ale i na to, kto położył latarkę w oknie. A ponieważ ta elegancka latarka model Fenix TK10 jest opisana inicjałami R.V., pytanie nabiera szczególnej wagi.

– Czyli należała do ofiary?– powiedziała Beyer.

– Co oczywiście nie wyklucza, że położył ją tutaj sprawca. Jeśli natomiast założymy, że zrobił to sam R.V., to znaczy, *że się nie bał*. Potrzebował światła. Wydaje mi się, że obecność latarki i to, gdzie leży, wskazuje, że Roman Vacek przyszedł tutaj, żeby z kimś się spotkać, prawdopodobnie w tajemnicy, i że nie bał się tej osoby.

– A ona zamordowała go bez wahania – pokiwała głową Bouhaddi. – Nie widzę niczego, co by wskazywało na bójkę lub stawianie oporu.

– Cieszę się, że jesteście tacy aktywni – powiedziała Bruno i znów się uśmiechnęła.

– A ty? – zapytał Paul Hjelm. – Masz już gotową jakąś teorię, Donatella? Miałaś kilka godzin więcej od nas.

– Może nie do końca teorię, i muszę przyznać, że nie zauważyłam tych inicjałów na latarce, ale nie jestem też legendarnym Arto Söderstedtem.

– Może nie do końca teorię, ale...? – zapytał Hjelm.

– Morderca chciał mieć pewność, że Vacek nie żyje – powiedziała Donatella Bruno. – Nóż w serce i końska strzykawka w ramię. Spójrzcie na powierzchnię rany, to musiała być naprawdę duża strzykawka. Nie da się oczywiście niczego powiedzieć na pewno, zanim technicy i lekarz sądowy nie zrobią, co do nich należy, ale wygląda na to, że morderca musiał być *leworęczny*, żeby wbić jednocześnie nóż w serce i strzykawkę w lewe ramię Vacka. Oba uszkodzenia ciała znajdują się po lewej stronie ciała, czyli na prawo od zaatakowanej osoby, która stoi naprzeciwko.

– Leworęczna osoba, która woli trzymać ciężki nóż w mocniejszej ręce, a lżejszą strzykawkę w słabszej – przytaknął Hjelm. – No tak, to by zawężało wybór do jakichś dziesięciu procent ludzkości.

– Pod warunkiem, że to wydarzyło się *jednocześnie* – zauważyła Bouhaddi. – Nie wszystko wydarzyło się przecież jednocześnie. Ugryzł go w ramię na spokojnie już *po* zabójstwie.

– Powiedziałaś „on" – zauważyła Donatella Bruno.

– Rzeczywiście – zastanowiła się Corine Bouhaddi. – Ciekawe dlaczego? Być może dlatego, że kobiety rzadko zabijają przy użyciu noża? Dlatego że Vacek był tak potężny, ważył co najmniej sto dwadzieścia kilo? Czy też dlatego, że mam skażony przez patriarchat punkt widzenia?

– Dlatego że opierasz się na prawdopodobieństwach – odezwał się Söderstedt spod okna, przy którym stał, zajęty przesuwaniem latarki długopisem. – Na razie nie możemy nic więcej zrobić. Na kilka z pytań odpowiedzą na pewno technicy i lekarz sądowy, łącznie z ewentualną leworęcznością.

– Ale nie wyjaśnią ugryzienia – zauważył Hjelm. – To było *jedno* ugryzienie, tak? Jedno mocne ugryzienie w prawe ramię i nic więcej. To jeszcze nie kanibalizm. Bardziej wygląda mi to na rodzaj stempla? Znak?

– Też o tym pomyślałam – przyznała Bruno. – Choć może bardziej: dlaczego, do cholery, ktoś miałby chcieć odgryźć kawałek *zatrutego ciała*?

– Ach – powiedziała Bouhaddi. – Tak więc albo oznacza to, że w strzykawce nie było trucizny, albo... no właśnie, co?

Podczas całej rozmowy Bouhaddi stała przed przepołowionymi drzwiami i zaglądała do środka. Teraz weszła i odezwała się:

– Nie ma ugryzienia?
– No ale przecież to jest ugryzienie – powiedziała Bruno. – Widać wyraźne ślady zębów.
– Skoro tak, powinniśmy znaleźć drugie ciało gdzieś w okolicy – zauważył Söderstedt. – Trup kogoś z bardzo niskim IQ.
– Gdyby otruł samego siebie, to rzeczywiście... – powiedziała Bruno.
– Czyli to nie była trucizna – powiedziała Bouhaddi. – W takim razie co było w strzykawce?
– To znów pytanie do lekarza sądowego – stwierdził Söderstedt. – Choć to rzeczywiście ciekawe i dosyć paradoksalne.
– Zatrzymamy się na chwilę? – powiedział Paul Hjelm, podnosząc lekko głos. – Wstępna rekonstrukcja zdarzenia. Co robi wysoko postawiony dygnitarz UE Roman Vacek w opuszczonym więzieniu na dawnej wyspie skazańców w środku nocy?
– Cóż, wczoraj był piątek – powiedziała Donatella Bruno. – Może był tu na wakacjach? Nie doceniasz magii Wysp Toskańskich.
– Czy to znaczy, że przyszedł tu pieszo? – powiedział Hjelm. – Turysta? Nocna wędrówka po Caprai w garniturze? Otruty i zasztyletowany przez szaleńca, który kompletnie zamroczony wgryza się następnie w jego nasączone trucizną ciało i sam pada martwy pod krzakiem, którego jeszcze nie udało nam się namierzyć?
– No dobra – uśmiechnęła się Bruno – być może nie jest to zbyt prawdopodobne.
– W takim razie co?
– Nie powinniśmy pewnie pomijać milczeniem faktu, że był komunistą – odezwał się Söderstedt. – Członkiem jednej z niewielu jednolitych i dobrze funkcjonujących partii komunistycznych w Europie. W Czechach.

– Jakie znaczenie mają tu jego poglądy polityczne? – zapytał Hjelm.

– Bawisz się w Sokratesa? Trzymamy się formuły dialogu?

– Jak wolisz. Dlaczego?

– Może dlatego, że ma skrzywienie w stronę teorii spiskowych. Łatwiej go zwabić, obiecując ujawnienie globalnej kapitalistycznej konspiracji. Może ktoś mu coś takiego zaproponował.

– Będziemy więc musieli przesłuchać bliskich Vacka i sprawdzić jego komputer i telefon, i tak dalej. Dowiedzieć się, czy cokolwiek wskazuje na to, że się tu wybierał i po co. Jakieś inne teorie?

– Seks? – zapytała Bouhaddi. – Główna siła napędowa każdego mężczyzny.

– To dosyć niesprawiedliwa ocena – powiedział Hjelm obojętnym tonem. – Ale podpada pod tę samą kategorię. Do sprawdzenia. Coś jeszcze?

– Też uważam, że został tu zwabiony – powiedziała Donatella Bruno. – Dlatego się tu znalazł. Marynarka świadczy o tym, że raczej nie przyszedł pieszo, to mimo wszystko kilka godzin drogi z miasta. Jeśli można nazwać Paese miastem.

– A więc koncentrujemy się na przesłuchaniach w Paese – stwierdził Hjelm. – Na tej wyspie raczej nie roi się od taksówek.

– Zastanawiam się nad tym, od kiedy tu przyszliśmy – powiedział Söderstedt. – Dwa wozy carabinieri? Tutaj?

– Przypłynęły na promie dziś rano – westchnęła Bruno. – Dodam, że wbrew mojej woli. Widzieliście pewnie, z jakim zainteresowaniem krążą wokół nas koledzy?

– To znaczy, że *da się* podjechać samochodem aż pod samo więzienie?

– Da się, ale nie jest to proste. Jeśli ktoś przywiózł tu Vacka wczoraj wieczorem, to na pewno go znajdziemy.

– Znowu „jego” – zauważyła Bouhaddi. – On.

– A więc Vacek umówił się tu z kimś na spotkanie – powiedział Hjelm. – Wszystko wskazuje na to, że ze swoim mordercą. Co dalej?

– Latarka – powiedział Söderstedt. – Czekał tu na niego w środku. I mrugał latarką. Wygląda na zupełnie nową. Nie zdziwiłbym się, gdyby kupił ją wyłącznie na tę okazję. Nie chciał, żeby go zawiodła.

– Potrzebny więc będzie również wyciąg z konta – powiedział Hjelm. – Do sprawdzenia. Czy ktoś to wszystko zapamięta?

– Nagrywam – powiedziała Corine Bouhaddi, unosząc w górę swojego iPhone'a. – Nauczyłam się od szefa.

Ponieważ w odpowiedzi otrzymała jedynie zdumione spojrzenie wspomnianego szefa, wyjaśniła:

– W zeszłym roku. W Londynie. Jeśli szef pamięta.

Hjelm roześmiał się. Salwa śmiechu odbiła się niestosownym echem po starej celi więziennej.

– Doskonale – rzucił obojętnie Söderstedt. – Wróćmy jednak do tematu. Ustalili wspólnie jakiś rodzaj sygnału świetlnego. To dlatego kupił tę luksusową diodową latarkę Fenix TK10. Żeby nie nawaliła w nieodpowiednim momencie.

– Stał tu w środku? – zapytał Hjelm po sokratejsku. – I migał na zewnątrz?

– To dlatego odważył się położyć swojego fenixa na oknie, gdy wchodził nieznajomy. Był tu przez chwilę i zdążył się rozejrzeć. Poczuł się bezpiecznie.

– A potem doszło do zabójstwa?

– Wydaje mi się, że to się stało szybko. Nieznajomy nie miał ze sobą tego, na co Vacek czekał. Nie było czasu na wyjaśnienia. Być może morderca użył zarówno trucizny, jak i noża, bo wiedział, że będzie miał do czynienia z potężnym mężczyzną. Być może sam nie jest aż tak potężny.

– Czy posuwamy się do przodu? – zapytał Hjelm prosto w głąb więziennej celi. – Czy coś przeoczyliśmy?

Przez chwilę w celi zrobiło się cicho. Pełna wyczekiwania cisza. Jakby ktoś czekał, żeby coś powiedzieć.

Tym kimś była oczywiście Donatella Bruno. Odczekała chwilę, a potem dorzuciła kolejną rewelację.

– Niestety tak – powiedziała. – Ale to nie wasza wina. To coś nie znajduje się tutaj, tylko gdzie indziej w La Mortoli, bo tak nazywa się to więzienie. Lepiej zostańcie w ubraniach ochronnych. Na miejscu będą ochraniacze na buty.

Ruszyli. Niebo było zachmurzone i ciężkie. Jakby za chwilę miała się rozpętać burza.

Hjelm zrobił kilka szybkich kroków i dogonił Bruno. Ściszając głos, niemal szeptem powiedział:

– Nigdy nie szukałaś pracy w głównym zespole Opcop?

– Nie...

– Myślałem, że będziesz ubiegać się o stanowisko po Tebaldis.

– I zostawię Rzym dla Hagi? Naprawdę tak myślałeś?

– Wiesz, jest atrakcyjne...

– I co, dostałabym je, gdybym się ubiegała?

Hjelm uśmiechnął się i zatrzymał. Byli na miejscu. Dołączyła do nich Jutta Beyer. Hjelm zapytał:

– Jak ci poszło z tym człowiekiem, który znalazł zwłoki?

Beyer wzruszyła ramionami.

– Niemiecki samotny trekingowiec. Nic podejrzanego. Od kilku dni wędruje po Caprai. Nieciekawie pachniał.

Hjelm skinął głową. Zaczęli przebierać w skrzyni z ochraniaczami na obuwie stojącej pod niewielkimi schodami, które prowadziły do oddzielnego, mniejszego budynku. Donatella Bruno zmieniła ochraniacze i ostrożnie weszła po schodach, a potem do środka budynku. Zatrzymała się w progu, obróciła i powiedziała:

– Kiedyś to była kaplica więzienna, jedyne pocieszenie dla skazanych w nieszczęściu. Wejdźcie.

Założyli pośpiesznie ochraniacze. W końcu udało im się wejść do kaplicy, pojedynczo. Donatella Bruno podeszła do przeciwległej ściany i podłubała w jakimś otworze. Wyjęła z niego zwiniętą karteczkę i uniosła ją do góry.

– Naturalnie nie mamy pewności, że ta karteczka ma coś wspólnego z nocnymi wydarzeniami, ale po pierwsze wygląda na zupełnie nową, po drugie zawiera ciekawe treści. – Rozwinęła zawiniątko i powiedziała: – Wygląda na to, że została wydrukowana na drukarce laserowej. Z góry przepraszam za moją kiepską francuską wymowę. Brzmi tak: *Qui m'envoie cette pensée? Puisqu'il n'y a que les morts qui sortent librement d'ici, prenons la place des morts.*

Corine Bouhaddi przetłumaczyła na angielski:

„Któż mi zesłał tę myśl? Skoro tylko zmarli mogą się stąd wydostać, muszę zająć miejsce zmarłego".

– Brzmi jak cytat – zauważył Hjelm. – Rozpoznajesz go, Corine?

– Nie – odpowiedziała Bouhaddi – nie wydaje mi się, żebym go kojarzyła. Choć rzeczywiście brzmi dosyć znajomo.

– Okej – powiedział Söderstedt. – Ja też nie twierdzę, że go znam, ale jest w nim jakiś rytm, który by sugerował, że to cytat literacki.

– Tylko jak to się łączy z naszą sprawą? – zdołał zapytać Hjelm.

Söderstedt nabrał powietrza i powiedział:

– W uproszczeniu tekst brzmi mniej więcej tak: „Muszę zająć miejsce zmarłego, bo stąd mogą wyjść tylko zmarli". Nie rozumiem do końca, jak to się łączy z samym zabójstwem, jego miejscem i metodą, ale jakoś się łączy na pewno.

– I sugeruje, że zostało starannie zaplanowane – powiedziała Beyer. – Być może nie jest to seryjne morderstwo, ale zaplanowane.

– Tylko kto jest odbiorcą tej wiadomości? – zapytał Hjelm. – Czy to zwykły morderca chwalipięta, który chce pokazać, jaki jest zdolny? Czy nie mamy tu zbyt wielu niepowiązanych ze sobą wątków? Europarlamentarzysta, wiadomość, końska strzykawka, nóż, ugryzienie, wyspa, opuszczone więzienie... To cała opowieść.

– Która jeszcze się nie skończyła – przytaknął Söderstedt. – Instynktownie czuję, że to *jest* seryjny morderca. Z jakąś misją. Najgorszą z możliwych.

– Czyli mamy jeszcze trochę roboty – podsumował Hjelm. – Moim zdaniem możemy już wpuścić techników. Rozumiem, że możesz na nich polegać, Donatella?

– Wiem, jak to się robi – powiedziała Donatella Bruno z lekkim uśmiechem.

– *I expect nothing less* – powiedział Hjelm i również się uśmiechnął. Przez chwilę zrobiło się cicho, po czym uśmiech zniknął z jego twarzy, a Hjelm dodał: – Wyobraźcie sobie, że w ciągu kilku dni ginie trzech ważnych graczy i żadna z tych spraw nie łączy się z pozostałymi. Samobójstwo, zabójstwo w pubie i ofiara szalonego seryjnego mordercy, wszystkie od siebie niezależne. Zwykły przypadek.

– Nie wierzę w to – powiedział Arto Söderstedt.

– Ja też nie – zgodził się Paul Hjelm. – Czasem najmniej prawdopodobny jest właśnie przypadek. – Rzucił niechętne spojrzenie w stronę helikoptera stojącego na środku dawnego więziennego dziedzińca i powiedział: – Czas zabrać się do roboty. Potem sprawdzimy, czy nie da się wrócić do domu jakimś regularnym połączeniem.

Wyspa III

Goli Otok, 18 maja

SZKLANY STATEK z Loparu jest pełen niemieckich, rosyjskich i włoskich rodzin z dziećmi. Bardzo dobrze. Dzięki temu jest się mniej widocznym. Nie potrzeba nawet przebrania, choć i tak ma je na sobie, tym razem zupełnie inne. Nie ma miejsca na błędy, to podstawowa zasada.

Nawet na jeden błąd.

Szklane w statku są niewielkie okna umieszczone przy powierzchni krystalicznej wody Morza Śródziemnego. Jednak to nie ku nim kieruje spojrzenie, ale ku surowej, skalnej wyspie. Naga wyspa. Widać już pierwsze budynki administracyjne, trudne do odróżnienia od prastarych skał, warsztaty kamieniarskie, wieżę strażniczą, bunkry, szperacz, drut kolczasty. Potem kolejne budynki i pierwsze drzewa. Zza pinii schodzących niemal do samego brzegu wyłania się niewielka przystań. Wyspa nie jest wcale taka naga, choć na pierwszy rzut oka wydaje się opuszczona.

To wrażenie nie trwa długo.

W przystani stoją łodzie, może z dziesięć żaglówek i mniejszych jachtów. Budynki też nie są puste, jak to się wydawało z daleka. W miarę zbliżania się do portu, daje się dostrzec restaurację i kilka kiosków. Goli Otok stała się atrakcją turystyczną, co prawda na niewielką skalę, ale mimo wszystko. Choć tylko w ciągu dnia. Z wyspy turystycznej Rab przypływają tu na jednodniowe wycieczki znudzone rodziny z małymi dziećmi. Po kilku godzinach wracają szklanym statkiem na ląd. Z powrotem do Loparu na północy Rabu.

Pasażerowie szklanego statku schodzą na ląd i rozchodzą się po porcie. Większość z nich wspina się drogą w kierunku największej atrakcji turystycznej na wyspie.

Więzienia.

Opuszczony teren poprzemysłowy tuż przy samym porcie okazuje się schronieniem, gdy strumień turystów kieruje się w górę wzniesienia. Nieliczni turyści zaglądają do opustoszałych budynków. Nie ma ich wielu, nie widzą się nawzajem. Nie ma ryzyka, że zostanie się rozpoznanym.

Na budynku warsztatu wisi szyld, na którym wielkimi czerwonymi literami napisano: *Mi gradimo Goli Otok – Goli Otok gradi nas. Zivio Tito*. Uśmiecha się, twarz wykrzywia ból.

„Budujemy Goli Otok – Goli Otok buduje nas. Niech żyje Tito".

Opustoszała już teraz droga jest bardziej stroma, niż można się było spodziewać. Gdy poprawia torbę na ramieniu, z jej wnętrza wydobywa się metaliczny odgłos. Gong.

Pierwsza runda.

Droga zajmuje najwyżej pół godziny. Budynki więzienne widoczne w dolinie są kolosami o rygorystycznej geometrii, w porównaniu z nimi więzienie na Caprai wydaje się bardziej ludzkie i minimalistyczne. Okna cel odsłaniają kraty w szyderczym uśmiechu.

Miejscem spotkania jest cela najdalej na lewo w wydłużonym budynku z lewej strony. To powinno wystarczyć za wskazówkę.

Wciąż jest zbyt wielu ludzi. Nie da się usiąść i spokojnie pomyśleć w oczekiwaniu na zmierzch. Powspominać. Musi znaleźć coś bardziej odosobnionego.

W dole po drugiej stronie wzniesienia stoją rozrzucone niewielkie budynki, z których każdy spełniał kiedyś pewnie jakąś funkcję. Są wszędzie. Każdy z nich grał określoną rolę w tym diabelskim kompleksie.

Po godzinie drogi wyłania się okrągły, kamienny budynek przypominający spichlerz. Wszędzie dookoła kamienie. Nie zauważa żadnych turystów. W środku pachnie trochę podejrzanie, ale panuje też przyjemny chłód. Zdejmuje torbę, okulary, siada pod ścianą. Próbuje zamknąć oczy. Pomyśleć. Przywołać.

Zewnętrzna kieszeń torby. Suwak. Końska strzykawka, ostrożnie. W ostrym świetle słońca wydaje się nierealna.

To, co wydarzyło się na Caprai, to był przypadek. Dziś wieczorem zachowa większą ostrożność, to wszystko. To się więcej nie wydarzy. Pierwszy błąd. Który nawet nie był błędem, nie dało się go przewidzieć ani mu zapobiec. Należy go zaliczyć do przypadków.

Im więcej razy, tym częściej wystawia się na działanie przypadku.

Czasem najmniej prawdopodobny jest przypadek.

Teraz cała reszta. Szale już niedługo się zrównoważą. Co wtedy?

Pytanie, na które z konieczności trzeba było unikać odpowiedzi. Trzeba się skupić na tym, co teraz. Na zadośćuczynieniu. Niedługo do niego dojdzie. Czy ktoś to usłyszy? Policjanci muszą sobie na to zasłużyć. Stróże prawa. Zawsze byli na sprzedaż.

„Komisarz na służbie przestaje być człowiekiem: jest uosobieniem prawa, obojętnym, głuchym i niemym".

Ci, którzy odważyli się zrozumieć, że to, co robią, jest chore, byli zawsze karani. Wystarczy spojrzeć na Goli Otok.

Znaleźć choć jednego glinę na tyle rozgarniętego, żeby umiał dostrzec tropy, i na tyle sprytnego, żeby je powiązać. Powiązać we właściwy sposób. Nierealne.

Najważniejsze to nigdy nie dać się zamknąć.

I co wtedy?

Pytanie powraca. Zwolennicy byli wszędzie. Byli zawsze, są dalej. I jest ich wielu. Cokolwiek się wydarzy, jego życie i śmierć nie poszły na marne.

Taki jest cel.

Czy taki ktoś się znajdzie? Czy jest ktoś na całej kuli ziemskiej, kto potrafi dostrzec prawdę i zrozumieć, o co w tym chodzi? Czy taki policjant istnieje? I czy w dodatku będzie umiał o tym opowiedzieć?

Jeśli są jeszcze jacyś policjanci.

Słońce świeci już słabiej, za pozbawionym szyby oknem tańczą cienie. Przynajmniej raz nie jest to okno więziennej celi. Nie szczerzą się w nim kraty. Jednak ten, który tu przebywał, bez wątpienia był więźniem. Nikogo innego tu nie było. Z wyjątkiem strażników. Tak zwanych stróżów prawa. Podobno wybierano ich spośród poborowych, dla których rok spędzony na Goli Otok liczył się jak dwa lata służby. Był to sposób, żeby ją szybciej skończyć. Wśród nich powinni być opozycjoniści. Ludzie odznaczający się odwagą cywilną. A może po prostu egocentrycy? Kierowcy, którzy zbiegli z miejsca wypadku? Fałszerze?

To nie należy jednak do tej historii. Za oknem słońce chyli się ku zachodowi. Odliczanie już się rozpoczęło. Dieda wygląda ze swojej nory, widzi, jak świat wyłania się powoli po długiej nocy. Obręcz nabiera z powrotem swojego obojętnego, szarego koloru. Przez całą noc bez przerwy widział oczy dzikich zwierząt zaglądających do środka. Nic nie odróżnia już snu od rzeczywistości. Marznie. Marznie niewyobrażalnie.

Przez całą noc widział bandę łysego stojącą wzdłuż linii topól, z tym nieprzejednanym, zwierzęcym spojrzeniem błyszczących oczu. Las otoczony śmiertelnym pierścieniem ziemi niczyjej. Teraz wszystko wraca. Wraca również niekończący się jęk cierpiących.

Musi wytrzymać.

Opanować sztukę poruszania się i jednocześnie leżenia w bezruchu.

Podczas nocy zakopał się pod posłaniem z gałęzi i łodyg. Leżą teraz na nim. Tylko niewielka część jego ciała wystaje na zewnątrz. Powinien nawet przetrwać spojrzenie w dół, do wnętrza jamy. Przecież widać tylko jego oczy – *powinno* się udać, ale nie może przecież zobaczyć siebie z boku – a jama jest za mała, żeby schował się w niej dorosły człowiek. Zupełnie jakby czekała tu specjalnie na niego. Wie, że nie wolno mu się poruszyć. A jednak to robi. Mikroskopijne ruchy mięśni, wewnętrzne falowanie. Z zewnątrz wygląda jednak, jakby leżał nieruchomo, świt przechodzi w poranek, poranek w dzień, dzień w popołudnie, popołudnie w wieczór. Leży tak już od prawie doby. W dokładnie tej samej pozycji.

Jakby zrastał się z przyrodą.

Z upływem czasu odczuwa coraz większy głód. Najgorsze jednak jest pragnienie.

Gdy światło zaczyna już naprawdę gasnąć, jego usta znów są suche. Być może byłby w stanie wytrzymać, gdyby nie to wspomnienie. Wspomnienie delikatnego szmeru.

Cichego źródła.

Być może wszystko by się udało, gdyby nie miał nadziei, ale ją ma. Wspomnienie źródła. Sącząca się woda, niczym ciche łzy Boga.

Minęła dopiero doba, od kiedy zaspokoił pragnienie, ale jego usta są znów sklejone. Próbuje wytrzymać, ale czuje, że nie przeżyje, jeśli się nie napije. To nie powinno zająć więcej niż minutę. Zostawił przecież znak, który rozumie on i nikt poza nim.

Czeka, aż zapadnie zmrok. Od strony brzegu słyszy ciągle głuche jęki, jednostajne, nieustające, poza tym nic.

Musi się podnieść.

Boli go ciało. Jego dziesięcioletnie ciało jest jak jeden wielki siniak. Nawet najmniejszy ruch sprawia, że pali go w głowie.

Na koniec udaje mu się uklęknąć w jamie. Ciemność już prawie zapadła, został tylko snop światła. Wygląda z nory.

Nie widzi głębi, wszystko wydaje się płaskie. Przez całą dobę patrzył prosto w niebo. Skupienie wzroku na najbliższym otoczeniu zajmuje bardzo dużo czasu. Gdy już mu się to udaje, dostrzega Y.

Nie potrafi ocenić odległości. Gałąź wygięta w kształt Y wygląda jak strzałka celująca prosto w ziemię. Prosto w grunt. W źródło.

Ciche źródełko.

Lub też w jądro ciemności tej wyspy.

Zdaje się, że nie ma nikogo w pobliżu.

Powinno się udać.

Wypełza z jamy. Uderza go straszliwy odór. Wyspa zaczęła śmierdzieć. Cała wyspa wydziela zapach trupa.

Ciało jest jak otwarta rana. Przeszywa go ból. Potyka się, upada. Podnosi się, znów się potyka. Dociera na miejsce.

Kuli się przy swoim Y. Mimo bólu jego dziesięcioletnia świadomość podpowiada mu, że o czymś zapomniał, właśnie w tej chwili coś przeoczył. Przychodzi mu to do głowy dopiero po wyrwaniu gałęzi, gdy odgarnia liście, patyki i słyszy źródło. Przypomina sobie o tym dopiero, kiedy pochyla głowę, żeby zobaczyć źródło, dostrzec je wzrokiem, nie tylko słuchem, a wtedy i tak już jest za późno.

Gdy Dieda zbliża twarz do źródła, widzi, jak ostatnie światło dnia odbija się w czymś, co wygląda jak księżyc.

To nie jest księżyc.

To jest głowa. Łysa głowa.

Wzrok nie dociera nawet do źródła. Zatrzymuje się w spojrzeniu łysego.

To nie jest spojrzenie człowieka.

A potem wszystko dzieje się już bez udziału Diedy. Jakby przez cały czas był gdzie indziej i tylko ból trzymał go na ziemi. Ktoś chwyta go za ramię i pociąga za sobą. Ktoś inny chwyta go za drugie ramię, ktoś trzeci za nogę. Leży z twarzą wciśniętą w mech i ziemię, a jego ramiona są rozciągane na boki, jak krzyż.

Dieda widzi siebie z góry. Widzi krzyż, którym stało się jego ciało. Wyznacza jądro ciemności wyspy.

Ściągają z niego ciepłą kurtkę, którą dostał od babci, a potem jeszcze ciepły sweter, blezer i podkoszulek.

I może dlatego, że wszystko i tak już go boli, udaje mu się przeżyć, gdy po raz pierwszy zostaje ugryziony. W prawe ramię. Mocne ugryzienie. Czuje, jak kawałek mięsa odrywa się od reszty ciała. Trwałe wspomnienie, nie do wyplenienia, które zostanie z nim do końca życia. Tyle jeszcze udaje mu się pomyśleć.

Dopóki będę żyć.

Przez cały czas patrzy na swoje ramię. Ból powoli znika, czucie słabnie. Ale nie zmniejsza to bólu, który bierze się z patrzenia.

Z patrzenia na to, jak zjadają jego ramię.

Z patrzenia, jak odsłaniają się kości: kość ramienna, obojczyk, kość strzałkowa. I ręka, dłoń, śródręcze, palce. Zdążą nawet obgryźć do czysta palce.

To, co w tej chwili czuje Dieda, już nigdy go nie opuści. Każda sekunda będzie wracać, każdy ułamek sekundy będzie odgrywać główną rolę w tych wszystkich koszmarach, które zdominują resztę jego życia.

Resztę jego życia.

Teraz kolejne ramię, noga, korpus. Czy zawiśnie w worku na gałęzi topoli? Obok worka jutowego z jasnozieloną sukienką Fainy? Czy coś jeszcze z niego zostanie?

Jest przecież taki mały.

Zatrzymał się gdzieś pomiędzy świadomością a jej utratą. Słyszy dźwięk, to tylko chore echo, a mimo to wyraźniejsze i świeższe niż dźwięki, które słyszał w ostatnim czasie. Bo nagle kończy się mlaskanie i przeżuwanie. Przerywają jedzenie.

Łysy przewraca się na ziemię. Za swoim obgryzionym do kości ramieniem – za ramieniem szkieletu – Dieda widzi głowę łysego przedziurawioną na wylot. Widzi, jak przez otwór prześwieca niebo, a potem zdąża jeszcze dostrzec parę błyszczących guzików, i znika.

Zdąża jeszcze zobaczyć mundur.

Potem widzi już tylko samego siebie. Jego prawe ramię wygląda jak ramię szkieletu.

Potem nie widzi już nic.

Budzi się dopiero w obozie jenieckim z dala od wyspy, z odciętym ramieniem zastąpionym dużym opatrunkiem wokół barku.

Słońce zaszło już za oknem okrągłego spichlerza z kamienia. Zobaczyć to, co widział Dieda. Poczuć to, co czuł. Przez cały czas. Naprawdę przez cały czas.

Czas płynie wtedy inaczej.

Sztywne nogi, zesztywniałe od siedzenia w tej samej pozycji, nieobecny dla świata. Upłynął czas, dużo czasu. W pozbawionym szyb oknie nie poruszają się tiulowe zasłonki. Nic się nie porusza. Poza nieustannym, raptownym ruchem sekundnika na zegarku.

Długi wydech. Czas ruszyć. Wyjmuje latarkę z torby, zakłada torbę na ramię. Żółtawe światło przesuwa się po zniszczonym wnętrzu budynku spichlerza.

Dziś jest szczególny dzień. Dziś jest rocznica przybycia Diedy na wyspę.

W zapadających szybko ciemnościach trudno znaleźć ścieżkę, droga zajmuje prawie godzinę. Gdy dochodzi na miejsce, jest już całkiem czarno. Nie może zgubić krawędzi urwiska, poświata latarki jest gwarancją przeżycia. W dolinie znajduje się więzienie. Latarka gaśnie. Budynki więzienia ciągle da się odróżnić, tak jakby ciemności ciągle rozjaśniały strumienie światła. Zatrzymuje się na górze, szuka śladów życia w dole. Nie powinno tam być nikogo innego. Szklany statek wrócił do Rabu, turyści opuścili Goli Otok.

Wszystko jest bezruchem.

Latarka znów się zapala, żółtawa poświata rozświetla niemal całkiem zarośniętą ścieżkę, podąża nią w dół i pomiędzy budynki więzienia.

Pośrodku tego, co prawdopodobnie było kiedyś więziennym dziedzińcem, snop światła pada na kamienną posadzkę pod stopami.

Oczekiwanie.

Nagle coś zauważa. Światło. Z wnętrza celi. Z wnętrza celi najdalej na lewo w wydłużonym budynku z lewej strony.

Po chwili nie jest to już światło, tylko sygnał świetlny.

Dwa krótkie, jeden długi.

Dwa krótkie.

Jeden długi.

Portfel

Sztokholm, 19 maja

PRZESŁUCHANIE DWÓCH lekko sponiewieranych życiem panów o nazwiskach Roger Lind i Olof Karlsson powoli zbliżało się do końca. Pierwszy z nich miał stanowczo zbyt wysoki głos jak na kogoś, kto konsumował tak niewyobrażalne ilości alkoholu, a staccato drugiego pasowałoby lepiej do narkomana nadużywającego amfetaminy. Mimo to nie ulegało wątpliwości, że zarówno Roger Lind, jak i Olof Karlsson byli alkoholikami i w zasadzie niewiele poza tym. Za dużo piwa, po prostu, prawdopodobnie również spore ilości rosity i explorera. Podobnie ich kolega Lars-Erik Dahlberg, alias Lasse Dahlis, który ku swojemu ogromnemu i ostatecznemu zaskoczeniu tydzień wcześniej zginął od pchnięcia nożem w zatęchłym pubie na Götgatsbacken. Dopiero teraz udało się zlokalizować obu jego kompanów, którzy najprawdopodobniej wyszli z klubu, jeszcze zanim ciało Lassego Dahlisa upadło na podłogę, a następnie rozpłynęli się w powietrzu. Dopiero teraz udało się zebrać duet w jednym pomieszczeniu, a dokładniej w pokoju przesłuchań na komendzie w Kungsholmen w Sztokholmie. Chociaż wiele to nie dało.

– To jak, rozmawialiście o Affem czy Aggem? – zapytał po raz czwarty Jorge Chavez.

– Teraz pyta o to... – powiedział Roger Lind jasnym głosem – czy mówiliśmy o Affem Analfabecie, czy Affem Amfetaminiście. Ale to już próbowaliśmy przecież powiedzieć.

– Że chodziło o Aggego Anorektyka, no jasne – powiedział Olof Karlsson. – On miał taką chorobę, przez którą widział wszystko na odwrót. Zawsze czytał gazetę do góry nogami.

– Dlatego że był anorektykiem? – zapytał Chavez, myśląc już, gdzie spędzi wakacje. Wyobrażał sobie, jak jego dzieci Isabel i Miguel zasypiają w swoim pokoiku w domu na wybrzeżu Amalfi, a on wchodzi do sypialni, gdzie jego żona Sara Svenhagen delikatnym i lekko teatralnym ruchem właśnie zdejmuje z siebie ostatnią sztukę odzieży. Tą ostatnią sztuką są bardzo małe majteczki.

– Lasse pracował w Stanach – powiedział Olof Karlsson swoim staccato. – On takie rzeczy kumał. A teraz nie żyje. Nie rozumiem.

– Chcesz powiedzieć, w odróżnieniu od Lassego? – powiedział Chavez, próbując wrócić do swoich myśli, ale się zaciął. Zapętlił. Gdy po raz kolejny majteczki opadły na ziemię, cała magia wyparowała. Chavez uderzył pięścią w stół i powiedział:

– Kurwa, jak dokładnie straciliście waszego kumpla Lassego Dahlisa?

– Nie wiemy – odpowiedział Roger Lind głosem małej dziewczynki. – Przewrócił się, a my daliśmy nogę.

– Został pchnięty od tyłu nożem w serce – wyjaśnił Chavez. – To musiało wymagać sporej siły. Musieliście coś widzieć.

– Niestety – odpowiedział Olof Karlsson, wyrzucając z siebie to krótkie słowo niczym salwę z pistoletu.

W tej samej chwili zadzwonił telefon. Na razie tyle było wiadomo. Czyj to był telefon, chwilowo pozostawało niewiadomą, dopóki jedna z osób nie poruszyła się gwałtownie na jego dźwięk. Dopiero potem Chavez uświadomił sobie, że był to wstrząs osoby obudzonej ze snu. Kerstin Holm odrzuciło w tył na krześle, uderzyła łokciem w chropowatą ścianę sali przesłuchań, wyjęła komórkę i odebrała, chwytając ją do góry nogami.

– Dokładnie tak samo było z Aggem – ucieszył się Olof Karlsson i pokazał na komórkę.

Kerstin Holm bez słowa obróciła telefon. Nie odzywała się przez blisko minutę. Roger Lind i Olof Karlsson przyglądali się sobie z rosnącą nadzieją. Nadzieją na to, że zaraz będą mogli sobie pójść.

W końcu się rozłączyła. Spojrzała na Jorge Chaveza, który od razu zrozumiał, że dzwonili nie z Europolu, tylko ze starego, zacnego Interpolu, ponieważ sprawa dotyczyła obywatela spoza UE.

Obywatel ten uniknął śmierci w pubie na Götgatsbacken, natomiast jego szef i dwóch kolegów zostało zastrzelonych. Jego DNA zabezpieczono w klubie na kuflu z piwem. Nazywał się Nukri Targamadze i pochodził ze stolicy Gruzji, Tbilisi.

Ta identyfikacja sama w sobie niewiele by przyniosła, gdyby w ciągu kolejnych minut nie została uzupełniona o informacje na temat jego siostry mieszkającej w Sztokholmie, a dokładniej w Johanneshov. Siostra z kolei miała ogródek działkowy w Tantolunden, na Södermalmie. Niecałą godzinę później śledczy policji sztokholmskiej poinformowali, że w letnim domku zaobserwowali wzmożoną aktywność.

Gdy Kerstin Holm i Jorge Chavez weszli do wnętrza domku kilka działek dalej, okazało się, że pełno w nim funkcjonariuszy sił szybkiego reagowania. Chavez powiedział:

– Normalnie nachodzą mnie wspomnienia.

– Od lat już skurczybyki nie barykadują się na działkach – powiedziała Kerstin Holm. – Znaleźliśmy się z powrotem w kryminalnym świecie z przeszłości.

– No ale to musi oznaczać, że go wystawili – zauważył Chavez. – Był przecież osobistym ochroniarzem jednego z głównych światowych handlarzy bronią.

– *Był* to pewnie słowo klucz – powiedziała Holm. – Albo został sam po śmierci Isliego Vrapiego, albo jest ścigany przez jego następcę, kimkolwiek on jest. Za to, że dopuścił do jego śmierci.

– Pewnie raczej został sam – powiedział Chavez. – Inaczej by go znaleźli. Działka siostry, ja pierdolę. Normalnie samobójstwo.

– Choć nie jest powiedziane, że o tym wiedzą, nie mają chyba swoich w Interpolu?

Kerstin Holm zwróciła się do dowódcy sił szybkiego reagowania:

– Jesteście gotowi?

– Tak – odpowiedział mężczyzna. – Mamy potwierdzenie, że w domku coś się rusza.

– No to zaczynamy – powiedziała Kerstin Holm.

Pobiegli w ciszy, skuleni, a mimo to zadziwiająco szybko, rząd czarnych postaci z uniesioną bronią automatyczną, a za nimi dwoje trochę bardziej powolnych kryminalnych. Na szczęście była zwykła majowa środa, a nielicznych emerytów, którzy zdecydowali się na spacer do swoich ogródków lub tylko wdychali wiosenne powietrze, dyskretnie skierowano do głównych wejść. Tanto wydawało się więc całkowicie opuszczone, gdy rząd funkcjonariuszy dostał się na działkę należącą do Mai Svensson, z domu Targamadze. Gdy wybito drzwi do domku, a funkcjonariusze z krzykiem wbiegli do środka, Nukri Targamadze siedział pośrodku podłogi na żółtym plastikowym wiadrze.

Nie był to piękny widok.

Mniej więcej godzinę później siedział już naburmuszony w pokoju przesłuchań na komendzie policji. Nic poza tym, stwierdzili Chavez i Holm przez lustro fenickie. Z drugiej strony był profesjonalistą. Przynajmniej kiedyś.

Weszli do środka.

– W tych domkach nie ma toalet – to było pierwsze, co powiedział Targamadze, całkiem zrozumiałym angielskim.

– Przyznam, że bardzo nas dziwi, że tam trafiłeś – powiedział Chavez, siadając naprzeciwko. – Czy po śmierci Isliego Vrapiego organizacja tak bardzo podupadła?

– Nie wiem, o czym mówisz – powiedział Targamadze.

– No jasne – odpowiedział Chavez. – Ale w papierach mam napisane, że nie chciałeś obecności adwokata.

Kerstin Holm usiadła obok Chaveza i powiedziała:

– Przed chwilą dostaliśmy potwierdzenie od techników. Z pistoletu, który znaleźliśmy w domku nieprofesjonalnie daleko od żółtego kubła, zginął na Götgatan o godzinie dwudziestej trzeciej dwanaście jedenastego maja bieżącego roku mężczyzna o nazwisku Taisir Karir.

– Nie ma tu wiele do dodania – powiedział Chavez. – Jesteś oskarżony o morderstwo i spędzisz co najmniej dziesięć lat w szwedzkim więzieniu. Przestępcy z państw z dawnego bloku komunistycznego cenią je sobie za luksusowe warunki. Tak więc nic wielkiego się nie stało. Poza tym, że dożyjesz tam wieku średniego. Stracisz najlepszy okres w życiu, a gdy następnym razem spotkasz kobietę, będziesz już starym i zgrzybiałym dziadem. Chciałbyś coś dodać?

– Nie – mruknął Nukri Targamadze.

– Ciekawe, że spędziłeś w tym domku ponad tydzień – powiedziała Kerstin Holm. – Co jadłeś?

– Kiszone ogórki i gruszki od siostry – uśmiechnął się Targamadze. – Nie mogę się doczekać więziennego żarcia.

– Tym bardziej rozumiem, że cię przycisnęło – powiedział Chavez.

– Nikt się nie spodziewa, że zaczniesz donosić na organizację Isliego Vrapiego – powiedziała Holm. – Zastanawiam się jednak, dlaczego cię stamtąd nie zwinęli, w ten czy inny sposób. Byłeś przecież zagrożeniem.

– Nie jestem pewien, czy coś jeszcze zostało z organizacji – odezwał się nieoczekiwanie Targamadze.

– Co chcesz przez to powiedzieć?

– Isli Vrapi był solistą. Jego synowie mają czternaście i dwanaście lat. To on *był* organizacją.

– I nie było żadnego planu b? Musiał przecież mieć świadomość, że coś takiego może się wydarzyć?

– To dlatego miał czterech ochroniarzy.

– Którzy srogo go zawiedli.

Nukri Targamadze wyciągnął się na krześle i powiedział:

– Dobra, wystarczy tego gadania. Co mogę zrobić, żeby zmniejszyć wyrok?

Holm i Chavez spojrzeli po sobie. Ich spojrzenia znaczyły: „*Yes!*" i „Od czego zaczniemy?".

– Czyli że nie było planu b? – zaczęła Kerstin Holm.

– Podpisuje się kontrakt na to, żeby za wszelką cenę utrzymać kolesia przy życiu – powiedział Targamadze. – Nie uda ci się, zostajesz sam. W najlepszym wypadku.

– Co planowałeś robić w tym domku?

– Z tego od razu zrobiła się duża sprawa. Strzelanina w samym centrum spokojnego, małego skandynawskiego miasta. Pięciu zabitych. W Tbilisi nikt by nawet nie uniósł brwi, przysięgam. Pojechałem na Arlandę, żeby polecieć do domu, ale wszędzie roiło się od policji. Wróciłem i postanowiłem, że pogadam z siostrą. Pomyślałem, że nie będę się wychylać, dopóki się nie uspokoi. Potem gdzieś wyjadę.

– A ten drugi kolega, który przeżył?

– Rozdzieliliśmy się po tym, jak zastrzeliłem tego kolesia. Nikt nie zna tożsamości drugiego. Na tym to polega. Nie mam pojęcia, kto to jest.

– Ale z czysto zawodowego punktu widzenia musiałeś się zastanawiać, co, do cholery, poszło nie tak – powiedział

Chavez. – Jak po czymś takim znajdziesz pracę jako ochroniarz?

– Jestem z Gruzji. Pracy tam nie brakuje. Możliwe, że na początek będę musiał nieco obniżyć stawki. Potem już pójdzie. Nema problema.

– No to co poszło nie tak?

– Ocena.

– Ocena sytuacji w klubie?

– Cała ta wycieczka była projektem o niskim stopniu ryzyka. Isli sam tak mówił. Był rozluźniony i spokojny. Zanim jednak usiedliśmy, czterech cholernie profesjonalnych ochroniarzy oceniło sytuację w klubie. Nie myślcie sobie. Dobrze wiedzieliśmy, co robimy.

– Czyli was zaskoczono?

– Na całej linii. Tam w środku nie było żadnego zawodowca, przysięgam. Od razu zauważyliśmy tych kolesiów, kompletne zera. Małe misie, *losers*. Z daleka wyczuję rohypnol, przysięgam.

– Wciąż tylko przysięgasz i przysięgasz – powiedział Chavez.

– A co, nie mam racji?

– Nie masz racji co do jednego. Tam był zawodowiec. Znacznie bardziej profesjonalny od ciebie.

Nukri Targamadze sprawiał wrażenie, jakby się zgadzał.

– Ale nie zawodowiec w moim rozumieniu.

– No właśnie w tym jest problem. Zupełnie nie w twoim. Był dużo, dużo sprytniejszy od ciebie. A nawet od Isliego Vrapiego. Który przecież był bardzo ostrożny.

– W takim razie musiał być bardzo dobrze zamaskowany. *Przysięgam*.

Chavez roześmiał się. Holm przejęła:

– Co tam robiliście?

Targamadze wzruszył ramionami.

– Mieliśmy spotkanie – odpowiedział nonszalancko.

– Skoncentruj się. Masz szansę na złagodzenie wyroku. Masz ją tylko teraz. Mówimy o pięciu latach w tę lub w tamtą stronę. Wysil się.

– Posłuchaj, pani władzo. Jesteśmy ochroniarzami. Czterech facetów unoszących się nad jednym obiektem. Przez całą dobę. Nie słuchamy jego rozmów, nie próbujemy nawet zrozumieć kontekstu. Za to między innymi nam płaci. Żebyśmy całą uwagę kierowali na zewnątrz. Jesteśmy jak to, jak to, o tam.

Targamadze wskazał głową lustro fenickie.

– W jedną stronę nic nie widzimy – wyjaśnił. – Za to w drugą widzimy bardzo dobrze.

– Na pewno jednak jesteście na tyle przezorni, żeby się ubezpieczyć – powiedziała Holm. – I mieć czym handlować w takiej sytuacji jak ta.

– No to co robiliście w Sztokholmie? – zapytał Chavez.

– Tego nie wiem – powiedział Targamadze.

– Żadnych sygnałów, wskazówek?

– Żadnych.

– Czy spotkanie w tym miejscu zostało ustalone z wyprzedzeniem?

– Tak. Od razu nas tam zaprowadził. Trochę się zdziwiliśmy. Nie było to miejsce w jego typie. Zwykle wybiera coś bardziej stylowego, że tak powiem. Przyzwyczailiśmy się do knajp z Michelina. Dają tam cholernie małe porcje.

– Szansa na złagodzenie kary zaczyna ci przeciekać przez palce – powiedziała Kerstin Holm, podnosząc się z krzesła. – Ostatnia próba. Daj nam coś.

Spojrzenie Nukri Targamadzego nagle się wyostrzyło.

– A co najbardziej byście chcieli? – zapytał.

– Powód, dla którego Isli Vrapi był w Sztokholmie.

Targamadze skrzywił się i powiedział:

– Okej, a zaraz po tym?

– Tożsamość strzelającego – powiedziała Kerstin Holm.

Targamadze wyraźnie się ucieszył.

– Czyli nie wierzycie, że zrobił to ten wieśniak? Ten, którego zdjąłem?

– No, nie. Opowiadaj.

– Zarekwirowaliście mój portfel, prawda?

– Wszystkie twoje rzeczy, tak. A co?

– Nie jest mój.

Holm i Chavez spojrzeli kolejny raz po sobie. Holm znów usiadła.

– Okej...? – powiedziała.

– Rozdarłem mu kurtkę. Wewnętrzną kieszeń.

– Wyjaśnij.

– Był bardzo szybki i strzelał cholernie celnie. Włożyłem prawą rękę pod marynarkę, żeby wyjąć pistolet, ale jednocześnie mocno chwyciłem za jego kurtkę lewą ręką. Potem pojawił się ten cholerny Kurir i zablokował drogę. Przewróciłem się, usłyszałem dźwięk rozrywanego materiału. Tamci wyskoczyli. Na ulicy zauważyłem Kurira i strzeliłem mu w plecy, a potem zwiałem. Wiedziałem przecież, że Isli nie żyje, widziałem, jak połowa jego głowy wylatuje w powietrze. W lewej ręce został mi portfel. Szybko się ulotniłem.

– Chcesz powiedzieć, że to jest portfel strzelającego? – zapytał z niedowierzaniem Chavez.

– Powinien być wart jakieś parę lat, co? – powiedział Nukri Targamadze i odchylił się na krześle.

Obojętny, głuchy i niemy

Haga, 19 maja

DNI OD LEGENDARNEJ PODRÓŻY helikopterem na Capraię upłynęły w spokoju towarzyszącym poszukiwaniom i badaniom. Zwykle tak się właśnie mówi, gdy brak jakichkolwiek postępów. Co prawda posuwali się powoli do przodu, ale całościowy obraz przedstawiał się raczej ponuro.

To właśnie musiał stwierdzić Paul Hjelm, kiedy otrzymał informację ze Sztokholmu. Nie poczuł się przez to lepiej w obliczu spóźnionej już o dziesięć minut narady w Katedrze.

Handlarz bronią Isli Vrapi był w Sztokholmie w związku z „projektem o niskim stopniu ryzyka" i umówił się z kimś na spotkanie w podrzędnej knajpie, w której zdarzyło mu się zostać zamordowanym przez tępaka o nazwisku Johnny Råglind.

Przeglądając pośpiesznie informacje na temat niejakiego Johnny'ego Råglinda, zastanawiał się szczerze, czy „Råglind" było rzeczywiście szwedzkim nazwiskiem. Otóż nie.

Potem przerwał. Jego podwładni czekali już na niego wystarczająco długo.

Za każdym razem, gdy wchodził do Katedry, wyczuwał panujący w niej szczególny nastrój. Sakralny i jednocześnie sztuczny. Choć sztuczny na sposób europejski, a nie wulgarny, amerykański. Jakby to była jakaś różnica. Kto wpadł na pomysł, żeby urządzić salę konferencyjną jak średniowieczną katedrę, pozostawało zagadką. Nikt nie chciał się przyznać do autorstwa. A mimo to Paulowi Hjelmowi się ona podobała. Było coś *stylowego*, po prostu, w sali zebrań jednostki Opcop. Coś *uroczystego*.

Siedzieli już w środku, czekali. Wszedł, usiadł przy katedrze i powiedział:

– Handlarz bronią Isli Vrapi prawdopodobnie nie przyjechał do Sztokholmu w związku z żadną dużą sprawą, czego zapewne mogliśmy się domyślić z tego, gdzie został zamordowany. A teraz również z tego, przez kogo. Mordercą był szwedzki imigrant drugiego pokolenia, jak ich idiotycznie nazywamy, o przybranym nazwisku Råglind. Johnny Råglind. Rodzice są uczciwymi pracownikami fizycznymi z Turcji, a syn jest znany policji od dziecka. Dosłownie przed chwilą dostałem to ze Sztokholmu, nie zdążyłem więc jeszcze opracować informacji, najwyraźniej jednak chodziło o przestępstwa narkotykowe, jak również o przestępstwa z użyciem przemocy. W jego kartotece brak wzmianek o broni palnej, ale od pół roku uczęszczał do klubu strzeleckiego, gdzie osiągał wysokie noty. Co być może tłumaczy jego skuteczność w knajpie.

– Ale nie to, dlaczego postanowił strzelić – zauważyła Jutta Beyer.

– To prawda – powiedział Hjelm. – Podczas przeszukiwania kręgu znajomych zmarłego Taisira Karira zidentyfikowano liczną grupę drobnych przestępców, ale nikogo szczególnie mu bliskiego. Nie da się ze stuprocentową pewnością wskazać nikogo, kto mógłby z nim być w knajpie. W tej licznej grupie był jednak Råglind, musieli więc należeć do jednego kręgu znajomych. Pewnie stracili wszystkie uczucia przez ćpanie i tylko nawzajem się nakręcali.

– Gdzie w takim razie jest Råglind? – zapytał Felipe Navarro.

– Szukają go – powiedział Hjelm. – Nie było go w jego mieszkaniu. Nie było go tam od strzelaniny. Sztokholmska policja czyni wzmożone wysiłki, żeby go schwytać. Ciąg dalszy nastąpi.

– Czy nie oddalamy się coraz bardziej od ustalania związków między naszymi ofiarami? – zapytał Marek Kowalewski. – Czy w ogóle są przesłanki, żeby dalej ich szukać? Czy nie jest raczej tak, że to nas hamuje? Im dłużej się tym zajmujemy, tym wyraźniej chyba widać, że wraz z zabójstwem Romana Vacka na Caprai zanika wątek terrorystyczny. Nasz czcigodny eurokomunista zdaje się jako jedyny w całym Parlamencie Europejskim nie mieć nic wspólnego z terroryzmem.

Paul Hjelm spojrzał na swoich podwładnych i zamyślił się. Zajęło mu to tyle czasu, że zaczęli się wiercić. Na koniec powiedział:

– Zdarza się, że intuicja zawodzi. Na dobrą sprawę niczego to nie zmienia – możemy dalej spokojnie pracować nad wszystkimi trzema sprawami jednocześnie, damy radę – przez chwilę jednak miałem pewność. To mało prawdopodobne, żeby w tak krótkim czasie zostało zlikwidowanych trzech wysoko postawionych graczy i żeby między tymi zdarzeniami nie było związku. Możliwe, że za bardzo skoncentrowaliśmy się na wątkach terrorystycznych, możesz mieć rację, ale to był kluczowy moment. Wtedy nie było czasu, żeby się oglądać. Jeśli będziemy się upierać przy wcześniejszej hipotezie – że groźny terrorysta jest w drodze do Europy, i by go nie rozpoznano, pozbywa się swojego chirurga plastycznego i handlarza bronią – to gdzie w tym wszystkim jest miejsce dla czeskiego europarlamentarzysty? Spróbujmy raz jeszcze. Zbierzmy wszystkie stare i nowe informacje z Caprai.

Myśleli. Myśleli intensywnie. I nic. Nikt nic nie powiedział.

– Okej – odezwał się w końcu Paul Hjelm. – Kurwa. Mnie też nie przychodzi do głowy żadne sensowne powiązanie. Capraią zajmiemy się osobno. Najpierw Massicotte. Śledztwo zostało już formalnie przekazane innej instancji – nie mówię, że NATO, niemniej dostałem nakaz, żeby to zrobić – ale Felipe Navarro prowadzi pozostałe elementy dochodzenia i wraz z przedstawicielami lokalnymi próbuje powiązać luźne wątki. Znaleźliście coś, Felipe?

– Nie, mam wrażenie, że sprawa Massicottego raczej zbliża się do końca – westchnął Navarro. – Pozostało nam jeszcze znaleźć wdowę. Która nie jest nawet wdową, bo para była rozwiedziona. Policji na kanaryjskiej wyspie Fuerteventura nie udało się jej jeszcze zlokalizować. Zaczęliśmy za to rozpracowywać będące przedmiotem badania naukowego organizacje terrorystyczne, których członkowie osadzeni są w więzieniach w całej Europie. Podejrzewam jednak, że ta druga instancja zrobi więcej niż my. Poza tym sprawa – która nawet nie jest już nasza – stoi w miejscu.

– Okej, dziękuję – powiedział Hjelm. – Mogłabyś podsumować Capraię, Jutta?

Jutta Beyer wyprostowała się i powiedziała:

– Człowiek, który znalazł ciało europarlamentarzysty Romana Vacka, to niemiecki samotny wędrowiec Winfried Baumbach z Wolfsburga, ale nie miał zbyt wiele do powiedzenia, tyle tylko, że znalazł ciało chwilę po świcie i od razu skontaktował się z lokalną policją. Udało nam się za to zlokalizować trzech interesujących świadków, kierowcę taksówki, który zawiózł Vacka do więzienia, i pracownika hotelu, który obsługiwał obcokrajowca – tego ostatniego nie byliśmy w stanie zidentyfikować, ale z wyglądu odpowiada zeznaniom kapitana promu z Livorno na Capraię. Co więcej, z przystani w Porto skradziono tamtej nocy motorówkę, którą odnaleziono dryfującą u wybrzeży Livorno. Kierowca taksówki nie miał zbyt wiele do dodania, poza tym, że Roman Vacek był potężny, sztywny, cichy i wydawał się spięty. I że dał mu spory napiwek. Pracownik hotelu pamiętał tylko jak przez mgłę mężczyznę, który zameldował się i zapłacił z góry za pięć nocy, od dziesiątego do piętnastego. Był stosunkowo niski, miał kręcone czarne włosy i czarne wąsy. Wszystkich pozostałych gości na wyspie udało nam się zidentyfikować. Wąsaty mężczyzna opuścił hotel, tu cytat, „wieczorem czternastego albo wcześnie rano piętnastego". Moglibyśmy założyć, że w nocy ukradł motorówkę i popłynął nią do Livorno, gdzie zostawił ją na wodzie. Technicy przeszukali pokój w hotelu i znaleźli, tu znów cytat, „absurdalnie dużo DNA", co tak naprawdę oznacza, że personel hotelu nie przykłada się do sprzątania. Znaleźli jednak coś jeszcze, znów cytat: „długie i krótkie czarne włosy z plastiku". Co z kolei mogłoby sugerować, że zarówno kręcone czarne włosy, jak i wielkie wąsy były doczepiane.

– Uważam, że powinniśmy dać Jutcie odpocząć – powiedział Söderstedt.

Wszyscy zamarli w oczekiwaniu na ciąg dalszy, który nie nastąpił.

– Aha? – odezwał się Hjelm, nieco zdziwiony. – Może dokończysz?

– Ja? – powiedział Söderstedt co najmniej tak samo zaskoczony. – Ja nie robię podsumowań.

– Ach, racja – powiedział Hjelm. – Twoją specjalnością są cięte riposty.

– Otóż to – powiedział Söderstedt pojednawczo.

– Corine? – zapytał Hjelm.

Bouhaddi odpowiedziała nieoczekiwanie:

– Pięć dób hotelowych.

– Jak to? – zapytał Hjelm.

– Jeśli zabójcą był ten wąsaty mężczyzna, znaczyłoby to, że przed zabójstwem spędził pięć dób w pokoju hotelowym. Dlaczego? Żeby przez pięć dób przygotować zabójstwo Romana Vacka, wystawiając się na ryzyko zdemaskowania, a potem trochę niezdarnie zwędzić motorówkę i wyruszyć nią w morze?

– Coś w tym jest – przyznał Söderstedt. – Pięć dób to długo. Chyba że przygotowywał kolejne zabójstwa.

– Co z kolei wymagałoby dostępu do internetu – odezwała się Bouhaddi. – A w hotelu go nie było. Co oczywiście nie znaczy, że nie miał dostępu na przykład przez telefon komórkowy. To akurat jesteśmy w stanie sprawdzić.

– Zrobisz to? – zapytał Hjelm.

– Oczywiście – odpowiedziała Bouhaddi energicznie.

– Zważywszy na te pięć dób – powiedział Söderstedt – nie zdziwiłbym się, gdybyśmy już wkrótce znaleźli kolejne ciało w regionie Morza Śródziemnego. To jest seryjny morderca. Wykorzystuje wszystkie techniki stosowane przez seryjnych morderców. Na pewno siedział w hotelu i planował.

– Chcesz przez to powiedzieć, że twoim zdaniem Capraia nie łączy się z Massicottem albo Sztokholmem? – zapytał Hjelm.

– Rzeczywiście jakoś trudno mi to połączyć – przyznał Söderstedt.

– Skoro mówimy o atrybutach seryjnego mordercy, czy udało ci się ustalić coś ciekawego na temat cytatu znalezionego w ścianie na Caprai?

– Tak mi się wydaje – powiedział Söderstedt i rozpromienił się trochę. – Nie było to łatwe, bo interpunkcja nie była konsekwentna, zdarzały się chyba też jakieś błędy w zapisie. Najwyraźniej jednak chodzi o cytat z *Hrabiego Monte Christo* Aleksandra Dumasa starszego.

– Ciekawe – powiedział Paul Hjelm. – Czy jest tu jakiś kontekst?

– Tego jeszcze nie sprawdziłem – przyznał Söderstedt. – Cytat pochodzi z rozdziału dwudziestego *Hrabiego Monte*

Christo i dotyczy cmentarza twierdzy na wyspie If, to znaczy morza. Hrabia postanowił uciec z więzienia, ale ponieważ nikt nie wychodzi stamtąd żywy, musi zająć miejsce zmarłego. Tak, na razie nic więcej nie mam, dopiero niedawno to znalazłem.

– Przecież to doskonale – powiedział Hjelm z nadzieją. – Mamy też wynik badania przeprowadzonego przez lekarza sądowego. Corine?

– Sporo ciekawych rzeczy, zgadza się – powiedziała Bouhaddi.

– Na przykład trucizna? – zapytał.

– Na przykład. Pozwólcie jednak, że może zacznę od leworęczności. Kształt rany wskazuje na to, że nożownik jest praworęczny. Lub przynajmniej użył prawej ręki, by wbić nóż w ofiarę. Co oznacza, że końską strzykawkę musiał mieć w lewej ręce. Co z kolei czyni umiejscowienie strzykawki w lewym barku ofiary nieco tajemniczym. Wymagało to wykonania bardzo dziwnego ruchu, zwłaszcza że nóż został wbity raczej od tyłu niż od przodu.

– Jeśli założymy, że obie rzeczy zaszły jednocześnie – powiedziała Jutta Beyer.

– Aha – powiedziała Bouhaddi z błyskiem w oczach. – Ale również to nie jest już przedmiotem dociekań. *Wiemy*, że tak było. Roman Vacek zmarł bezpośrednio z powodu dwóch jednoczesnych zdarzeń. Serce wciąż biło, kiedy wbito w nie nóż, ale już ustawało. Z powodu trucizny. Noża i trucizny użyto w odstępie pięciu sekund.

– Ależ to idealnie – ucieszyła się Beyer. – Zakrada się do ofiary w ciemnej celi, wbija strzykawkę w jej lewe ramię, a kiedy ofiara się obraca, wbija jej nóż w serce. Wszystko trwa pięć sekund.

– Racja – odpowiedziała Bouhaddi, wzruszając ramionami. – To jest bardzo prawdopodobny scenariusz.

– Co to mogła być za trucizna? – zapytał Hjelm.

– Nie wiadomo – odpowiedziała Bouhaddi. – Toksykolodzy wciąż jeszcze nad tym pracują. Najwyraźniej bardzo dziwna. Jakieś związki chemiczne, bla bla bla. Jakiś rodzaj, tu cytat, „multitrucizny".

– I w to po chwili morderca wbił zęby? – powiedział Hjelm. – Czy to nie dziwne? Pięć dni planowania, zaawansowana „multitrucizna" w połączeniu z celnie wymierzonym ciosem nożem. I mimo to zjada truciznę. Jak jakiś głupek. Wpada w obłęd, zbiega do portu, gdzie kradnie motorówkę, w coraz większym szale płynie nią w stronę lądu i wypada martwy gdzieś po drodze, a łódź, dryfując, dobija do portu.

– Nie.

– Nie?

– Niekoniecznie – stwierdziła Bouhaddi. – Jest coś dziwnego z tymi zębami. Lekarz sądowy pracuje co prawda nad odciskami zębów, nie ma wątpliwości, że chodzi tu o szczękę, ale powiedział coś jeszcze.

– Co takiego?

– W ranie nie ma obcego DNA.

– Może morderca starannie ją wymył?

– Gdyby tak było, znaleźlibyśmy ślady mydła, środka dezynfekującego lub czegoś podobnego. W ustach znajduje się obfity materiał genetyczny. To z nich, jak wiadomo, pobiera się materiał do badań DNA.

– Co więc sugerujesz?

– Tylko jedno przychodzi mi do głowy – powiedziała Bouhaddi. – To nie były prawdziwe zęby.

– Co innego mogłoby to być? – zapytał Hjelm i przez chwilę poczuł się jak nauczyciel w podstawówce.

– Jakaś sztuczna szczęka, atrapa o dużej sile nacisku.

– Zgadzam się, że potrzeba nie lada siły, żeby odgryźć kawałek ramienia – powiedziała Miriam Hershey. – Trudno mi jednak wyobrazić sobie takie narzędzie.

– To by jednak tłumaczyło szalony pomysł, żeby odgryźć kawałek zatrutego ciała – powiedział Hjelm.

– Czyli zastosowanie takiej atrapy miałoby być oznaką zdrowia psychicznego? – wtrąciła Laima Balodis.

– Przynajmniej świadczyłoby o konsekwencji – zauważyła Bouhaddi.

– Poza tym wzmacniałoby hipotezę, że mamy do czynienia z opanowanym, ale szalonym seryjnym mordercą – powiedział Söderstedt. – To nie jest jego ostatnia ofiara, możemy być tego pewni. Wszystko wskazuje też na to, że nie był to pierwszy raz.

– Tylko że poszukiwania nic konkretnego nie wnoszą – odezwał się Angelos Sifakis, który do tej pory się nie odzywał, tylko klikał na komputerze. – Mamy za mało punktów zaczepienia. Niestety kanibalizm jest powszechniejszy, niż się może wydawać. Nie może służyć jako jedyne kryterium. Rezultaty wyszukiwania dla samej Europy w ciągu ostatnich dziesięciu lat są zbyt liczne. Musimy znaleźć więcej parametrów, żeby ograniczyć wyniki.

– Co na to Marek Kowalewski, który ostatnio zajmował się Romanem Vackiem? Czy znalazłeś coś, co wskazywałoby na to, że Vacek planował podróż na Capraię, a jeśli tak, to po co?

– Pojechałem w tym celu do Pragi i Strasburga – powiedział Kowalewski. – Sprawdziłem zarówno prywatne, jak i firmowe komputery. Telefon komórkowy zniknął, podejrzewam, że na wyspie. Nie znalazłem ani jednej wzmianki o Caprai ani też żadnych planów na tamten wieczór i noc. Wielka dziura w poza tym dosyć napiętym grafiku. Nawet jego koledzy z Parlamentu Europejskiego w Strasburgu nie mieli nic do powiedzenia, tyle tylko, że na pewno chciał się wyspać w weekend. Swojej partnerce w Pradze powiedział, że w weekend musi nadrobić zaległości w pracy i nie wróci do domu. Pracuję w tej chwili z paroma technikami komputerowymi nad przywróceniem danych, które mogły zostać skasowane, a które może da się odzyskać.

– Komentarz? – uciął Hjelm.

– Roman Vacek został zwabiony na Capraię i chciał utrzymać to w tajemnicy – odpowiedział z marszu Kowalewski. – Żył w tak zwanym otwartym związku, nie miał więc powodu, żeby utajniać plany o charakterze erotycznym. Jego partnerka najwyraźniej sama miała zaplanowane tego typu spotkanie na weekend i wcale się z tym nie kryła. Poza tym Vacek nie był gejem. Podejrzewam więc, że człowiek z wąsem zaoferował mu jakiś rodzaj politycznego ładunku wybuchowego, dla którego był gotów podjąć trud i ryzyko.

– Vacek był komunistą i europarlamentarzystą – powiedział Hjelm. – O jakiego rodzaju ładunek wybuchowy mogło chodzić?

– Prawdopodobnie nie ma to żadnego znaczenia – powiedział Söderstedt.

– Co masz na myśli?

– Bo nie było żadnego ładunku. To był tylko sposób, żeby go zwabić. Zabić go i coś udowodnić.

– Sugerujesz, że morderca chce coś powiedzieć światu?

– To rzeczywiście zaczyna przypominać ten rodzaj seryjnego morderstwa. Rzekomo z pobudek idealistycznych. Inaczej nie wybrałby tak wysoko postawionego polityka. Z daleka pachnie dogmatyzmem. Czuje się skrzywdzony. Doszło do niesprawiedliwości. Teraz się za nią mści.

– Teraz to już są czyste spekulacje – powiedział Hjelm. – Nic nie wskazuje na serię morderstw. Gdyby chciał coś powiedzieć światu, zrobiłby więcej zamieszania przy wcześniejszych morderstwach. Niczego takiego nie znaleźliśmy.

– Coś się stało – nie odpuszczał Söderstedt. – Rozpoczął nowy etap. Wiedział, że to zabójstwo przyciągnie dużą uwagę. Być może dopiero teraz *chce*, żebyśmy znaleźli jego wcześniejsze ofiary. Dopiero *teraz* zaczyna mówić. Wcześniejsze zabójstwa są częścią fazy przygotowawczej. Będą zrozumiałe w ujęciu retrospektywnym.

– Retrospektywnym?

– Po fakcie – powiedział Söderstedt.

– Dziękuję – powiedział Hjelm chłodno. – Co mają do powiedzenia pozostali?

– Tyle tylko, że niczego nie znaleźliśmy – powiedział Angelos Sifakis. – Jeśli coś takiego wydarzyło się w przeszłości, powinniśmy coś znaleźć. Pomimo braku kryteriów. Dorzuciliśmy nawet „zapisane karteczki" do kryteriów wyszukiwania, teraz możemy dodać jeszcze, że chodzi o *Hrabiego Monte Christo*, ale powinniśmy byli dostać jakiś wynik już wcześniej.

– Jeśli karteczki zostały znalezione – powiedział Söderstedt – być może wciąż tkwią w ścianach.

– U ofiar morderstw o charakterze kanibalistycznym – powiedział Sifakis. – Jeśli chcesz odwiedzić tysiące miejsc zbrodni w Europie, nie będę protestować. Podejrzewam tylko, że zanim skończysz, ja już przejdę na emeryturę.

– Zgoda – powiedział Söderstedt. – Brakuje kryteriów wyszukiwania. A czego szukaliście?

– Zadawaliśmy bardzo różne kombinacje parametrów – powiedział Sifakis. – Zasztyletowanie, pchnięcie w serce pod żebrami, motywy kanibalistyczne, otrucie i, no właśnie, zapisane karteczki. Gdy wpiszemy wszystkie, nie otrzymujemy żadnych wyników, gdy pozostaniemy przy kanibalizmie, wyników jest aż za dużo.

– Czy *ramię* nie jest kolejnym parametrem? – zapytała Laima Balodis.

– Przepraszam – powiedział Sifakis – zapomniałem o tym wspomnieć. Podzieliłem to na „ramię", „prawe ramię", „prawy bark" i wpisywałem w powiązaniu z poprzednimi. Przykro mi, ale nie ma żadnych sensownych wyników.

– Tak – powiedział Söderstedt – brakuje decydującego parametru. Takie odnoszę wrażenie. Nie zauważamy czegoś, co powinniśmy widzieć.

Pierwszy raz od bardzo dawna w Katedrze zapadła cisza. Przerwał ją Paul Hjelm:

– Akurat tu się z tobą zgadzam, Arto. Istnieje szczególny związek, który powinniśmy dostrzec.

Po kolejnej chwili ciszy odezwała się Jutta Beyer:

– Czy...

Choć przerwał jej wyraźny dźwięk dzwoniącego telefonu, który natychmiast przykuł uwagę pozostałych zgromadzonych, dokończyła:

– Czy *Hrabia Monte Christo* nie mówi o wyspie skazańców?

Ale wtedy Hjelm już powiedział:

– Tylko dyrektor może mi tu przeszkadzać.

I odebrał telefon.

Czy też jakkolwiek nazwać to, co zrobił. Przez cały czas milczał. I tylko intensywnie słuchał. Po minucie rozłączył się bez słowa. Kliknął coś na ekranie komputera i jeden z prostokątów na ścianie Katedry rozbłysnął na niebiesko. Był to jeden z ekranów telewizorów, którego nigdy wcześniej nie widzieli włączonego.

Niebieskie światło monitora zastąpił widok ściany, lekko zniszczonego kamiennego muru pokrytego czymś w rodzaju siatkowego wzoru, jakby polano go jakąś brązowawą substancją niepodlegającą prawom grawitacji. Po chwili ukazała się twarz mężczyzny z dużą szczęką i głębokim brązowym spojrzeniem. Powiedział poruszony:

– *Enakomerno, enakomerno.*

W Katedrze zapanowało zamieszanie. Po chwili mężczyzna obrócił wzrok we właściwym kierunku i powiedział:

– Z tej strony Miladin Mlakar, szef słoweńskiej jednostki Opcop.

– Witaj – powiedział Paul Hjelm głośno i wyraźnie. – Z tej strony Paul Hjelm. Jeśli dobrze zrozumiałem, jesteś w tej chwili w Chorwacji?

– Zgadza się – powiedział Miladin Mlakar. – Sytuacja jest trochę kontrowersyjna, z kilku powodów. Po pierwsze dlatego, że Chorwacja nie jest członkiem UE, przynajmniej na razie. Po drugie dlatego, że stosunki między Słowenią i Chorwacją są dosyć napięte, szczególnie tutaj, na wybrzeżu. Próbuję więc, wraz z moim kolegą Rokiem Natekiem, który stoi za kamerą, za bardzo się nie wychylać. Moi koledzy z chorwackiej policji są w innym budynku. Nie wiedzą, że nadajemy.

– Gdzie jesteście i co się wydarzyło? – zapytał Hjelm.

– Znajdujemy się na słynnej wyspie więźniów Tita, Goli Otok, w chorwackich szkierach. Dziś w nocy doszło tu do morderstwa, które zdaje się mieć związek ze sprawą, którą prowadzicie.

– Czy możesz krótko opisać, co się stało?

– Ofiarę znalazła dziś rano, kwadrans po szóstej, para rosyjskich żeglarzy, którzy postanowili podejść do zabudowań więziennych, żeby obejrzeć wschód słońca, zanim pojawią się promy z turystami. Zabity leżał na brzuchu na podłodze w celi więziennej, z nagim torsem i szeroko rozłożonymi ramionami. Prawe ramię było okaleczone dużym ugryzieniem. Powtarzam: ugryzieniem. Ktoś odgryzł duży fragment ramienia.

– Przyczyna śmierci?

– Nie, to nie była przyczyna śmierci.

– Zrozumiałem. Jaka była przyczyna śmierci?

– Niewątpliwie pchnięcie nożem, tuż pod żebrami po lewej stronie ciała. Ilość krwi wskazuje na to, że nóż trafił prosto w serce.

– Czy są ślady zastrzyku z trucizną?

– Masz na myśli ukłucie?

– Tak.

– Nie dostałem takich informacji od chorwackiej policji. Choć z drugiej strony nie ściągnęli tu jeszcze techników. Podejrzewam, że naszych szanownych sąsiadów czeka jeszcze okres przystosowania się do wymogów unijnych, zanim uzyskają członkostwo.

– Widziałeś ciało?

– Tak. Nie mogłem jednak bliżej mu się przyjrzeć. Zobaczę, może jeszcze się uda.

– Kim w takim razie jest ofiara?

– Mam tylko podstawowe informacje – powiedział Miladin Mlakar. – Podobno nazywał się Rudi Schrempf i był niemieckim dziennikarzem.

Hjelm skinął głową w stronę Jutty Beyer, która przytaknęła i zaczęła klikać na swoim laptopie.

– Wiecie, co tam robił? – zapytał Hjelm.

– Nie – odpowiedział Mlakar. – Nie wiemy.

– Możesz powiedzieć coś więcej na temat wyspy?

– Budziła postrach w Jugosławii za czasów Tita. Trafiało się tutaj, żeby zostać przeprogramowanym. I nauczyć myśleć poprawnie, to była twarda szkoła. Goli Otok była znana w całej Jugosławii. Pewnie można by to nazwać obozem koncentracyjnym. Więzienia zostały zamknięte w osiemdziesiątym ósmym, a wyspę opuszczono w dziewięćdziesiątym dziewiątym. Dopiero w ostatnich latach stała się celem wycieczek turystycznych.

– Dziękuję – powiedział Paul Hjelm. – Czy jest szansa, żebyś sprawdził, czy na ciele, prawdopodobnie na ramieniu, jest rana kłuta?

– Spróbujemy – powiedział Miladin Mlakar i skinął głową do swojego niewidocznego kamerzysty. – Dajcie nam kilka minut.

– Chwileczkę – dało się słyszeć mocny głos w Katedrze.

– Tak? – powiedział Mlakar zaskoczony.

– Jeszcze jedno – powiedział Arto Söderstedt ze wzrokiem utkwionym w stukającą intensywnie w klawiaturę Juttę Beyer. – Chciałbym, żebyś poszukał czegoś jeszcze, Miladin. Zwiniętej karteczki papieru z tekstem napisanym po francusku, wciśniętej prawdopodobnie w jakiś otwór w ścianie celi. Zawiniątko o średnicy centymetra.

– Aha – powiedział Miladin Mlakar, wyraźnie zbity z tropu – Okej.

– Doskonale. Nazywam się Arto Söderstedt, tak przy okazji.

– Aha – powiedział Mlakar i nagle go oświeciło. – Teraz wszystko jasne.

I zniknął w migoczącym niebieskim świetle.

– Co niby jest jasne? – mruknął Arto Söderstedt.

– Co takiego mówiłaś, zanim zadzwonił telefon, Jutta? – zapytał Paul Hjelm, nawet nie spoglądając w stronę Söderstedta.

Jutta Beyer oderwała nieobecne spojrzenie od komputera.

– Co? – powiedziała. – Przepraszam, szukam Rudiego Schrempfa.

– Słyszałaś, co powiedziałem – powiedział Hjelm. – Chcesz tylko zwrócić na siebie uwagę.

– Powiedziałam: „Czy *Hrabia Monte Christo* nie mówi o wyspie skazańców?" – odpowiedziała Beyer z naciskiem.

– Czy właśnie w tej chwili nie odkryliśmy naszego brakującego parametru? – powiedział Hjelm, patrząc z uznaniem na Beyer. – Wygląda na to, że kilkoro z was miało rację. Pięć dób spędzonych na snuciu planów w pokoju hotelowym na Caprai zaowocowało dwoma morderstwami w ciągu zaledwie kilku dni. Czy to możliwe, że mamy do czynienia z seryjnym mordercą, który działa na *wyspach skazańców*? Najpierw Capraia, z dawną kolonią karną, a teraz Goli Otok, dawny obóz koncentracyjny Tita. Na obu tych wyspach przebywali kiedyś skazańcy. A nasz morderca ma teraz zamiar to nagłośnić. Angelos, dorzuć „wyspy skazańców" do kryteriów wyszukiwania.

– Robi się – powiedział Angelos Sifakis, przebiegając palcami po klawiaturze komputera.

– O co w tym wszystkim chodzi? – zapytał Hjelm sam siebie.

W Katedrze zapanowała atmosfera pewnej czujności. Trudno to było wszystko ułożyć w całość.

Pierwsza odezwała się Miriam Hershey:

– Zemsta.

– Jestem skłonny się zgodzić – powiedział Marek Kowalewski. – Ale nie tylko zemsta. Historyczna zemsta. Raczej w imię ogółu niż osobista. W pewnym sensie *polityczna*.

– I przy tym terrorystyczna? – zapytał Hjelm.

Kowalewski wzruszył ramionami i pokręcił głową. Jednocześnie.

– Najpierw musimy się dowiedzieć, kim była nowa ofiara, Rudi Schrempf – dodał Paul Hjelm. – Masz już coś, Jutta?

– Jasne – powiedziała Jutta Beyer. – Jestem podłączona do ekranu, Angelos?

Sifakis kliknął kilka razy w ekran komputera i powiedział:

– Teraz. Proszę.

Na ekranie pojawiło się zdjęcie szczupłego mężczyzny około sześćdziesiątki. Uśmiechał się do obiektywu, miał bardzo niemiecki wygląd.

– Rudi Schrempf – przedstawiła go Jutta Beyer. – Urodzony w czterdziestym piątym we Frankfurcie. Brał udział w rewolucji sześćdziesiątego ósmego roku, wówczas jeszcze jako student w Institut für Sozialforschung, słynnej szkoły frankfurckiej. Zajął się dziennikarstwem, pisał dla takich czasopism jak „Agit 883” w Berlinie i „konkret” w Hamburgu. Potem pracował dla prasy, telewizji, potem znów dla prasy codziennej, „Bild-Zeitung”. Pracował w koncernie Springera i do chwili śmierci pełnił funkcję szefa redakcji „Hamburger Abendblatt”. Żonaty, dorosłe dzieci, mieszkał w Hamburgu.

– To znaczy, że pisał w tym samym czasie, co Ulrike Meinhof w „konkret” i Holger Meins w „Agit 883” – powiedział Söderstedt.

– Szczerze mówiąc, nie mam pojęcia, o czym mówicie – przyznał Kowalewski.

– Byłeś wtedy zajęty czymś innym – powiedział Söderstedt. – Dopiero co się urodziłeś.

– Mówimy o głównych postaciach Rote Armee Fraktion, czyli Baader-Meinhof w Niemczech Zachodnich – powiedział Paul Hjelm. – Początek lat siedemdziesiątych. Niewielu z was było wtedy na świecie. Pierwszy powojenny terroryzm.

– Z licznymi sympatykami – powiedziała Beyer. – Mało kto wie, jak hojnie byli dotowani przez NRD. Rudi Schrempf był pewnie jednym z nich. Z tą tylko różnicą, że poszedł dalej i zrobił karierę.

– W koncernie Springera, jasne – powiedział Söderstedt. – Gorsza może być już tylko praca w policji. „Protest jest wtedy, gdy mówię, że dłużej tego nie zniosę. Opór jest wtedy, gdy kończę z tym, czego nie mogę znieść”.

– Ulrike Meinhof w „konkret” – pokiwała głową Jutta Beyer. – Nie podoba mi się, że najwyraźniej podziwiałeś tych szaleńców, Arto. Dorastałam w NRD. Bardzo niewiele Niemek w moim wieku miało na imię Jutta.

– A ja w komunistycznej Polsce – powiedział Kowalewski.

– A ja w Związku Radzieckim – powiedziała Laima Balodis.

Spojrzeli na nią zaskoczeni.

– Sami widzicie, jaką mamy dziś krótką pamięć – powiedział Hjelm. – Do dziewięćdziesiątego pierwszego Litwa była częścią Związku Radzieckiego.

– Miałam wtedy dziewiętnaście lat – powiedziała Balodis. – Całe moje dzieciństwo upłynęło w realiach sowieckich. Poza tym żyliśmy pod rosyjskim uciskiem. Obywatele drugiej kategorii w państwie drugiej kategorii, oto kim byli Litwini. Cudownie było odzyskać wolność, nie przeczę. Cudownie było móc podróżować bez ograniczeń. Ale mniej cudownie było zrozumieć, jak bardzo nas oszukano, jak wybrakowana była nasza wiedza.

– Chciałbym zaznaczyć, że ja też nie byłem aż tak stary na początku lat siedemdziesiątych – powiedział Söderstedt. – I nie popierałem ani Związku Radzieckiego, ani Baader-Meinhof. Ale po tym, jak zetknąłem się z bezwzględnością świata fińskiej gospodarki, potrzebowałem czegoś więcej niż *protestu*, potrzebowałem *oporu*. Poznałem świat, w którym zawsze wygrywa najsilniejszy. Nie chciałem żyć w takim świecie. Nie chciałem, żeby taki świat w ogóle istniał. Chciałem stawić mu *opór*.

– I właśnie wtedy zostałeś policjantem – powiedział Hjelm z lekkim uśmiechem.

– Ja również – nieoczekiwanie odezwał się Angelos Sifakis.

– Ty? – zapytał Hjelm.

– Grecją rządziła junta wojskowa do lata siedemdziesiątego czwartego. Upadła miesiąc przed moimi narodzinami – powiedział Sifakis. – Była to prawicowa dyktatura wojskowa wspierana przez USA i Zachód na potrzeby zimnej wojny. Dorastałem w jej cieniu, wychowywałem się w realiach rodzącej się demokracji. Widziałem, jak szerząca się korupcja podkopuje demokrację, tak naprawdę zostałem policjantem, żeby przeciwdziałać przestępstwom gospodarczym popełnianym przez bogatych. Żeby stawić *opór*. Jak widzicie, wszystko jest możliwe.

– A teraz Grecja się rozpada – powiedziała Miriam Hershey.

– Wygrała korupcja – powiedział Sifakis, rozkładając ręce. – Lub też przegrała. Zależy, jak na to spojrzeć. Nieufność wobec państwa, rozczarowanie państwem po dyktaturze powodują, że nikt nie płaci podatków. Ludziom wydaje się, że ci na górze chcą się tylko dorobić. I nie są całkiem w błędzie. Choć w ten sposób tracą również swój kraj.

– Krótko mówiąc, polityka jest skomplikowana – powiedział Hjelm, próbując tym samym zakończyć dyskusję. Ale nie. Nie zakończył jej jednak.

– Nie do końca – powiedział Söderstedt. – Jest stosunkowo prosta, przynajmniej jako punkt wyjścia. Polityka musi się opierać na tym, żeby wszyscy politycy czuli się najlepiej, jak się tylko da. To dosyć proste.

– Jak to dobrze, że mamy ciebie, umiesz rozwikłać wszelkie komplikacje – powiedział Hjelm.

– Nie *podziwiałem* RAF, Jutta – dodał Söderstedt. – Ale oni pokazali drogę. Mówili, że nawet najbardziej sztywne struktury można rozbić.

– *Mordowali* ludzi – powiedziała Jutta Beyer.

– To byli szaleńcy – powiedział Söderstedt. – Tak samo jak ja. Przez chwilę.

– Ale ty chyba nikogo nigdy nie zamordowałeś?! – krzyknęła Beyer.

– Oczywiście, że nie – powiedział Söderstedt. – Byłem jednak zwolennikiem pewnego sytemu myślowego, o którym nawet napisałem artykuł. *W społeczeństwie kapitalistycznym nie ma niewinnych.*

– Zabrzmiało jak slogan Al-Kaidy – zauważył Kowalewski.

– Wszyscy ekstremiści brzmią podobnie – przyznał Söderstedt. – Fakt, że akurat ja, tuż po rezygnacji z tworzenia jednego niehumanitarnego świata, dałem się skusić innej niehumanitarnej konstrukcji intelektualnej, pozwolił mi zrozumieć, jak wiele niehumanitarnych pokus czyha dookoła. Tak jest zawsze prościej. Niehumanitarne myśli to droga na skróty dla ludzkości. Kiedy już to zrozumiałem, stałem się lepszym policjantem. A może i lepszym człowiekiem. Koniec wykładu.

W Katedrze rozbłysło światło. Znany im dobrze błysk przebiegł po przypominającym kościół wnętrzu.

Na słoweńskim ekranie nie pojawił się jednak Miladin Mlakar, tylko trudna do odczytania kompozycja z ciała. Fałdy białej skóry. Po chwili usłyszeli szept Mlakara.

– Mam nadzieję, że to nagrywacie. Prawe ramię Rudiego Schrempfa, nie widzę ukłucia. Wydaje się nietknięte. Bliżej, Rok. O tak. Lewe ramię. Czy tam czegoś nie widać? Nie, Rok, nie w górę, w stronę obojczyka. O, tak. Wydawało mi się, że to znamię urodzeniowe, ale cholera wie. Co powiecie tam w Hadze? Tylko cicho...

– Niewiele widać – powiedział Paul Hjelm, wpatrując się w ekran. – Potrzebujemy twojego komentarza, Miladin.

– To jest ukłucie – odezwał się łamaną angielszczyzną jakiś obcy głos, prawdopodobnie należący do Roka Nateka.

– Nie jestem pewien – powiedział Mlakar. – Choć może rzeczywiście. Zrób zbliżenie, Rok. Będziecie mogli sobie potem obejrzeć na spokojnie. Dostaniecie też na pewno jakiś raport z Chorwacji w ciągu, powiedzmy, najbliższego pół roku.

– Miłość między pobratymcami – powiedział ze spokojem Hjelm. – Dziękuję.

– Chwila – Mlakar podniósł głos – nie to chcieliśmy wam pokazać. Tylko *to*. Chodźcie za mną.

Raczej nie mamy wyboru, pomyślała Jutta Beyer.

Drżąca kamera objęła szeroką szczękę Miladina Mlakara, gdy wstawał, robiąc nieznaczny gest w stronę obiektywu. Gest „chodźcie za mną". Prowadził ich przez pomieszczenie, które wyglądało na bardzo ciasną i zapuszczoną celę więzienną. Po kilku metrach zatrzymali się przed kamienną ścianą.

– Gdybyście wiedzieli, co musieliśmy zrobić, żeby zostawili nas samych w celi na kilka minut – szepnął Mlakar, podnosząc palec wskazujący. Przesuwał się powoli i teatralnie wzdłuż kamiennej ściany. W końcu się zatrzymał. Roztrzęsiona kamera wyostrzyła obraz na palec wskazujący. I na miejsce, które wskazywał.

Coś wystawało ze ściany, coś niewielkiego, niemal niewidocznego. Jakby małe zawiniątko.

Mlakar ostrożnie wyciągnął przedmiot. Była to zwinięta kartka papieru. Dramatycznym gestem rozwinął karteczkę i zbliżył ją do, z tej perspektywy ogromnej, szczęki. Spojrzał zawadiacko w obiektyw kamery i powiedział:

– Mój francuski jest groteskowy. *Grotesque*.

– Jakoś to przeżyjemy – powiedział Paul Hjelm głosem pozbawionym emocji.

– No dobra. To słuchajcie.

Odchrząknął i znów spojrzał w kamerę, unosząc lewą brew. Stanowczo zbyt długo to trwało.

– No żeż kurwa – nie wytrzymał Söderstedt.

– Właśnie na to czekałem – powiedział Mlakar i przeczytał wyraźnie i zaskakująco poprawnie: *Un commissaire ceint de son écharpe n'est plus un homme, c'est la statue de la loi, froide, sourde, muette*.

– *Bloody hell* – powiedział Arto Söderstedt.

– *Thank you, mister Sadestatt* – powiedział Miladin Mlakar i ukłonił się teatralnie. Następnie przez chwilę trzymał karteczkę przed kamerą, żeby mogli zobaczyć tekst.

– Nie, to my dziękujemy – powiedział Paul Hjelm. – Doskonała robota na Goli Otok. Zostańcie tam, dopóki prowadzone są czynności wokół miejsca zdarzenia, i odezwijcie się, jeśli wydarzy się coś nowego.

– Czy te posady w Hadze ciągle są wolne? – zapytał Mlakar i mrugnął do kamery. – Rok ma cholerną ochotę.

Kamera drgnęła, dało się słyszeć coś w rodzaju wrzasku, po czym obraz zniknął w aurze niebieskiego błysku.

– Nieźle, kurwa – powiedział Paul Hjelm. – Wszystko inne mogłem przypisać sfrustrowanemu, wkurzonemu kolesiowi, ale te karteczki nie pozostawiają wątpliwości. Miałeś rację jak cholera, Arto. To jest scryjny morderca.

– Obawiam się, że tak – powiedział Söderstedt. – I jest wściekły. Wściekły, ale i zimny. Tak wściekły, że aż zimny.

– Po pierwsze – powiedział Hjelm, obracając się w stronę pracującego na swoim laptopie Sifakisa. – Czy mamy jakieś wyniki wyszukiwania dla hasła „kanibalizm na wyspie skazańców" i „karteczki z cytatami z Dumasa"?

– Nie do końca tak wyglądało teraz wyszukiwanie – powiedział Sifakis, zerkając na ekran. – Na razie nic, *nope*.

– Okej – powiedział Hjelm. – Corine, mogłabyś przetłumaczyć to zdanie z francuskiego?

Bouhaddi spisywała to, co Mlakar sczytywał z zapisanej po francusku karteczki, a gdy skończyła, podniosła wzrok znad swojej bynajmniej nie cyfrowej kartki i powiedziała:

– W liście ukrytym w ścianie więzienia na Goli Otok napisano mniej więcej coś takiego: „Komisarz na służbie przestaje być człowiekiem: jest uosobieniem prawa, obojętnym, głuchym i niemym".

– Lepiej bym tego nie ujął – powiedział Arto Söderstedt.

Krótki list

Flensburg, 20 maja

NIE, NIE WIEM, kim jesteś, komisarzu. Domyślam się jednak, że wyszedłeś ze stanu, w którym komisarz na służbie nie jest już człowiekiem, lecz uosobieniem prawa, obojętnym, głuchym i niemym. Jeśli rzeczywiście chcesz mnie zamknąć, musisz zrobić dużo skomplikowanych kroków. Problem w tym, że to ja te kroki zaplanowałem.

Każdy Twój krok.

By móc podążać moimi śladami, potrzeba tak wiele samodzielnego myślenia, że aż mnie przerażasz. Mimo wszystko łatwiej jest zostawić ślady, niż je znaleźć, połączyć i za nimi iść. Takiej pochwały jesteś wart, nieznajomy policjancie.

Inna sprawa, że i tak podążasz wytyczonym przeze mnie szlakiem.

Kiedy otrzymasz ode mnie ten list? Jeszcze nie zdecydowałem. Wszystko jest kwestią timingu.

Tak jak to było u Edmunda Dantèsa. I jeśli doszedłeś za mną aż tutaj, wiesz już, czym zajmował się hrabia Monte Christo.

Dziś jest dwudziesty maja. Wiadomość o zgonie na Goli Otok musiała już do Ciebie dotrzeć. Co mi to mówi? Czy już domyślasz się, dokąd zmierzamy? Raczej nie, prawda? Mimo to masz pewnie wrażenie, że dzieje się coś ważnego. Błądzisz w ciemnościach i nie opuszcza Cię poczucie, że coś ważnego Ci umyka.

Najważniejszy, mimo wszystko, jest Dieda, a nie Dantès, i teraz, kiedy się nad tym zastanawiam, ten list – który wydrukuję na mojej podróżnej drukarce w pokoju hotelowym w przedziwnym mieście granicznym Flensburg – będę miał zawsze przy sobie w tylnej kieszeni. Jeśli mnie złapiesz, to będzie Twoja nagroda, nieznajomy policjancie. Ten list. Możemy od niego zacząć.

Musisz zrozumieć, co to dla mnie znaczyło. Dorastałem u boku Diedy, był całym moim życiem, a moje życie wyglądało tak, że widziałem to, co on, i czułem to, co on. Przez cały czas. Naprawdę przez cały czas.

Nie chodziło o ramię.

Choć ono oczywiście również było ważne. Minęło już tyle lat. Początek, który właściwie nie był początkiem. Nie wiedziałem nawet, co robię, tylko tyle, że muszę to zrobić. Potem skupienie. Wszystko stało się ważne. Waga, miara, wszystko. I punkt końcowy gdzieś w oddali. Przyszła mobilizacja. Ostatni odcinek. Sprint.

Teraz już tu jesteśmy, nieznajomy policjancie. Ty i ja.

Na finiszu.

Tak jakbym naprawdę wierzył, że wciąż istnieją pojedynczy policjanci. To złudzenie i mogą mu ulec tylko ci, którzy nie interpretują świata zbyt wnikliwie. Samotny policjant, który na własną rękę ściga równie samotnego mordercę, już od dawna jest passé. *To tak oczywiste, że nawet nie trzeba tego mówić. Już sama dyskusja na ten temat byłaby głęboko reakcyjna.*

Mimo to będę Cię dalej nazywał moim nieznajomym policjantem, niezależnie od tego, ilu Was jest. Jest w tym coś romantycznego i nostalgicznego, od czego nie mogę się do końca uwolnić. Przyznaję, jest we mnie coś ze staroświeckiego, seryjnego mordercy. Potrzebuję przeciwnika.

Protokół lekarski nie był wynikiem jakiejś prostej rekonstrukcji. To było znacznie bardziej skomplikowane. Anatom przyszedł do nas do domu, zmierzył i zważył. Rezultaty pomiarów naniósł w odniesieniu do nielicznych punktów na krzywej wzrostu. Oszacował czas głodowania. Odjął szkielet. Otrzymał wynik w postaci liczby.

Ta cyfra stała się miarą, która z początku wydawała się nieskończona. Tak jakby nie miała końca.

Teraz jednak jest inaczej. Naczynie jest pełne. Szale się równoważą. Jeszcze tylko dwa razy, nie więcej. O tym, kto będzie ostatni, zdecydujesz Ty, nieznajomy policjancie.

Wszystko jest kwestią marketingu, prawda? Żyjemy w świecie reklamy. Nie ma tu właściwie o czym mówić. Sztuka bycia zauważonym, sztuka bycia słyszanym w ogólnym medialnym zgiełku. Wydaje mi się, że pojąłem tę sztukę. Teraz chodzi o to, nieznajomy policjancie, żebyś wiedział, jak to się robi. Mięśnie się napną. Nieważne, jak wyglądają, najważniejsze jest to, jak zostaną użyte.

I znów: Pomyśl o Edmundzie Dantèsie.

Podobnie jak było w przypadku anielskiego Dantèsa, istniało małe prawdopodobieństwo, że to ja będę musiał się tym zająć. Nigdy nie byłem prawdziwym agitatorem, maszyną do wygłaszania poglądów – raczej introwertycznym myślicielem. Ale nadszedł moment, kiedy wszystko trafiło na swoje miejsce, kiedy wszystko stało się oczywiste.

Kiedy zrodziła się myśl.

Przez jeden krystalicznie czysty moment widziałem dokładnie, dlaczego życie Diedy potoczyło się tak, a nie inaczej. Jaki system wartości wyznaczył jego losy.

Ten system wartości wciąż istnieje. Żyje i ma się dobrze. I jest powszechnie akceptowany. Nigdy jeszcze nie został pociągnięty do odpowiedzialności, nigdy nie został ukarany.

Z chmury dymu nad Manhattanem i triumfalnego tańca wyłonił się Dieda. Usiadł koło mnie w tej zapuszczonej kuchni z włączonym na cały głos telewizorem, któremu towarzyszyły głośne wiwaty. Chmura dymu z upadających wież na ekranie telewizora zlała się z dymem z czarnego tytoniu, czarnego tytoniu Diedy, który zawsze otulał jego stary fotel, fotel na biegunach, stojący przy samym regale z książkami, bo nie trzeba było zostawiać miejsca na prawą rękę. Nie pamiętam, żebym widział kiedyś ten fotel bez chmury tytoniowego dymu, teraz go nie ma, przy regale w domu Baby i Diedy jest pusto.

Na koniec z mgły wyłoniła się stara, mądra twarz Diedy. W tym obrzydliwym pomieszczeniu kuchennym dostrzegłem jego wyrazisty ptasi profil, chwilę zanim obrócił się do mnie i łagodnie jak zawsze zapytał:

– Naprawdę o mnie zapomniałeś, lapuszka*?*

Od tego się właśnie zaczęło, nieznajomy policjancie.

Twój problem polega na tym, że to się również tutaj kończy. Nigdy nie przeczytasz tego listu.

Bo nie istniejesz.

Bezpośrednia transmisja

Haga, 20–21 maja

FELIPE NAVARRO zerwał się nagle z fotela z krawatem w zębach. Potrzebował dłuższej chwili, żeby zrozumieć, czym było to coś szorstkiego, co wyczuwał na języku.

Obudził się w dziwnym stanie. Nie rozpoznawał samego siebie. Czuł jakiś trudny do określenia niepokój.

W świeżo wyremontowanym, trzypokojowym mieszkaniu na Papestraat w centrum Hagi było kompletnie ciemno. Choć minęło pół roku, od kiedy jego żona przeprowadziła się tu z Madrytu, nie zdążył się jeszcze przyzwyczaić do tego, że nie jest sam. A za kolejne pół roku nie będzie sam nawet przez sekundę. Nocami będzie chodził w kółko z wrzeszczącym dzieckiem przewieszonym przez bark po mieszkaniu, które będzie się wydawało coraz ciaśniejsze.

Choć może jego syn wcale nie będzie miał kolek?

Może da się to jakoś wyeliminować?

Nie tak dawno czytał o prywatnej klinice w Hadze, która przeprowadzała tak zwane mapowanie genomu płodów. Dzięki temu rodzice mieli z góry wiedzieć, co ich czeka. I co warto zachować, a co odrzucić.

Przez chwilę stał, nasłuchując w ciemnościach. Dobiegł go lekki oddech Felipy z wnętrza sypialni. Zawsze dobrze spała. Nigdy nie śniły jej się koszmary, nie cierpiała na bezsenność. Zazdrościł jej.

Takie też dawniej było jego życie. Dużo snu, regularne posiłki, pełna kontrola. Ostatnie noce były tego całkowitym zaprzeczeniem. Nie rozumiał dlaczego. Czy naprawdę aż tyle się zmieniło? No tak, spodziewali się dziecka, ale to chyba jeszcze nie jest powód, by popaść w kryzys egzystencjalny?

I czy rzeczywiście chodziło o kryzys egzystencjalny?

Jakkolwiek było, niepokój ciągle mu doskwierał i nie dawał o sobie zapomnieć. Przez chwilę zastanawiał się, czy położyć się w łóżku obok Felipy. Dotyk jej skóry zwykle go uspokajał. Jej drobne ruchy. Od razu jednak zrozumiał, że dziś to nie pomoże. Nie wystarczy.

Napisał karteczkę. Gdyby Felipa mimo wszystko obudziła się w ciągu najbliższych godzin, zaniepokoiłaby ją pewnie jeszcze bardziej, a jednak musiał to zrobić. Dzięki temu miał poczucie, że jest odpowiedzialny.

„Kochanie", napisał. „Nie mogę spać. Wyjdę na chwilę, żeby odetchnąć nocnym powietrzem. Mam ze sobą komórkę. Całuję".

I wyszedł. Noc była wyjątkowo ciemna. Na niebie nie było widać gwiazd, księżyca ani świateł miasta. Zupełnie jakby zgasł kosmos.

Skierował się w stronę centrum. Czuł, że potrzebuje ludzi wokół siebie. Pierwsze dźwięki dotarły do niego, gdy przechodził przez Oude Molstraat, i dopiero na wysokości Prinsestraat zauważył pierwsze światła. Skręcił w prawo na Prinsestraat. Minął grupki ludzi stojące na ulicach. Niektóre knajpy wciąż były pełne. Zwykły czwartkowy wieczór w Hadze, zapewne nie najbardziej zurbanizowanym miejscu na Ziemi.

Otrząsnął się z nieprzyjemnych myśli.

Gdy podniósł wzrok, okazało się, że stoi przed coffee shopem. Za brudną od tłuszczu szybą dostrzegł w środku kogoś, kto do niego machał, nie potrafił jednak poznać, kto to. Stał w miejscu, nie wiedział, co robić.

Holenderskie coffee shopy stanowią ciekawy moralny dylemat dla obcokrajowców, nie wyłączając zagranicznych policjantów. Zażywanie marihuany albo haszyszu w coffee shopie nie jest w Holandii nielegalne. Ale złapanie hiszpańskiego policjanta z jointem w ustach miałoby z pewnością kiepski wpływ na jego karierę. Nielegalne w Hiszpanii, legalne tam, gdzie do tego doszło. Czy to błąd?

Na szczęście kwestia ta nie była dla niego do tej pory specjalnie ważna. Felipe Navarro nie wykazywał żadnych cech nałogowca.

Skoncentrował wzrok na machającej do niego postaci, ale nie mógł dojrzeć, kto to jest. Normalnie jego hiperaktywna nadjaźń kazałaby mu się zatrzymać, powstrzymałaby go czysto fizycznie, ale tej nocy nie była sobą. Wszedł do środka.

Już w drzwiach wkroczył w chmurę dymu o wysokiej zawartości drobin tytoniu. Przypomniały mu się opary opium w podejrzanych chińskich piwnicach, zamachał dłonią, żeby oczyścić pole widzenia. Próbował wstrzymać oddech, sunąc w kierunku postaci, która siedziała w rogu przy oknie. Dopiero z bliska zobaczył, że to Corine Bouhaddi. Wyglądała zupełnie inaczej niż zwykle, zapewne głównie ze względu na jointa, którego trzymała w prawej dłoni.

– Zrobiłeś sobie nocny spacer? – zapytała ze spokojem.

– Nie mogłem zasnąć – powiedział Navarro, uścisnął jej dłoń i usiadł.

– A co takiego nie daje ci spokoju? Dziecko?

– Między innymi – odpowiedział Navarro. – Szczerze mówiąc, nie wiem. Czuję jakiś dziwny niepokój w ciele. A ty?

Bouhaddi roześmiała się i powiedziała:

– W jedności siła.

– Aha? – zdziwił się Navarro i poczuł, jak ogarnia go dziwny spokój.

– Nieważne, zapomnij. Nie rozpoznaję siebie w lustrze, to wszystko.

– Czy jeśli nigdy nie byłem w coffee shopie, to znaczy, że jestem sztywniakiem? – zapytał, rozglądając się po lokalu.

– Wcale nie – powiedziała Bouhaddi. – Nie jesteś aż takim sztywniakiem, jak ci się wydaje. Nie masz tej aury.

– Aury? Chyba za dużo wypaliłaś.

– Nie bije od ciebie poprawność. Do tego nie wystarczy od czasu do czasu poprawić krawat.

Teraz Navarro się roześmiał.

– Rozumiem, co masz na myśli – powiedział. – Często tu przychodzisz?

– Jeśli pytasz o to, czy się narkotyzuję, odpowiedź brzmi: nie.

– Nie, nie o to pytałem. Wiem, że nie pijesz.

– Wiesz, ja nie mogę tak po prostu nalać sobie whisky i poczuć, jak spokój ogarnia moje ciało.

– Jak bardzo jesteś ortodoksyjna? Nie możesz nawet wypić kieliszka wina?

– Nigdy w życiu nie piłam alkoholu. Potrafisz to sobie wyobrazić?

– I modlisz się w kierunku Mekki pięć razy dziennie?

– To nawet nie ma nic wspólnego z islamem – powiedziała spokojnie Bouhaddi. – Tylko z granicami świata, w którym się żyje. Alkohol nigdy nie istniał w granicach mojego świata. A mimo to daję radę.

– Pewnie pozwala to spojrzeć z innej perspektywy na stosunek Zachodu do alkoholu – powiedział Navarro. – Dopuścić jedne trucizny, zakazać innych. Wszystko jest kwestią tradycji. Nie ma to nic wspólnego z moralnością.

– Chcesz spróbować?

– Nie teraz. Nie chcę, żeby zakręciło mi się w głowie *jeszcze bardziej*, tylko mniej. Nie poznajesz swojego odbicia w lustrze?

– Czuję się samotna – powiedziała Bouhaddi. – Zawsze byłam sama i zawsze całkiem dobrze się z tym czułam. Teraz jednak zaczyna mi to przeszkadzać. Coś jest nie tak.

– Okej – powiedział Navarro. – Co takiego cię tu dziś przygnało?

– Wiem, że będę sama do końca życia. Nie nadaję się do bycia w związku. Nie chodzi o to, że mi *kogoś* brakuje. Brakuje mi *czegoś*.

– Nie pomyślałaś, że to może to samo?

– Przyznaj, że zastanawiasz się, czy jestem dziewicą.

Navarro roześmiał się.

– Szczerze mówiąc, nawet nie przyszło mi to do głowy. Choć teraz nie będę mógł przestać o tym myśleć.

Bouhaddi roześmiała się głośno:

– Mężczyźni.

– Czy nie wszyscy potrzebujemy bliskości, intymności? Czy to nie należy do naszej ludzkiej kondycji?

– Są dwie rzeczy, o których wy, Europejczycy, nie potraficie przestać myśleć, alkohol i seks. Gdybym powiedziała, że żadna z tych dwóch rzeczy nie odgrywa szczególnej roli w moim życiu, jak bardzo wydałabym ci się inna?

– Dosyć – przyznał Navarro. – Ale byłaby to interesująca inność.

– Bo pomyślałbyś, że przywiodły mnie tu moje seksualne frustracje.

– Nie to chciałem powiedzieć. Choć teraz zrobiło się jeszcze ciekawiej.

Bouhaddi roześmiała się. Navarro również. Po czym stwierdził:

– Z drugiej strony trudno chyba zrównać potrzebę napicia się z pożądaniem seksualnym.

– Chyba przeceniasz biologię – powiedziała Bouhaddi. – Najpierw płodzisz dziecko, a potem się tego boisz. Biologiczny lęk.

– Pewnie masz rację. Tylko że ja naprawdę chcę mieć dzieci. Skąd więc ten lęk?

– Stąd, że twoje życie radykalnie się zmieni – stwierdziła Bouhaddi, gasząc jointa. – Stąd, że od teraz będziesz musiał brać odpowiedzialność, przez co dotychczasowe życie wyda ci się nieustającym dojrzewaniem. Stąd, że lubisz mieć nad wszystkim kontrolę, a dociera do ciebie, jak niewiele w życiu dziecka podlega kontroli. Będziesz miał w domu cholerny bałagan.

– Pewnie tak – uśmiechnął się Navarro, przyglądając się, jak niedopałek powoli gaśnie w popielniczce. – Chętnie się poczęstuję.

– Jesteś pewien? – zapytała Bouhaddi. – Pierwszy raz może być dosyć dziwny.

– Jestem pewien. Potrzebuję zaskoczenia. Możesz mi załatwić najsłabszy możliwy?

Bouhaddi podeszła do baru i zaczęła rozmawiać po holendersku z barmanem, a Navarro myślał o tym, co powiedziała. Na pewno będzie miał w domu cholerny bałagan. Choć przecież można mapować genomy. Może da się jakoś wyeliminować geny odpowiedzialne za bałaganiarstwo.

Bouhaddi wróciła z dwoma stożkowato zwiniętymi skrętami, jednym różowym i drugim jasnoniebieskim. Zapaliła oba, a potem podała różowy Navarrowi. Przyglądał się mu i myślał o swoim życiu. O swoich gockich korzeniach. O tym, że mimo wszystko zrobi choć mały krok. Być może lęk, który już wyraźnie osłabł, zniknie. Wziął do ręki jointa i pociągnął.

– Znasz holenderski? – zapytał.

– Podstawy – odpowiedziała Bouhaddi i zaciągnęła się. – Chodziłam na kurs, wiesz, mieszkam sama, nie uprawiam seksu. Mam sporo czasu.

Navarro roześmiał się i nagle zobaczył, że jego stopy obracają się w stronę wyjścia.

Ponieważ to nie było do końca to, co miał nadzieję zobaczyć, opanował się i spojrzał prosto przed siebie, na ścianę. Żeby sprawdzić, czy przypadkiem jakoś się nie zmieniła. Niczego takiego nie dostrzegł. Ale gdy znów spojrzał w stronę wyjścia, jego stopy już tam stały i czekały na niego. Ubrane w buty.

– Moje stopy sobie poszły – powiedział.

– No to ładnie – westchnęła Bouhaddi. – Tylko nie mów, że cię nie ostrzegałam.

– O tym nic nie wspominałaś.

– Wygląda na to, że wieczór dobiegł końca. Może to i lepiej. Czy twoje stopy mogą poczekać, aż wypalę do końca?

Navarro spojrzał w ich stronę. Co prawda wyglądały, jakby im się gdzieś spieszyło, ale posłusznie stały w miejscu. W tej samej chwili jego lewa ręka zaczęła się dziwnie poruszać. Od razu poinformował o tym Corine Bouhaddi.

– Podejrzewam, że gdybym napiła się alkoholu, byłoby ze mną podobnie – powiedziała. – Tak żebyś miał porównanie. Tylko trzymaj rękę blisko ciała. Będzie trudno, jeśli ją też będziemy musieli gonić. Pewnie potrafi latać.

Zaciągnął się jeszcze raz różowym skrętem. Bouhaddi wyjęła mu go z ręki i zgniotła w popielniczce.

– Czuję, jakby czas przyspieszył – powiedział Navarro. – Może od razu pójdziemy do budynku Europolu?

– Kiepski pomysł – powiedziała powoli Bouhaddi i zaciągnęła się głęboko jasnoniebieskim skrętem.

– Nie mogę się tak pokazać Hjelmowi – powiedział Navarro. – Naprawdę musimy iść od razu do niego? To jest bezpośrednia transmisja.

– Zastanawiam się, czy nie wrzucić cię do jego skrzynki na listy – powiedziała Bouhaddi i jeszcze raz się zaciągnęła. – Potrafisz zmienić się w gazetę?

– Czas się zakrzywia – powiedział Navarro.

– Cudownie – westchnęła Bouhaddi.

Dogonili jego stopy dopiero na Oude Molstraat. Niestety w tej samej chwili jego lewa ręka odłączyła się od ciała i rzuciła na drzewo pęk jego kluczy. Bouhaddi spojrzała za nimi, zapamiętała, gdzie zawisły i że drzewo wyglądało na lipę. Prawdopodobnie.

– Uważasz, że to rozsądne wrzucać klucze na lipę, Felipe?

– To nie byłem ja. To była moja ręka. Ma tam na górze swoje gniazdo.

Musieli zadzwonić do drzwi. Minęło dziesięć minut, zanim pojawiła się w nich Felipa Navarro, drobna i z potarganymi włosami. Spojrzała na nich zaskoczona.

– Przykro mi – zaczęła Corine Bouhaddi. – Znalazłam go w mieście. Chyba jest twój.

– Stopy – powiedział Navarro.

Felipa Navarro wybuchnęła śmiechem. Z początku cichym, po chwili jednak znacznie głośniejszym. Potem zaprosiła do domu rozbawioną Bouhaddi, która śmiejąc się, narysowała małą mapę na odwrocie kartki leżącej na komodzie. W tym czasie Felipe Navarro chodził za swoimi stopami po kuchni, próbując je uciszyć: „W tym domu śpią ludzie". Bouhaddi wskazała palcem miejsce na mapce i powiedziała:

– Wrzucił swoje klucze na to drzewo. Na lipę. Jakieś cztery metry nad ziemią. Niewykluczone, że jest wśród nich supertajny klucz od biura Europolu.

Felipa Navarro pokiwała głową w skupieniu i powiedziała:

– Coffee shop?

– Przechodził obok. Zamachałam do niego. Zapalił łagodnego. Po części to moja wina.

– Podobno jest dorosły – powiedziała Felipa Navarro. – Sam jest sobie winien. Sama kiedyś płynęłam do koleżanki z pracy. Naprawdę płynęłam, przez całą drogę. Pamiętam nawet zimne fale. Oczywiście to było, zanim zaszłam w ciążę, żebyś sobie nie myślała. On o tym nie wie. Jest taki porządny. Zresztą nie sądzę, żeby zrobiło to na nim wrażenie.

– Możliwe, że to się właśnie zmieniło – powiedziała Bouhaddi. – Życzę dobrej nocy. Może pomóc ci go ściągnąć ze stołu?

– No już, zejdźcie z lampy! – krzyknął Felipe. – Obydwie!

– Dasz radę? – zapytała Felipa Navarro. – Możemy to zrobić razem.

– Jasne – powiedziała Corine Bouhaddi i weszła do kuchni.

Felipa Navarro weszła tuż za nią, próbując nie wybuchnąć śmiechem.

– To jest bezpośrednia transmisja – powiedział Felipe Navarro i sięgnął po stopy wiszące na lampie kuchennej.

Eureka x2

Haga, 21 maja

– NIC NIE ROZUMIEM – mruknął Angelos Sifakis, tłukąc w klawiaturę komputera. – Powinniśmy już mieć jakieś wyniki. Szukamy bez przerwy od półtorej doby.

Paul Hjelm, który przechodził właśnie ze swojego gabinetu do części biurowej, zatrzymał się przy biurku Sifakisa i powiedział:

– Może robimy coś nie tak?

– Najwyraźniej wszystko – odpowiedział ze złością Sifakis.

– Czy gdzieś popełniamy błąd? To znaczy, czy gdzieś jest jakiś zasadniczy błąd?

– Niczego w każdym razie nie znajduję. Wpisałem już wszystkie możliwe kombinacje. Nie da się. Nie znajduję żadnych karteczek z cytatami z *Hrabiego Monte Christo*. Nie ma czegoś takiego.

– Podejdziecie tutaj? – zapytał głośno Hjelm. – Czas na wiadomości ze świata.

Krzesła na kółkach popędziły przez biuro, wypełniając je nagłym turkotem i stukotem. Gdy ustała kakofonia dźwięków, odezwał się Hjelm:

– Nieliczne, niestety. Chodzi o telefon komórkowy Rudiego Schrempfa, który podobnie jak telefon Romana Vacka zniknął i od chwili zabójstwa był wyłączony. Ten schemat bardzo przypomina sprawę Vacka. Udało nam się natomiast zlokalizować dwa nieznane numery telefonów, na które dzwoniono i z których wykonano połączenia z każdą z ofiar na kilka dni przez zabójstwami, po jednym numerze na ofiarę, a oba są przypisane do dwóch telefonów na kartę, które również zniknęły bez śladu po zabójstwie. Otrzymaliśmy dwie lokalizacje – pierwsza to kawiarnia w Trieście, ponad dobę przed morderstwem, druga to plaża w Loparze na północnym Rabie, turystycznej wyspie leżącej najbliżej Goli Otok. Poprosiliśmy naszych kolegów Miladina Mlakara i Roka Nateka, żeby poszukali świadków.

– Super – powiedziała Miriam Hershey. – Ale Triest i Rab to oczywiste punkty na trasie z Caprai na Goli Otok.

– I raczej nie spodziewałabym się szczegółowych opisów wyglądu – powiedziała Laima Balodis. – Nasz wąsacz nie ujawnił się przecież tak nagle.

– Udało nam się jednak znaleźć coś ciekawego – odezwał się Hjelm. – Marek?

Marek Kowalewski przytaknął, wyraźnie zadowolony.

– Sprawdziłem, czy da się ustalić, gdzie kupiono obie karty do telefonów. Udało się. Zakupiono je jednocześnie w Livorno, w punkcie o nazwie Computer Discount na ulicy Svali D'Azeglio. Zapłacono za nie gotówką siódmego maja o godzinie czternastej dwanaście. Wysłaliśmy tam Donatellę Bruno, żeby zebrała zeznania świadków. Może któryś ze sprzedawców zapamiętał, kto je kupował.

– Rzeczywiście brzmi bardzo obiecująco – powiedziała Hershey gorzko.

– Ale nie to jest najważniejsze – powiedział Kowalewski. – Nasz wąsacz nie kupił dwóch kart, tylko *trzy*.

W biurze zapadła cisza. Kowalewski mówił dalej:

– Mamy numer tej trzeciej karty. Jeśli on z niej zadzwoni albo ktoś zadzwoni na nią, mój telefon wyda z siebie ten sygnał.

Kakofonia dźwięków kościelnych dzwonów przeszyła przestrzeń biura.

– Doskonale – powiedział Hjelm, odsłaniając uszy. – Natomiast Jutta dowiedziała się trochę o Rudim Schrempfie, czy tak?

– Wczoraj byłam w Hamburgu – powiedziała Beyer. – W redakcji „Hamburger Abendblatt" i w domu wdowy. W domu nie było komputera, wdowa twierdzi, że nie wyjeżdżał bez swojego MacBooka Air, ale znalazłam dysk zewnętrzny do kopii zapasowych, nad którym teraz pracują ludzie z IT. Na firmowym komputerze nie odkryłam żadnych śladów świadczących o planach wyjazdu do Chorwacji, wygląda więc na to, że również tutaj mamy do czynienia z jakimś „tajnym zadaniem". Schrempf pracował tylko na pół etatu, jako szef redakcji, a ostatnie dni przypadają na jego czas wolny. Nikt z jego kolegów nie wiedział nic o żadnej podróży, ale wdowa mówi, że zajmował się „czymś poważnym". Pozwolicie, że zacytuję: „Od dawna już nie dopytuję go o szczegóły jego pracy".

– Na lot Hamburg – Split wykupiono bilet powrotny, niewykorzystany – powiedziała Balodis. – Potem mamy lot krajowy na Rab i podróż na Goli Otok niewielkim statkiem nazywanym „szklanym". Nic podejrzanego.

– Za to tutaj mamy coś ciekawego – powiedziała Hershey, patrząc w ekran komputera. – Dostałam to przed chwilą z Chorwacji. Protokół z obdukcji. Rudi Schrempf zmarł od pchnięcia nożem w serce, wymierzonego od przodu przez praworęczną osobę.

– A ukłucie? – zapytał Hjelm.

– No właśnie – powiedziała Hershey, nie odrywając wzroku od ekranu. – Rzeczywiście znaleźli ślad ukłucia igłą o dokładnie tej samej średnicy, co w przypadku Romana Vacka, w tym samym miejscu lewego barku. W ciele nie ma jednak trucizny.

– Hm – zastanowił się Hjelm. – Dziwne.

– Dosyć – zgodziła się Miriam Hershey. – Nie rozumiem. Skończyła mu się trucizna?

– Po co więc wbijał igłę? – powiedział Hjelm. – Jakieś propozycje?

– To rzeczywiście dosyć dziwne – powiedział Söderstedt. – To coś oznacza. To jest wiadomość.

– Która brzmi...?

– Nie mam pojęcia. Naprawdę nie mam pojęcia.

– Tak czy owak to ciekawa informacja – powiedział Hjelm. – Dwie sprawy: dotąd nieużyty telefon komórkowy i końska strzykawka bez trucizny. Dlaczego, do diabła, nie mamy niczego więcej? Dlaczego nasze poszukiwania donikąd nie prowadzą? Czy naprawdę w całej Europie nie ma żadnych wcześniejszych ofiar? Zaczął dopiero teraz?

– Czekajcie – odezwał się nagle Felipe Navarro, który do tej pory siedział dziwnie ospały, z krzywo zawiązanym krawatem, przewieszony nad swoim laptopem. – Czekajcie, czekajcie – dodał. – Użyłeś kluczowego słowa.

– Jakiego? – zapytał. – „Zaczął"?

– Nie, nie tego – powiedział Navarro i zanurkował głęboko w otchłań komputera. – Siedziałem nad sprawą Massicottego, i co chwila pudło. Ale coś tam jest. Czekajcie, zaraz znajdę.

– Jakiego, do cholery, kluczowego słowa użyłem?! – Hjelm nie wytrzymał.

– „Europa" – powiedział Navarro. – Przecież większość słynnych wysp skazańców nie znajduje się w Europie. Są na przykład w... Brazylii.

– Mów jaśniej – powiedział Hjelm.

– Być może pamiętacie karierę Uda Massicottego jako chirurga plastycznego – powiedział Navarro, nie przestając klikać. – Że podjął decyzję, by opuścić Zachód, i wylądował w Brazylii i Tajlandii, gdzie zaczął tworzyć coś, co z czasem stało się turystyką chirurgii plastycznej.

Turystyka medyczna. Dał się wtedy wciągnąć w całą masę spraw o charakterze kryminalnym, zwykle nie bezpośrednio. Jedna z nich wiązała się z... kanibalizmem. Eureka! Massicottego wezwano na świadka w procesie w Rio de Janeiro. Jego dawnego kolegę ze studiów w Turynie znaleziono martwego na Ilha Grande, wyspie leżącej piętnaście mil na południe od Rio. Ilha Grande przez dziewięćdziesiąt lat była więzieniem. Więzienie zostało zamknięte w dziewięćdziesiątym czwartym. A ofiarę znaleziono w starej celi więziennej w lutym dwa tysiące trzeciego.

– Jaka była przyczyna śmierci?

– Nóż wbity w serce. Jak również pośmiertne ugryzienie w prawe ramię.

– Bez trucizny?

– Nie jestem pewien, czy zrobiono wówczas badanie toksykologiczne – powiedział Navarro. – Nie ma też nic o karteczce z cytatem.

– Oczywiście nie musi to mieć nic wspólnego z naszą sprawą – powiedział Hjelm. – Ale brzmi cholernie obiecująco. Felipe, skontaktuj się z brazylijską policją, spróbuj znaleźć śledczych, którzy byli na służbie w lutym dwa tysiące trzeciego. Angelos, zorganizuj wyszukiwanie globalne. Skontaktuję się z Interpolem i nawiążę łączność. Pozostali: przygotujcie się do dalekich podróży. Doskonała robota, Felipe.

– Tajlandia chyba też ma starą wyspę skazańców – powiedział Marek Kowalewski. – To ta, gdzie nagrywali „Ryzykantów". Zgłaszam się na ochotnika.

Zespół rozjechał się na krzesłach na swoje miejsca. Z jednym wyjątkiem. Corine Bouhaddi podjechała do miejsca Felipego Navarro.

– Dobra robota – powiedziała, kładąc rękę na jego ramieniu. – Wszystko okej?

– Tak – odpowiedział Navarro, spotkali się wzrokiem. – Nawet *bardzo* okej. Mam nadzieję, że nie stanę się nagle orędownikiem narkotyków.

– Następnym razem cię nagram. Gwarantuję ci, że to zminimalizuje ryzyko.

Roześmiali się. Bouhaddi rozwiązała mu krawat, a potem zawiązała go raz jeszcze poprawnie.

– Znaleźliście klucze? – zapytała szeptem.

Navarro uśmiechnął się, skinął głową i powiedział:

– A ty? Wszystko okej?

– Powoli, ale do przodu. Zaczynam akceptować moją samotność.

– Moje stopy spędziły całą noc na lampie w kuchni – powiedział Navarro.

Znowu krótki uśmiech. Na tym koniec. Corine Bouhaddi powiedziała:

– Co takiego wiemy o tej brazylijskiej ofierze?

– Tylko tyle, ile jest napisane w aktach Massicottego. Udo Massicotte i ofiara, Giorgio Sansotta, mieszkali w tym samym akademiku w Turynie w latach siedemdziesiątych. Czterdzieści lat temu. Giorgio Sansotta studiował politologię i socjologię. Wyemigrował do Brazylii w latach siedemdziesiątych i został profesorem socjologii na Uniwersytecie w São Paulo, gdzie pracował aż do śmierci.

– A więc kolejny profesor...

– Tym razem socjologii – powiedział Navarro. – Jedynym zamordowanym naukowcem, jeśli nie liczyć wcześniejszego zajęcia Romana Vacka, jest Udo Massicotte. A może wcale nie został zamordowany. Poza tym nie ma nic wspólnego z pozostałymi. Mamy trzy ofiary na trzech wyspach skazańców, jednego profesora, jednego dziennikarza i jednego polityka. Co ich łączy?

– Czy Massicotte naprawdę nie ma nic wspólnego z pozostałymi? Wygląda na to, że znał tego Sansottę.

– Niemal pół wieku temu, tak. Od tego czasu, zdaje się, nie mieli ze sobą kontaktu. Massicotte najwyraźniej został wezwany na proces w Rio tylko dlatego, że udało im się znaleźć świadka w bliskiej odległości. Jego zeznanie jest w aktach. Nie powiedział zbyt wiele. Cytuję: „Przyjaźniliśmy się pod koniec lat sześćdziesiątych i na początku lat siedemdziesiątych w Turynie. Obaj byliśmy ambitni, choć pracowaliśmy w różnych sektorach i różniły nas poglądy polityczne – to były bardzo upolitycznione czasy. Mimo to świetnie się dogadywaliśmy. Zapamiętałem Giorgia jako pogodnego człowieka. Nieskomplikowanego. Nie widziałem go jednak od połowy lat siedemdziesiątych. Nasze drogi się rozeszły, jak to często bywa".

– Nic niewnoszące zeznanie – powiedziała Bouhaddi. – Po co im to było potrzebne? Ten człowiek przecież już nie żył.

Navarro zastukał w klawiaturę.

– Musimy oczywiście dowiedzieć się czegoś więcej na temat postępowania przygotowawczego i procesu – powiedział. – Na razie udało mi się znaleźć kilka notek prasowych. Jak dobrze znasz portugalski?

– Tak sobie – powiedziała Bouhaddi. – Chodziłam na kurs, wiesz, mieszkam sama, nie uprawiam seksu. Mam czas.

Navarro roześmiał się i powiększył tekst na ekranie. Bouhaddi przeczytała i przetłumaczyła w skrócie:

– Najwidoczniej był jeden podejrzany. Student, który w tym samym czasie przebywał na Ilha Grande i powiedział publicznie, że nienawidzi Giorgia Sansotty. „Wyjątkowo niesympatyczny człowiek, politruk". Sympatycy Sansotty wpadli w szał i postanowili zebrać cały zastęp świadków, który miał poświadczyć, jak wspaniałomyślnym człowiekiem był Giorgio. Wśród nich był też jego przyjaciel z młodości, Udo Massicotte, który w tym czasie pracował jako chirurg plastyczny w Rio. Studenta wypuszczono na wolność z braku dowodów. Sprawa morderstwa nie została rozwiązana.

– Politruk? – powtórzył Navarro.

– Komisarz polityczny – odezwał się jakiś głos z boku.

– Przepraszam? – powiedział Navarro, obracając się.

Arto Söderstedt oderwał wzrok od ekranu komputera i spojrzał na nich zza swoich posklejanych okularów do czytania:

– Funkcja ustanowiona przez Trockiego po rewolucji rosyjskiej na potrzeby nawracania oficerów, którzy służyli w carskiej armii. Słowa „politruk" używa się również w znaczeniu potocznym w odniesieniu do fanatycznych ideologów komunizmu. Czy dostrzegacie coś takiego u waszego Brazylijczyka?

Navarro zanurkował jeszcze głębiej w swój komputer, który zaczynał powoli wyglądać jak przedłużenie jego ciała. Na koniec powiedział:

– Dostrzegamy, owszem. Sansotta był blisko Luli w latach osiemdziesiątych.

– Lula? – powiedział Söderstedt. – Masz na myśli przyszłego prezydenta Brazylii? Jak on się nazywał, da Silva?

– Dokładnie – odpowiedział Navarro – Luiz Inácio da Silva alias Lula, syn biednych, niepiśmiennych chłopów. W latach siedemdziesiątych, w apogeum wojskowej dyktatury w Brazylii, został wojującym związkowcem. I właśnie u jego boku, później, gdy w latach osiemdziesiątych założył partię, która z czasem stała się największą partią lewicową w Brazylii, stał Giorgio Sansotta, marksistowski teoretyk. Jednak Sansotta był, wedle źródeł, zbyt radykalny jak na potrzeby *realpolitik* i został zmuszony do opuszczenia partii.

– Czyli jest powiązanie – powiedziała Bouhaddi i pokazała szybko na ekran Navarra. – Trzech komunistów.

– Co więcej, czołowych komunistów – zawołała Jutta Beyer z krzesła obok Söderstedta. – *Propagandystów*. Właśnie skończyłam czytać kilka wczesnych artykułów Rudiego Schrempfa z „Agit 883" i „konkret". Był rewolucjonistą z krwi i kości. Nie dystansuje się nawet wobec przemocy stosowanej przez RAF. Nie znalazłam też niczego późniejszego, z okresu, kiedy zajął się bardziej tradycyjnym dziennikarstwem, co świadczyłoby o złagodzeniu jego poglądów.

– „W kapitalistycznym społeczeństwie nie ma niewinnych" – skrzywił się Arto Söderstedt.

– Czy nie o to w tym wszystkim chodzi? – powiedziała Beyer. – Czy nie pojawia się tu motyw „lewicowego długu"?

– Biorąc pod uwagę tę jakże miłą ideę równości, która leży u podstaw wszystkich odsłon socjalizmu – powiedział Söderstedt – nie dziwi, jak wielu przy tej czy innej okazji dało się uwieść totalitarnemu sposobowi myślenia. Zwykle z czystej frustracji. Niezależnie od tego, jak wiele by się mówiło, nie da się słowami przejąć władzy, trzeba *wymusić* władzę. Władzę się *przywłaszcza*, *władzą się staje*. I zaczyna się *myśleć* jak władza.

– Jak to się ma do Romana Vacka, naszego czeskiego eurokomunisty? – zapytała Beyer. – Co powiecie tam z tyłu, sprawdzałyście go przecież?

Laima Balodis i Miriam Hershey oderwały jednocześnie wzrok od ekranów komputerów. Beyer pomyślała, że przypominają parę surykatek na niewielkim wzniesieniu.

– Cóż – powiedziała Balodis. – Po pierwsze KSČM jest jedyną oficjalną partią komunistyczną w państwach dawnego bloku wschodniego, która zachowała słowo „komunistyczna" w nazwie. Już samo to sporo mówi.

– Cztery lata temu – mówiła dalej Hershey, gładko przechwytując wątek – czeskie ministerstwo spraw wewnętrznych zdelegalizowało partyjną młodzieżówkę, ponieważ w swoim programie politycznym domagała się zastąpienia wszelkiej własności prywatnej kolektywną.

– A więc to ortodoksyjna partia komunistyczna – powiedział Balodis.

– Václav Havel był przekonany, że to staliniści – powiedziała Hershey – i nie dopuszczał, by mieli wpływ na politykę w czasie jego prezydentury.

– A sam Roman Vacek? – zapytała Beyer.

– Złożył w europarlamencie kilka utrzymanych w podobnym tonie propozycji – powiedziała Balodis. – Twierdził między innymi, że przemoc uwarunkowana politycznie niekiedy jest niezbędna. Czasem jako „zadośćuczynienie".

– Podobnie jak ten młody kapitan Edmund Dantès w *Hrabim Monte Christo* – powiedział Arto Söderstedt. – Choć może to nie było do końca polityczne. Z czego *właśnie ja* powinienem sobie zdać sprawę *właśnie teraz*.

Pozostali obecni przyglądali się mu przez chwilę z zaskoczeniem.

– W przypadku Romana Vacka wyjątkowa jest ucieczka – odezwała się Beyer.

Hershey i Balodis pokiwały jednocześnie głowami. Jak surykatki. Hershey powiedziała:

– Obiecująca kariera naukowa w dziedzinie genetyki, gdy uciekał na Zachód wiosną siedemdziesiątego piątego. Żył na emigracji w Stanach Zjednoczonych i został obywatelem amerykańskim, nie przestał jednak być Czechosłowakiem. Następnie przez siedemnaście lat pracował na Uniwersytecie Johnsa Hopkinsa w Baltimore, od wczesnych lat osiemdziesiątych jako profesor.

– Genetyka – powiedział Felipe Navarro i poczuł, jak przechodzi go dreszcz.

Wszyscy zebrani spojrzeli na niego tak jak nieco wcześniej na Corine Bouhaddi. Beyer mówiła dalej:

– Musiało w nim dojść do radykalnego politycznego przewartościowania przez te lata, od jego rezygnacji do powrotu.

– Myślisz, że był szpiegiem? – zapytał Söderstedt. – Podwójnym agentem? Że ucieczka do Liverpoolu w siedemdziesiątym piątym to była ściema? Że blok wschodni wykorzystywał Romana Vacka, żeby być *à jour* z frontem badań genetycznych na Uniwersytecie Johnsa Hopkinsa?

– Lub na odwrót – powiedziała Beyer podekscytowana. – Że Amerykanie wykorzystywali Vacka do pozyskiwania informacji o ostatniej znaczącej partii komunistycznej.

– Czy wypowiadał się publicznie na temat swojego życia? – zapytał Söderstedt. – Mógłby być z tego niezły reportaż.

– Podzieliłyśmy się poszukiwaniami jak siostry – powiedziała Miriam Hershey.

– Wcale mnie to nie dziwi – powiedziała Corine Bouhaddi.

Spojrzenia wszystkich zebranych powędrowały w jej stronę.

– Na początku lat osiemdziesiątych w Stanach ukazał się reportaż o nim – odezwała się w końcu Hershey. – Typowy artykuł pochwalny dla USA. Nie ma tam zbyt wiele na temat przeszłości Vacka. Mówi w nim jednak, cytuję: „Pierwsza linia frontu badań znajduje się w Stanach Zjednoczonych, co do tego nie ma wątpliwości. Byłem zmuszony wyjechać, żeby móc prowadzić dalsze badania w swojej dziedzinie". Innymi słowy mówi jak klasyczny, apolityczny naukowiec.

– Dla porównania mamy artykuł napisany po tym, jak już wrócił do kraju, opublikowany w największym czeskim dzienniku „Dnes", co podobno znaczy „dzisiaj" – powiedziała Balodis. – Znam rosyjski, nie czeski, ale da się przebrnąć przez tekst w oparciu o rosyjski. Świeżo upieczony europarlamentarzysta występuje tu u siebie w domu. Mieszka w luksusowym mieszkaniu w centrum Pragi razem ze swoją amerykańską żoną, para opowiada otwarcie o swoim „otwartym małżeństwie" i uważa je za doskonały sposób, żeby „zapobiec nudzie dnia codziennego". Również tutaj znalazłam ciekawy cytat: „W czasie pobytu w USA zrozumiałem, jak bardzo europejski, a nawet centroeuropejski, tak naprawdę jestem. Traktuję swoją obecność w Parlamencie Europejskim jako działalność obronną. Musimy za wszelką cenę ograniczyć zapędy amerykańskiego liberalizmu". A więc nie do końca apolityczny.

– „Za wszelką cenę" – powiedziała Hershey.

– Marek! – zawołała Jutta Beyer, na co Kowalewski, jakby wybudzony, oderwał wzrok od swojego komputera.

– Tak? – powiedział.

– Przecież byłeś w jego domu w Pradze. I rozmawiałeś z jego kolegami w Strasburgu. Jakie to zrobiło na tobie wrażenie?

– Czy ja wiem – powiedział Kowalewski. – Nie wyrobiłem sobie poglądu, jaki on właściwie był. Amerykańska żona była zimna jak flądra, kiedy opowiadała o ich „otwartym małżeństwie". A koledzy w Strasburgu wydawali się raczej w defensywie. Co pewnie jest logiczne, skoro są ostatnimi komunistami w Europie.

– Możliwe, że do niczego więcej tu nie dojdziemy – powiedział Söderstedt. – Ta bezosobowość mogłaby rzeczywiście pasować do aktywnego agenta. Jak najmniej rzucać się w oczy w otoczeniu. Jednak kolejna ważna rzecz to datowanie. Kiedy został zamordowany ten włoski Brazylijczyk?

– Nazywał się Giorgio Sansotta – powiedział Felipe Navarro. – Do zabójstwa doszło dwudziestego trzeciego lutego dwa tysiące trzeciego.

– Czyli siedem lat temu, moi drodzy – powiedział Söderstedt. – Albo jest tak, że morderca właśnie wrócił do swojej działalności, albo prowadzi ją nieprzerwanie od najmniej siedmiu minionych lat. Obstawiałbym raczej to drugie.

– Kim on w takim razie jest? – zapytała Beyer. – Nienawidzi komunistów? Czy to trochę nie za późno?

– Pewnie uważa, że ludzie tacy jak ja zbyt łatwo się wywinęli – powiedział Söderstedt. – A kim on jest, tego, jak sądzę, dowiemy się najlepiej dzięki cytatom z *Hrabiego Monte Christo*. Jak to było?

Beyer odszukała dokument w komputerze i przeczytała:

– Pierwszy brzmi: „Któż mi zesłał tę myśl? Skoro tylko zmarli mogą się stąd wydostać, muszę zająć miejsce zmarłego". A drugi: „Komisarz na służbie przestaje być człowiekiem: jest uosobieniem prawa, obojętnym, głuchym i niemym"

– Dziękuję – powiedział Söderstedt. – Jeśli więc założymy, że to jest pierwsza wiadomość mordercy do świata, a reszta, jeśli jest jakaś reszta, nie została jeszcze ujawniona, to może ta pierwsza, ta z Caprai, stanowi swego rodzaju kluczową myśl, *credo*. Mówi o miejscu, które wolno opuścić dopiero po śmierci. Co to za miejsce?

– Nikt nie wyjdzie stąd żywy – wtrąciła Miriam Hershey.

– Czyli musi udawać zmarłego, żeby się stamtąd wydostać – powiedziała Laima Balodis.

– Lub raczej wejść w rolę zmarłego? – powiedziała Corine Bouhaddi.

– Mówi w imieniu zmarłych – powiedziała Jutta Beyer.

– Dobra – powiedział Söderstedt. – Zgadzam się. Tylko że na początku jest: „Któż mi zesłał tę myśl?" Dlaczego?

– *Qui m'envoie cette pensée?* – powiedziała Bouhaddi. – Coraz bardziej czuję, że to *właśnie ja* powinnam coś z tego zrozumieć. Przecież mówi w *moim* języku, czerpie z klasyki *mojego* języka.

– W kolejnej wiadomości mówi nam, kto jest adresatem – powiedziała Beyer. – Komisarz na służbie. To my, nawet jeśli nas ośmiesza. To *nas* pyta: „Któż mi zesłał tę myśl?". Bo to jest jądro wszystkiego. Po tym jak mordował przez co najmniej siedem lat, decyduje się mówić bezpośrednio do nas i pierwsze, co mówi, to: „Któż mi zesłał tę myśl?".

– Kręcisz się w kółko – powiedział Söderstedt, próbując znaleźć odpowiednik po angielsku.

– Wiem – powiedziała ze zniecierpliwieniem Beyer. – Jestem na tropie. Daje nam wskazówki. Mamy odszukać *ten moment, kiedy rodzi się myśl, żeby mówić w imieniu zmarłych*. Czy nie to właśnie stara się powiedzieć?

Drzwi się otworzyły, a po biurze rozniósł się echem głośny okrzyk:

– Angelos! Połączenie z Interpolem otwarte. Szukasz.

Drzwi się zamknęły, jeszcze zanim Paul Hjelm znalazł się w polu widzenia członków grupy. Jakby był szybszy od dźwięku. Angelos Sifakis skinął głową i wpisał kryteria wyszukiwania, nad którymi najwyraźniej pracował już od dłuższej chwili. Reszta gadała trzy po trzy.

– Wyszukiwanie w toku – powiedział Sifakis do wszystkich i do nikogo. – To może chwilę zająć. Interpol ma sto osiemdziesiąt osiem krajów członkowskich. W zasadzie nie ma tylko Korei Północnej.

– Istnieje raczej niewielkie ryzyko, że szalał na północnokoreańskich wyspach – powiedział Söderstedt i wrócił do komputera.

Pozostali ledwo zdążyli zająć swoje miejsca, gdy komputer Sifakisa dosłownie zadzwonił. Choć zabrzmiało to raczej jak chiński gong.

– Co jest, kurwa?! – wykrzyknął. – Już?

Główny zespół Opcop zebrał się wokół komputera Sifakisa. Wszystkie spojrzenia skierowały się na monitor. Sifakis przeczytał:

– Coiba, wyspa w Panamie. Owiana złą sławą wyspa skazańców za czasów dyktatury Noriegi, jeśli ktoś z was go pamięta. Okropne historie, okrutne tortury, przypadkowe egzekucje, egzekucje pokazowe. Wyspa skazańców do dwa tysiące czwartego, wpisana na listę Unesco już rok później.

– A ofiara? – zapytała Beyer zniecierpliwiona. – Ofiara?

– Spokojnie – powiedział chłodno Sifakis. – Ciało z ugryzieniem na prawym ramieniu znaleziono w celi więziennej w maju dwa tysiące ósmego. Morderca nieznany. Ofiara również długo pozostawała nieznana. W końcu zidentyfikowano ciało kobiety...

– Kobiety? – zawołała Beyer.

– Nasz morderca najwyraźniej wierzy w równouprawnienie – powiedział Sifakis. – Ofiara nazywała się Teresa Moy, pochodziła z Peru i była pisarką. I tak, miała powiązania z Patrią Roją.

– „Czerwona Ojczyzna" – przetłumaczył Felipe Navarro. – Jeśli się nie mylę, w Peru istnieje kilka partii komunistycznych.

– Powiedziałeś „pisarka"? – zapytał Söderstedt. – Czy powinniśmy byli słyszeć o Teresie Moy?

– Raczej nie była wybitną pisarką – powiedział Sifakis i kliknął. – Prowadziła jednak opiniotwórczą kronikę w jednym z dzienników w Limie.

– Gdzie publikowała swoje podstępne przemyśliwania – powiedział Arto Söderstedt. – Nie wystarczy, że są komunistami, którzy nie zerwali jednoznacznie z reżimami komunistycznymi. Muszą być również *opiniotwórcami*. Muszą szerzyć poglądy, które docierają do wielu i mogą ich zmienić. W gazetach, na uniwersytecie, w parlamencie.

Komputer Sifakisa rozdzwonił się znów jak buddyjski ogród klasztorny.

– No tak, teraz poszło – pokiwał głową. – To rzeczywiście *jest* seryjny morderca. Devil's Island, racja, klasyczna Île du Diable. *Papillon*. Steve McQueen i Dustin Hoffman.

– Nie mów, że wybrał się też do Alcatraz – powiedział Söderstedt.

– Île du Diable nieopodal wybrzeży Gujany Francuskiej – mówił dalej Sifakis. – Zapewne najbardziej ponury ze wszystkich zakładów karnych na wyspach, zamknięto go już w tysiąc dziewięćset pięćdziesiątym drugim. Ofiara: przewodniczący kanadyjskiej młodzieżówki partii komunistycznej, Rick Novak. Październik dwa tysiące piątego. Nóż w serce. Nic nie ma na temat trucizny.

– Jak to jest, kurwa, możliwe, że nikt wcześniej nie powiązał tych spraw ze sobą? – wykrzyknął Kowalewski.

– Różne kraje – odezwał się głos, jak się okazało, należący do Paula Hjelma, który niepostrzeżenie dołączył do grupy. – Poza tym żaden z nich nie zginął w swoim państwie. Generalnie rzecz biorąc, różne kraje, różne służby policyjne, różne interesy, różne epoki. Czyli wszystkie te przeszkody, które próbujemy pokonać dzięki tej jednostce.

– Teraz już wszytko jasne – powiedział Kowalewski. – Mamy mnóstwo tropów. Wyspy skazańców, komunistyczni opiniotwórcy, ugryzienie w ramię, nóż w serce, cytaty z *Hrabiego Monte Christo*. Jeśli były.

– Na razie nic nie ma na ten temat – powiedział Sifakis. – I, co też warto zauważyć, nie ma nic na temat żadnej „multitrucizny".

– Będziemy to jeszcze musieli sprawdzić – powiedział Hjelm. – I zrobimy to, niech mnie diabli, sami. Przeznaczam na to większą część budżetu. Zatrzymamy tego typa.

– Czyli jednak będą wycieczki? – zapytała z nadzieją Jutta Beyer.

– Na to wygląda – zgodził się Hjelm. – Na razie odstawiamy Massicottego i Sztokholm.

– To, że zaczyna mordować w Europie i zwiększa tempo, to również znak – powiedziała Beyer. – Widać to jak na dłoni. Chce mówić. I chce, żeby zaczęła mówić jego przeszłość. Najwyraźniej przyszedł na to czas. Prawdopodobnie we wszystkich miejscach, w których doszło do zabójstwa, zachowały się karteczki z cytatami.

– Poza tym pojawiła się jeszcze jedna rzecz – powiedział Hjelm w tej samej chwili, gdy komputer Sifakisa kolejny raz zabrzmiał jak wschodnioazjatycki zegar.

– Isla Dawson, Chile – powiedział Sifakis lakonicznie.

– Co jest dosyć paradoksalne – powiedział Söderstedt – bo to przecież Pinochet za czasów junty internował lewicowców.

– Zgadza się – powiedział Sifakis, a jego palce znów przebiegły po klawiaturze. – Zamknięte już w latach siedemdziesiątych. Ofiara: Rosjanin, były redaktor „Prawdy", niejaki Paweł Morozow, uciekający przed wymiarem sprawiedliwości, przez który został skazany, pod swoją nieobecność, za, cytuję, „komunistyczne podżegactwo", koniec cytatu. Zamordowany w zeszłym roku, w sierpniu. Ugryzienie w ramię i tak dalej.

– Co chciał szef powiedzieć? – zapytała Jutta Beyer.

Szef patrzył na nią zaskoczony przez kilka sekund, zanim odpowiedział:

– Racja. Pojawiła się jedna rzecz. To.

Pokazał wydruk z komputera. Zobaczyli rysunek węglem przedstawiający mężczyznę o kręconych czarnych włosach i bujnych czarnych wąsach. Zza czupryny widać było rysy, które można było uznać za ładne.

– Donatella Bruno poleciła policyjnemu rysownikowi spotkać się z pracownikiem hotelu i kapitanem promu. I z jeszcze jednym świadkiem, którego wyłowiła spośród pasażerów promu. Turysta z Mołdawii, który widział, jak ten mężczyzna wyciąga rękę przez reling i głaszcze przepływającego obok delfina.

– Czy naprawdę da się pogłaskać delfina z promu? – zapytała Miriam Hershey z lekkim powątpiewaniem.

– Mołdawskiemu turyście też wydało się to dziwne – powiedział Hjelm i przeczytał na głos tekst z drugiej kartki. – „Wyglądało to raczej, jakby delfin skakał za ręką". Dłoń „dziwnie wyglądała, jakby wcale nie należała do mężczyzny".

– Domyślam się, że Donatella Bruno zadała pytanie uzupełniające? – zapytała Laima Balodis.

– Dobrze się domyślasz – powiedział Paul Hjelm. – Przyciśnięty mołdawski turysta wydusił wreszcie z siebie, że ręka, która głaskała delfina, wyglądała „niemęsko".

– Co *pewnie* mówi więcej o nim samym – powiedział Söderstedt. – Choć *być może* mówi nam coś jeszcze na temat peruki i doklejanych wąsów.

– Że to kobieta? – wykrzyknęła Beyer. – Niech to cholera.

– Miejmy to w każdym razie w pamięci podczas dalszych czynności – powiedział Hjelm i kolejny raz usłyszał, jak komputer Sifakisa wydaje z siebie metaliczny dźwięk w obłoku dalekowschodnich zapachów.

– Ko Tarutao – przeczytał Sifakis na ekranie.

– W całym tym zamieszaniu – wtrącił Marek Kowalewski – chciałbym przypomnieć, kto zarezerwował sobie wyspę, na której nagrywali *Expedition Robinson*. Będę szukał morderczych przekazów z *Hrabiego Monte Christo* bez koszulki, nasmarowany kremem z wysokim filtrem. A czy czasem Monte Christo to też nie jest wyspa skazańców?

– Nie! – krzyknęła Corine Bouhaddi zaskakująco ostro.

– Słucham...? – powiedział Kowalewski zaskoczony.

– Nie – powtórzyła Bouhaddi w drodze do swojego komputera. – Nie, wyspa skazańców w *Hrabim Monte Christo* nie nazywa się Monte Christo, choć wszyscy tak myślą. Monte Christo to bezludna wyspa, na której Dantès znajduje skarb księdza Farii. Wyspa skazańców, na której spędza czternaście długich lat, nazywa się If i znajduje się w zatoce niedaleko Marsylii. Widziałam ją codziennie, kiedy jeszcze pracowałam tam w policji. Każdego dnia chodziłam z kolegami do knajpy w porcie, jadłam świetny lunch i patrzyłam na If. Założę się, że If jest w tej serii.

– Dlaczego więc jeszcze jej nie znaleźliśmy? – zapytał Sifakis. – To jest Europa, Unia Europejska.

– W pewnym sensie nie ma w tym nic dziwnego – powiedziała Bouhaddi. – Teraz postaram się wyszukać przypadki śmiertelne na If z ostatnich dwudziestu lat.

Przez chwilę zrobiło się cicho. Pierwszy odezwał się Sifakis:

– Ofiara na dawnej tajskiej wyspie skazańców Ko Tarutao nazywała się, tak na marginesie, Thanduyise Tsotsobe i była rzecznikiem prasowym SACP, South African Communist Party. Styczeń dwa tysiące czwartego.

– Dalej nie rozumiem, dlaczego nikt do tej pory nie połączył tych spraw – powiedział Marek Kowalewski.

– Świat dopiero od niedawna jest zglobalizowany – powiedział Hjelm. – A już na pewno świat policji. Łatwo o tym zapomnieć.

– Chyba coś znalazłam – powiedziała Corine Bouhaddi. – Francuski nauczyciel akademicki jesienią dwa tysiące pierwszego. Leżał tak długo w nieuczęszczanym miejscu na If, że z ciała został niemal tylko szkielet. Nie było powodu, żeby podejrzewać zabójstwo, a na ramieniu i tak nie było już mięsa, więc trudno byłoby zauważyć ugryzienie. Nie zgłoszono tego jako morderstwa. Dlatego to przeoczyliśmy.

– A dlaczego *teraz* powinniśmy sądzić, że to morderstwo? – zapytał Paul Hjelm.

– Był filozofem – powiedziała Bouhaddi – i udzielał się we francuskiej partii komunistycznej. Na miejscu zdarzenia znaleziono jego portfel. Przed śmiercią pracował na Uniwersytecie w Göteborgu, w Szwecji. Nazywał się Didier Girault, w Szwecji mówiono na niego „Czerwony Didde", i był, tu cytat, „prowokująco marksistowski" w sposobie, w jaki prowadził zajęcia z filozofii. Ciało znaleziono dopiero wiosną dwa tysiące drugiego, ustalono jednak, że do śmierci doszło w październiku dwa tysiące pierwszego. To wtedy się zaczęło. Od If, wyspy skazańców z *Hrabiego Monte Christo*.

– Nie ma wcześniejszych przypadków morderstw – stwierdził Angelos Sifakis. – W każdym razie ich nie widzę.

– To jest źródło – powiedziała Bouhaddi. – Wszystko zaczęło się od Didiera Giraulta. „Czerwonego Didde". Coś się wtedy wydarzyło, co sprawiło, że morderca zaczął mówić w imieniu umarłych. „A któż mi zesłał tę myśl?", jak zaczyna pierwszą wiadomość do nas.

– To co, jedziesz do Marsylii, Corine? – zapytał Hjelm.

– Eureka – powiedziała Corine Bouhaddi z lekkim opóźnieniem.

3

Wicher

Råglind

Bromma – Sztokholm, 22 maja

KERSTIN HOLM spojrzała w niebo. Do Sztokholmu przyszła wiosna. Niebo było jasnoniebieskie, brutalnie niebieskie, żrąco niebieskie. Kompletnie puste. Nigdzie nie widziała nawet strzępka chmur.

Bezlitosne niebo.

Potem spojrzała na swoją broń i wyprostowała szyję. Chrupnięcie w karku niemal zbiegło się z dźwiękiem odbezpieczanej broni. Na zupełnie cichej, przedmiejskiej ulicy zabrzmiało to jak wystrzał z pistoletu, któremu towarzyszy echo.

Spojrzała na Jorge Chaveza. Spotkali się wzrokiem, odbezpieczył broń. Zabrzmiało jak uderzenie pejczem. Skrzywił się.

Stali na tarasie niepodpiwniczonej piętrowej willi w Brommie, po obu stronach drzwi wejściowych, których zamek, zgodnie z ich informacjami, nie działał. Nie był to co prawda jedyny powód, dla którego nie skontaktowali się z siłami szybkiego reagowania – ani nikim innym – a zeznania świadka nie były całkiem przekonujące. Gdyby miało się okazać, że zamek działa doskonale lub że drzwi w ten czy inny sposób zostały zabarykadowane, byłoby znacznie lepiej mieć na miejscu siły szybkiego reagowania. Z drugiej strony świadek, który ulokował mordercę w niezamkniętym domu w Brommie, dostarczał mu prowiant i na koniec wskazał go na zdjęciu policyjnym, wydawał się wystarczająco przerażony, by mówić prawdę.

Dłoń Kerstin Holm zbliżyła się do klamki. Zamek był zasłonięty blaszką, nie dało się stwierdzić, czy drzwi są zamknięte, czy nie. Jeśli są zamknięte albo zabarykadowane, będzie ich słychać. Jeśli są otwarte, mogą się *postarać*, żeby nie było ich słychać. I lepiej, żeby im się udało, bo przeciwnikiem będzie wytrenowany na strzelnicy, świeżo upieczony potrójny morderca, który zlikwidował światowej sławy globalnego handlarza bronią i jego czterech doświadczonych ochroniarzy.

Świadek: „Wpadł w szał, wydarł się, że zawsze śpi między dziesiątą a dwunastą i że nie wolno mu wtedy przeszkadzać".

Było piętnaście po jedenastej, gdy Kerstin Holm złapała za klamkę. W najlepszym przypadku spał głęboko.

Snem po rohypnolu.

Nacisnęła powoli klamkę. Nie było nic słychać, żadnego sygnału. Zamknięte czy nie? Zabarykadowane czy nie? Kluczem do sukcesu była cisza i powolność. Rozwaga. Bynajmniej nie podstawowe umiejętności funkcjonariuszy sił szybkiego reagowania.

Klamka zatrzymała się w dole. Niemal magiczna cisza.

Delikatne pchnięcie do przodu. Decydujące. Nie potrafiła ocenić, czy będzie je słychać, czy zaskrzypią albo uruchomi się alarm, który zatrzęsie całym domem. Albo czy wszystko pójdzie z dymem i porwie za sobą dwoje raczej łatwo zastępowalnych gliniarzy.

Nic nie było słychać. Ale puściło. Trochę. Szpara na dziesięć centrymetrów, w środku ciemność. Holm obróciła się i zrobiła minę do Chaveza, który skinął zachęcająco. Kolejny centymetr.

Coś blokowało drzwi. Nic dużego. Na pewno nie kasa pancerna ani betonowy blok, które uniemożliwiłyby dostanie się do środka. To było coś innego. Prawdopodobnie coś niestabilnego. Coś, co się przewróci.

Kolejne centymetry, tym razem trochę wolniej. Wystarczy. Teraz latarka Chaveza, wciśnięta w dwunastocentymetrową szparę. Brzeg czegoś. Ciemnego, zaokrąglonego. Jak... właśnie, jak co?

– Wiadro? – szepnęła Kerstin Holm.

– Wiadro na taborecie – odpowiedział szeptem Jorge Chavez. – Spróbuję złapać za uchwyt.

Schował latarkę do kieszeni, przełożył pistolet do lewej ręki i sięgnął po uchwyt plastikowego wiadra. Dotknął go środkowym palcem prawej ręki. Dalej nie potrafił sięgnąć, przynajmniej nie bez zmiany położenia drzwi, a to akurat nie byłoby najlepszym pomysłem. Wsunął środkowy palec pod uchwyt, podniósł ostrożnie wiadro, poczuł, że w wiadrze coś się przesunęło, przerwał. Zastygł. Jeśli teraz przyciągnie wiadro do siebie, zaryzykuje, że będzie to słychać. Spód wiadra bujał się jakieś dziesięć centymetrów nad taboretem.

Chavez zamknął oczy i ostrożnie podniósł wiadro.

Coś lekko zachrzęściło, metaliczny dźwięk. Wiadro zakołysało się na palcu. Było okropnie ciężkie. Wsunął palec serdeczny, palec wskazujący, uniósł prosto w górę, nad kucającą Kerstin Holm. Poczuł, jak zadrżało mu ramię.

Wsunęła dłoń w szparę i odstawiła taboret na bok. Potem powoli otworzyła drzwi. Na oścież.

Chavez ostrożnie wyniósł wiadro, spojrzał na wypełniający je metalowy złom. Holm wyniosła taboret. Chavez już miał wejść do środka, ale zatrzymała go, chwytając mocno za ramię. Pokazała na podłogę.

W promieniu metra wokół drzwi leżały niewielkie przedmioty przypominające monety. Chavez skierował na nie drżący snop światła latarki.

– Łuski? – wyszeptał. – Dziękuję, Kerstin.

– Duży krok? – wyszeptała.

Pokręcił głową i podał jej latarkę. Złapał taboret i przestawił go w oświetlone miejsce. Cztery nogi taboretu nie dotykały niczego poza podłogą.

Z wnętrza domu nie dochodził żaden dźwięk.

Taboret stał pośród porozrzucanych łusek. Wszedł na niego, przez chwilę łapał równowagę, a potem zszedł po drugiej stronie. Ruszyła za nim.

Jedynie ledwo słyszalne odgłosy.

Zasłony zaciemniające okna. Całkowita ciemność, choć na zewnątrz było bezchmurne niebo. Holm wyjęła latarkę z kieszeni. Dwa snopy światła ślizgały się po ścianach parteru. Łuski leżały nawet pod zasłonami. Kuchnia, w środku nikogo, nic, tylko zasłony zaciemniające i łuski. Zostały im schody.

Schody na piętro.

Spojrzeli na nie. Wyglądało na to, że będą trzeszczeć.

Mogli się tego spodziewać. Było jasne, że będzie spać na piętrze. Chroniony przez trzeszczące schody.

Zdjęli buty. Bezdźwięcznie.

Schody. Laminat dębowy. Na pewno będą trzeszczeć.

Pierwsza Holm. Mgliste wspomnienie, że stare schody najmniej skrzypią przy ścianie. Pierwszy stopień, blisko ściany, drugi. Chavez tuż za nią. Broń w górze. Muszą zawierzyć, że śpi głębokim snem narkomana.

Zawierzyć.

Kolejne stopnie. Żadnego skrzypnięcia. Jeszcze nie. Połowa.

Zatrzymują się. Muszą się uspokoić.

Druga połowa. Pierwszy stopień.

I nagle, stoi tam. Dwa metry nad nimi, po skosie.

W jednej chwili zmienia się czas. I wszystko porusza się jakby w innej rzeczywistości. Ruch ramienia Johnny'ego Råglinda, dłoń wciąż jeszcze zasłonięta krawędzią schodów. Służbowa broń Chaveza przesuwająca się po ramieniu Kerstin Holm, jeszcze zanim zdążyła zareagować. Ale ona stoi dwa stopnie wyżej i widzi dłoń Råglinda, zanim dostrzega ją Chavez. Łokciem odbija rękę Chaveza w bok. Fala uderzeniowa pocisku wprawia go w drżenie.

Miała wrażenie, że znalazła się na górze, zanim kula wbiła się w ścianę tuż za Johnnym Råglindem. Wydawało jej się, że przyłożyła mu broń do policzka, zanim odrzut skierował pistolet Chaveza nieco ku górze. Czuła, że Råglind uderzył skronią o podłogę, zanim Chavez dobiegł na górę i zobaczył, co potrójny zabójca trzyma w zaciśniętej dłoni.

Wszystko to było jednak rozmyte, niepewne. Każde zdarzenie rozgrywało się w innej rzeczywistości. Tylko co do jednego nie było najmniejszych wątpliwości.

Johnny Råglind trzymał w ręku latarkę.

*

Widok zza lustra fenickiego wydawał się dziwnie znajomy. Johnny Råglind siedział w pokoju przesłuchań, posiniaczony i wyraźnie naburmuszony. Dosyć niski, metr sześćdziesiąt, czarna fryzura w stylu rockabilly.

– Tak – powiedział Viggo Norlander. – To ta fryzura. To na pewno on.

Kerstin Holm i Jorge Chavez obrócili się do niego.

– Dziękuję, Viggo – powiedziała Kerstin i musnęła go lekko po ramieniu. Zaczekali, aż wyjdzie z pokoju, lekko pochylony, policjant na emeryturze, któremu nigdy nie udało się do końca wyjść z pracy. Który już na zawsze miał pozostać policjantem.

Czekali jeszcze przez chwilę. Chavez przyglądał się Holm.

– Naprawdę bym go zabił – skrzywił się. – Człowieka z latarką w ręku.

– To by sporo skomplikowało – powiedziała.

– Również dla mnie – odparł.

– Teraz nie musimy się nim z nikim dzielić. Nikt nie wie, że go mamy. Tak jest lepiej dla wszystkich.

– Dziękuję – powiedział Chavez serdecznie i otworzył drzwi przed swoją szefową. Kerstin Holm skinęła głową i weszła do środka. Po regulaminowych prezentacjach do dyktafonu powiedziała:

– Nie będzie adwokata?

– Co za różnica – odpowiedział Johnny Råglind zaskakująco niskim głosem. – Zastrzeliłem ich. O czym tu gadać.

– Kogo zastrzeliłeś?

– Zgraję naprutych *desperados* w zatęchłym pubie na Götgatsbacken kilka dni temu. Ale to już wiecie. Sukinsyn zakosił mój portfel. Ja pierdolę, ale wtopa.

– Dlaczego ich zastrzeliłeś? – zapytał Chavez.

– Z tobą nie gadam – odpowiedział ostro Råglind. – Chciałeś mnie, kurwa, zabić. Byłem nieuzbrojony. Ja nie strzelałem do nieuzbrojonych. Byli uzbrojeni po zęby, a ja sprzątnąłem trzech z nich. Kumacie? Trzech!

– Dlaczego ich zastrzeliłeś? – zapytała Holm.

– Bo mogłem. Bo jestem, kurwa, dużo lepszy niż którykolwiek z nich. Pieprzone demoludy.

– Wiesz, kto to był?

– Nie mam pojęcia. Jakiś cholerny mafioso.

– Będzie o tym huczeć całe więzienie, co? – powiedział Chavez.

– Z tobą nie gadam – powtórzył Råglind.

– Gadasz z nami obojgiem – odpowiedziała spokojnie Holm. – Jedno mnie dziwi. Masz licencję na kilka wysokiej klasy pistoletów, ale gdy popełniasz morderstwo swojego życia, dzięki któremu twoje nazwisko zapisze się na kartach historii i zrobi z ciebie króla Kumli, strzelasz z jakiegoś albańskiego złomu marki Prish. Leżał przy twoim łóżku w Brommie, tak na marginesie. Po wszystkim nawet nie pozbyłeś się broni.

– Byłoby głupotą wychodzić na miasto z bronią, na którą mam licencję – mruknął Råglind.

– Zacznijmy od początku – powiedziała Kerstin Holm. – Ty i Taisir Karir i jeszcze kilku spotkaliście się u ciebie w domu?

– Nie, byliśmy w domu u Taisira. Wpadło też dwóch jego pieprzonych kuzynów, gdy siedzieliśmy i wciągaliśmy. Dostali trochę, skąpe gnojki, a potem wyszliśmy w czwórkę na miasto. Założę się, że rodzinka odesłała już kuzynów z powrotem Arabom.

– Braliście też rohypnol?

– To się nazywa flunitrazepam – odpowiedział Råglind pouczającym tonem. – I trochę anabolików. Alkohol jest dla Szwedów.

– Czyli zabrałeś swój nędzny pistolet marki Prish do Taisira? Planowaliście sobie postrzelać do ludzi?

– Szykował się długi wieczór, tak się umówiliśmy.

– Zdaje się, że unikasz odpowiedzi na pytanie, Johnny – powiedziała Holm.

– Jakie znów pytanie?

– Zabrałeś broń z domu?

– No żeż kurwa, nie miałem ze sobą broni. No dobra, dwa noże. Bez noży się nie wychodzi, wiesz. Ale żadnej broni palnej. Tę załatwiłem dopiero wieczorem. Götgatan, rozumiesz, tam wszyscy chodzą z bronią.

– Poszliście prosto do pubu? – zapytał Chavez.

Johnny Råglind łypnął na niego i po chwili odpowiedział:

– Najpierw poszliśmy gdzie indziej, do bardziej stylowego lokalu. Chyba Ljunggren?

– Bardzo możliwe – odpowiedział Chavez. – Jeśli mamy na myśli to samo miejsce. Co się tam stało?

– Zostaliśmy wyrzuceni – powiedział Råglind. – Trzeba pić, żeby swensony dały ci posiedzieć u siebie. Kuzyni są abstynentami. Nie zamówili nawet wody mineralnej. Nigdy nie wiadomo, w szklance mógł być spirytus.

– Naprawdę zostaliście wyrzuceni z Ljunggren za to, że nie piliście?

– No, może chodziło też o to, że wymachiwałem trochę spluwą.

– Czyli że *wtedy* już miałeś pistolet?

– *Sure.* Dostałem go od tego kolesia za dwa drinki. Potem poszedł z nami.

– Poszedł dokąd?

– Do pubu – powiedział Johnny Råglind. – A to nie o tym gadamy?

– Kto zaproponował ten pub? – zapytała cierpliwie Kerstin Holm.

– On. Ten koleś.

– Ten, który dał ci broń?

– Nie dał. Kupiłem ją. Za dwa drinki. Przecież już mówiłem. Manhattan i mojito.

– Co to był za koleś? – zapytał Chavez.

– Jakiś pajac, co siedział przy barze – powiedział Råglind. – Taki tam. W porządku, wiesz. *My kind of man*.

– Szwed?

– Nie wiem – odpowiedział Råglind. – A ty jesteś Szwedem? A ja?

– Mówił po szwedzku?

– Cholernie niechlujnym szwedzkim.

– Niechlujnym?

– Nawet gorszym od kuzynów. Kumasz chyba, cieniasie.

– Jak się nazywał?

– Przedstawił się jako Walle. Chociaż powiedział to bardziej jak ten ludzik z telewizji. No wiesz, z tej kreskówki.

Tej, w której wszyscy są grubi i latają w kółko statkami kosmicznymi, nie ruszając się nawet z miejsca.

– Wall-e? – powtórzył Chavez.

– Bingo! – zarechotał Johnny Råglind. – Masz dzieciaki. Wiedziałem. Wyglądasz jak prawdziwy tatusiek. Za to pani policjant, to już nie wiem. Pewnie feministka, co?

– Mężczyzna, który dał ci pistolet, nazywał się Wall-e? – zapytała Kerstin Holm chłodno.

– *Yes* – odpowiedział Råglind. – Potem poszliśmy razem do pubu i gadaliśmy sobie spokojnie, kiedy przyszły te chamy i zajęły bar.

– A więc przyszliście tam przed nimi? – zapytała Holm.

– Chwilę przed – powiedział Råglind – nie pamiętam dokładnie, o której. Przyszli i zadzierali nosa. Zajęli bar na prawo. Widziałem, że karki sprawdziły lokal i uznały, że jest spoko. Źle oceniliście, bracia, bardzo źle.

– Możesz określić, o której to było?

– Nic z tego. Po dragach czas przestaje istnieć.

– Co się potem działo?

– Rozmawialiśmy dalej, trochę się rozkręciliśmy. Obok stali ci popaprańcy, pewnie im się wydawało, że rządzą całym światem. Największy, kurwa, „mafioso", wiesz, w grubym cudzysłowie. Doszło do nas, do mnie i Taisira, a nawet do kuzynów, jak bardzo nie znosimy tych bandytów z wyższej klasy. Wiesz, ile razy oberwało się od takich przez te wszystkie lata? Za dużo.

– Jak doszliście do tego wniosku? – zapytała Kerstin Holm.

– Nie no, kurwa, wiedzieliśmy to od dawna. Lata poniżeń. A ja miałem pistolet. Dobrze wiedziałem, że to zwykła pukawka, ale co tam, kurwa. Wiem, jak nadrobić braki.

– Jak doszliście do tego wniosku? – powtórzyła Kerstin Holm, tym razem wyraźnie ostrzej.

– O czym mówisz, policjantko? Skumaliśmy. „Doszliśmy do wniosku". To było cholerne wyzwanie, ustrzelić kolesia. I jego tak zwanych superprofesjonalnych ochroniarzy. Zagotowało się w nas.

– A więc to byłeś ty, Taisir, dwóch kuzynów i Wall-e – powiedziała Holm. – Czy możesz opisać, jak przebiegała wasza rozmowa?

– O czym gadaliście? – wtrącił Chavez.

– „Czy możesz opisać, jak przebiegała wasza rozmowa?" brzmi, kurwa, dużo lepiej od „O czym gadaliście?", cieniasie. Znów mnie nie doceniłeś. Wolę gadać z tobą, policjantko.

– Mam na imię Kerstin – powiedziała, pochylając się do przodu.

– W porządku – powiedział Råglind. – Możesz mi mówić Johnny.

– Czyli tak się wściekliście na tych bandytów z klasy wyższej, że się z was wylało?

– Powiedzmy...

– Zdolny z ciebie chłopak, Johnny. Myślałeś o tym już wiele razy, coraz częściej. Że za wcześnie zmarnowałeś życie, że nie raz już chciałeś, żeby obrało inny kierunek. Mógłbyś być wielki i wszyscy by cię podziwiali, gdybyś tylko nie olał szkoły i nie zaczął ćpać. Wszystko to nagle wróciło, wyolbrzymione. Nagle dotarło do ciebie, w jakim pieprzonym świecie żyjecie. Prymitywnym bagnie, w ogóle nie dla ludzi. A ciebie nie powinno w nim być. Johnny Råglind nie powinien być częścią tego bagna. Wszystko nagle stało się jasne. Popraw mnie, jeśli się mylę, Johnny.

Råglind patrzył w sufit. Widać było wyraźnie, że się zastanawia. Wyraźnie cierpiał.

– Tkwiłeś w tym przez całe życie – mówiła dalej Kerstin Holm. – To jasne, że zawsze o tym wiedziałeś. Żyjecie w średniowieczu w środku nowoczesnego państwa prawa. Świat idzie do przodu, ale nie wy. Wiedziałeś o tym,

Johnny. Od dawna wiedziałeś, jak popieprzone jest twoje życie, ale tego wieczoru dotarło to do ciebie, zrozumiałeś to naprawdę. Popraw mnie, jeśli się mylę.

Råglind nie odpowiedział. Wodził wzrokiem gdzieś daleko, bardzo daleko.

– Chciałabym, żebyś mi odpowiedział, Johnny. Nie mam racji?

– Nie – odpowiedział Johnny Råglind.

– Jak do tego doszło? – zapytała Kerstin Holm.

I zamilkła.

Chavez nie miał odwagi odezwać się nawet słowem.

Pierwszy odezwał się Råglind.

– To był Wall-e. Zaczął mówić jak ty, Kerstin. Choć dużo lepiej, ostrzej. I chociaż mówił tym swoim niechlujnym szwedzkim, nagle wszystko zrozumiałem. Zobaczyłem, jakie moje życie jest popieprzone.

– Choć gdybyś podjął wyzwanie i ukatrupił tego mafiosa, twoje życie zmieniłoby się – powiedziała Holm. – Stałbyś się legendą.

– Zrozumiałem, że tak właśnie może być – powiedział Råglind. – Że to naprawdę możliwe.

– Dziękuję – powiedziała Kerstin Holm. – W takim razie mam cztery pytania.

– Okej – odpowiedział Johnny Råglind. – *Shoot*, Kerstin.

– Pytanie numer jeden. Dlaczego zadźgaliście tego biednego alkoholika Lassego Dahlisa?

– Nawinął się – odpowiedział Råglind, wzruszając ramionami. – Obleśny pijak. Kuzyni zaczęli wymachiwać nożami. Lubią się popisywać. Dopiero z gazet dowiedziałem się, że było pięć ofiar.

– Pytanie numer dwa. Gdzie się podział Wall-e po strzelaninie?

– Gdy wybiegłem na ulicę, zobaczyłem, że kuzyni rozbiegli się jak gepardy, we wszystkich kierunkach, widziałem, jak Taisir zbiega do metra. Pobiegłem w przeciwnym kierunku i zobaczyłem tego basiora, jak strzela mu w plecy. Tchórzliwe złamasy. Spojrzałem przez ramię, podbiegłem i zobaczyłem, że nie żyje.

– Ale nie Wall-e? – zapytała Kerstin Holm.

– Nie widziałem go. Czy to już było pytanie numer trzy?

– Wiemy, że przy toaletach jest wyjście awaryjne, które łatwo się otwiera – powiedział cicho Chavez.

– Dopiero *teraz* będzie pytanie numer trzy – poinformowała Kerstin Holm. – Jak trafiliście do tak „stylowego lokalu" jak Ljunggren?

– Nie wiem – odpowiedział Råglind wycieńczony.

– Szliście sobie zwyczajnie Götgatan i tak sobie weszliście?

– Tak. Nie. Nie do końca. Taisir wiedział, dokąd idziemy.

– Co znaczy wiedział?

– Kiedy wyszliśmy z metra na Götgatan, powiedział: „Chodźcie za mną".

– Zawsze tak robił? Dowodził?

– Rzadko. Raczej nie nazwałbym go panem i władcą.

– Na koniec pytanie numer cztery – powiedziała Kerstin Holm. – Czy możesz nam pomóc w sporządzeniu portretu Wall-ego? Pomoże ci to na procesie.

– Choć utrudni ci to zostanie królem Kumli – wtrącił Chavez.

– Nie ma już królów – powiedział Johnny Råglind. – Żyli w średniowieczu, głupi psie.

Wstali. Råglind się nie poruszył.

– Tak. Jasne, że mogę – powiedział Råglind.

– Dziękuję, Johnny – szczerze podziękowała Kerstin Holm.

Holm i Chavez wyszli. Zatrzymali się przy lustrze fenickim i spojrzeli do środka.

– Cholera – powiedział Chavez, zerkając na swoją szefową. – Skąd wiedziałaś, na której strunie zagrać?

– Prosta analiza klasowa – przyznała Kerstin Holm. – Kiedy usłyszałam sformułowanie „bandyci z klasy wyższej", byłam już pewna.

– Przesłuchania policyjne to podłe zajęcie – powiedział Jorge Chavez.

– To jak psychoanaliza dla bandytów – powiedziała Kerstin Holm. – Wcześniej o tym tak nie myślałam, ale my tu walczymy ze średniowieczem. Przez cały czas.

– Pomijając mój naiwny zachwyt, domyślam się, że przebiegło według określonego planu?

Kerstin Holm pomyślała przez chwilę o swoim ukochanym Paulu Hjelmie, który był teraz w Hadze, i powiedziała:

– Jeśli założymy, że na co dzień niezbyt dynamiczny Taisir Karir dostał SMS, że mają iść do Ljunggren, to wygląda to na część jakiegoś planu. Oczywiście nie wiemy, dlaczego międzynarodowy gwiazdor Isli Vrapi pojawił się w mieście, ale to był przecież projekt o niskim stopniu ryzyka, może chodziło o nowy kontakt, kuszący, ale pozbawiony imponujących czy przerażających referencji. W wyjątkowo wyszukany sposób tajemniczy Wall-e zwabił Isliego Vrapiego z jakiejś zabitej dziury w Albanii do Sztokholmu i przypilnował, żeby ten pojawił się w drugorzędnym pubie o określonej porze. W trakcie wieczoru nawiązał kontakt ze sfrustrowanym drobnym przestępcą i jego jeszcze bardziej sfrustrowanym kumplem, który był strzelcem wyborowym. Wiedział, że mieli się spotkać, a na miejsce spotkania przyniósł ze sobą naładowaną broń. Potem dopilnował, żeby cała ta dziwna zgraja udała się do pubu jakiś kwadrans przed czasem ustalonym z Vrapim. Gdy Isli Vrapi wszedł tam w towarzystwie czterech ochroniarzy, strosząc piórka, Wall-e rozbudził u Johnny'ego Råglinda i jego trzech kumpli nienawiść klasową. Udało mu się doprowadzić ich omamioną rohypnolem świadomość na krawędź przestępstwa. Byli tak rozżaleni, że po drodze zarżnęli jeszcze starego pijaka. Wall-e wydostał się wyjściem ewakuacyjnym, nie zostawiając po sobie najmniejszego śladu. Prawdziwy profesjonalista.

– To nie był plan działania – powiedział Chavez. – To była rekonstrukcja, choć przyznam, że imponująca.

– Plan działania – powiedziała Holm, niewzruszona – jest taki, żeby poza opracowaniem naprawdę dobrego portretu pamięciowego spróbować znaleźć SMS wysłany na komórkę Taisira Karira tamtego wieczoru. I odszukać świadków z Ljunggren i z uliczki, na którą prowadzi wyjście ewakuacyjne z pubu.

– Bo szukamy tego tajemniczego Wall-ego, *right*?

– Na to wygląda – powiedziała Kerstin Holm skromnie.

Globalizacja

Haga – Marsylia, 24 maja

NAZYWANIE TEGO ZEBRANIEM byłoby śmieszne. Paul Hjelm rozejrzał się po biurze z elektroniczną białą tablicą w budynku Europolu. W centrum zarządzania znajdowała się co prawda grupka przedstawicieli lokalnych, łącznie z niestety niewykorzystaną jeszcze Sarą Svenhagen, ale skład podstawowy wyglądał na poważnie uszczuplony.

Na miejscu był Felipe Navarro i koniec.

Wprawdzie klikał tak intensywnie w ekran komputera, jakby pracował za kilka osób. Czuł się jak ryba w wodzie. To, co dla dziewięćdziesięciu dziewięciu na stu policjantów byłoby tylko nieogarnionym chaosem – lub przynajmniej logistycznym koszmarem – dla Felipe Navarra było rajem. Porządkował, strukturyzował i dopasowywał puzzle. Chmura czystej energii buchała prosto z jego ciała.

Paul Hjelm przyglądał mu się zaciekawiony.

– Kończysz już? – zapytał.

– Mam mały kłopot z RPA – odpowiedział Navarro. – Ten człowiek jest w skomplikowanym związku ze swoją komórką.

Hjelm roześmiał się.

– Możemy obejrzeć linię czasu? – zapytał.

– Możemy – odpowiedział Felipe Navarro i kliknął.

Na elektronicznej tablicy wyświetliła się lista:

2001-10: If, Francja: Didier Girault („Czerwony Didde");
2003-02: Ilha Grande, Brazylia: Giorgio Sansotta;

2004-01: Ko Tarutao, Tajlandia: Thanduyise Tsotsobe;
2005-10: Île du Diable, Gujana Francuska: Rick Nowak;
2007-01: Robben Island, RPA: Hu Yudong;
2008-05: Coiba, Panama: Teresa Moy;
2009-08: Isla Dawson, Chile: Paweł Morozow;
2010-05: Capraia, Włochy: Roman Vacek;
2010-05: Goli Otok, Chorwacja: Rudi Schrempf.

– Tak – powiedział Paul Hjelm. – Tak to wygląda do tej pory. Dziewięć ofiar w porządku chronologicznym, rok – miesiąc. Pojawił się jeszcze jeden, w Republice Południowej Afryki, na klasycznej wyspie skazańców, gdzie kiedyś trzymano Nelsona Mandelę, Robben Island. Chińczyk Hu Yudong, jeden z mózgów chińskiego *Golden Shield Project*, bardziej znanego jako *The Great Firewall of China*, a więc komunistycznego systemu cenzury internetowej, który zaczął działać w listopadzie dwa tysiące trzeciego. Hu Yudong był w Kapsztadzie na tak zwanym urlopie w styczniu dwa tysiące siódmego, został znaleziony zasztyletowany i pogryziony w opuszczonym pomieszczeniu niedaleko dawnej celi Mandeli. „Tak zwanym", ponieważ wszystko wskazuje na to, że miał do wykonania jakieś zadanie w ramach rozwijających się stosunków chińsko-afrykańskich. Chińskie władze zataiły to wydarzenie. Zabójstwo z użyciem noża i kanibalizm nie pasowały do obrazu potężnej chińskiej władzy i jej możliwości.

– Czyli *rzeczywiście* wszystkie ofiary są komunistami – odezwała się Sara Svenhagen z tylnych rzędów przeznaczonych dla przedstawicieli lokalnych.

– Wszyscy w każdym razie obracali się w różnych oficjalnych kręgach wspierających ideę niedemokratycznego, komunizującego społeczeństwa.

– Nareszcie mamy kontakt z RPA – powiedział Felipe Navarro.

– Teraz są już wszyscy? – zapytał Paul Hjelm.

– Przynajmniej na razie – odpowiedział Navarro. – Ci, którym udało się połączyć. Trochę zrywa połączenie, więc zobaczymy, jak to będzie. Jest teraz tuż po trzeciej po południu naszego czasu, umawialiśmy się na trzecią i najwyraźniej wszystkim się udało. Nawet RPA.

– Proponuję, żebyśmy zaczęli od końca, a więc od zdarzenia najbliższego nam czasowo. Choć niekoniecznie geograficznie. Isla Dawson, prawda?

Zamiast linii czasu na elektronicznej tablicy zobaczyli szybko migający obraz. Gdy już się ustabilizował, pojawiła się na nim przemoczona, rozmazana postać o czarnych włosach oklejających głowę, co wyglądało trochę jak gniazdo, z którego uciekł jakiś ptak. Gdy postać wreszcie się poruszyła, okazując się żywym stworzeniem, dało się jednocześnie słyszeć kobiecy głos, opóźniony w stosunku do obrazu:

– Marek jest w Tajlandii, a Jutta w Rio. Czym sobie na to zasłużyłam?

– Jesteś najtwardsza z nas wszystkich, Miriam – powiedział Paul Hjelm. – Na dłuższą metę to się nie opłaca.

– W Cieśninie Magellana jest jesień – powiedziała Miriam Hershey, i dopiero po chwili dało się dostrzec, że jej dygocące usta posiniały z zimna. – Wietrzna, deszczowa, lodowata jesień w maju.

– Ale dotarłaś tam cała i zdrowa?

– Łatwo nie było – odpowiedziała Hershey. – Nie jestem pewna, czy Almirante Schoeders Airport na Isla Dawson powinno w ogóle nazywać się lotniskiem. Musiałam wziąć taksówkę powietrzną; na pewno zauważycie to na rachunku.

– Z chęcią zjem tę żabę – powiedział Paul Hjelm. – Opowiadaj.

– Jestem tutaj razem z inspektorem Reyesem z Punta Arenas, który prowadził dochodzenie w sprawie śmierci

Rosjanina Pawła Morozowa w sierpniu ubiegłego roku. Od początku sprawa była dosyć tajemnicza, nie miał przy sobie żadnych dokumentów, nic. Żeby go zidentyfikować, musieli szukać przez Interpol, w końcu uciekał przed rosyjskim wymiarem sprawiedliwości, jeśli to określenie nie jest samo w sobie wewnętrznie sprzeczne. W odróżnieniu od wielu pozostałych wysp skazańców Isla Dawson nie jest atrakcją turystyczną, minęło więc kilka dni, zanim go znaleziono. Morozow zapadł się pod ziemię w południowoargentyńskim mieście Rio Gallegos, nie wiemy, co tam robił, ale w *tej tutaj* celi znaleziono jego ciało. Za kamerą stoi inspektor Reyes.

– Przejdźmy do pytania o *Hrabiego Monte Christo* – powiedział Hjelm.

– Tutejszy klimat jest cholernie ostry, jak pewnie widzicie – powiedziała Hershey, podkreślając wyjaśnienia stosownymi gestami dłoni. – Co prawda minął mniej niż rok od zabójstwa Morozowa, ale kartka papieru nie mogła w tych wilgotnych murach przetrwać dłużej niż dwa miesiące.

– Mam przez to rozumieć, że niczego nie znalazłaś?

– Niekoniecznie – powiedziała Hershey z lekkim uśmiechem.

– Dobra, udało ci się przykuć naszą uwagę – powiedział Hjelm surowo. – Nie przeginaj.

– Jest tuż po dziewiątej rano czasu lokalnego – powiedziała Hershey. – Razem z Reyesem od szóstej rano przeszukiwaliśmy ściany w tej i w sąsiednich celach. Pół godziny temu pod sufitem w celi obok znaleźliśmy *to coś* tutaj. – Hershey uniosła zrolowane niebieskie zawiniątko w szczelnie zamkniętej plastikowej torebce.

– Cerata – powiedziała. – Porządnie zawiązana.

– Nie uwierzę, że nie otworzyłaś tego przez pół godziny – powiedział Hjelm. – Stopień twojej ciekawości rodem z MI5 jest zbyt duży.

– Słuszna hipoteza – powiedziała Hershey, otworzyła torebkę i odwinęła w końcu karteczkę papieru z rolki ceraty. Trzymając przedmiot w rękawiczkach, zbliżyła go do rozedrganej kamery wbudowanej w komórkę.

– Nie trzęś, jeśli możesz – powiedział Hjelm. – Wszystko nagrywamy.

– Znam to już na pamięć – powiedziała Miriam Hershey, nie odrywając kartki od obiektywu. – *Mais je ne veux pas laisser mourir de douleur ce vieillard et cette jeune fille, et je vais tout leur dire*. Co znaczy mniej więcej: „Ale ja nie dopuszczę, by ten starzec i ta dziewczyna umarli z rozpaczy, powiem im całą prawdę".

– Wielkie dzięki, Miriam, spróbuj wydobyć z poczciwego inspektora coś jeszcze, a potem wracaj do nas możliwie jak najszybciej.

Miriam Hershey zniknęła pod zasłoną migoczących ognistych płatków, a Navarro wywołał kolejny zestaw pikseli, które powoli wskoczyły na miejsce, jak fragmenty układanki.

Trudno było o większy kontrast niż ten pomiędzy przemokniętą Miriam Hershey i Angelosem Sifakisem w okularach przeciwsłonecznych na nosie. A przecież znajdowali się na tym samym kontynencie. Jeśli Amerykę Łacińską można było nazwać kontynentem.

– Z tej strony Panama – odezwał się Sifakis. – Czy to nie komiczne, że wyspy skazańców tak często stają się obiektami światowego dziedzictwa?

– Da się to wytłumaczyć – powiedział Hjelm. – Większość z nich jest niezniszczona. Przez setki lat nikt nie miał na nie wstępu. Z wyjątkiem skazańców.

– Tak też jest z Coibą – powiedział Sifakis. – Prawdziwy raj dla nurków. Przed chwilą widziałem jeden z piękniejszych wschodów słońca w swoim życiu. A pamiętajcie, że jestem Grekiem.

– Zauważyłem, że masz na sobie koszulkę bez ramion i kąpielówki i stoisz na czymś, co przypomina bezludną plażę – powiedział Hjelm. – Jak mam to rozumieć?

– Że mam zamiar się wykąpać. Że byłem w tym opuszczonym więzieniu już wczoraj wieczorem. Że czekam na statek, który zabierze mnie do Panama City na spotkanie z panamską policją. I że mam to coś tutaj.

Angelos Sifakis uniósł małą plastikową torebkę, naciągnął lateksowe rękawiczki i przyłożył pognieciony wydruk z komputera do kamery, którą najwyraźniej ustawił w pionowej pozycji w piasku.

– Nie znam francuskiego – powiedział – ale długo ćwiczyłem i wydaje mi się, że brzmi to tak: *Edmond sourit en se voyant: il était impossible que son meilleur ami, si toutefois il lui restait un ami, le reconnût; il ne se reconnaissait même pas lui-même.*

– Okej, dziękuję, Angelos – powiedział Paul Hjelm, zerkając na Navarra, który odpowiedział mu skinieniem głowy. – Mamy to. Czy karteczka była w coś zawinięta?

– Tak – powiedział Sifakis i włożył ostrożnie rękę do torebki. Wyjął z niej lekko pognieciony, niebieski prostokąt i zbliżył do kamery.

– Cerata? – zapytał Hjelm.

– Coś takiego – powiedział Sifakis. – Kartka była bardzo starannie zawinięta. Skąd wiedziałeś?

– Na Isla Dawson była taka sama – zastanowił się Hjelm. – I moim zdaniem to potwierdza teorię, że wcześniejsze cytaty miały długo leżeć i zostać odkryte dopiero po czasie. Retrospektywa...

– Po kilku latach – przytaknął Sifakis z plaży. – Ale dwa ostatnie, na Capraі i Goli Otok, *nie były* zawinięte w ceratę...

– Bo miały zostać znalezione od razu – powiedział Hjelm. – Skurczybyk spodziewał się, że znajdziemy stare ciała i karteczki dzięki tym nowym. To zaczyna wyglądać na naprawdę dokładnie zaplanowane.

– *Shit* – powiedział Sifakis.

Paul Hjelm wyprostował się i powiedział:

– Kiedy odpływa statek?

– Za jakieś dwa, trzy tygodnie – odpowiedział Sifakis i przerwał połączenie z Hagą.

– Kto z was twierdził, że zna francuski? – zapytał Paul Hjelm prosto przed siebie.

– Chyba ja – powiedziała Francuzka siedząca wśród przedstawicieli lokalnych, których imion, wstyd przyznać, nie pamiętał. Spojrzała w swoje notatki i powiedziała:

– „Edmund uśmiechnął się na swój własny widok: najlepszy przyjaciel – gdyby miał takiego, nigdy by go nie poznał; bo przecież Edmund nie poznał sam siebie".

– Dziękuję – odpowiedział Hjelm, skinąwszy w stronę bezimiennej Francuzki. – Czas już chyba na to krnąbrne RPA, prawda, Felipe?

Felipe Navarro przytaknął i kliknął w ekran komputera. Elektroniczna tablica zamigotała. Pojawił się pusty ekran. Choć może nie do końca pusty. Na niebieskim poruszało się coś białego. Gdy przyjrzeli się dokładniej, zobaczyli gęsi i fale, które załamywały się i bielały na niebieskim tle.

– Halo? – powiedział Paul Hjelm. – Jest tam Robben Island?

– Z pewnością – odezwał się czyjś głos. – Pytanie brzmi raczej, czy ja tu jestem.

Kamera została obrócona, a na ekranie pojawił się budynek więzienia, ponura kamienna ściana, stara więzienna prycza, dziura w podłodze, a na koniec – Arto Söderstedt.

– Czy aż tak trudno opanować obsługę telefonu? – zapytał Paul Hjelm.

– Nie ma nic przyjemniejszego, niż udawać technologicznego ignoranta – powiedział Söderstedt i spojrzał z najlepszego dotychczas pod względem jakości dźwięku i obrazu nagrania. I to w dodatku zsynchronizowanego.

– Chyba zmarzłeś – powiedział Hjelm.

– Niekoniecznie, choć jest jesień – powiedział Söderstedt. – Południowa półkula, jest zimniej niż w Hadze. Przez całe życie chciałam jechać do Rio de Janeiro.

– To elegancko z twojej strony, że pozwoliłeś tam jechać Jutcie. Z drugiej strony ominie cię *jet lag*. Wiem, jak dokuczliwy jest dla starców. Znalazłeś coś?

– Rozmawiałem z policjantem z Kapsztadu, który zajmował się sprawą Hu Yudonga. Nazywa się Griessel. Przyjemny, ale trochę niechlujny typ. Nie chciał tu ze mną przyjść. „Zła aura", powiedział, teraz już rozumiem, co miał na myśli. Naprawdę trudno uwierzyć, że Mandeli i jego najbliższym ludziom udało się zorganizować i zaplanować przyszłość Republiki Południowej Afryki w kamieniołomie.

– Niech zgadnę, masz rolkę zawiniętą w ceratę? – zapytał Paul Hjelm.

– Możesz sobie zgadywać, ile chcesz – powiedział Arto Söderstedt i zbliżył pogniecioną karteczkę do kamery w telefonie. Choć tekst widać było wyraźnie między jego obleczonymi w lateks kciukami, przeczytał na głos: – *Pour le prisonnier le geôlier n'est pas un homme: c'est une porte vivante ajoutée à la porte de chêne; c'est un barreau de chair ajoutée à ses barreaux de fer.* Zdążyłem już przetłumaczyć: „W oczach więźnia strażnik nie jest człowiekiem: to żywe drzwi, wzmacniające drzwi dębowe, to żywa krata, dopełniająca żelazne kraty więzienia". Właściwie nie ma tu zbyt wielu nowych informacji – to raczej czysta paralela do cytatu o komisarzu policji z Goli Otok. Moim zdaniem powinniśmy spróbować przeczytać wszystkie cytaty w określonym porządku. Wyślesz mi je, żebym miał co robić podczas długiej podróży powrotnej?

– Tak, roześlę wszystkim – powiedział Hjelm. – Wracaj pędem do domu.

– Dwanaście godzin lotu – mruknął Söderstedt. – Jasne, już pędzę.

I zniknął w morzu iskier. *Whiteboard* znów zrobił się biały.

– Czy to już wszyscy? – zapytał Hjelm.

– Od Balodis przyszedł SMS, podobnie od Beyer i Kowalewskiego – powiedział Navarro. – Nie udało im się połączyć. Bouhaddi się spóźniła. Może uda jej się nadać później.

– Co takiego napisali?

– Balodis jest na Devil's Island, Île du Diable, Gujana Francuska – przeczytał Navarro. – Niebieska cerata i tekst: *J'ai encore plus peur de la malédiction des morts que de la haine des vivants*.

Paul Hjelm spojrzał na bezimienną Francuzkę, która od razu przetłumaczyła:

– „Bardziej boję się klątwy zmarłych niż nienawiści żywych".

– Im głębiej sięgamy w przeszłość, tym wyraźniejszy staje się motyw zemsty – powiedział Hjelm. – Nasz wąsacz mści się za zmarłych. To przekleństwa umarłych nasze ofiary powinny się obawiać. Coś jeszcze?

– Kowalewski pisze, że trafił na południowo-zachodnią Tajlandię w samym środku pory monsunowej – powiedział Navarro. – Cytuję: „Ruiny więzień tonące w glinie. Ulewa. Piekło. Niebieska rolka z ceraty z tekstem znaleziona po ośmiu godzinach". Kolejny SMS już z cytatem: *Si vous souffrez, si vous perdez la vue, l'ouïe, le tact, ne craignez rien; si vous vous réveillez sans savoir où vous êtes, n'ayez pas peur, dussiez-vous, en vous éveillant, vous trouver dans quelque caveau sépulcral ou clouée dans quelque bière*.

– Biedak – wyrwało się bezimiennej Francuzce, po czym przeczytała ze swoich notatek: – „Jeśli będziesz cierpieć, stracisz zmysły wzroku, słuchu czy dotyku, nie bój się;

jeśli zbudzisz się, nie wiedząc, gdzie jesteś, nie obawiaj się, nawet gdybyś obudziła się uwięziona w jakimś grobie czy trumnie".

– Co to jest? – wyparował Hjelm.

– Obietnica? – powiedział Navarro, nie przestając klikać myszką.

– Obietnica czego? – zapytał Hjelm.

Cisza, która zapanowała w prawie pustym biurze, zdawała się odbijać echem. Odbijająca się echem cisza. Hjelm pokręcił głową i skinął na Navarra. Kliknięcie myszką i:

– Jutta Beyer z Ilha Grande pod Rio: Stara niebieska cerata. Wetknięta między kamienie w celi od ponad siedmiu lat. Zabrudzony, ale wciąż czytelny wydruk z komputera: *Quant à moi, je ne me sens point capable de porter plus longtemps de pareils secrets, sans espoir d'en faire bientôt sortir la vengeance pour la société et les victimes.* Co mniej więcej znaczy: „Nie potrafię już dłużej utrzymać tego sekretu, nie mając nadziei, że społeczeństwo wymierzy wkrótce sprawiedliwość, że ktoś pomści śmierć ofiar"

– Zemsta – powiedział Hjelm. – Słowo klucz. *Vengeance*. Za społeczeństwo i jednostkę, i odkrywane tajemnice.

– To była ofiara numer dwa – powiedział Navarro. – Byłoby świetnie, gdyby udało nam się nawiązać kontakt z pierwszą ofiarą.

Hjelm roześmiał się i powiedział:

– Rzeczywiście, byłoby świetnie...

W tej samej chwili zamigotał duży ekran, pojawiła się na nim Corine Bouhaddi, ujęcie z przodu na tle kamiennej ściany.

– Cześć, Corine – powiedział Hjelm. – Jak wygląda sytuacja na If?

– Doskonale – odpowiedziała Bouhaddi. – Zaczyna się piękne lato nad Morzem Śródziemnym. Przepraszam za spóźnienie. Kłopoty z transportem.

– Dostałaś pozostałe cytaty? – zapytał Hjelm. – Felipe miał ci je wysłać mailem.

– Dziękuję, przyszły wszystkie po kolei. Właśnie skończyłam czytać. Fascynujące.

– Mam głęboką nadzieję, że ty również masz swój do dodania. Cytat źródłowy.

– Może od razu do rzeczy? – powiedziała Bouhaddi. – Rozumiem, że chodzi o niebieską ceratę?

– Zgadza się – powiedział Hjelm.

– Też tutaj taką znalazłam, niebieska, choć wypłowiała. Tekst brzmi następująco: *Et maintenant, dit l'homme inconnu, adieu bonté, humanité, reconnaissance... Adieu à tous les sentiments qui épanouissent le coeur! ... Je me suis substitué à la Providence pour récompenser les bons ... que le Dieu vengeur me cède sa place pour punir les méchants!* W roboczym tłumaczeniu: „A teraz – rzekł nieznajomy – żegnaj dobroci, żegnaj wdzięczności, żegnajcie ludzkie uczucia... Żegnajcie wszystkie uczucia radujące serce!... Odegrałem rolę Opatrzności, aby wynagrodzić dobrych... a teraz niech Bóg zemsty ustąpi mi miejsca, bym mógł ukarać złych!".

– Teraz pozostaje złapać i ukarać tych złych – powiedział Paul Hjelm z emfazą.

– Chodziłam do szkoły policyjnej, kiedy zmarł Didier Girault – powiedziała Bouhaddi. – Nic o tym nie słyszeliśmy. To nawet nie było przestępstwo, sklasyfikowano to jako wypadek albo chorobę.

– A więc to tam nasz zabójca zabił po raz pierwszy – powiedział Hjelm. – Na klasycznej wyspie If z *Hrabiego Monte Christo*. Myślałaś coś więcej na ten temat, Corine?

– Trochę – odpowiedziała Bouhaddi. – Jeśli ta dziewiątka to jedyne ofiary, co nie jest aż takie pewne, być może mimo wszystko istnieje jakaś kolejność, sugestia, co ma się zdarzyć według mordercy. Co dzieje się teraz albo zdarzy za chwilę. Tylko cztery dni dzielą Capraię od Goli Otok.

Dziś mijają kolejne cztery. Czy dziś w nocy znów ktoś zginie na wyspie skazańców?

– Nic nie wskazuje na to, że lubi tego rodzaju symetrię – powiedział Hjelm. – Przeciwnie, zwykle się nie spieszy. Upływa mniej więcej rok między If i Ilha Grande, następnie rok do Ko Tarutao. Potem ponad półtora roku do Diabelskiej Wyspy, Île du Diable, ponad rok do Coiby w Panamie, kolejny rok do Isla Dawson w Chile. Potem dziewięć miesięcy do wzmożenia działalności na Capraі i Goli Otok. Coś się stało, z całą pewnością – to już jest ostatnia prosta – ale nie wydaje mi się, żeby coś miało się wydarzyć akurat dziś w nocy. Wymagałoby to nadludzkiej logistyki.

– A więc co takiego stało się w październiku dwa tysiące pierwszego? – zapytała Bouhaddi, wyciągając rękę. – Dokładnie tutaj, na If? Sprawdziłam „Czerwonego Diddego" dzięki swoim kontaktom w Marsylii. Didier Girault był we Francji na wakacjach, miał dwa tygodnie urlopu od zajęć na Uniwersytecie w Göteborgu. Postanowił odwiedzić swoje rodzinne strony. Najwidoczniej pochodził z Prowansji, z Awinionu, kolejne historyczne miejsce. W dwa tysiące pierwszym były już oczywiście komórki i maile, ale sprawa nie została zbadana dokładnie, nic się nie zachowało. Girault spędził urlop wypoczynkowy u swojej matki w Awinionie, dziesięć mil na północ, nie wiemy, dlaczego znalazł się tu, na If.

– Wszystko wskazuje jednak na to, że został tu zwabiony – powiedział Hjelm. – Przez kogo?

– Tu przyda się cytat – powiedziała Bouhaddi. – „A teraz, rzekł nieznajomy...". Dobry cytat. „A teraz" – to ważne, zaznacza początek, „rzekł nieznajomy" – to też jest dobre, wprowadza siebie jako nieznajomego, „żegnaj", które mówi do wszystkiego, co dobre, to też jest niezłe, nie mówiąc już o „bym mógł ukarać złych".

– Wszystko jasne – powiedział Paul Hjelm. – Wszystko z wyjątkiem tego, kim on jest.

– Rok później w Brazylii, na Ilha Grande: „Nie potrafię już dłużej utrzymać tego sekretu, nie mając nadziei, że społeczeństwo wymierzy wkrótce sprawiedliwość, że ktoś pomści śmierć ofiar". Czy to znaczy, że „nieznajomy" mści się za sekrety, które nosi w sobie? Czy zarówno społeczeństwo, jak i ofiary potrzebują zadośćuczynienia? Zastanawiam się, czy nie moglibyśmy się przez chwilę zatrzymać przy tych pierwszych ofiarach.

– Chodzi ci o to, kim były? – zapytał Hjelm i pokiwał głową. – Rozumiem. Naukowiec. Nauczyciel akademicki.

– Francuski filozof i włoski socjolog. Dwóch komunistycznych profesorów, Didier Girault i Giorgio Sansotta, szerzących swoje herezje za granicą, w Szwecji i Brazylii. Potem są politycy i dziennikarze – ale zaczyna od nauczycieli akademickich. Później nie ma już żadnych nauczycieli akademickich.

– Bo morderca porzucił karierę akademicką! – wykrzyknął Paul Hjelm. – Pierwszy cytat. Aż do teraz „nieznajomy" zajmował się „uczuciami radującymi serce", czyli chociażby filozofią, socjologią – dobrem, humanizmem – ale ta szczytna działalność została zatruta, już jej nie ma. W ich miejsce pojawia się zemsta, ta, którą „nieznajomy" nosił w sobie w ukryciu, a teraz musi pozwolić jej się wydostać.

– Właśnie – powiedziała Corine Bouhaddi, z trudem łapiąc oddech. – Jeśli przypomnimy sobie portret wąsacza – kobiety albo mężczyzny – i cofniemy się o jakieś dziesięć lat, mamy osobę w wieku około dwudziestu lat.

– Lata studenckie – powiedział Paul Hjelm.

– Może to był któryś ze studentów „Czerwonego Diddego" – powiedziała Bouhaddi. – Ktoś, kto poczuł, że ma dosyć, bo wiedział lepiej, bo zetknął się bezpośrednio z realiami zrodzonymi z teoretycznego marksizmu propagowanego przez Didiera Giraulta.

– Student filozofii jesienią dwa tysiące pierwszego – powiedział Hjelm.

– Który wybrał filozofię, bo szukał dobra i prawdy – powiedziała Bouhaddi. – A znalazł „Czerwonego Didde”.

– Student filozofii z Göteborga – powiedział cicho Paul Hjelm.

Raport trzeci

Nazwa: Raport CJH-28467-B452
Numer umowy: A-MC-100318
Cel: Aktualizacja, oczekiwanie na odpowiedź
Data bieżącego roku: 14 kwietnia
Poziom: The Utmost Degree of Secrecy

Poszukiwania tożsamości, jaką piętnastoletni „W" przyjął po zabójstwie matki, zaprowadziły nas w mroczne rewiry paryskiego półświatka roku dziewięćdziesiątego czwartego. Ponieważ „Wielbłąd" – „Le Chameau" alias dziewiętnastoletni wówczas fałszerz Jacques Rigaudeau – obracał się w kręgu młodych kryminalistów na wschodnich przedmieściach, poszukiwania skierowano na tę część miasta. Clichy-sous-Bois już w tamtych czasach zamieszkane było głównie przez imigrantów, ale nie panowała tu jeszcze atmosfera całkowitej beznadzei, która doprowadziła do zamieszek w październiku dwa tysiące piątego. Mimo to bezrobocie wśród młodych sięgało czterdziestu procent.

Z czasem odkryliśmy, przeczesując wszystkie zgłoszenia, które w ten czy inny sposób dotyczyły „Wielbłąda", że w jego otoczeniu około sylwestra dziewięćdziesiątego piątego pojawia się nowe nazwisko. Młody człowiek nazywany przez wszystkich „Rimbaud", za dziewiętnastowiecznym poetą Arthurem Rimbaudem, który osiągnął sławę we wczesnej młodości. Jego prawdziwe nazwisko brzmiało Waltier Petit. Wspomniany „Rimbaud" pojawia się od czasu do czasu w kartotekach policji w Clichy-sous-Bois – choć nie popełnił żadnego przestępstwa, tylko najwyżej był ich świadkiem – aż do wiosny dziewięćdziesiątego siódmego. Od tego momentu nazwisko Waltier Petit nie pojawia się w żadnych kartotekach. Jedynym tropem, którym mogliśmy podążać, było zeznanie świadka, który określił go jako „cholernie inteligentnego fana gier". W tym miejscu utknęliśmy na dłuższy czas. Po prostu nie mogliśmy niczego więcej znaleźć. Poszukiwania doprowadziły nas do podziemnego świata gier – zakłady, poker, ruletka, black jack, wszystkie rodzaje hazardu – ale nie znaleźliśmy niczego, co by wskazywało we właściwym kierunku. Nasza organizacja, która jeszcze nigdy nie poniosła porażki, znalazła się w impasie. Musieliśmy wszystko przemyśleć od początku.

Odwróciliśmy założenia i dla odmiany wyszliśmy od wcześniej pominiętych słów matki Marii Berner-Marenzi o tym, jak weszła do niego do pokoju, żeby porozmawiać na poważnie, a „W" „siedział jak zwykle przy komputerze". Mówimy o połowie lat dziewięćdziesiątych. Można by pomyśleć, że to dawno temu. Oczywiście upłynęło piętnaście długich lat. Już wtedy istniał jednak internet. Fakt, że pierwszy na świecie *online poker room* stworzono w dziewięćdziesiątym ósmym, znieczulił nas na to, że już w dziewięćdziesiątym czwartym istniały proste, ale w pełni funkcjonalne aplikacje do gry w pokera przez internet. Czemu innemu miałby się oddawać ten młody komputerowy *freak*, półprzestępca, do tego „cholernie inteligentny fan gier", jeśli nie grom online? Gdy w końcu zainteresowaliśmy się internetem, znaleźliśmy jedyny w tamtych czasach międzynarodowy, wielojęzyczny portal hazardowy z prawdziwego zdarzenia, szybko rozwijający się serwis z grami w języku angielskim, francuskim, niemieckim, hiszpańskim, włoskim, rosyjskim i rumuńskim.

Czyli w siedmiu językach, którymi posługiwał się „W".

Portal ten istniał aż do ostatnich lat ubiegłego wieku, przez cały czas aktualizowany, i jak wszystko na to wskazuje, wyjątkowo popularny. Firmę założył, jak wynika z paszportu, dziewiętnastoletni obywatel francuski o nazwisku William Bernard i zarejestrował ją w raju podatkowym Monako. Dokumenty sprzedaży internetowego serwisu z grami online Microgaming Software Systems

Ltd zostały podpisane w Silicon Valley, w San Francisco, przez wspomnianego Williama Bernarda, który rok później został obywatelem amerykańskim. I zniknął, kolejny raz.

Około dwudziestego roku życia „W" dorobił się więc mniej lub bardziej nieopodatkowanego majątku w Monako, został obywatelem amerykańskim i znalazł świetny sposób, żeby nikt go nie namierzył: poruszał się między stanami. William Bernard otrzymał obywatelstwo i amerykański numer ubezpieczenia, który nie został nigdy więcej użyty. Teraz miał możliwości finansowe, żeby już na poważnie stworzyć dla siebie nową tożsamość. A biorąc pod uwagę, jak starannie przemyślana była poprzednia zmiana tożsamości – do dziś niewyjaśniona – z takimi umiejętnościami i możliwościami finansowymi mógł zaplanować cokolwiek.

Teraz zrobiło się naprawdę trudno. „Rimbaud" zszedł do podziemi, choć nie jako handlarz niewolnikami jak prawdziwy Rimbaud. Jak mieliśmy go teraz znaleźć? Jaki miał cel? Musieliśmy wrócić do punktu wyjścia. Znaleźć pobudki egzystencyjne.

Naturalnie odnaleźliśmy je przy okazji spotkania z „mężczyzną", Udem Massicotte. Niestety zleceniodawca niechętnie udzielał informacji, gdy jednak ukazał nam się całościowy obraz, zrozumieliśmy, że „W" już na tym spotkaniu uświadomił sobie istnienie ówczesnej organizacji zleceniodawcy, którą odtąd będziemy nazywać Sekcją. Teraz, gdy wiemy już, na czym polegało zadanie Sekcji, zleceniodawcy i fundatorów, zrozumieliśmy, że to tam musimy szukać dalej. Nienawiść „W" do Sekcji – nawet jeśli nie wiedział, czym ona jest, nie wtedy, gdy opowiadał mu o niej Massicotte – została zaszczepiona już w wieku piętnastu lat.

Zgodnie z naszą interpretacją właśnie to stanowi siłę napędową dla wszystkiego, co robi, począwszy od zabójstwa matki. Na tym etapie – podczas pierwszych lat pobytu w USA – „W" wpadł najprawdopodobniej na jakiś ślad Sekcji. To dlatego schodzi pod ziemię.

Byliśmy zmuszeni sprawdzić członków Sekcji, fundatorów i zleceniodawców, żeby móc stwierdzić, czy w ich otoczeniu nie zmieniło się coś na przełomie tysiąclecia. Była to praca jednocześnie herkulesowa i syzyfowa. Ponieważ Sekcja była supertajna, istniało duże prawdopodobieństwo, że „W" już wcześniej próbował do niej przeniknąć, co było możliwe za pośrednictwem jej fundatorów. Lwia część budżetu Sekcji była, jak wiadomo, państwowa, ale istnieli również zewnętrzni fundatorzy, głównie różne północnoamerykańskie instytucje finansowe.

To właśnie tam udało nam się w końcu zlokalizować potencjalnie istotne wydarzenie. Pół roku po tym, jak świeżo upieczony obywatel amerykański William Bernard – nazwisko, które sprawdza się równie dobrze po francusku, co po angielsku – zostawia po sobie ostatni ślad, bank inwestycyjny w Nowym Jorku zatrudnia mężczyznę w podobnym wieku. Nazywa się Walter Thomas i w ciągu roku awansuje na stanowisko asystenta jednego z dyrektorów banku.

Zatrzymajmy się na chwilę w tym miejscu i przyjrzyjmy pojawiającym się dotychczas nazwiskom. Gdy „W" przestaje nazywać się Berner-Marenzi, przyjmuje nazwisko Waltier Petit, jest też nazywany „Rimbaudem". Kiedy parę lat później zakłada w Monako firmę z grami online, nazywa się już William Bernard. A gdy pojawia się jako asystent jednego z zewnętrznych fundatorów Sekcji, występuje pod nazwiskiem Walter Thomas. Warto zauważyć, że Petit, Bernard i Thomas należą do najpopularniejszych nazwisk we Francji. Ostatnie z nich sprawdza się co więcej równie dobrze jako nazwisko amerykańskie. Istnieje więc powód, by podejrzewać, że w chwili obecnej „W" ma przynajmniej podwójne obywatelstwo: amerykańskie i francuskie.

Nie ma bowiem wątpliwości, że Walter Thomas to nasz „W". Pogłębiona analiza osoby owego Thomasa wskazuje na klasyczny przykład przywłaszczenia tożsamości, profesjonalnie przeprowadzonego i w normalnych warunkach nie do wykrycia.

Historia Waltera Thomasa jest poglądowa. Przeszło pół roku po jego awansie na stanowisko asystenta szefa banku inwestycyjnego Antebellum Invest Inc. padają Twin Towers. Antebellum ma swoje biura na dwóch piętrach w północnej wieży World Trade Center. Gdy samolot uderza w wieżę jedenastego września dwa tysiące pierwszego, Walter Thomas jest na urlopie, a jego szef, dyrektor banku Colin B. Barnworth, przebywa na Bahamach. Walter Thomas zostaje krótko potem przesłuchany przez policję, ale po jedenastym września panuje chaos i w dokumentach nie pojawia się nawet jego nazwisko. Mówi wówczas, że urlop Barnwortha był zaplanowany od dawna. Gdy Colin B. Barnworth wraca z Bahamów, żeby odbudować Antebellum Invest Inc., Waltera Thomasa już nie ma. Kolejny raz „W" rozpływa się w powietrzu – nie trudno o to po wydarzeniach *nine-eleven*.

Prawdopodobnie bał się, że zostanie przejrzany. Nie musi to jednak być jedyny powód jego zniknięcia. Równie dobrze może być tak, że rok, który spędził w Twin Towers, pozwolił mu się zbliżyć do członków Sekcji. Nie wyłączając jej szefa, naszego zleceniodawcy.

Mija rok, zanim „W" znów się pojawi. Jeśli nasze założenia są poprawne, czas ten spędza na przygotowaniach. To, co znalazł w Antebellum, być może otworzyło przed nim drzwi, które pozwoliły mu w dwa tysiące piątym wrócić do Paryża, żeby wymazać ślady swojej przeszłości. Przygotowuje się do bieżącego projektu, który w naszej dokumentacji opatrzony jest skrótem MC.

Z braku amerykańskich śladów w ciągu tych lat wróciliśmy do Paryża, żeby prześledzić sprawę zabójstwa „Wielbłąda", Jacques'a Rigaudeau, „Le Chameau". Oczywiście oficjalnie nie jest to zabójstwo, ponieważ Rigaudeau zwyczajnie zniknął podczas zamieszek na przedmieściach Clichy-sous-Bois w październiku dwa tysiące piątego. Podobnie jak po *nine-eleven* w Paryżu panował wówczas taki chaos, że dochodzenie dotyczące zniknięcia recydywisty Rigaudeau nie było na czele listy priorytetów. Zniknął bez śladu ze swojej nory i nigdy potem już go nie widziano.

W mieszkaniu Jacques'a Rigaudeau udało się jednak znaleźć coś godnego zainteresowania. Naturalnie zostało to zignorowane przez francuską policję, ale dla nas ma kluczowe znaczenie. Na ścianie w holu – bogatego co prawda w DNA – mieszkania Rigaudeau znajdowała się kropla nieznanej substancji. Gdyby nie zamieszki, zostałaby pewnie wysłana do analizy, ale tak się nie stało. Na komendzie w Clichy-sous-Bois zachował się jednak niewielki fragment tapety zamknięty hermetycznie w torebce. Dokonana przez nas analiza wspomnianej substancji nie pozostawia wątpliwości, że mamy tu do czynienia z tak zwaną „multitrucizną", która nie posiada jeszcze nazwy. W swojej wcześniejszej wersji trucizna ta nazywała się protobiamid.

Biorąc pod uwagę następujący potem rozwój wydarzeń, już na tym etapie można sobie pozwolić na wyciągnięcie obiecującego wniosku.

Trucizna o nazwie protobiamid wyjściowo była substancją, która w reakcji z białkiem – przykładowo spermą – powodowała intensywne pieczenie. Następnie użyto jej jako środka doustnego, wywołującego zaburzenia paranoidalne prowadzące do śmierci. Na dalszych etapach rozwoju stała się „multitrucizną", działającą natychmiast i bezpośrednio. Skład chemiczny trucizny, którą znaleziono na ścianie holu Jacques'a Rigaudeau w Clichy-sous-Bois, różni się jednak pod paroma istotnymi względami od trucizny użytej kilka miesięcy później przeciwko pierwszej ofierze w serii, którą nazywamy MC. Stała się znacznie skuteczniejsza. Podstawa chemiczna jest ta sama, ale poddano ją dalszej rafinacji. Pytanie brzmi jednak, *jak* to się stało.

Jesteśmy świadomi, że nie mamy tu do czynienia ze zwykłym przeciwnikiem, tylko z kimś absolutnie wyjątkowym. Wspomniana trucizna znalazła się jednak pomiędzy skarpetkami w szufladzie dwunastolatka, do której zajrzała służąca Anaïs Criton. Niezależnie od tego, jak bardzo wyjątkowy był ten dwunastolatek, nie mógł przecież stworzyć tej substancji całkiem sam. Poprawcie nas, jeśli się mylimy – ale musiał istnieć ktoś, kto ją wynalazł. Nawet jeśli to nie sam wynalazca uczył młodego „W", by ten mógł poświęcić lata po *nine-eleven* na udoskonalanie formuły w całkowitym ukryciu – to musiał istnieć przynajmniej jakiś pomocnik, przyjaciel chemik, który od czasu do czasu w ciągu tych lat pomagał „W" w udoskonalaniu trucizny. Znalezienie tego chemika jest naszym kolejnym zadaniem. Zakładamy, że dalsze poszukiwania są pożądane.

Teraz zostało już tylko kilka miesięcy do czasu, gdy muzyka nagle przestała grać i jedno z krzeseł zostało zabrane, a tym, który gruchnął na ziemię, był profesor Andrew Hamilton III.

Jak zawsze czekamy na dalsze polecenia.

Implementacja

Haga, 25 maja

PAUL HJELM odchrząknął i spojrzał uważnie na Corine Bouhaddi.

– To musi być to – powiedziała Bouhaddi zdecydowanie. – „Któż mi zesłał tę myśl?”. Nie wiemy jeszcze, *jak* to się stało, ale *co* się stało, wydaje się oczywiste. Przejście od życia w „dobroci” i bycia „ludzkim” – tego, o czym podobno się marzy, idąc na studia filozoficzne – do życia „zemstą” i „karą”. Do tej transformacji *musiało* dojść w Göteborgu, kiedy był tam „Czerwony Didde”.

– Czyli w październiku dwa tysiące pierwszego? – zapytał Hjelm.

– To może być przypadek – powiedziała Bouhaddi. – Nie da się jednak zignorować tego, co stało się miesiąc wcześniej w USA.

– Jak miałby wyglądać ten związek?

– Nie wiem – przyznała Bouhaddi. – Warto byłoby jednak sprawdzić listy studentów na wydziale filozofii z tego czasu.

– Zrób to.

– Mam pewien pomysł – powiedziała Bouhaddi. – Być może trochę dziwny, sama nie wiem. Choć może się zgodzisz, zanim wrócą pozostali?

Pokazała ręką na biuro za szybą. Liczba pustych krzeseł była uderzająca. Nie wrócił jeszcze żaden z pozaeuropejskich podróżników. Na swoim miejscu siedział tylko Felipe Navarro, ale wyglądał na całkowicie nieobecnego.

– Pojawią się w ciągu dnia – powiedział Hjelm. – Na popołudniowym zebraniu o trzeciej powinni być już wszyscy. Musisz zdążyć do tego czasu. Co to za pomysł?

– Nie wiemy, kiedy dokładnie Didier Girault pojechał odwiedzić matkę w Awinionie – powiedziała Bouhaddi – ale prawdopodobnie było to na początku października dwa tysiące pierwszego. Mam tu jego plan zajęć z Instytutu Filozofii w Göteborgu. Miał wolne przez dwa tygodnie w październiku, począwszy od poniedziałku ósmego października. Możliwe, że wyjechał już w piątek piątego października, miał wtedy zajęcia do przerwy na lunch. Prawdopodobnie w okresie od piątego do, powiedzmy, ósmego chciał jak najwięcej skorzystać z październikowej pogody w słonecznej Prowansji. Planował wrócić do Göteborga w poniedziałek dwudziestego drugiego. Instytut opracowuje właśnie listy studentów z jesieni dwa tysiące pierwszego. Sprawdziłam również możliwe loty z Göteborga do Marsylii w tym czasie, ponieważ to najszybsza i najbardziej prawdopodobna droga. „Didde" nie miał prawa jazdy. W tamtym czasie, kilka tygodni po *nine-eleven*, w ruchu lotniczym zapanował niepokój. Pociąg też wchodzi w rachubę. Chociaż nawet jeśli nie było bezpośredniego lotu z Landvetter do Marsylii, straciłby co najmniej dobę, gdyby zdecydował się na pociąg.

– Innymi słowy, wykonałaś już większość czynności, na które miałem ci dopiero zezwolić? – zapytał Paul Hjelm. – Na czym więc polega twój *pomysł*?

– Żeby porównać listy studentów z listami pasażerów. I sprawdzić, czy jakiś student nie pojechał za nim. Lub nawet *z* nim.

– Sprytnie – powiedział Hjelm i pokiwał głową. – Wydaje mi się jednak, że będziesz potrzebowała kogoś do pomocy, w dodatku kogoś, kto zna szwedzki, prawda? Weź Navarra, jest mistrzem zestawień porównawczych.

Wygląda, jakby zeszło z niego powietrze. Poza tym chciałbym, żebyś włączyła w to Sarę Svenhagen, która siedzi tam, razem z innymi przedstawicielami lokalnymi, i odwala za was brudną robotę. Szybko łapie.

– Świetnie – powiedziała Bouhaddi i wyszła.

Podeszła do Navarra, który siedział, przyglądając się swoim stopom.

– Stań na nich mocno, Felipe – powiedziała Bouhaddi. – Potrzebuję twojej pomocy.

Podeszła do Sary Svenhagen i wyjaśniła, jak wygląda sytuacja. Na szczęście szef miał rację. Szybko załapała. Mogli zacząć w ciągu paru minut.

Stworzyli niewielką, ale intensywnie pracującą formację na obrzeżach biura. W takt powracających z daleka podróżników trio wykonywało kolejne telefony i przeszukiwało internet tak intensywnie, że aż dymiły kable i pot kapał im z czoła. Mijały kolejne godziny. Już samo uporządkowanie możliwych tras podróży z Göteborga do Marsylii było logistyczną łamigłówką, przy której Navarro występował w roli sztukmistrza ekwilibrystyki. Dalej sprawdzanie, lotnisko za lotniskiem, przewoźnik za przewoźnikiem, operator kart za operatorem. Pociągi, autobusy, promy, taksówki. Wszystkie dane, które zostały w tym, co dawniej nazywano „eterem", a dziś nazywa się „chmurą". Zapomniane, ale w żadnym razie nie wykasowane dane, które trzeba było wydostać od naburmuszonych, znudzonych życiem urzędników. Przy okazji test, pomyślała Sara Svenhagen: jakim autorytetem cieszył się Europol? Zaskakująco dużym, jak się okazało. Otwierał drzwi, nawet te francuskie. Choć w przypadku tych ostatnich prawdziwym skarbem okazała się Corine, ze swoim unikalnym i nieocenionym połączeniem galijskich zdolności retorycznych, północnoafrykańskiej *street smartness* i autorytatywnego sposobu bycia europolicjanta. Na koniec wreszcie udało im się coś znaleźć.

Podróż Didiera Giraulta. Sobota szóstego października dwa tysiące pierwszego. Samolot z Landvetter do Kopenhagi. Przesiadka na lot do Marsylii. Taksówka przez ostatnie dziesięć mil do Awinionu, opłacona kartą kredytową na nazwisko Girault. Telefon do korporacji taksówkowej, taksówka na zamówienie.

Yes, dla *dwóch osób*. Pięści zacisnęły się w milczeniu.

Brak drugiego nazwiska, brak powiązania między listami studentów i listami pasażerów, ale co do jednego nie było wątpliwości: do Awinionu z lotniska w Marsylii pojechały dwie osoby, było więc dalece prawdopodobne, że obie mieszkały u matki Didiera Giraulta. Nic nie wskazywało na to, żeby Girault był gejem – szczególnie że na dwóch uniwersytetach pojawiły się kontrowersje związane z jego, początek cytatu, „niestosownymi kontaktami ze studentkami", koniec cytatu.

Najprawdopodobniej więc – kobieta. Młoda kobieta. Studentka.

– Prawda, że to musi być kobieta? – zapytała Bouhaddi, gdy na krótką chwilę wypłynęli na powierzchnię, żeby zaczerpnąć powietrza.

– Tak – odpowiedziała Svenhagen na wdechu i znów zanurkowała.

Matka Didiera Giraulta. Czy wciąż żyła? Nie musiała się nazywać Girault, lecz było to dosyć prawdopodobne. Kilka podejść do różnych madame Girault w odpowiednim wieku, w Awinionie i okolicy, tyle samo ślepych uliczek. Trochę za wiele niepotrzebnych formalizmów i strata czasu na brnięcie oficjalnymi ścieżkami we francuskich urzędach, dalsze próby. Jedenaście, dwanaście, trzynaście telefonów, w końcu właściwa odpowiedź w słuchawce Corine Bouhaddi.

– Didier nie żyje.

Ostry, niemal *cienki* głos. Cienkie, napięte struny głosowe. Bouhaddi oczyma wyobraźni ujrzała filigranową

Francuzkę o orlim profilu, która uschła niemal całkowicie w jesieni życia – a może raczej jakoś pod koniec roku, między świętami a sylwestrem, albo w samego sylwestra – z powodu nagłego i nieoczekiwanego zniknięcia jej syna, stojącego u progu kariery. Bouhaddi udało się postawić pytanie delikatnie i jednocześnie zwięźle, a odpowiedź tchnęła trochę świeżego powietrza do szklanego pudła, w którym coraz bardziej dusiła się ich trójka:

– Przyjaciółka, tak twierdził Didier. Nie zadawałam pytań, we Francji tego nie robimy. Nie wydaje mi się jednak, żeby Angelique, która została w Göteborgu, to się podobało. Żadna z niej Anne Sinclair, że tak powiem. To wojująca feministka.

Choć Bouhaddi potrzebowała ponad dziesięciu sekund na to, żeby skojarzyć Anne Sinclair z żoną kandydata na prezydenta, „kobieciarza" Dominique'a Strauss-Kahna, natychmiast zareagowała:

– A więc Angelique była...

– Żoną Didiera – potwierdziła madame Girault.

– Jak dobrze pamięta pani przyjaciółkę Didiera?

– Dobrze – odpowiedziała, znów cierpko. – Młoda blondynka, choć raczej nie w typie nordyckim. Potrafię odróżnić duński kolor blondu od szwedzkiego, na norweskim się nie znam, a fiński to już zupełnie coś innego. Ta jednak nie była żadną z nich.

Bouhaddi na moment triumfalnie zacisnęła pięść. Znaleźli idealnego świadka, nie było co do tego wątpliwości. W tej samej chwili postanowiła, że nie przekaże madame Girault francuskiemu pionowi Opcop, tylko zajmie się nią sama. Wszystkim zajmie się sama.

W jedności siła.

– Jaki więc typ reprezentowała? – zapytała, próbując zachować spokój.

– Powiedziałabym, że słowiański – odparła madame Girault. – Rosjanka, może Czeszka.

Corine Bouhaddi spróbowała w tym momencie zignorować fakt, że z komputera Felipe Navarra dobiegł wyraźny dźwięk, że wstając, przewrócił krzesło, i że Sara Svenhagen *podbiegła* cztery kroki w jego stronę.

– Czy myśli pani, że mogłaby mi pomóc stworzyć portret przyjaciółki Didiera? – zapytała łagodnym tonem.

– Mogę spróbować, *mademoiselle* – powiedziała madame Girault uprzejmie.

– Będę w Awinionie późnym popołudniem. Czy mogłaby się pani ze mną spotkać?

– Zapraszam serdecznie.

– Dziękuję. Ostatnie pytanie: czy pamięta pani, jak ta przyjaciółka miała na imię?

– Wydaje mi się, że Marina – odpowiedziała madame Girault.

Bouhaddi przysłoniła dłonią słuchawkę i powiedziała głośno:

– Marina.

Navarro i Svenhagen spojrzeli na nią i przybili piątkę. Gdy Bouhaddi łagodnym tonem zakończyła rozmowę, pochylona nad komputerem Navarra Sara Svenhagen przeczytała:

– Marina Ivanova, miała wtedy dwadzieścia trzy lata. Poleciała późniejszym samolotem z Göteborga do Kopenhagi. Potem jednak już tym samym co Girault do Marsylii. Uczęszczała na pierwszy semestr filozofii stosowanej w Göteborgu jesienią dwa tysiące pierwszego. Szwedka, z pochodzenia Rosjanka.

– Zdjęcie, zdjęcie – pospieszała Bouhaddi, rzucając na bok komórkę. Navarro stukał w klawiaturę jak szalony.

Na ekranie wyświetliło się zdjęcie. Szczupła, surowa blondynka po trzydziestce, bez wątpienia w typie słowiańskim. Zatrudniona na uniwersytecie w Göteborgu, jak wynikało z opisu zdjęcia na stronie, aktualnie jako docent filozofii. Navarro powiększył zdjęcie poważnej docent Mariny Ivanovej.

– Portret pamięciowy – rzuciła Bouhaddi. – Szybko!

Navarro odnalazł rysunek mężczyzny o kręconych czarnych włosach i czarnych wąsach, mężczyzny, który spędził pięć dób w pokoju hotelowym w Caprai, zanim wdrapał się na zbocze i zamordował Romana Vacka w La Mortoli. I który prawdopodobnie zabił jeszcze co najmniej ośmiu innych ludzi w ciągu dziewięciu lat.

Ułożyli zdjęcia jedno obok drugiego. Trzy pary oczu próbowały je ze sobą powiązać. Oglądali jednocześnie, porównywali, zestawiali.

– Możliwe, prawda? – zapytała Bouhaddi.

– W każdym razie nie wykluczone – powiedział Navarro.

– Wystarczająco, żeby zareagować – powiedziała Svenhagen i wybrała numer na komórce.

Po kilku sygnałach odebrał znudzony męski głos z wyraźnym göteborskim akcentem:

– Instytut Filozofii, Lingwistyki i Teorii Nauki, Uniwersytet Göteborski.

– Dzień dobry, mówi Sara Svenhagen, dzwonię z policji.

– Kilka godzin temu dzwoniła inna pani z policji – odpowiedział, wyraźnie zmęczony. – Ale mówiła chyba z francuskim akcentem.

– Zgadza się – odpowiedziała Svenhagen. – Współpracujemy z francuską policją. Chciałabym wiedzieć, czy pracuje u państwa Marina Ivanova.

– Docent Ivanova jest w instytucie, tak. Przełączę panią.

– Nie, proszę zaczekać. Jak się pan nazywa?

– Ja? Wiktor Larsson, ale jestem tylko pracownikiem administracyjnym.

– Niech mnie pan posłucha, panie Wiktorze. Nie wolno panu wspomnieć Marii Ivanovej o naszej rozmowie. Jeśli pan to zrobi, popełni pan przestępstwo, za które grozi kara więzienia. Rozumie mnie pan?

Przez chwilę zrobiło się cicho. Odgłos przełykanej śliny.

– Rozumiem.

– Ostatnie pytanie, a potem zapomni pan o naszej rozmowie, wykasuje ją z pamięci. Okej?

– Chyba nie do końca rozumiem...

– Okej?

– Dobra, dobra, okej.

– Czy Marina Ivanova była ostatnio na urlopie?

– Tak. Wczoraj, czyli w poniedziałek, wróciła z dwutygodniowego urlopu. Była opalona. Tak naprawdę jednak w ogóle jej nie znam, raczej dba o swoją prywatność.

– Dziękuję. Tylko ani słowa.

– Ale o czym? – zapytał konspiracyjnym głosem Wiktor Larsson.

– Dziękuję – powiedziała Sara Svenhagen i rozłączyła się.

Następnie obróciła się do swoich osłupiałych kolegów i powiedziała po angielsku:

– Marina Ivanova wróciła do Göteborga po dwóch tygodniach urlopu. Co robimy?

– Wysyłacie mnie – odezwał się z boku czyjś głos.

Obrócili się i zobaczyli Arto Söderstedta w jasnym płóciennym garniturze, doszczętnie wygniecionym, jakby nie zdejmował go od kilku dni. Co, zważywszy na jego spojrzenie, mogło być prawdą.

– Ciebie? – zdziwiła się Sara Svenhagen. – Nie powinieneś się przespać?

– Powinienem lecieć do Göteborga – powiedział Söderstedt. – Mogę się zdrzemnąć w samolocie. *Powernap* to moje drugie imię. Kiedy coś odlatuje, Felipe?

Navarro automatycznie wyklikał odpowiedź.

– Piętnaście po trzeciej. Za dwie godziny.

– Sztokholmczycy będą na miejscu wcześniej – stwierdziła Svenhagen i podniosła słuchawkę. Zaczęła wybierać numer, ale zawahała się i wybrała inny. Paul Hjelm wyszedł ze swojego akwarium z dzwoniącym telefonem w ręku, jeszcze zanim nadszedł drugi sygnał. Zamaszystym krokiem podszedł do niewielkiej grupy i zapytał:

– Co się stało, Saro?

– Chyba ją znaleźliśmy – odpowiedziała. – Docent z Göteborga, Marina Ivanova. Z planu zajęć, który Felipe właśnie otwiera, wynika, że ostatnie ćwiczenia kończy, niech spojrzę, dziś o wpół do czwartej. Czyli za jakieś dwie godziny.

– Zakładam, że mi to wyjaśnicie – powiedział Hjelm. – Zadzwonię do Kerstin. Polecicie tam oboje lotem piętnaście po trzeciej, Arto i Sara.

– Doskonale – powiedział Söderstedt. – Skąd wiedziałeś, że samolot odlatuje piętnaście po trzeciej? Podsłuchiwałeś?

Hjelm uśmiechnął się bez słowa.

– Ja z kolei chciałabym lecieć na południe – powiedziała Corine Bouhaddi. – Chcę się spotkać z matką „Czerwonego Diddego". Możesz mi załatwić rysownika, który będzie czekał na mnie na lotnisku?

– O której? – zapytał Hjelm ze wzrokiem utkwionym w Navarra, który stukał w klawiaturę.

– Za piętnaście trzecia, na miejscu za piętnaście piąta. Zamówić bilet?

– Poproszę – powiedział Hjelm. – Spiesz się, Corine, gaz do dechy.

Bouhaddi przytaknęła i wybiegła z biura, a Hjelm zadzwonił na policję w Marsylii, żeby umówić rysownika. Arto i Sara skinęli na siebie i zaczęli się przygotowywać do lotu do Göteborga. Hjelm rozłączył się i zadzwonił do Kerstin Holm, do Sztokholmu, chwilę przed tym, jak Marek Kowalewski i Miriam Hershey, ostatni podróżnicy z dalekich krajów, wpadli do biura. Oboje wyglądali, jakby ciągle byli pod wpływem szoku pogodowego. Zanim zdążyli przejść kilka kroków, zabrzmiała melodia. Okropny dźwięk. Kakofonia obłąkanych kościelnych dzwonów. Stanęli jak skamieniali w nawale szalonych dźwięków, gdy nagle Kowalewski zawołał:

– No żeż kurwa!

Wyjął telefon z wierzchniej kieszeni płaszcza przeciwdeszczowego i spojrzał na ekran. Dotknął go palcem wskazującym, telefon zamilkł, a Kowalewski z nową energią bijącą z wysmaganej wiatrem twarzy powiedział:

– Dzwoni nasz seryjny morderca. Trzecia karta SIM z Livorno została właśnie aktywowana. Znalazł kolejną ofiarę.

– Znalazła – powiedział Paul Hjelm i opuścił komórkę. – Da się sprawdzić, skąd i do kogo dzwoni?

– Trwa wyszukiwanie – powiedział Kowalewski, nie spuszczając telefonu z oczu. – Zaraz się okaże, odliczanie, pięć, cztery, trzy, dwa. Z... z Göteborga, w Szwecji.

– Cholera jasna – powiedział Hjelm. – A do kogo?

– Cóż – powiedział Kowalewski, marszcząc brwi. – Nie rozumiem. Chyba tutaj. Do Hagi.

W tej samej chwili rozległ się inny dzwonek, tym razem znacznie bardziej dyskretny. Przez swoją dyskrecję zrobił jeszcze większe wrażenie. A ten, który jako ostatni w całym pomieszczeniu zrozumiał, że dzwoni jego telefon, o mało co nie spóźnił się z odebraniem. W końcu jednak Arto Söderstedt powiedział do słuchawki:

– Arto Söderstedt.

– A więc istniejesz – w słuchawce odezwał się po angielsku zachrypnięty, kobiecy głos. – Nie sądziłam, że istniejesz, mój nieznajomy komisarzu policji.

– „Komisarz na służbie – powiedział Söderstedt – przestaje być człowiekiem: jest uosobieniem prawa, obojętnym, głuchym i niemym".

– Elegancko – odpowiedział głos w słuchawce, a tymczasem wokół Söderstedta zrobił się ruch. – Zdolność do szybkiej regeneracji przydaje się komisarzowi policji. Podejrzewam, że nie uda mi się zwabić komisarza, tak jak udało mi się z innymi?

– Jak ci się udało ich zwabić?

– Wystarczyło znaleźć ich największe pragnienie. Za każdym razem było to co innego.

Söderstedt podniósł wzrok i zobaczył, jak Hjelm prawą ręką robi w powietrzu dobrze znany wirujący gest, który oznaczał „nawijaj, ile się da, nie pozwól, żeby się rozłączyła, na miłość boską". Söderstedt powiedział:

– A teraz zwabiasz mnie, sugerując, że tego nie robisz? Elegancko.

– Elegancki jest przypadek. Że od samego początku byłeś na mojej liście. Choć z drugiej strony było na niej bardzo wiele osób. Muszę kończyć, zanim przeprowadzicie triangulację. Do zobaczenia wkrótce, mister Sadestatt.

– Tego się niestety obawiam – odpowiedział Arto Söderstedt.

Ale połączenie zostało już przerwane.

Sztafeta

Sztokholm – Göteborg – Sztokholm, 25 maja

KERSTIN HOLM siedziała już w samolocie, gdy przyszły pierwsze maile. Liczba ściągniętych plików na ekranie jej komórki rosła stanowczo zbyt wolno; stewardesa już dwukrotnie poprosiła o wyłączenie wszystkich sprzętów elektronicznych.

– Schowaj go – szepnął Jorge Chavez z fotela przy oknie.

Wsunęła telefon pod prawe udo. Komórka nie wydała z siebie żadnego dźwięku, zanim nie przekroczyli pułapu chmur, gdzie najpewniej nie było już zasięgu. Ku zdziwieniu Kerstin Holm okazało się, że zdążył się ściągnąć cały pakiet ze zdjęciami, danymi i plikami dźwiękowymi. Udało jej się go przesłać bezprzewodowo na komórkę Jorge i krótką podróż samolotem między dwoma największymi miastami w Szwecji spędzili na przeglądaniu jego zawartości.

Między innymi plików dźwiękowych, wyjątkowo dziwnej rozmowy telefonicznej z Arto Söderstedtem. Zadanie: porównać głos docent Mariny Ivanovej z dosyć kiepskim nagraniem.

Lecieli z zupełnie innej rzeczywistości, od Johnny'ego Råglinda i tajemniczego Wall-ego na Götgatan, i musieli teraz przeorientować wszystkie zmysły. Zwyczajnie poruszyć mózgi. Do tej pory ten tajemniczy, nienawidzący komunistów seryjny morderca był bardziej historią, którą ich lepsze połówki opowiedziały im jakby przy okazji. Nagle ten wątek stał się jak najbardziej aktualny. Czekała ich długa lektura. Masa dochodzeń policyjnych ze wszystkich zakątków kuli ziemskiej, garść cytatów z *Hrabiego Monte Christo* Dumasa znalezionych w mniej lub bardziej opuszczonych zakładach karnych na wyspach skazańców. I jeszcze tajemnicze polecenie Paula Hjelma: „Spróbujcie wyobrazić sobie panią docent z czupryną czarnych, kręconych włosów i potężnymi czarnymi wąsami". Kerstin Holm widziała, jak Jorge Chavez rozbawiony kręci głową, i przez krótką chwilę myślała o tym, po czym można poznać przyjaźń.

Wylądowali. Wysiedli z samolotu na Landvetter i weszli do niewielkiej hali przylotów, po drodze dostrzegli kolejkę do oczekującego już samolotu do Sztokholmu, złapali taksówkę, zerkając szybko na zegarki, było wpół do trzeciej. Na Arlandę dostali się błyskawicznie, co do tego nie było wątpliwości. Taksówkarz jechał zgodnie z poleceniem, szybko. Bardzo szybko. Być może trochę za szybko. Na Uniwersytet w Göteborgu dojechali za dziesięć trzecia, czterdzieści minut przed końcem ostatnich zajęć Mariny Ivanovej. Pięć minut zajęło im znalezienie sali, biegli przed siebie wzdłuż kolejnych pomieszczeń. W końcu się udało. Sala T302.

Chwila na oddech. Poprawili kurtki. Rozprostowali plecy. Spojrzeli na siebie. Wyczytali gotowość w swoich oczach. Kerstin nieznacznie skinęła głową.

Otworzyli drzwi. Przy katedrze nikogo nie było. W środku siedziała grupa pięciorga rumianych studentów z rozłożonymi książkami i otwartymi butelkami z wodą mineralną Loka. Spojrzeli na nich zaskoczeni.

– Czy to nie jest grupa docent Mariny Ivanovej? – wydusiła Kerstin Holm.

– Jest – odpowiedział młody samozwańczy przywódca. – Musiała dziś wcześniej wyjść. Na drugą część zajęć zadała nam pracę indywidualną. Prawie wszyscy poszli do domu.

– Wyjść?

– Spieszyła się na samolot do Sztokholmu – odpowiedział przywódca. – Chyba na jakąś konferencję. A kto pyta?

– Kurwa – zaklął Chavez i obrócił się na pięcie.

Kerstin zdążyła już wyjąć telefon i gdy szli w kierunku drzwi, powiedziała do słuchawki:

– Sara, dobrze, że odebrałaś.

– Tylko dlatego, że zapomniałam wyłączyć telefonu – zachrzęścił głos Sary Svenhagen.

– Siedzicie już w samolocie?

– Zaraz wchodzimy. Kolejka wolno się przesuwa.

– Wyjdźcie z niej – powiedziała Holm. – Lećcie do Sztokholmu. Uciekła nam. Zaraz spróbujemy się czegoś więcej dowiedzieć.

– Cholera – odpowiedziała Svenhagen. – Możemy się spóźnić. Zdążycie przed nami.

– Niekoniecznie – odpowiedziała Holm. – Niech Navarro to skoordynuje. I jeszcze jedno. Jak nazywał się twój informator z Instytutu w Göteborgu?

– To w zasadzie nie był informator – powiedziała Sara Svenhagen. – Zdaje się, że pracuje w recepcji. Larsson. Wiktor Larsson.

Holm i Chavez pobiegli na górę do Instytutu Filozofii, Lingwistyki i Teorii Nauki. W recepcji stał poważny mężczyzna w średnim wieku, w okularach.

– Wiktor Larsson? – zapytała Kerstin Holm, pokazując legitymację, i jednocześnie zobaczyła, jak Chavez znika w jednym z bocznych korytarzy.

– Tak? – zapytał mężczyzna, wyraźnie zaskoczony.

– Wydaje mi się, że rozmawiał pan z moją koleżanką Sarą Svenhagen – powiedziała Holm. – Dlaczego nie powiedział jej pan, że Marina Ivanova wybiera się dziś na konferencję do Sztokholmu?

Wiktor Larsson zrobił wielkie oczy, w końcu jednak odpowiedział:

– Gdyby jechała na konferencję, wiedziałbym o tym.

– Wyszła w połowie zajęć. Czy o tym pan wiedział? Zadała studentom pracę indywidualną.

Larsson pokręcił oniemiały głową.

Chavez zawołał z głębi korytarza:

– Kerstin!

Ruszyła w kierunku głosu. Weszła do wypełnionego książkami, ale klinicznie czystego pokoju z tabliczką „Marina Ivanova, docent" na drzwiach. Chavez włączył komputer. Przez chwilę się uruchamiał.

– Co za grat – powiedział zniecierpliwiony.

W oczekiwaniu rozejrzeli się po pokoju. Chavez zaczął wysuwać szuflady biurka, a wzrok Holm padł na bardzo starą książkę we francuskiej oprawie, która leżała obok niemal równie starej myszki, na prawo od klawiatury. Wzięła książkę do ręki. Otworzyła na stronie tytułowej, poczuła charakterystyczny zapach starego druku. Przeczytała na głos:

– „Alexandre Dumas père. *Le Comte de Monte-Cristo*".

Nagle jakby coś w niej drgnęło. Podała książkę Chavezowi, który również przestał przeszukiwać szuflady. Spotkali się wzrokiem.

– Cholera jasna – powiedziała i doskoczyła do regału z książkami. Wśród licznych podręczników do filozofii wyróżniały się dwa rzędy o identycznych grzbietach, co najmniej sto egzemplarzy tej samej książki. Wyciągnęła jeden z nich. Na okładce widniał stary miedzioryt przedstawiający brodatego, wiekowego mężczyznę trzęsącego kratami.

„Marina Ivanova".

Poniżej tytuł książki, pisany nieco większą czcionką: „Obojętny, głuchy i niemy".

I dalej, na stronie tytułowej, podtytuł książki: „Podświadoma struktura rewolucyjna w *Hrabim Monte Christo*".

Kerstin Holm podała ją Chavezowi. Zrobił wymowną minę i powiedział:

– Na sto procent bestseller.

Holm nie mogła opanować uśmiechu.

– Gdy tylko ten pieprzony komputer się włączy, na pewno okaże się, ża ma hasło – powiedział.

Holm oddaliła się z powrotem do Wiktora Larssona stojącego w recepcji. Wydawał się ciągle tak samo zdziwiony. Stał ze wzrokiem utkwionym gdzieś bardzo daleko.

– Potrzebuję hasła do komputera Ivanovej – powiedziała Holm.

– Hasła są prywatne – powiedział Larsson niechętnie.

– Musicie też mieć jakieś ogólne hasło – nie odpuszczała. – Na potrzeby sprawdzania systemu i tak dalej.

Wiktor Larsson patrzył na nią tępym wzrokiem.

– Jest zastrzeżone – powiedział głosem pozbawionym wyrazu.

– Nie dla policji. No dalej.

– PlatonSymposion – powiedział Larsson jeszcze bardziej bezdźwięcznie. – Duże P i duże S, bez spacji.

– Nie do złamania, co? – powiedziała Kerstin Holm i popędziła z powrotem.

Gdy weszła do pokoju Mariny Ivanovej, Jorge Chavez stał przy wysuniętej ostatniej szufladzie i trzymał coś, co wyglądało jak podziurawiony niebieski pokrowiec. Kerstin Holm podeszła do niego i dotknęła pokrowca, który wcale nie był pokrowcem, tylko ceratą. Niebieską ceratą z kilkoma dziurami po wyciętych z niej prostokątach. Doliczyła do siedmiu.

W tej samej chwili uruchomił się komputer. I rzeczywiście zażądał hasła. Hjelm przepchnęła Chaveza barkiem, co tak bardzo przypomniało mu sytuację na schodach willi w Brommie, że nawet nie przeszło mu przez myśl, żeby zaprotestować.

Dostali się do komputera. Na pulpicie było mnóstwo folderów. Między innymi dokument pdf z SAS. Kerstin

Holm kliknęła na niego. Otworzył się bilet elektroniczny na samolot z Göteborga do Sztokholmu, zakupiony zaraz po rozmowie telefonicznej z Göteborga do Hagi telefonem na kartę kupioną w Livorno. Wszystko się zgadzało.

Wszystko cholernie się zgadzało. Poza ich timingiem.

Poza timingiem jednostki Opcop.

– Była tam – zamyśliła się Kerstin Holm.

– Jak to? – zapytał Jorge Chavez.

– Marina Ivanova stała w kolejce na lotnisku Landvetter. Leciała do Sztokholmu tym samym samolotem, którym my przylecieliśmy tutaj. Może nawet siedzi na którymś z naszych miejsc.

– Kurwa – zaklął Chavez. – Można by to pewnie nazwać „sztafetą" albo „ironią losu". Zależnie od punktu widzenia. Czy chcemy, żeby ludzie z Arlandy ją zatrzymali? Samolot wyląduje za jakieś pół godziny.

Kerstin Holm westchnęła głęboko, myślała.

– Tak byłoby pewnie najbezpieczniej – powiedziała. – Tylko że wtedy cała sprawa ugrzęźnie w szwedzkich procedurach. To by wszystko bardzo skomplikowało.

– Nie możemy jednak ryzykować, że nam zniknie – powiedział Chavez. – *Wtedy* to dopiero będzie błąd.

– Musi tu być coś jeszcze – powiedziała Holm, pokazując na komputer. – Jakiś mail, notatka, data w kalendarzu. Dajmy sobie jeszcze dziesięć minut, jeśli niczego nie znajdziemy, skontaktujemy się z policją na Arlandzie.

Chavez przeglądał zawartość komputera, Holm zaczęła sprawdzać godziny odlotów na swoim telefonie. W tej samej chwili jej komórka zadzwoniła.

Dzwonił Arto Söderstedt.

– Małe zamieszanie, tak dla odmiany. Wcześniejszy samolot do Sztokholmu jest spóźniony. Zdążymy na niego. Będziemy na Arlandzie za dwie godziny. Za dwie i pół w mieście.

– Właśnie sprawdzamy komputer Ivanovej – odpowiedziała. – Będziesz miał dokładniejsze dane, gdy wylądujesz. Coś musimy znaleźć. W przeciwnym razie zajmie się nią policja na Arlandzie.

– Kto pierwszy, ten lepszy – powiedział Söderstedt i wszedł na pokład samolotu.

Gdy wraz z Sarą Svenhagen dwie godziny później schodzili do lądowania nad zachmurzoną Arlandą, włączył swoją komórkę, zdecydowanie za wcześnie. Pomyślał, że raczej nie powinni spaść z tego powodu na ziemię. Gdy samolot bezpiecznie toczył się w kierunku swojego pirsu, jak syrena mgłowa zabrzmiał sygnał SMS, ściągając na niego kilka oburzonych spojrzeń. Zignorował je i przeczytał. SMS był krótki.

„Lądujemy pół godziny po was. Bez asysty policji na Arlandzie. Nie czekajcie na nas. Ma rezerwację w hotelu Hellsten, Luntmakargatan. Rezerwację na swoje nazwisko. Nic więcej nie znaleźliśmy. Kerstin".

Pokazał ekran Svenhagen. Skinęła głową.

Teraz albo nigdy.

Trzydzieści siedem kilometrów z Arlandy do hotelu Hellsten, przez całą drogę jedno jedyne zdanie. Gdy znaleźli się na wysokości Helenelund, Arto Söderstedt powiedział:

– „Rezerwację na swoje nazwisko"?

Taksówkarz spojrzał podejrzliwie, a Sara Svenhagen zerknęła na niego z zakłopotaniem.

Pochmurne sztokholmskie popołudnie wypełniało jeszcze światło dnia i gdy wysiedli na Luntmakargatan, nie czuli, że zbliża się zmierzch, za to w pokrywie z chmur pojawiła się szpara. Do nocy świętojańskiej został niecały miesiąc.

Arto Söderstedt i Sara Svenhagen stali przez chwilę na chodniku przed eleganckimi zabytkowymi drzwiami wejściowymi. Nieco wyżej na elewacji połyskiwały odbicia zachodzącego słońca, odbijające się w dystyngowanych wielkich literach układających się w nazwę hotelu. Wyłączyli jednocześnie dźwięk w swoich komórkach i ostrożnie sprawdzili broń. Po czym wkroczyli do designerskiego hotelu.

Söderstedt wykonał uspokajający gest w kierunku portiera, wyjmując jednocześnie legitymację. W milczeniu sprawdzili, że Marina Ivanova znajduje się w swoim pokoju, na trzecim piętrze.

Dosłownie w tej samej chwili, gdy weszli na pierwsze stopnie schodów, winda syknęła, usłyszeli, jak jedzie w dół, nie wiadomo, z którego piętra. Być może z trzeciego. Kiedy podeszli do windy, akurat minęła pierwsze. Zaraz będzie na dole.

Odsłonili jednocześnie kabury. Winda się zatrzymała. Drzwi się otworzyły.

Ze środka wytoczył się podpity biznesmen i ukłonił im się elegancko.

Odetchnęli.

– Zaczekaj tutaj – powiedział Söderstedt, gdy mężczyzna dostatecznie się oddalił. – Nie może nam uciec windą.

Svenhagen przytaknęła. Söderstedt ruszył. Zatrzymał się przed pierwszym stopniem, wrócił i powiedział ściszonym głosem:

– Pamiętaj, że bardzo sprawnie posługuje się nożem.

Sara Svenhagen uśmiechnęła się i przytaknęła. W apogeum trudnego do zniesienia śledztwa przejaw troski z jego strony wydał się jej wzruszający.

Söderstedt zniknął. Winda ruszyła. Pusta. Ktoś ściągnął ją do góry. Minęła pierwsze piętro, zbliżyła się do drugiego. Minęła drugie. Zbliżyła się do trzeciego.

Zatrzymała się na trzecim.

Zawróciła. Zaczęła zjeżdżać. Minęła drugie piętro.

Sara Svenhagen nie czekała. Wyjęła broń. Odbezpieczyła.

Winda minęła pierwsze piętro.

Ostatni odcinek jechała wyjątkowo powoli. Czas zmienił bieg. Przelewał się jak syrop.

Zadzwoniła dziwnie głośno, zatrzymując się trzy metry od Svenhagen. Sara trzymała broń lufą w kierunku podłogi. Jej puls skoczył.

Drzwi windy rozsunęły się.

Rozsuwały się nieznośnie powoli.

Blondynka o lekko słowiańskich rysach spojrzała prosto na nią. Jej oczy zwęziły się lekko.

Svenhagen uniosła broń, zachowując dystans trzech metrów.

– Wyjdź, Marino Ivanova – krzyknęła.

Ivanova nie poruszyła się, stała dalej w windzie. Na jej twarzy nic się nie zmieniło. Tylko te zwężone, skupione źrenice.

Drzwi windy zaczęły się zamykać.

Sara Svenhagen musiała podjąć szybką decyzję. Jeśli zatrzyma drzwi windy, znajdzie się pół metra od Ivanovej. W zasięgu noża. Tuż obok specjalistki od wbijania ludziom szerokich ostrzy pod żebra, prosto w serce.

Nie mogła jednak pozwolić, by winda znów się zamknęła i zabrała ze sobą seryjną morderczynię na dach.

W chwili gdy drzwi kończyły się zamykać, Sara zrobiła krok. Celując z broni prosto w piersi Mariny Ivanovej, wsunęła stopę w szparę między drzwiami i zablokowała je.

Ivanova nie ruszyła się z miejsca.

– Ręce na głowę – krzyknęła i poczuła, jak serce skacze jej do gardła.

Ivanova położyła ręce na głowie i wyszła z windy spokojnym, równym krokiem. Svenhagen zwiększyła dystans z powrotem do trzech metrów.

– Chyba jest pani bardzo zdenerwowana – powiedziała Marina Ivanova.

Turniej

Awinion – Sztokholm – Haga, 25 maja

ZACHODZĄCE SŁOŃCE padało na ogromny czternastowieczny pałac papieski, nadając całemu miastu kolor iskrzącego purpurowo-złotego piasku. Z brzegu wychodziło przęsło mostu, który urywał się w połowie, w samym środku koryta Rodanu. Corine Bouhaddi przypomniała sobie piosenkę z dzieciństwa: *Sur le pont d'Avignon / L'on y danse, l'on y danse / Sur le pont d'Avignon / L'on y danse tous en rond.*

Madame Girault miała niewątpliwie piękny widok ze swojego balkonu.

W czternastym wieku papież wyprowadził się nagle z Watykanu i zamieszkał wraz ze swoją kurią i całym otoczeniem w niewielkiej prowansalskiej wiosce Awinion. Urzędowało tutaj siedmiu francuskich papieży, zanim po prawie siedemdziesięciu latach Grzegorz XI przeniósł się z powrotem do Rzymu. W Awinionie został antypapież wraz ze swoimi epigonami, z czasem miasto straciło jednak na znaczeniu. Zachował się opuszczony, ale wciąż piękny pałac, mur obronny i most, który kilkaset lat później rozpadł się w połowie.

– *Le pont d'Avignon* – powiedziała madame Girault o orlim profilu, sącząc pastis.

– *L'on y danse, l'on y danse* – powiedziała Corine Bouhaddi.

Na pozór niepasujące do siebie damy wymieniły zdawkowe uśmiechy. Siedziały na miniaturowym balkonie i delektowały się letnim prowansalskim zachodem słońca.

Z braku miejsca portrecista policyjny musiał usiąść na taborecie przy drzwiach balkonowych. Właśnie przerwał rysowanie. Uniósł rysunek i wsunął przez otwarte drzwi.

– Cóż – westchnęła madame Girault. – Wydaje mi się, że kości policzkowe były nieco wyżej.

Bouhaddi spojrzała na portret i porównała go ze zdjęciem starszej o dziesięć lat Mariny Ivanovej, które miała w pamięci. Już teraz mogła dostrzec podobieństwo.

– Ile dni mieszkali tutaj razem przed zniknięciem Didiera?

– Trzy, cztery dni – powiedziała madame Girault.

– A przyjaciółka miała na imię Marina? Czy przypomina sobie madame, jak miała na nazwisko?

– Przypuszczam, że przedstawiła się z imienia i nazwiska, ale jak już mówiłam, nie pierwszy raz przyprowadził przyjaciółkę. Za nic w świecie nie przypomnę sobie jej nazwiska.

– Jakie zrobiła na pani wrażenie?

– Zakochana i zauroczona, bardzo młoda i niewinna. Miała też w sobie jakiś smutek. Coś w rodzaju wyrzutów sumienia.

– Jak to się dało odczuć?

– Cóż, sama nie wiem – madame Girault rozłożyła ręce. – Może z ukradkowych spojrzeń.

Corine Bouhaddi wyprostowała się na niewygodnym krzesełku i powiedziała:

– Czy można by powiedzieć, że te ukradkowe spojrzenia nie wyrażały takiej miłości jak te bezpośrednie?

Madame Girault przez chwilę przyglądała się dużej, ciemnowłosej kobiecie. Wreszcie przytaknęła:

– Rzeczywiście, można by tak powiedzieć.

*

Arto Söderstedt spojrzał na Jorge Chaveza. Jorge Chavez spojrzał na Arto Söderstedta. Następnie ich spojrzenia powędrowały z powrotem w kierunku lustra fenickiego i dalej, do wnętrza pokoju przesłuchań.

Zostali wyproszeni.

W pokoju przesłuchań zostały Kerstin Holm i Sara Svenhagen. Po drugiej stronie biurka siedziała docent Marina Ivanova. Miała wciąż wyraźnie zwężone źrenice. Wyglądała na maksymalnie skoncentrowaną.

– Zaczniemy raz jeszcze od początku? – zapytała Kerstin Holm.

– To bez znaczenia – odpowiedziała Marina Ivanova z wyraźnym göteborskim akcentem. – Nie wiem, o co jestem podejrzana, ale cokolwiek to jest, jestem niewinna.

– Do aktu oskarżenia jeszcze dojdziemy – powiedziała Holm. – Nie zmieniła pani zdania co do adwokata?

– Nie widzę powodu, dla którego miałabym potrzebować adwokata.

– W takim razie wróćmy raz jeszcze do zasadniczych pytań – powiedziała Kerstin Holm i obróciła się do Sary Svenhagen, która przejęła głos:

– Gdzie spędziła pani dwutygodniowy urlop, z którego wróciła pani wczoraj, w poniedziałek?

– Tak jak już mówiłam, podróżowałam po Europie – odpowiedziała Ivanova sztywno.

– I nie zachowała pani ani jednego rachunku? Ani jednego biletu lotniczego ani kolejowego?

Marina Ivanova oparła się o stół i powiedziała wyraźnie:

– Życie rozgrywa się tu i teraz. Zbyt wielu ludzi żyje płonnymi marzeniami o przyszłości albo jeszcze bardziej płonnymi wyobrażeniami o szczęśliwej przeszłości.

– Chce pani przez to powiedzieć, że nigdy nie ogląda się za siebie?

– Po co miałabym to robić? Cała moja praca badawcza dotyczy poszukiwań spójnej filozoficznej formuły pozwalającej żyć w teraźniejszości i tylko w teraźniejszości.

– Wcześniej miała pani inne nastawienie do życia? – zapytała Holm.

– Żyłam zbyt dużo w przyszłości, tak.

– W przeszłości również?

– Do pewnego stopnia, być może. Chociaż mniej.

– *Hrabia Monte Christo* mówi w dużym stopniu o przeszłości. O wyrównaniu krzywd z przeszłości.

– Choć w jeszcze większym stopniu o wstrząśnięciu społeczeństwem i przygotowaniu go do zmiany – powiedziała Ivanova.

– „Podświadoma struktura rewolucyjna w *Hrabim Monte Christo*" – powiedziała Kerstin Holm.

Marina Ivanova spojrzała na nią i po chwili powiedziała:

– Zwykle uważa się, że powieść Dumasa opowiada o samotnym mścicielu. W mojej pracy starałam się dowieść, że chodzi w niej o wiele więcej. O rozwój aktywistycznej świadomości.

– Pani rodzice uciekli ze Związku Radzieckiego, prawda?

– A jaki to ma związek ze sprawą?

– Twierdzi pani, że nawet nie wie, co to za „sprawa".

– Rzeczywiście. Musicie mi powiedzieć, o co jestem podejrzana. Reprezentujecie policję polityczną? Do tego to już doszło?

Kerstin Holm po raz pierwszy zauważyła coś na kształt reakcji emocjonalnej. Zastanawiała się nad tym przez chwilę.

Sara Svenhagen to dostrzegła. Zrozumiała, że Kerstin Holm do czegoś zmierza. Była bardzo ciekawa, którą drogę wybierze, dlatego milczała.

– Ma pani na myśli taką policję polityczną jak w Związku Radzieckim? – odezwała się w końcu Holm.

– Wyrosłam na takich sloganach – powiedziała Ivanova i zamilkła.

– Sloganach? – powiedziała Kerstin Holm.

– O tym, jak strasznie jest w ZSRR.

– Zmęczyła się tym pani?

– Moi rodzice uciekli z ZSRR, kiedy miałam trzy lata, żeby zbudować sobie lepszą przyszłość. Nie potrafili jednak myśleć ani o przyszłości, ani o teraźniejszości. Rozpamiętywali przeszłość aż do śmierci.

– Co takiego przeżyli?

– Byli nauczycielami akademickimi i czuli, jak ich wolność intelektualna z każdym dniem staje się coraz bardziej ograniczona. Gdy w końcu udało im się uciec, okazało się, że krzywda zapisała się na stałe. Ich dusze naprawdę się skurczyły.

– Nie byli jednak nigdy poddani cięższym doświadczeniom?

– Nie. Przynajmniej nie w porównaniu z innymi członkami rodziny.

– Innymi członkami rodziny?

Marina Ivanova wyciągnęła szyję i utkwiła wzrok w suficie.

– Nie potrafię już prawie mówić po rosyjsku. Przez cały okres dojrzewania konsekwentnie go zaniedbywałam. Dwa słowa zapisały się jednak w mojej pamięci na zawsze. Babcia i dziadzia – powiedziała.

– Babcia i dziadzia?

– *Baba*. I *Dieda*.

*

– Nie uważasz, że zrobiło się trochę chłodno, Corine?

Odbicia słońca na murach pałacu papieskiego stawały się coraz bledsze, pałac pogrążał się w cieniu, ale Bouhaddi nie odczuwała jeszcze zmiany temperatury. Był wciąż ciepły wczesnoletni wieczór w Prowansji. Jedno z najlepszych doznań, jakie świat ma do zaoferowania.

– Nie dla mnie – powiedziała i spojrzała na siedzącą obok postać o orlim profilu. – Ale może pani zmarzła?

– Skończyłam z tym – parsknęła staruszka, dolała sobie nieco pastisu i kilka kropli wody, żeby żółty anyżowy alkohol opalizował, a Bouhaddi z jakiegoś powodu przypomniała sobie, że tak to się nazywa, gdy alkohol zmienia zabarwienie.

– Może jednak się pani skusi? – Madame Girault potrząsnęła lekko kryształową karafką.

– Jestem muzułmanką – odpowiedziała Corine Bouhaddi. – Nie piję alkoholu.

Madame Girault uśmiechnęła się i spojrzała w kierunku drzwi balkonowych. Portrecista uniósł kolejną wersję szkicu twarzy. Starsza pani pokręciła zdecydowanie głową.

– Wiesz co, Corine. Nie wierzę, że przyjechałaś tu, żeby stworzyć jakiś marny portret. Podejrzewam, że przyjechałaś tutaj, bo wydałam ci się trzeźwa na umyśle i masz nadzieję, że pamiętam więcej, niż mi się wydaje. Chcesz wyciągnąć ode mnie jak najwięcej informacji.

Bouhaddi roześmiała się głośno i powiedziała:

– Powinnam się była domyślić, że madame mnie przejrzy.

– Nieoczekiwana komplikacja, przyznaję – uśmiechnęła się madame Girault. – I proszę nie mówić do mnie „madame". Z tym też już skończyłam.

– Bardzo zaciekawiły mnie te ukradkowe spojrzenia – przyznała Bouhaddi. – Wyrzuty sumienia? A może nienawiść?

– Hm – zastanowiła się madame Girault. – Szybka zmiana tematu, to lubię. Nie, to nie była nienawiść. Powiedziałabym, że raczej lęk. I owszem, wyrzuty sumienia.

– Trema?

– Teraz to już, Corine, za dużo wymagasz od dziesięcioletniego wspomnienia szybkich ukradkowych spojrzeń.

– Pozwolę sobie wierzyć, że jednak nie. Pani *wie*, co to były za spojrzenia. Tylko z jakiegoś powodu nie chce pani tego powiedzieć.

– Naturalnie nie mam na to żadnych dowodów z wyjątkiem tego, co podpowiada mi doświadczenie. Powiedziałabym, że to były spojrzenia wyrażające wyrzuty sumienia wobec kochanka. Że nachodziło ją wspomnienie kogoś, kogo zdradziła.

– Zdradziła?

– Didier często zdradzał Angelique. Nie miał wyrzutów sumienia. Jestem jednak przekonana, że jego młoda przyjaciółka była niewierna po raz pierwszy w życiu. Właśnie to widziałam w jej spojrzeniu.

– Chce pani powiedzieć...?

– Owszem. Jestem przekonana, że przyjaciółka Didiera miała narzeczonego w Szwecji.

*

Gdy oczy Mariny Ivanovej poruszyły się po raz czwarty dokładnie w ten sam sposób, wszystko stało się jasne. Dwa razy to nic, czasem nawet trzy. Ale nie cztery. Jej wzrok powędrował na przegub ręki. Na zegarek.

Kerstin Holm nie mogła tego nie zauważyć.

Spojrzała na zegar wiszący na ścianie i stwierdziła, że szybkimi krokami zbliżała się dziewiąta.

– Czy jako dziecko zaraziła się pani od dziadków antysowiecką obsesją? – zaczęła.

– Przez wiele lat żyłam w niej bardziej niż w Szwecji.

– Potem przyszedł jednak wiek nastoletni, dojrzewanie i życiodajny bunt przeciwko rodzicom...

– Upraszczając, tak – powiedziała Ivanova wyniośle.

– Jak wyglądał pani bunt? – zapytała Kerstin Holm ze spokojem.

– To było przebudzenie polityczne. Lata dziewięćdziesiąte to był dziwny okres na rozwój politycznej świadomości. Rozpoczęło się masowe wymazywanie człowieczeństwa. *Reality shows*, hipermedializacja, pornografia w sieci, demontaż nawet najmniejszego przejawu myślenia krytycznego. Myśląca jednostka z automatu znajdowała się w mniejszości. Prawie jakby należała do sekty.

– I to przebudzenie doprowadziło z czasem do podjęcia studiów z zakresu filozofii stosowanej?

– Wolny student zawsze kieruje się w stronę tego, z czym sam ma kłopot. Studenci psychologii mają problemy psychiczne, studenci teologii problem z Bogiem, studenci filologii problem z językiem. Ja miałam problem z moralnością. Dlatego wybrałam filozofię stosowaną.

– Jakiego rodzaju to były problemy? – zapytała Holm.

– Pewna skłonność do myślenia totalitarnego – stwierdziła Ivanova. – W moich młodzieńczych oczach świat pod rządami kapitalizmu był już stracony, bez najmniejszej szansy na zbawienie. Nie potrafiłam pojąć, że czemuś tak zbędnemu jak pieniądze pozwala się rządzić nawet najmniejszą sferą naszego życia. Mądrość i wiedza nic już nie znaczyły, empatia i współczucie jeszcze mniej, bezgraniczna chciwość rozlewała się nad konającą cywilizacją. Nikogo nie obchodziło, że w miejscach publicznych roi się od żebraków. Kapitalizm dbał o to, żebyśmy byli zajęci czym innym, mianowicie zapychaniem portfeli. Gdy ceny rosły, cały swój czas poświęcaliśmy pogoni za pieniędzmi. Tego właśnie chcieli, stworzyć egoistów – to był jedyny sposób na przeżycie – a egoistów nie miały obchodzić pogłębiające się nierówności społeczne. To był mokry sen kapitalizmu, obywatel jako bierny konsument. Byłam przekonana, że jedynym rozwiązaniem jest silne państwo niezainteresowane zyskiem. Politykę należało wymyślić na nowo. Rację mieli tylko komuniści.

– I to w tym tkwił problem?

– To był problem natury praktycznej. W teorii wszystko działało. Nie potrafiłam się pogodzić z tym, jak społeczeństwa komunistyczne funkcjonują w praktyce. Dlaczego na najlepszych założeniach zawsze wyrastało zło?

– I wtedy przyszedł czas filozofii stosowanej i „Czerwonego Diddego"?

W ciszy, jaka zaległa w sali przesłuchań, zdarzyło się coś niezwykłego. Docent Maria Ivanova zarumieniła się. Nie można powiedzieć, że spuściła wzrok – to byłaby przesada – ale coś zmiękło w całej jej aparycji.

– To więc to *o to* w tym wszystkim chodzi? – odezwała się w końcu.

– Potrójne „to" w zdaniu musi być chyba pani osobistym rekordem – stwierdziła Kerstin Holm. Dwie kobiety spojrzały na nią zdziwione. Po chwili dodała: – W sierpniu dwa tysiące pierwszego roku rozpoczęła pani w Göteborgu studia z filozofii stosowanej. Co wcześniej pani studiowała?

– Socjologię – odpowiedziała Ivanova. – Doszliśmy jednak do wniosku, że myślenie polityczne należy pogłębić. Socjologia była dziedziną czysto opisową. Mówiła o świecie, ale nic z nim nie robiła. Protest, co najwyżej, ale nigdy opór.

– A u „Czerwonego Diddego" znalazła pani opór?

– Znalazłam – przyznała Marina Ivanova i zaczerwieniła się jeszcze bardziej. – Był naprawdę przekonujący. Oddany, z pasją. Zmieniał to, o czym myślałam, w konkretne plany działania. Nagle wszystko stało się możliwe. Był... imponował mi.

– Zakochała się pani?

– Być może – Marina Ivanova uśmiechnęła się nerwowo. – Zakochałam albo tylko zauroczyłam. Pojechałam za nim do Prowansji.

Pierwszy raz od dłuższej chwili Kerstin Holm i Sara Svenhagen wymieniły się spojrzeniami. Wszystko było jasne. I nic nie było jasne.

Kerstin zauważyła, że w Sarze coś się budziło. Coś najwyraźniej sobie uświadomiła. Nie wyćwiczyła jeszcze pokerowej miny, pomyślała, gdy Sara powiedziała:

– „My"?

– Nie rozumiem? – powiedziała Ivanova.

– „*Doszliśmy* jednak do wniosku, że myślenie polityczne należy pogłębić".

– Tak jak już mówiłam, socjologia nie wystarczyła.

– Dobrze, ale jacy „my"?

– Ja i mój narzeczony. Studiowaliśmy razem od trzech semestrów, różne kursy. W czwartym semestrze zaczęliśmy studiować filozofię stosowaną.

– Ale jak pogodziła to pani ze swoim miłosnym wypadem do Prowansji w towarzystwie „Czerwonego Diddego"? – zapytała Sara Svenhagen.

– Nie pogodziłam. Dlatego polecieliśmy różnymi samolotami z Landvetter. Spotkaliśmy się dopiero w Kopenhadze. Powiedziałam swojemu chłopakowi, że wybieram się w podróż czarterową z koleżanką z dzieciństwa ze Sztokholmu.

– I narzeczony w to uwierzył?

– Tak mi się wydaje – powiedziała Ivanova, wyraźnie odmłodzona. – Choć już wtedy zaczęliśmy się od siebie oddalać.

– Zaczęliście się od siebie oddalać między sierpniem a październikiem dwa tysiące pierwszego? – zapytała Kerstin Holm.

Marina Ivanova rzuciła jej szybkie spojrzenie i powiedziała:

– Tak. Dotarło do nas, jak bardzo się różnimy.

– Jak się nazywał pani narzeczony?

– Mówiliśmy na niego „Badde".

– Badde?

– Od przywódcy organizacji terrorystycznej Andreasa Baadera – wyjaśniła Ivanova.

*

Gdy zgasło słońce, sylwetka pałacu papieskiego stała się złowieszcza. Wyglądał teraz jak ogromna czarna ameba, gotowa pożreć cały Awinion.

– Powiedz mu, żeby przestał – powiedziała madame Girault, pokazując głową na drzwi balkonowe, za którymi policyjny rysownik robił kolejne podejście do portretu pamięciowego, kręcąc przy tym głową. Następnie wystawił bez słowa kieliszek na ciemniejący szybko balkon i dostał porządną dolewkę pastisu.

– Skuteczniejszy byłby absynt – mruknął i wziął porządny łyk.

– Co więcej, to zbyteczne – powiedziała madame Girault.

– Jak to zbyteczne? – zdziwiła się Corine Bouhaddi.

Madame Girault otworzyła torebkę, która od początku leżała na jej kolanach, i wyjęła z niej portmonetkę. W środku było wyświechtane czarno-białe zdjęcie. Podała je Bouhaddi.

– Ostatnie zdjęcie Didiera – powiedziała ze smutkiem.

Bouhaddi spojrzała na nie. Był na nim mężczyzna w średnim wieku o szerokim uśmiechu i podobnym do matki orlim profilu. Obejmował ramieniem uśmiechającą się nieśmiało blondynkę o słowiańskich rysach.

Bouhaddi roześmiała się.

– Mogła pani powiedzieć o tym wcześniej.

– Nie pytała pani – odpowiedziała z uśmiechem madame Girault.

Nie było najmniejszych wątpliwości, że na zdjęciu uwieczniono Didiera Giraulta i Marinę Ivanovą. Październik dwa tysiące pierwszego. Łagodny uśmiech Ivanovej kontrastował z przenikliwym spojrzeniem zmrużonych oczu.

– Czy może pani powiedzieć, co dokładnie się działo, gdy zniknął Didier? – zapytała Bouhaddi.

– To było rano, jakieś trzy, cztery dni po ich przyjeździe – powiedziała madame Girault. – Siedziałam na balkonie i jadłam rogalika. Przyszła ta dziewczyna. Miała potargane włosy, wyglądała, jakby dopiero co wstała. Zapytała swoim rudymentarnym francuskim, czy wiem, gdzie jest Didier. „Nie jest z tobą?", zapytałam. „Nie było go w łóżku, kiedy się obudziłam", powiedziała. Pomyślałyśmy, że choć nie miał tego w zwyczaju, wyszedł na poranny spacer albo coś podobnego. Ale nie wracał. Gdy policja przepytywała ją dwa dni później, przypomniała sobie, że wstawał w ciągu nocy. Pomyślała, że idzie do toalety. Najwyraźniej jednak nie wrócił.

– I przez ten cały czas była u pani?

– Ponad tydzień. Mogę panią zapewnić, że była naprawdę rozbita.

– Rozbita?

– Przybita, załamana. – Madame Girault pokiwała głową.

*

Ku swojemu zaskoczeniu Paul Hjelm siedział we własnym biurze dyrektorskim przy dźwiękach hymnu europejskiego, czytając protokół z analizą dźwiękową niedawnej rozmowy Arto Söderstedta. Miała najwyższy priorytet.

Kolejny raz przeczytał sformułowanie, które z jego punktu widzenia było kluczowe, i pokręcił głową. Brzmiało ono następująco:

„*Summa summarum* głos, który wydaje się głosem kobiecym, przeszedł przez mutator. Oznacza to, że w chwili obecnej nie potrafimy ustalić, czy głos wyjściowy należy do mężczyzny, czy do kobiety".

W tej samej chwili rozległ się wyjątkowo irytujący dzwonek telefonu. Paul Hjelm nie rozumiał, po co w tak nowoczesnym biurze zamontowano analogową linię telefoniczną. Być może właśnie po to, żeby budzić przysypiających szefów.

Takich zwyczajów oczywiście nie wolno było tolerować.

– Tak? – zapytał zachrypnięty.

– Spałeś? – zapytał dobrze znany, lecz trudny do skojarzenia głos.

– Szef nie śpi nigdy – odpowiedział, gorączkowo próbując powiązać głos z rozmówcą.

– Mówi Donatella Bruno – powiedział głos uprzejmie. – Z Włoch.

– Przecież wiem! – ryknął Hjelm znacznie głośniej, niż zamierzał. Po chwili dodał, żeby załagodzić: – Co u ciebie słychać, Donatella?

– Z Włoch, a dokładniej z Livorno – powiedziała Bruno jakby nigdy nic. – A jeszcze dokładniej ze sklepu Computer Discount na ulicy Scali D'Azeglio. Udało mi się wreszcie złapać ekspedientkę, która sprzedała te trzy karty SIM.

– Aha – powiedział Hjelm i ściszył muzykę.

– Pamięta tego klienta, choć dosyć słabo. Nie potrafiła stworzyć portretu pamięciowego, ale zapamiętała jedną ważną rzecz.

– Mianowicie?

– To był mężczyzna.

*

– „Badde", tak? – zapytała Kerstin Holm. – Dlaczego pani i pani narzeczony zaczęliście się od siebie oddalać?

– To właściwie nie było *oddalanie* – powiedziała Maria Ivanova. – Raczej eksplozja. Nastąpiło dramatyczne przewartościowanie.

– Zerwaliście zaręczyny?

– Nie, nie do końca, ale powiedzieliśmy sobie rzeczy, których nie dało się cofnąć. Nazwałam go zdrajcą i szumowiną, piątą kolumną, dywersantem. To właśnie w takich uderzał Didde. Z radością pojechałam z nim do Awinionu, choćby tylko po to, żeby uciec od Baddego.

– Badde i Didde – powiedziała Kerstin Holm. – Zabrzmiało jak te głupie przezwiska, które wymyślają sobie bogate dzieciaki ze Stureplanu.

– *Byliśmy* dosyć głupi, to prawda – powiedziała Ivanova, zerkając szybko na zegarek.

– A *on*, jak on panią nazwał? – zapytała Sara Svenhagen.

– Co? – zdziwiła się Ivanova.

– Nazwała pani Baddego zdrajcą. A on, jak on panią nazwał?

– Totalitarystką, to na początek. Antyhumanistką. Komuno-faszystką. I dalej już w tym samym stylu.

– Jaki był powód całej tej awantury?

Marina Ivanova westchnęła i spuściła wzrok na stół.

– Coś się wydarzyło.

– Co takiego się wydarzyło?

– Poróżnił nas jedenasty września.

– *Nine-eleven*? – zapytała Svenhagen. – Jak mógł was poróżnić jedenasty września?

– Piliśmy właśnie popołudniową kawę w kuchni w instytucie. Był Didde, ja, Badde i jeszcze kilkoro przedstawicieli najbardziej radykalnyh nurtów w instytucie. W tle włączony telewizor. Pojawiły się pierwsze wiadomości z Nowego Jorku. Manhattan okrywała gęsta zasłona dymu.

Pokazywali nagranie, na którym było widać, jak jeden z samolotów wbija się w północną wieżę. Prosto w serce kapitalizmu. Zareagowaliśmy dosyć spontanicznie. Didde wstał i zaczął krzyczeć ze szczęścia. Ja też krzyczałam, również dwóch kolegów Diddego nie kryło radości. Pamiętam, że rzuciłam się w ramiona Diddego, pamiętam, jak zawył swoją dziwną mieszanką francuskiego i szwedzkiego: „Zaczęła się, kurwa, rewolucja! Koniec kapitalizmu!". Wtedy napotkałam spojrzenie Baddego. Był w szoku. Gapił się na nas z niedowierzaniem. Był blady jak śmierć.

– „Któż mi zesłał tę myśl?" – powiedziała powoli Sara Svenhagen. – „Skoro tylko zmarli mogą się stąd wydostać, muszę zająć miejsce zmarłego".

– To brzmi jak cytat z *Hrabiego Monte Christo* – powiedziała Ivanova, wyraźnie zdziwiona.

– Czy Badde pomagał pani w wyborze tematu rozprawy? – zapytała Kerstin Holm.

– Często rozmawialiśmy o Dumasie i *Hrabim Monte Christo* – powiedziała Ivanova. – W tej powieści jest taki potencjał rewolucyjny. Jednak po moim powrocie z Francji oddaliliśmy się oczywiście od siebie jeszcze bardziej, a Didde zniknął bez śladu, i gdy po pół roku przyszło zawiadomienie o jego śmierci, Baddego już nie było. Rzucił studia, nie wiem, czym się zajmował. Niezależnie od wszystkiego znaliśmy się od dziesięciu lat, to było dziwne, że nagle tak po prostu przepadł.

– Jak się poznaliście?

– Byliśmy wtedy jeszcze dziećmi. To było w czasach, kiedy rodzice zmuszali mnie do chodzenia na spotkania rosyjskich imigrantów, żeby spotkać ludzi „z ojczyzny". Badde przyjechał niedawno do Szwecji, był w moim wieku, miał jakieś trzynaście lat. Gdy tylko rozpadł się Związek Radziecki, udał się na własną rękę na lotnisko w Moskwie i wsiadł do pierwszego lepszego samolotu. Wylądował w Göteborgu. Od razu się polubiliśmy. Nauczyłam go szwedzkiego, on nauczył mnie kochać.

– Jak naprawdę nazywa się Badde?

– Wtedy nazywał się jeszcze Lebiediew – powiedziała Ivanova i spojrzała na zegarek. – Potem zmienił nazwisko na dużo bardziej szwedzkie...

– Bez przerwy patrzysz na zegarek – przerwała Kerstin Holm. – Musisz nam powiedzieć, dlaczego odwołałaś dzisiejsze zajęcia i przyleciałaś do Sztokholmu. To jasne, że planujesz jakieś spotkanie dziś wieczorem. Masz nadzieję, że do tego czasu stąd wyjdziesz.

Marina Ivanova utkwiła w niej wzrok. Zniknęła czujność, oczy nie były już zmrużone, a raczej okrągłe. Jakby dopiero teraz coś zaczęło do niej docierać. Coś, co powinna była zrozumieć już dawno temu.

– Ktoś do mnie zadzwonił – odezwała się w końcu. – Dziś, w porze lunchu. Jakaś kobieta, miała dziwny głos. Powiedziała, że wie, jak naprawdę zginął Didde, ale że musimy się spotkać w Sztokholmie. Dziś wieczorem, o jedenastej. Powiedziała, że to beczka prochu, że przekazanie materiałów musi odbyć się w największej tajemnicy.

– Czy brzmiała tak? – zapytała Svenhagen i włączyła swoją komórkę. Kobiecy głos z wnętrza aparatu powiedział do Arto Söderstedta: „A więc istniejesz. Nie sądziłam, że istniejesz, mój ty nieznajomy komisarzu".

– Tak – odpowiedziała Ivanova. – Miała tak samo zachrypnięty głos...

– Co podobno, tak twierdzi Haga, jest efektem mówienia przez mutator. Najprawdopodobniej to mężczyzna, a nie kobieta.

Ivanova wyglądała na coraz bardziej rozbitą.

– Chcecie powiedzieć, że to mógł być... Badde?

– Bardzo możliwe – powiedziała Kerstin Holm. – Jesteście umówieni dziś wieczorem o jedenastej, tak? Gdzie?

– Na Långholmen – powiedziała Ivanova. – W dawnym więzieniu. Chyba mają tam teraz hotel.

– W nieistniejącym już więzieniu na dawnej wyspie skazańców Långholmen – przytaknęła Sara Svenhagen. – Niech to diabli.

– Gdzie dokładnie? – zapytała Kerstin Holm.

– W pokoju – powiedziała Marina Ivanova. – Został zarezerwowany na moje nazwisko. Dawna cela więzienna przerobiona na pokój hotelowy. Mam wejść do środka i kiedy przez okno zobaczę światło latarki na starym dziedzińcu więzienia, dać umówiony sygnał przez okno. Dwa krótkie błyski, jeden długi.

– I wówczas poznasz prawdę na temat śmierci „Czerwonego Diddego"?

– Tak powiedziała. Powiedziała, no cóż... Ona, on, ono? Kurwa, tylko nie Badde. Tylko nie on.

– Jeśli to on, to zamordował co najmniej dziewięciu wpływowych komunistów w ciągu ostatnich dziewięciu lat – powiedziała bezceremonialnie Sara Svenhagen. – Zaczęło się, gdy zobaczył, jak jego koledzy z Instytutu Filozofii cieszą się z *nine-eleven*. Wtedy zobaczył prawdziwą, nieludzką twarz komunizmu. I zrozumiał, że go zdradzasz, że ciągnie cię do „Czerwonego Diddego". Dla niego była to podwójna zdrada. Być może słyszał którąś z twoich potajemnych rozmów z Diddem albo czytał po kryjomu twoje maile. Dowiedział się w każdym razie, że planujecie ulotnić się do Awinionu, jakieś dziesięć mil od Marsylii i wyspy z *Hrabiego Monte Christo*, If. To był naturalny punkt wyjścia, punkt, od którego rozpoczyna się również zemsta Edmunda Dantèsa. W środku nocy zwabił tam i zamordował Didiera Giraulta. To był początek serii zabójstw na wyspach skazańców na całym świecie. Morderstw komunistów.

– Czy to znaczy, że Badde jest seryjnym mordercą? – krzyknęła Ivanova. – To niemożliwe...

– Co wydarzyło się w rodzinie Baddego? Czy oni również cierpieli pod rządami Sowietów?

Maria Ivanova zamilkła, myślała.

– Coś rzeczywiście było z dziadkiem ze strony matki...

– Z *Diedą*? – zapytała Sara Svenhagen.

– Tak – powiedziała Ivanova. – To było takie dziwne, że Badde przyjechał *sam* do Szwecji. Kompletnie sam, w wieku trzynastu lat. Mógł zostać, szwedzka polityka imigracyjna wyglądała trochę inaczej w tamtych czasach. Wcześniej jednak mieszkał i dorastał u swoich Baby i Diedy. Było coś w przeszłości Diedy...

– Związek Radziecki rozpadł się pod koniec dziewięćdziesiątego pierwszego – powiedziała Holm. – Gorbaczow ustąpił w Boże Narodzenie, a formalnie Związek Radziecki przestał istnieć pierwszego stycznia dziewięćdziesiątego drugiego.

– Wydaje mi się, że wtedy zmarł Dieda – powiedziała Ivanova zanurzona we wspomnieniach. – Wydaje mi się, że Dieda odszedł razem ze Związkiem Radzieckim. Baba zmarła pół roku wcześniej albo jakoś tak, a później zmarł również Dieda.

– Co takiego przydarzyło się jego Diedzie? – zapytała Svenhagen.

– Próbuję sobie przypomnieć – powiedziała Ivanova. – Dieda został deportowany, gdy był jeszcze bardzo mały. Po prostu zgarnęli go na jednej z moskiewskich ulic i wywieźli. Mógł mieć wtedy jakieś dziesięć lat. To była część jakiegoś większego planu, którego celem było oczyszczenie sowieckich miast z niepożądanych elementów. Nie znam dokładnie tej historii, trafił w każdym razie w jakieś przerażające miejsce. Badde wspomniał mi o tym przy jakiejś okazji. Piekielna wyspa.

– Wyspa? Wyspa skazańców?

– Tak, chyba tak. Mała bezludna wyspa. Nie było na niej jedzenia, coś poszło niezgodnie z planem. Więźniowie zaczęli się zjadać. Tak, właśnie tak to było. Zjedli ramię jego dziadka.

– Zjedli jego ramię?

– Tak – powiedziała Ivanova. – Tak właśnie było. Wydaje mi się, że raz Badde wspomniał nawet, ile ważyło. Nie rozumiałam dlaczego.

Holm i Svenhagen wymieniły się szybko spojrzeniami.

Dopłynęli do końca. Naprawdę dopłynęli.

– Jest teraz za piętnaście dziesiąta – odezwała się Kerstin Holm. – Musisz już iść na spotkanie. Jedenasta na Långholmen.

– Jeszcze jedno – powiedziała Sara Svenhagen. – Powiedziałaś, że Badde rzucił studia po wydarzeniu w Prowansji. I zniknął. Nie wiesz może, gdzie się teraz podziewa?

– Ale on zniknął tylko na chwilę – krzyknęła Marina Ivanova. – Rzucił studia, ale wrócił na uniwersytet i dostał pracę w administracji. Pracuje tam do dziś.

– O kurwa – zaklęła Kerstin Holm. – Powiedziałaś, że Badde nazywał się Lebiediew, kiedy przyleciał do Szwecji. Potem jednak zmienił nazwisko? Prawda?

– Tak, ale z tym Baddem to był tylko żart – powiedziała Marina Ivanova. – W młodości przypominał Andreasa Baadera z Baader-Meinhof. Tak naprawdę miał prawdziwe rosyjskie imię, Wiktor.

– Wiktor – powtórzyła Holm, czując, jak blednie. – A jak teraz ma na nazwisko?

– Larsson. Wiktor Larsson – powiedziała Ivanova. – Pracuje w recepcji Instytutu w Göteborgu.

Pojedyncza cela

Långholmen, Sztokholm, 25 maja

POKÓJ, KTÓRY, jak się okazało, został zarezerwowany na nazwisko Mariny Ivanovej w hotelu na Långholmen, byłym więzieniu, nie tylko *nazywał się* „pojedyncza cela", ale rzeczywiście nią *był*. W samym pokoju – już za oryginalnymi, wyremontowanymi drzwiami do celi – niewiele jednak przypominało więzienie. Może poza panującą tu klaustrofobiczną atmosferą. Zakratowane okno znajdowało się wysoko pod sufitem, a pokój był bez wątpienia mały. Poza tym był wyjątkowo dobrze zaprojektowany, a w miniaturowej łazience zmieścił się nawet prysznic.

Jego rozmiar przysporzył jednak pięciu obecnym w nim osobom pewnych problemów natury logistycznej. Mieli najwyżej pół godziny na to, żeby zorganizować miejsce do obserwacji docent Mariny Ivanovej. Musiała być sama w pokoju – nie było gdzie się schować – a w łazience mieściły się najwyżej dwie osoby. Na pewno nie czworo policjantów. Zarezerwowali szybko drugi pokój – najbliższy wolny znajdował się dwie cele dalej – i zamontowali miniaturową kamerę z nadajnikiem w suficie „pojedynczej celi". Jorge Chavez zainstalował sterownik kamery na laptopie, który zostawił w rękach Kerstin Holm i Sary Svenhagen.

– Teraz będziecie widziały wszystko, co dzieje się tam w środku – powiedział i przytulił Sarę, którą zobaczył wcześniej, niż się tego spodziewali. Ona też go przytuliła i powiedziała:

– Tylko nie ryzykuj niepotrzebnie.

Potem wyszedł. Holm i Svenhagen usiadły na brzegu łóżka z komputerem pomiędzy sobą i patrzyły, jak Chavez wchodzi do pokoju, w którym byli już Arto Söderstedt i Marina Ivanova. Söderstedt zerknął na zegarek i powiedział:

– Zostało pięć minut. Mamy dobry czas.

Chavez wszedł do niewielkiej łazienki, gdzie otworzył kolejny laptop, który postawił na krawędzi umywalki. Na ekranie wyświetlił się ten sam obraz. Teraz mogli być w łazience i widzieć wszystko, co działo się za zamkniętymi drzwiami.

Söderstedt pomógł Ivanovej zbudować konstrukcję składającą się z krzeseł i poduszek, jak również niewielkiej drabinki, która wisiała na ścianie. Dzięki niej Ivanova mogła wspiąć się do wysoko położonego okna i stosunkowo wygodnie wyjrzeć na dawny dziedziniec więzienny, na którym dziś znajdował się parking dla gości hotelowych. Pomógł jej się wdrapać na górę, podał latarkę i powiedział:

– Dwa krótkie, jeden długi.

– Dziękuję, wiem – powiedziała i wzięła do ręki latarkę.

Söderstedt wszedł do łazienki, gdzie był już Chavez, i zamknął za sobą drzwi. Obraz na ekranie komputera był bardzo wyraźny. Widzieli Ivanovą, która lewą ręką chwyciła się kraty w oknie, a w prawej trzymała latarkę.

Söderstedt rozejrzał się po łazience. Zamknięty szklanymi drzwiami brodzik z prysznicem pod sufitem, elegancka szafka, umywalka w stylu vintage, uspokajająco migająca czujka pożarowa na ścianie obok szafki i wreszcie delikatny wieszak na ręczniki. Tak raczej nie wyglądały toalety, gdy w budynku znajdowało się więzienie.

Stali po obu stronach umywalki i obserwowali na ekranie komputera, jak Ivanova podnosi latarkę do okna. Widzieli, jak daje sygnał.

Dwa krótkie, jeden długi.

Procedura została powtórzona dwukrotnie, po czym Ivanova zeskoczyła zgrabnie z przedziwnej konstrukcji i podeszła do drzwi łazienki. Otworzyła je i powiedziała:

– Lepiej zgaście światło. I błagam, działajcie szybko, gdy się pojawi.

– Jesteśmy gotowi – powiedział Söderstedt, zgasił światło i wyjął pistolet. Ivanova zamknęła drzwi. Söderstedt spojrzał na kolegę, którego twarz rozjaśniało lekko niebieskie światło ekranu. Niemrawo migała też dioda czujki pożarowej tuż nad głową Chaveza.

Chavez spojrzał na Söderstedta, spotkał się z nim wzrokiem, odpiął kaburę. Jeszcze zaczekał z wyjęciem pistoletu.

Oddychali tak bezgłośnie, jak tylko się dało. Widzieli, jak Ivanova chodzi tam i z powrotem po niewielkiej „pojedynczej celi".

Czas płynął. Powolny, zagęszczony czas.

Żadnego dźwięku, żadnego ruchu. Tylko kroki Ivanovej.

Cisza.

Nagle rozległ się dźwięk czujki, mały wystrzał prosto w ucho Chaveza. Z niewielkiej obudowy coś trysnęło z dużą siłą. Söderstedt zobaczył, jak Chavez upada na ziemię dokładnie w tej samej sekundzie, w której otwierają się drzwi do „pojedynczej celi". Soderstedt doskoczył do wyjścia z łazienki i poczuł, że drętwieje, jak jeszcze nigdy nie drętwiał, i jednocześnie słabnie, jak jeszcze nigdy nie słabł. Całkiem opada z sił. Nagle mięśnie przestały działać, nogi ugięły się pod nim, przewrócił się na podłogę, zdążył tylko jeszcze rzucić przelotne spojrzenie w stronę Chaveza. Wyglądał, jakby stracił przytomność. Söderstedt chciał krzyknąć, wrzasnąć, ale nie udało mu się uaktywnić jakiegokolwiek mięśnia. Czuł, jak jego palce zaciskają się kurczowo na pistolecie, ale poza tym już nic. Nie czuł nic innego.

Wyjątkowo dziwne wrażenie.

Komputer spadł z umywalki na podłogę. Pęknięty monitor leżał tuż przed bezradnymi oczami Söderstedta. Zobaczył mężczyznę z torbą na ramieniu i maską przeciwgazową na twarzy wchodzącego do celi i kierującego się w stronę Ivanovej, która cały czas z przerażeniem spoglądała na zamknięte drzwi do łazienki. Krzyknęła. Mężczyzna w masce psiknął jej czymś w twarz. Opadła bezwładnie na podłogę. Mężczyzna złapał ją i położył na łóżku. Następnie ruszył w kierunku łazienki.

Arto Söderstedt widział to, ale nie mógł nic z tym zrobić. Nie mógł nic zrobić.

Mężczyzna otworzył gwałtownie drzwi. Nagłe światło oślepiło najwyraźniej podrażnione oczy Arto Söderstedta. Mężczyzna kopnął go mocno w rękę, aż pistolet poleciał w głąb toalety, chwycił Söderstedta i – zerknąwszy na kompletnie nieprzytomnego Chaveza – wyciągnął go z łazienki, po czym zatrzasnął z powrotem drzwi.

Bezsilność, jaką czuł w tej chwili Arto Söderstedt, była nieziemska. Gdy mężczyzna rzucił go na łóżko obok Mariny Ivanovej, jego ciało nie należało już do niego.

Mężczyzna w masce uniósł w górę jakiś podłużny przedmiot i coś na nim odczytał. Zdjął maskę.

– Lepiej uważać na czujki pożarowe – powiedział Wiktor Larsson.

Söderstedt patrzył na niego. Co innego mu pozostało? Udało mu się spojrzeć na Ivanovą. Z jej oczu biło przerażenie, ale jej ciało wydawało się równie nieruchome jak jego własne.

Wiktor Larsson zbliżył się do niej i powiedział:

– Wiesz, jak bardzo cię kochałem, Marino? Gdy jednak zobaczyłem, jak tańczysz z radości na widok zapadającego się World Trade Center, zrozumiałem, kim jesteś. To, że zdradziłaś mnie z tym potworem Diddem, było oczywistym przejawem twojego charakteru. Pozwoliłem ci żyć dziewięć lat dłużej, niż powinnaś. Teraz jednak przyszła twoja kolej.

Larsson otworzył torbę i wyjął z niej nóż o szerokim ostrzu i dziwne szczypce zakończone garniturem ostrych zębów. Zęby na obcęgach. Położył je na łóżku pomiędzy Söderstedtem i Ivanovą.

– Rzadko kiedy mam aż tyle czasu – powiedział. – Zwykle jest nieco trudniej.

Następnie wyjął nóż i przesunął palcami po ostrzu. Jego dłonie były gładkie, delikatne, niemal kobiece.

– Nie pokładałbym zbyt wiele nadziei w waszych koleżankach z pokoju obok. One również miały okazję zażyć tego dziwnego gazu. Wpadłem na niego niedawno, bardzo skuteczny, wypróbowałem na sobie. Nie obawiaj się, komisarzu, to niemiłe uczucie zaraz minie. Trudno w to uwierzyć, kiedy leży się bez żadnej kontroli nad swoim ciałem, ale za kilka minut wszystko minie.

Wiktor Larsson wyjął małe zawiniątko i podszedł do framugi drzwi do łazienki. Wsunął przedmiot w niewielki, wwiercony wcześniej otwór. Następnie podszedł do Mariny Ivanovej, przyłożył nóż pod żebrem z lewej strony jej piersi i powiedział:

– Przez lata słuchałem twoich wykładów o rewolucji, Marino, o tym, że dobre społeczeństwo wymaga czasem ofiar z ludzi. Słyszałem, jak twój chory, pozbawiony empatii głos odbija się echem po salach wykładowych. Dał mi siłę, żeby iść dalej. Nie wiem, ile niewinnych młodych dusz zdążyłaś zniszczyć, ale musiałem cię oszczędzić. Zostawić prawie na sam koniec. Bo oczywiście ty, mój komisarzu, będziesz moją ostatnią ofiarą.

Następnie powoli przebił nożem skórę Ivanovej i skierował go ku górze, przez mięśnie, w kierunku serca.

Gdzieś z głębi ciała Arto Söderstedta zaczęło wracać życie. Coś z jego wnętrza przeciskało się przez nieruchome członki. Iskra życia, nie wiadomo skąd. Niebywała koncentracja całej pozostałej energii w jednym miejscu. W ręce.

Uniósł uszkodzoną kopnięciem prawą rękę i złapał nadgarstek Larssona. Nie czuł bólu. Nóż zatrzymał się kilka centymetrów w głębi ciała Ivanovej. Larsson przycisnął nieco mocniej, Söderstedt stawiał opór. Skoncentrował wszystkie siły w zwichniętej prawej dłoni. Nie istniało nic poza tą koncentracją sił. Po chwili udało mu się unieść lewą rękę. Larsson przycisnął mocniej, nóż zagłębił się o kolejny centymetr w ciele Ivanovej. Trysnęła krew.

Trudno było powiedzieć, czy nóż dotarł do serca.

Sytuacja była rozpaczliwa. Życie Mariny Ivanovej było dosłownie w rękach Söderstedta. Widział samego siebie w równoległym wszechświecie. Kucał nad przepaścią. W złożonych dłoniach trzymał fragment bezkształtnej materii, która w każdej chwili mogła mu się przelać przez palce.

Ludzkie życie.

Larsson przycisnął jeszcze mocniej, Söderstedt stawiał opór. Walczył o życie Ivanovej, o swoje i o życie w całym wszechświecie. Nie pozwoli, żeby nóż dosięgnął serca.

Nie dosięgnął.

Wreszcie poczuł ruch w przeciwną stronę. Nóż wysunął się z ciała. Był tam. Ostatnimi siłami wyrwał nóż z ciała Ivanovej i z ręki Larssona. Z wysiłku jego pozbawione czucia ciało zwaliło się na podłogę. Wsunął nóż pod siebie, przykrył go swoim bezwładnym ciałem. Zobaczył, jak Larsson łapie za dziwne szczypce z zębami. Krew tryskała z rany w piersiach Ivanovej. Larsson zdarł z niej kurtkę, odsłaniając tors. Szczypcami wyrwał kawałek mięsa z prawego ramienia. Następnie wyjął z torby szczelnie zamknięty pojemnik, szklaną ampułę zamkniętą korkiem, otworzył ją szybko i wrzucił do niej oderwany kawałek mięsa. W środku były już inne.

Następnie Wiktor Larsson wyjął wagę, zważył naczynie i schował wszystko z powrotem do etui, które włożył do torby, po czym obrócił się do Arto Söderstedta leżącego na podłodze.

– Oddaj mi nóż – powiedział.

Söderstedt przycisnął mocniej ciało do podłogi, ściskając nóż. Życie zaczęło powoli wracać do obumarłych członków, centymetr po centymetrze.

Larsson pochylił się nad nim i zaczął go ciągnąć za nogi. Söderstedt przyciskał się do podłogi najmocniej, jak mógł. Pierwszy raz przeszło mu przez myśl, że za chwilę naprawdę może umrzeć.

Czy tam, nad przepaścią, trzymał w dłoniach swoje własne życie?

Kątem oka zobaczył, jak otwierają się drzwi łazienki.

Na podłodze leżał Chavez. Pistolet w jego dłoni nie wyglądał najpewniej. Mimo to wycelowany był prosto w Wiktora Larssona.

W jednej chwili wszystko zamarło. Wiktor Larsson rzucił się do drzwi i zniknął.

Chavez przeczołgał się w stronę Söderstedta, który próbował coś powiedzieć. Żaden z nich nie mógł jednak mówić. Chavez spojrzał w oczy Söderstedta. Starały się coś pokazać. Kierunek. Łóżko. Dopiero wtedy Chavez dostrzegł krwawiące ciało Mariny Ivanovej. Zaczął się czołgać w jego stronę. Złapał za brzeg łóżka i podciągnął się. Pierwsza próba, kolejna, obie nieudane. Za każdym razem padał bezsilnie na podłogę. Z ciała Ivanovej ciągle płynęła krew.

Resztką sił Chavez wgramolił się na łóżko. Przysunął się do rany. Nie znalazł niczego, czym mógł zatamować krew, więc przycisnął swoją głowę do rany z całą siłą, jaką jeszcze mógł z siebie wykrzesać. Czuł, jak krew przesącza się przez włosy, przycisnął głowę jeszcze mocniej.

I zemdlał.

Nazino

Sztokholm, 26 maja

BYŁA NOC. Siedzieli sami w poczekalni szpitala Södersjukhuset. Poza nimi nie było nikogo, żadnych policjantów, lekarzy, ani jednej pielęgniarki.

Arto Söderstedt przyglądał się swojej lewej dłoni, poruszył palcami. Zaskoczył go widok współpracujących ze sobą mięśni, wszystkich tych miniaturowych kości posłusznych jego najdelikatniejszemu poleceniu. Już nigdy nie będzie myślał o swoim ciele jako o czymś oczywistym.

Powraca myślami do celi dawnego więzienia Långholmen. Zwichnięta prawa dłoń podnosi telefon komórkowy, palce lewej ręki niezmiernie wolno znajdują bezpośredni numer na pogotowie, bez informowania policji. Z gardła wydobywają się pierwsze sylaby.

Lewa ręka wspina się w kierunku zagipsowanej prawej dłoni i zastyga w miejscu. Nigdy wcześniej nie wyczekiwał bólu tak bardzo jak wtedy, gdy w końcu zaczął pulsować w całym jego ciele na podłodze celi. Nawet teraz, na silnych środkach przeciwbólowych zaaplikowanych prosto do ręki, czuł jeszcze radość z bólu. Z tego, że jego ciało znów działa.

Spojrzał na pozostałą trójkę. Potłuczony zespół. Kerstin Holm wydawała się smutna, osamotniona, a zza ramienia Sary Svenhagen sterczały włosy Jorge Chaveza, jakby był jakimś punkowcem.

– Powinieneś wziąć prysznic – powiedział Söderstedt ściszonym głosem.

– To krew prosto z serca – odpowiedział Chavez równie cicho.

– Nie do końca – odezwała się Kerstin Holm. – Zabrakło centrymetra. Gdzie się, kurwa, podział ten lekarz?

– Byliście prawdziwymi bohaterami – powiedziała Sara Svenhagen i pogłaskała swojego męża po policzku.

– Przy okazji też durniami – powiedział Söderstedt. – Powinniśmy byli rozebrać ten pokój na czynniki pierwsze. Powinniśmy byli się domyślić, że był tam przed nami i wszystko przygotował.

– Dużo powinniśmy byli zrobić – powiedziała Holm. – Bardzo dużo. Tylko że mieliśmy bardzo mało czasu. A on planował to przez dziewięć długich lat.

– Przede wszystkim powinniśmy byli sprzątnąć tego złamasa – powiedział Chavez. – Powinienem go był zastrzelić.

– Dobrze, że tego nie zrobiłeś – powiedział Söderstedt. – Pewnie trafiłbyś mnie.

– Albo Ivanovą – powiedziała Svenhagen.

Przez chwilę patrzyli na siebie, wszyscy czworo. Niewielka dawka radości pojawiła się na krótką chwilę i rozpłynęła w ciszy.

– Co powiedział lekarz na temat gazu? – zapytał Söderstedt i poruszył palcami lewej ręki.

– Że nie ma po nim śladu w ciele – odpowiedziała Holm. – Twierdzi jednak, że wie, co to jest. Cytuję: „substancja krótkotrwale paraliżująca”, najwyraźniej dosyć nowa na rynku.

– Zrobiona przez jakiegoś pieprzonego filozofa – mruknął Chavez i dotknął skrzywiony swoich włosów.

– Kontaktowaliśmy się z Hagą? – zapytała Svenhagen.

– Na razie się wstrzymałam, czekam na sygnał o stanie Ivanovej – powiedziała Holm. – Kurwa, ile to jeszcze potrwa.

– Straciła bardzo dużo krwi – powiedziała Svenhagen i dotknęła lekko włosów męża.

– Trwa operacja – powiedział Chavez. – Musimy się uzbroić w cierpliwość.

– Nie mam cierpliwości do tego dupka – powiedział Söderstedt.

– On o tym wie – powiedziała Holm. – I na to liczy. Będziesz jego ostatnią ofiarą. Zwabi cię do siebie, tak jak zwabił pozostałych dziesięcioro. Spróbuj zachować spokój.

– Która wyspa skazańców będzie ostatnia? – zapytał Söderstedt.

– Chyba będzie musiał wrócić do punktu wyjścia – powiedziała Holm. – Do źródła. Do wyspy, na której zjedli ramię jego dziadka. Wyspy Diedy.

– Czyli gdzieś w Rosji – powiedział Söderstedt. – Czy nie było jakiejś dużej, słynnej wyspy gdzieś na Syberii? Na którą Czechow jeździł pod koniec dziewiętnastego wieku?

– Sachalin – powiedział Chavez. – Przez dziesiątki lat największy na świecie obóz skazańców. Tyle że zamknięto go jeszcze przed rosyjską rewolucją.

– Czy może chodzić o Sachalin? – zapytał Söderstedt. – Z opisu Ivanovej wyłania się inny obraz, prawda?

– Nie do końca – powiedziała Holm. – Powiedziała mniej więcej: „Nie było tam jedzenia. Coś poszło nie tak. Skazańcy zaczęli się zjadać".

– Dokładnie – powiedział Söderstedt. – Ale powiedziała też: „Mała, bezludna wyspa".

– Sachalin nie jest ani bezludny, ani mały – powiedział Chavez i wyjął komórkę.

– Nie wydaje mi się, żeby to było to – Söderstedt pokręcił głową. – Wiktor Larsson miał trzynaście lat, kiedy pierwszego stycznia dziewięćdziesiątego drugiego Związek Radziecki przestał istnieć. Musiał się więc urodzić w siedemdziesiątym ósmym, prawda? W Moskwie, jako Wiktor Lebiediew. Powinno się dać go zlokalizować. Jego dziadek Dieda miał około dziesięciu lat, kiedy trafił na tę piekielną wyspę. Kiedy to mogło być? Jeśli przyjmiemy, że matka Larssona miała dwadzieścia pięć lat, kiedy przyszedł na świat, sama musiała się urodzić około pięćdziesiątego trzeciego. Jeśli jej ojciec miał, powiedzmy, trzydzieści lat, kiedy się urodziła, sam powinien był się urodzić w dwudziestym trzecim, a więc dziesięć lat miał w tysiąc dziewięćset...

– Trzydziestym trzecim! – krzyknął Chavez ze wzrokiem utkwionym w ekran komórki.

– Dobrze policzyłeś – powiedział Söderstedt z rezerwą. – Może tylko trochę zbyt energicznie. Uważaj, żebyś nie dostał zespołu stresu pourazowego...

– Nie policzyłem – powiedział Chavez. – Przeczytałem. Posłuchajcie. Naprawdę pouczająca historia, jeszcze z dwudziestego wieku. W lutym trzydziestego trzeciego Gienrich Jagoda, szef OGPU, sowieckiej tajnej policji, i Matwiej Berman, naczelnik Gułagu, przedstawili Stalinowi „Wielki plan". Pomysł polegał na kontynuacji trzyletniego programu deportacji dwóch milionów tak zwanych kułaków, chłopów, których osiedlano na ziemi syberyjskiej, w Gułagu. Teraz planowano zrobić to samo z kolejnymi dwoma milionami osób z dwóch rosyjskich miast, Moskwy i Leningradu. W miastach tych od kilku miesięcy obowiązywały „wewnętrzne paszporty", które mieszkańcy musieli zawsze nosić przy sobie. Do dużych miast zaczęły bowiem, jak mówiono, napływać „zdeklasowane, szkodliwe społecznie elementy". Jagoda i Berman dostrzegli okazję, żeby oczyścić rosyjskie miasta z tych „szkodliwych elementów" i jednocześnie zasiedlić i zacząć uprawiać puste obszary na Syberii i w Kazachstanie. Jeszcze zanim „Wielki plan" został zatwierdzony przez Stalina, rozpoczęły się deportacje osób, które nie posiadały wewnętrznego paszportu. Wszyscy ci ludzie mieli zostać przetransportowani pociągiem do obozu przejściowego w Tomsku. Stamtąd miano ich przewieźć barkami w górę rzeki Ob na odludne ziemie na zachodniej Syberii, gdzie miały powstać nowe osady. Problem polegał na tym, że plan nie został przemyślany, tylko już czternastego maja pięć tysięcy więźniów przerzucono na cztery barki, by przetransportować ich do komendantury Aleksandro-Wachowskaja. Ale wtedy stała się rzecz zaskakująca. Przyszedł telegram, że za kilka dni przypłynie transport pięciu tysięcy mieszkańców miast. Wybuchła panika. Co mieli zrobić z tymi wszystkimi ludźmi? W wielkim pośpiechu zatrudniono pięćdziesięciu pospolitych przestępców z Tomska w roli strażników i barki ruszyły. Bez jasnego celu, bez planu, bez zaplecza kuchennego, bez żadnego prowiantu z wyjątkiem dwudziestu ton mąki pszennej. Po czterech dniach na wodzie, po południu osiemnastego maja tysiąc dziewięćset trzydziestego trzeciego roku, cztery barki wyładowały cztery tysiące pięciuset pięćdziesięciu sześciu mężczyzn i trzysta dwadzieścia dwie kobiety na małej bezludnej wyspie Nazino na rzece Ob. Dwadzieścia siedem osób zmarło jeszcze na pokładzie, a jedna trzecia tych, którzy przeżyli, była tak wycieńczona, że nie mogła stać o własnych siłach. Dodatkowo wyładowano dwadzieścia ton mąki, z której usypano wielką górę.

Nie dało się oczywiście zjeść mąki, nie było też jak jej przyrządzić. Zapanował głód, a wkrótce zaczął się kanibalizm. Dwudziestego pierwszego maja felczerzy doliczyli się kolejnych siedemdziesięciu zmarłych, z których część padła ofiarą kanibalizmu. Z czasem Nazino zaczęła być nazywana „Wyspą Kanibali".

Kerstin Holm, Sara Svenhagen i Arto Söderstedt przyglądali się Jorge Chavezowi ze skupieniem, z jakim jeszcze nigdy na niego nie patrzyli. Przez dłuższą chwilę było cicho. Söderstedt pokiwał głową.

– Tak. To jest to. Komunizm w całej swej okazałości.

– W każdym razie stalinizm – powiedział Chavez. – Chociaż Stalin tak naprawdę odrzucił „Wielki plan". Tylko że wtedy deportowani byli już w drodze na Nazino.

– Myślę o tej ampule – powiedział Söderstedt. – Tej szklanej kolbie, do której Wiktor Larsson włożył odgryziony fragment ramienia Ivanovej. Potem ją zważył. Być może ma odpowiadać wadze zjedzonego ramienia Diedy.

– Brakuje jednego kawałka – powiedziała Kerstin Holm. – Z *twojego* ramienia, Arto. Teraz już wiemy, jaki ten człowiek jest niebezpieczny. Pytanie, kto z nas pojedzie na wyspę Nazino na Syberii. I przede wszystkim *kiedy*.

– Macie ten cytat? – zapytał Söderstedt.

Spojrzeli na niego ponuro. Sara Svenhagen wyjęła plastikową torebkę z wewnętrznej kieszonki. W środku leżało niewielkie zawiniątko. Spojrzała z wahaniem na pudełko lateksowych rękawiczek, które akurat stało na stoliku w poczekalni. Kerstin Holm skinęła na nie głową. Sara włożyła rękawiczki, otworzyła torebkę, wyjęła karteczkę, rozwinęła i przeczytała:

– Est-ce là Monte-Cristo? demanda d'une voix grave et empreinte d'une profonde tristesse le voyageur. – Oui, Excellence, répondit le patron, nous arrivons.

– Ta sama drukarka laserowa? – zapytał Arto Söderstedt.

– Tak – powiedziała Sara Svenhagen. – Na to wygląda. Rozumiesz, co to znaczy?

– Mniej więcej – powiedział Söderstedt i dodał, układając wcześniej odpowiednio język w ustach: „– Czy to już Monte Christo? – zapytał podróżny z powagą i głębokim smutkiem. – Tak, wasza ekscelencjo – odparł kapitan – dopływamy". Wiktor Larsson pokazuje nam Monte Christo.

Ale jedyny skarb, jaki tam się znajduje, na Nazino, to prawda. A my jesteśmy w drodze.

– Ku prawdzie? – zapytał Chavez.

– Tak – powiedział Söderstedt. – Ale również ku Wiktorowi Larssonowi. I tym razem, kurwa, nie możemy go zgubić.

– Okej – powiedziała Kerstin Holm, podnosząc nieco głos. – Nazino to nasza Monte Christo, myślę, że co do tego jesteśmy zgodni, ale jak niby mamy go tam złapać?

– Odpowiedź znajduje się w przeszłości – powiedział Söderstedt pewnym głosem. – Deportowani trafili na Nazino osiemnastego maja, prawda, Jorge?

– Tak – powiedział Chavez ze wzrokiem utkwionym w telefonie. – I opuścili tę piekielną wyspę dopiero na początku czerwca. Dwudziestego siódmego maja na wyspę trafiło kolejnych tysiąc dwustu skazańców. Łącznie z około sześciu tysięcy siedmiuset skazańców na Nazino przeżyło dwa tysiące dwustu. Dwóch na trzech skazańców zmarło.

– Wydaje mi się, że chodzi tu o jakiś jubileusz – powiedział Söderstedt. – Maj był krytycznym miesiącem na Nazino. Z jakiegoś powodu Wiktor Larsson zdecydował się na maj.

– Musi chodzić o Diedę – powiedziała Svenhagen. – Może chodzi o dzień, w którym zjedli ramię Diedy, albo o dzień, w którym Dieda opuścił wyspę.

– Powiedziałeś, że dwudziestego siódmego maja na wyspę trafiło kolejnych tysiąc dwustu skazańców – zastanowił się Söderstedt. – Musieli pewnie przypłynąć w łodziach albo na barkach. Może zabrali ciężko rannego Diedę z powrotem do cywilizacji?

– Jeśli tak, to ten dzień przypada jutro – powiedziała Kerstin Holm.

W szpitalnej poczekalni zapadła cisza. Gdzieś obok przemknął anioł.

Anioł śmierci.

– Ja w każdym razie muszę tam jechać – powiedział Arto Söderstedt.

– Nie sam – powiedziała Kerstin Holm.

– Pozwól mi tylko wziąć najpierw prysznic – powiedział Jorge Chavez.

– Nie chcę, żebyś jechał na Syberię – powiedziała Sara Svenhagen. – Żaden z was. Jeśli Wiktor Larsson w zaledwie kilka godzin przygotował to wszystko na Långholmen, co takiego mógł wymyślić na Nazino? Bezludna wyspa, gdzie mógł zrobić, co tylko chciał, przez nikogo nie niepokojony. To jest finał planu przygotowywanego przez dziesięć lat, z zimną krwią. Mógł zaminować całą wyspę.

– Musimy go zgarnąć – uciął Arto Söderstedt.

Pierwszy raz od bardzo dawna w opustoszałej poczekalni dało się słyszeć jakiś dźwięk. Szybkie kroki na korytarzu, coraz bliżej. W końcu do pomieszczenia weszła lekarka, wciąż w fartuchu chirurgicznym, zielonym, z licznymi czerwonymi plamami. Wyglądała, jakby właśnie przebiegła maraton w jakimś nocnym koszmarze.

– To nie była łatwa operacja – powiedziała na wdechu. – Ale Marina Ivanova będzie żyła. Uratowaliście jej życie.

Od westchnień ulgi, jakie z siebie wydali, w poczekalni wzrósł nagle poziom dwutlenku węgla.

– Tylko że najpierw je naraziliśmy – odezwał się Chavez.

– W takim razie jej to wynagrodziliście – odpowiedziała i uśmiechnęła się, zmęczona. – Nóż zniszczył sporo mięśni brzucha, ponieważ poruszał się na boki, z dużą siłą, jakby ktoś nie chciał dopuścić go do serca. A krwotok został zatrzymany niespotykaną dotąd metodą, przez którą musieliśmy wyjąć z rany sporą ilość czarnych włosów.

Chavez parsknął.

– Macie tutaj prysznic? – zapytał.

Lekarka uśmiechnęła się słodko i powiedziała:

– To jest szpital, nie pływalnia.

Patrzyli na nią tak długo, że była zmuszona dodać:

– Żartowałam. Poproszę, żeby pielęgniarka przyniosła ręcznik i pokazała, gdzie jest prysznic. A jak pana ręka?

Söderstedt dopiero po chwili zrozumiał, że pytanie było skierowane do niego:

– Wyjątkowo energetyzujący ból.

– Trzy złamane palce – powiedziała lekarka. – Jakim cudem jest energetyzujący?

Arto Söderstedt spojrzał na swoją zagipsowaną dłoń i powiedział:

– Wzywa do oporu. Nie do protestu.

Uwieranie

Haga, 26 maja

CZASEM PAUL HJELM myślał o tym, że chciałby, by okna jego gabinetu, wychodzące na przestrzeń biurową, wykonano z luster fenickich. Mógłby wówczas podglądać jednostkę Opcop, sam nie będąc przy tym widziany. Zastanawiał się, czy zobaczyłby coś innego, niż widział teraz.

Na zewnątrz panowała dosyć dziwna atmosfera. Oczywiście wyczuwało się rozczarowanie nocnymi wydarzeniami w Sztokholmie. I frustrację wywołaną tym, że sprawa toczyła się dalej w nieznanym kierunku. Jak również pewną irytację związaną z tym, że nie sposób wpłynąć na efekt końcowy. Ale było coś jeszcze. Nie potrafił tego do końca określić, ale czy kręcący się tam członkowie jednostki Opcop nie wyglądali, jakby coś ich *uwierało*?

Jakby coś nie do końca się zgadzało.

Paul Hjelm również to czuł, choć w jego przypadku wrażenie to zostało przyćmione przez świadomość popełnionego *błędu*. Czy nie powinni byli inaczej rozegrać spraw na Långholmen? Decyzja, żeby nie wciągać w to sztokholmskiej policji, była słuszna – wówczas Opcop zostałby na zawsze zdekonspirowany – ale czy Marina Ivanova naprawdę musiała być w tej celi? Niepotrzebnie narazili ją na śmiertelne niebezpieczeństwo. Do tego poważnie nawalili przy przeszukiwaniu pokoju hotelowego. Nie była to robota godna policjantów, którym ufał jak nikomu innemu na świecie.

I którzy teraz, przynajmniej część z nich, wyruszali w najdalsze zakątki świata, żeby zrekompensować popełnione błędy. Hjelm wyraził zgodę na wstępne zapytanie Söderstedta – które trudno zresztą nazwać zapytaniem, nie było to w stylu Arta, żeby *pytać szefa* o pozwolenie – i na tyle, na ile to było możliwe, utorował mu drogę na terenie podlegającym rosyjskiej policji. Jak również Jorgemu i Sarze. Z jakiegoś powodu Rosjanie dopuszczali grupę maksymalnie trzech policjantów z UE, o czym Hjelm dowiedział się z ulgą. Bez wahania odrzucił kandydaturę Kerstin, nie tylko dlatego, że musieli mieć kogoś w Sztokholmie – zwyczajnie nie miał zamiaru wysyłać swojej ukochanej na taką misję. Naturalnie we wszystkich oficjalnych sytuacjach by temu zaprzeczył, ale nie było powodu, by okłamywał samego siebie.

Z drugiej strony ci, których właśnie wysyłał w drogę, mieli łącznie siedmioro dzieci, i gdyby coś stało się Sarze i Jorge, Isabel i Miguel zostaliby bez rodziców. Że też nigdy nie da się zapomnieć o konsekwencjach podejmowanych wyborów.

Rosjanie okazali się zaskakująco pomocni i oddali do do dyspozycji glin z Europolu helikopter i cały arsenał broni. Warunki zostały jednak jasno określone: rozegrajcie to sprawnie, nie wciągajcie w to naszego kraju, unikajcie za wszelką cenę mediów. Miało to swoje wady i zalety, ale prowadziło do celu.

Paul Hjelm powiódł wzrokiem po biurze. Felipe Navarro i Angelos Sifakis byli zajęci tym, co tak naprawdę lubili najbardziej – tworzeniem struktur na elektronicznej białej tablicy. Pod starym portretem Wiktora Larssona zawisły zdjęcia dziesięciu ofiar, łącznie z szczęśliwie ocalałą Mariną Ivanovą. Od każdej ofiary biegły strzałki w różnych kierunkach. A na samym brzegu dużego plastikowego ekranu widniały zdjęcia chirurga plastycznego Uda Massicottego, albańskiego handlarza bronią Isliego Vrapiego, potrójnego mordercy Johnny'ego Råglinda i drobnego przestępcy Taisira Karira.

Był niemal pewien, że to przez nie coś uwierało.

Wzrok Paula Hjelma powędrował w kierunku Marka Kowalewskiego i Laimy Balodis. Czytali po rosyjsku. Był to co prawda ich drugi język, ale szło im wyjątkowo opornie. I nie chodziło tylko o to, że od dawna go nie używali – robili to również niechętnie. Rosyjski za czasów ich dzieciństwa – odpowiednio: w Warszawie i w Wilnie – kojarzył się przede wszystkim ze Związkiem Radzieckim. I z całym uciskiem, przeciwko któremu protestowali.

W czasach *głasnostii* w Związku Radzieckim organizacja Memoriał zajmująca się ochroną praw człowieka dotarła do materiałów na temat tak zwanej sprawy Nazino z maja tysiąc dziewięćset trzydziestego trzeciego roku. Materiał ten był teraz dostępny. Ponadto policja rosyjska wysłała spisy ludności z minionego wieku. Z tego wszystkiego zaczął się powoli wyłaniać obraz, nadszarpnięty przez ostrze bariery językowej.

– No dobra – powiedział Kowalewski, odchylając się na krześle. – Chyba udało się już ustalić chronologię?

– Chyba tak – powiedziała Balodis. – Wiktor Lebiediew, urodzony w czerwcu siedemdziesiątego ósmego w Moskwie. Ojciec nieznany, matka Jekatierina Lebiediewa popełniła samobójstwo w styczniu osiemdziesiątego trzeciego, gdy Wiktor miał cztery lata. Dorastał u babci i dziadka ze strony matki, *Baby* i *Diedy*, małżonków Bronisławy i Nikołaja Lebiediewa, zmarłych w maju osiemdziesiątego dziewiątego i grudniu dziewięćdziesiątego pierwszego. Nikołaj zmarł między świętami a Nowym Rokiem tysiąc dziewięćset dziewięćdziesiątego pierwszego, cztery dni po tym, jak Gorbaczow ogłosił swoją rezygnację, przypieczętowując rozpad Związku Radzieckiego, i trzy dni przed tym, jak państwo, które miało tak katastrofalny wpływ na jego życie, formalnie przestało istnieć.

Kowalewski spojrzał na nią i mówił dalej:

– Nikołaj Lebiediew urodził się w lutym dwudziestego trzeciego roku. Miał więc dziesięć lat, kiedy dwudziestego dziewiątego kwietnia tysiąc dziewięćset trzydziestego trzeciego roku został zatrzymany na jednej z moskiewskich ulicy za brak wewnętrznego paszportu. Młody Nikołaj, podobnie jak później syn jego córki, nie miał ojca, a matkę stracił wcześnie – najwyraźniej ona również odebrała sobie życie – i wychowywała go babcia ze strony matki. W tym przypadku nie było dziadka ze strony matki, więc paralela nie jest zupełna. Z pewnością jednak te podobieństwa jeszcze bardziej zbliżyły Wiktora do dziadka.

– Przechodzimy do materiałów zebranych przez Memoriał – powiedziała Balodis. – Nikołaj Lebiediew rzeczywiście znalazł się w grupie, którą deportowano z Moskwy trzydziestego kwietnia i która dziesiątego maja dotarła pociągami do Tomska na Syberii. Czternastego maja wraz z pięcioma tysiącami innych „zdeklasowanych i społecznie szkodliwych elementów" trafił na barki, którymi mieli popłynąć dalej w górę rzeki Ob. Osiemnastego maja dopłynęli na niewielką wyspę Nazino. Już dwudziestego pierwszego padł ofiarą kanibalizmu; napastnicy zdążyli zjeść jego prawe ramię, zanim atak powstrzymał oficer z kilkoma strażnikami. Sprawców zastrzelono, a Nikołaja przeniesiono do namiotu, gdzie zajęli się nim felczerzy. Przeszedł operację, resztki ramienia – w zasadzie same kości – zostały amputowane, a on przez tydzień był na granicy życia i śmierci. Wtedy właśnie przypłynęły barki z kolejnym transportem deportowanych, których również wysadzono na tej makabrycznej Wyspie Kanibali, chociaż wiadomo było, co się z nimi stanie. Zabrali ze sobą Nikołaja Lebiediewa, dziesięciolatka bez prawego ramienia, którego stan zaczął się poprawiać, do Tomska. Stamtąd po jakimś czasie przewieziono go do Moskwy, do babci. Skończył medycynę, spotkał swoją przyszłą żonę Bronisławę, również lekarkę, później urodziła im się córka Jekatierina, której życie niestety zakończyło się tragicznie.

Kowalewski pokiwał głową i powiedział:

– Co do jubileuszowego zakończenia, musi chodzić o dwudziestego siódmego maja. Czyli jutro.

– Dobrze, że już są w drodze – powiedziała Laima Balodis. – Pracowałam z Chavezem w zeszłym roku w Berlinie. Dobrze to wspominam.

– No tak, ale Söderstedt jest nie tylko stary i zgrzybiały, lecz także ma złamaną prawą rękę – powiedział Kowalewski.

– Jest z nimi jeszcze Sara – odezwał się czyjś głos z boku.

Obrócili się i zobaczyli, jak Corine Bouhaddi zamyka książkę.

– Szwedzi będą mogli złapać swojego seryjnego mordercę – powiedział Kowalewski. – Brzmi całkiem racjonalnie. Co czytasz?

– Książkę francuskiego pisarza Nicholasa Wertha *Wyspa Kanibali. 1933. Deportacja i śmierć na Syberii* – powiedziała Bouhaddi, unosząc wydawnictwo. – Wyszła kilka lat temu. Jest też przetłumaczona na angielski – *Cannibal Island.* Zajmuje się szczegółowo sprawą Nazino. Jeśli ktoś kiedyś choć przez chwilę wierzył w społeczeństwo sowieckie, szybko mu przejdzie, gwarantuję.

– Czyli Svenhagen też jedzie? – zapytała Balodis.

– Troje Szwedów na Syberii – powiedział Kowalewski. – Brzmi jak tytuł powieści.

– Jeśli dobrze zrozumiałam – powiedziała Bouhaddi – lecą do Nowosybirska, a na miejscu wypożyczają samochód albo helikopter.

– To dalej nieprzystępne i niebezpieczne odludzie – powiedziała Balodis. – Lepiej, żeby wzięli helikopter. Z drugiej strony trudno wyraźniej zaznaczyć swoje przybycie.

Zamilkli. Bouhaddi, krzywiąc się, pocierała przez chwilę kark.

– Nie macie wrażenia, że coś tu się nie zgadza? – zapytała w końcu.

Kowalewski i Balodis spojrzeli po sobie.

– Owszem – odezwała się po chwili Laima Balodis. – Nie wiem tylko co.

– Mimo wszystko powiedz, Laima – powiedziała Bouhaddi. – Pierwsze, co ci przychodzi do głowy.

– Roman Vacek – powiedziała Balodis.

Bouhaddi pokiwała powoli głową.

– A ty, Marek? – zapytała.

Kowalewski skrzywił się zniesmaczony.

– Chciałbym, żeby to się już skończyło. Chciałbym, żeby nasi szwedzcy przyjaciele złapali tego swojego seryjnego mordercę. Chciałbym, żeby Wiktor Larsson przemówił. Chciałbym powiązać wątki i postawić kropkę.

– Ale...? – cisnęła Bouhaddi.

– Ale życiorys Romana Vacka też mnie gryzie – powiedział Kowalewski. – W latach siedemdziesiątych był czołowym genetykiem w komunistycznej Czechosłowacji. Uciekł przez Wielką Brytanię do Stanów, ponieważ „pierwsza linia frontu badań znajduje się w USA". Potem przez dwadzieścia lat działał na Uniwersytecie Hopkinsa, stał się już w zasadzie Amerykaninem, i nagle wrócił do nowo powstałych Czech, gdzie został politykiem partii komunistycznej, przed którą sam kiedyś uciekał. Z daleka pachnie mi to szpiegostwem. Podwójni agenci i tak dalej.

– O *tym* akurat nie pomyślałam – zawołała Balodis. – Myślałam raczej o strzykawce.

– Chodzi ci o tę końską strzykawkę? – zapytała Bouhaddi. – Na Caprai?

– Nie użył jej na Långholmen ani też nigdzie indziej w ciągu tych dziewięciu lat. Tylko raz, kilka dni później, na Goli Otok, ale wtedy już bez „multitrucizny". Pusta strzykawka. Jakby chciał coś przez to powiedzieć.

– Z drugiej strony wcześniej również nie pojawiła się zagadkowa „tymczasowo paraliżująca substancja" – zauważył Kowalewski. – A Vacek był wyraźnie najsilniejszy ze wszystkich ofiar Wiktora Larssona, ważył sporo ponad sto kilo i miał prawie dwa metry wzrostu. Możliwe, że Larsson uznał, że oprócz noża powinien mieć coś jeszcze.

– Zmiana poglądów politycznych też jest możliwa – skontrowała Balodis. – To się czasem zdarza.

– Ciebie też coś uwiera, Corine – powiedział Kowalewski. – Co dokładnie?

– Capraia – odpowiedziała Bouhaddi bez mrugnięcia okiem. – Cała Capraia. Wszystko tam jest trochę dziwne. Tak, rzeczywiście uwiera.

– Rozumiem, o co wam chodzi – odezwała się Jutta Beyer zza swojego biurka, za którym wyglądała dziwnie samotnie bez Arto Söderstedta.

– A ciebie co uwiera, Jutta? – zapytał Kowalewski.

– Profesor Udo Massicotte – odpowiedziała Jutta Beyer.

Monte Christo

Nazino, Syberia, 27 maja

GDY OBEZWŁADNIAJĄCO monotonny krajobraz przesuwał się pod ich stopami, Arto Söderstedt dotknął zdrową lewą ręką zdrowego prawego ramienia, tuż nad linią grubego gipsu. Pierwszy raz o tym pomyślał. Pierwszy raz miał chwilę, by zastanowić się nad zagrożeniem, niemal obietnicą, że ostatni kęs, dzięki któremu prawe ramię dziesięcioletniego Diedy znów stanie się ciałem, będzie pochodził z prawego ramienia Arto Söderstedta. Ucisnął lekko swoją w pełni sprawną lewą ręką triceps, który nigdy nie był zbyt imponujący. Naprawdę nie chciał, żeby znaczna jego część trafiła do tej makabrycznej kolby z mięsem Wiktora Larssona, nie chciał poczuć, jak absurdalne uzębione szczypce wbijają swoje ostre niczym żyletka kły w jego mięśnie, niezależnie od tego, jakie były.

Naprawdę chciał zatrzymać Wiktora Larssona. Był wściekły.

Arto Söderstedt rzadko kiedy się wściekał. Jego siłą był raczej chłód, umiejętność kanalizowania wściekłości do postaci racjonalnego myślenia. Teraz jednak był zły. Coś w Wiktorze Larssonie go irytowało. Nie tylko dlatego, że Söderstedt, jak twierdził Larsson, od lat znajdował się na jego cholernej liście – a przecież skurczybyk nie miał pojęcia, jak w ciągu całego życia zmieniały się jego poglądy polityczne – tylko z innych, dużo trudniejszych do zaakceptowania powodów. Prawdopodobnie chodziło głównie o to, że Larsson go oszukał, a Arto Söderstedt wpadł w zastawioną przez niego pułapkę. O to, że nie doprowadził myślenia o pokoju hotelowym na Långholmen do oczywistej konkluzji: że Larsson już tam był i przygotował celę. O to, że zignorował tę cholerną migającą czujkę pożarową. Przede wszystkim jednak o to, że zwyczajnie nienawidził postawy Wiktora Larssona.

„Oddaj mi nóż".

Rozkapryszony dzieciak i patetyczny samochwała w jednej osobie.

Nie znał nic gorszego od chełpliwego seryjnego mordercy. To zadufanie w sobie w wysokim stopniu przypominało ideologiczne zacietrzewienie. Przede wszystkim jednak przypominało mu to jego samego przed przemianą, te wszystkie lata, gdy był nadętym adwokatem w Vasa, w Finlandii. Na wspomnienie przekonania o własnej nieomylności i uproszczonych poglądów politycznych, którymi szafował w tym czasie na prawo i lewo, do dzisiaj odczuwał zażenowanie. Zalewała go fala wstydu. Był to ten rodzaj wstydu, o którym trzeba mówić głośno, żeby się go pozbyć.

Dopóki starczy życia.

Teraz te różne rzeczywistości zaczęły się nakładać. Świadczyły jednoznacznie o tym, że życie Arto Söderstedta było zagrożone. Że Wiktor Larsson był jednym z najniebezpieczniejszych ludzi, jakich kiedykolwiek spotkał. I że musiał odpowiedzieć ogniem.

Wtedy, w „pojedynczej celi", gdy tylko podniósł się o własnych siłach, a więc długo po tym, jak odjechała karetka, zabierając ze sobą Marinę Ivanovą, wziął do ręki ten cholerny nóż, splunął na niego i wrzucił go do kontenera w drodze z Långholmen. Nie było to z jego strony zbyt profesjonalne, ale gardził narzędziem, którym tak tchórzliwie zamordowano dziewięć osób, a dziesiątą zraniono. Był niemal pewnien, że Kerstin Holm wyjęła go potem z kontenera, ale wyrzucił z siebie to, co musiał z siebie wyrzucić. Że ma gdzieś autystyczne drobne fetysze tego szaleńca. Że ma gdzieś nie tylko jego nóż i chore szczypce, jego popieprzoną, wypełnioną kawałkami mięsa kolbę i żałosną wagę, lecz także jego małostkowe cytaty z *Hrabiego Monte Christo*. Które zresztą i tak ukradł byłej dziewczynie.

O tak, seryjni mordercy byli zwyczajnie żałośni.

I do tego cholernie niebezpieczni.

Należało więc być sprytniejszym od nich. Tylko tyle. Sprytniejszym.

Mapa niewielkiej wyspy Nazino na rzece Ob leżała złożona między nimi na siedzeniu helikoptera. Dosyć szybko stwierdzili, że tak naprawdę nie da się z niej wyciągnąć żadnych wniosków. Ale przynajmniej podciągnęli się z geografii. I opanowali drogę na wyspę z lądowiska.

Lądowisko wybrał pilot. Dyrektywy były jasne: możliwie jak najbliżej, a zarazem wystarczająco daleko, żeby helikoptera nie było widać ani słychać z Nazino – stało za tym niczym niepotwierdzone założenie, że właśnie tam przebywał Wiktor Larsson. Wybrali miejsce oddalone o cztery kilometry od wyspy. Cztery kilometry przez tundrę lub leśną tundrę, lub tajgę, lub też jakkolwiek, do cholery, nazywał się ten obrzydliwy, groteskowy morenowy krajobraz.

Tak, był zły. Arto Söderstedt już dawno nie był taki zły. Musieli złapać tego człowieka. Niezależnie od tego, jak szlachetne były jego motywy, on sam był zwykłym zerem.

Söderstedt był taki zły, że zapomniał dostać mdłości podczas lotu. Przyglądał się ukradkiem Chavezowi i Svenhagen. Siedzieli, trzymając się za ręce, Sara była trochę bledsza na twarzy niż Jorge. Co za marne siły szybkiego reagowania. A mimo to właśnie oni zatrzymają Wiktora Larssona: połamanymi i złączonymi rękami. Przede wszystkim połamanymi. Söderstedt spojrzał na swoją grubo zagipsowaną prawą rękę i pokręcił głową.

Helikopter zniżał się w szybkim tempie i teraz znajdował się najwyżej sto metrów nad ziemią. Znak, że są już blisko. Ostatnie dwie mile powinni lecieć nisko, tak zostało ustalone. Z kamienną twarzą pilot muskał czubki drzew. Podmokła ziemia była coraz bliżej.

Było wczesne przedpołudnie, a w większości krajów na północnej półkuli panowało przedwiośnie. Ale nie tutaj. Tutaj trwała wieczna późna jesień. Temperatura ledwo przekraczała zero stopni, morenowy krajobraz przecinały brudne pasy iglastego lasu. Ci, którzy uciekli na tratwach z Nazino – a było ich niemało – spotkali tu swoją nieciekawą śmierć. Krajobraz jak po katastrofie jądrowej. *Stalker* Tarkowskiego. Bezludny, wymarły, dziwnie cichy. Jakby na naturze spoczywał obowiązek zachowania milczenia. Z pewnością gdzieś tutaj leżały trupy zdesperowanych uciekinierów z Nazino, zmumifikowane zwłoki do odkrycia przez przyszłe pokolenia, jak człowiek z Bocksten albo człowiek z Tollund. Gleba wydawała się odpowiednia.

I gdzieś tam wśród mokradeł pilot znalazł fragment stałego lądu. Z niezmiennie kamienną twarzą powoli zniżył maszynę, utrzymując ją w pozycji pionowej, aż całkowicie się zatrzymała. Gdy płaty wirnika zwalniały, przygotowali swój bagaż, łącznie z dmuchanym gumowym pontonem w plecaku Chaveza, i sprawdzili, czy wsunięte tam poprzedniego popołudnia rosyjskie pistolety były gotowe.

Gdyby mieli czas, prawdopodobnie zastanowiłoby ich, dlaczego rosyjska policja okazała się taka pomocna, ale go nie mieli.

– Zaczekam tutaj na sygnał od was – powiedział pilot, gdy ustał hałas. – Nie zapomnijcie o telefonie satelitarnym. Tu nie ma zasięgu, pamiętacie?

Skinęli głowami i ruszyli przed siebie.

Droga nie była aż taka trudna – przynajmniej w teorii – wystarczyło iść z biegiem rzeki, wzdłuż ciemnych, strasznych wód Obu. W praktyce wyglądało to jednak zupełnie inaczej. Brzeg rzeki nie był ani równy, ani czytelny. Choć mieli na sobie kalosze, wilgoć przenikała wszystko, a teren nigdy nie stawał się równy. Kępy krzewów były gęstsze, niż się wydawało z góry, kamienie bardziej śliskie, glina bardziej kleista, a woda zimniejsza.

Silny i groźny prąd płynął tuż pod ich stopami. Przerażający krajobraz. Krajobraz śmierci. Nie było widać zwierząt, ani jeden ptak nie zarysował idealnej powierzchni bezkresnego szarego nieba, ani jeden owad nie miał sił przeciwstawić się zimnu. Poza hukiem rzeki – wód roztopowych spływających z gór Ałtaju do Morza Północnego – panowała odwieczna cisza.

Wydawało się, że już zmierzcha, gdy mozolnie przemierzali odcinek czterech kilometrów. Po ponad godzinie Söderstedt wyjął mapę. Svenhagen i Chavez pomogli jednorękiemu ją rozwinąć i pochylili się nad nią.

– To powinno być za tym zakolem – powiedział Söderstedt i wskazał rzekę w miejscu, w którym zakręcała za skalistym szczytem.

– Za jakieś sto metrów zaczniemy być widoczni – powiedział Chavez. – Choć tak naprawdę nie może wiedzieć, skąd nadejdziemy. I z której strony rzeki.

– To jest, jak wiadomo, bezludna wyspa – powiedziała Svenhagen. – Mógł tu być wiele razy. Może mieć na podglądzie całą jej powierzchnię.

– Mógł ją też zaminować – powiedział Chavez. – W jakiś sposób.

– Czy znów popełniamy ten sam błąd? – zapytała Svenhagen. – Czy nie powinniśmy byli po prostu powiadomić Rosjan i pozwolić im najechać wyspę ciężką artylerią?

– Nie – powiedział Söderstedt. – To jest kropka nad i. On chce skończyć. Gdyby zobaczył choć cień ciężkiej artylerii, po prostu by zniknął. Musimy to zrobić w ten sposób.

– Dlaczego musimy? – zapytała Svenhagen.

– Dlatego że ja i Wiktor Larsson mamy plan – powiedział Söderstedt i odwrócił wzrok.

– Czy twój plan obejmuje również gumowy ponton? – nie odpuszczała Svenhagen.

– Obawiam się, że tak – powiedział Söderstedt. – To mimo wszystko dosyć duża wyspa i zarówno on, jak i my jesteśmy dobrze zakamuflowani. Tak łatwo nas nie zobaczy.

– Nawet nie wiesz, jak bardzo będę na ciebie zła, Arto, jeśli ten szatan Larsson będzie tam leżał i strzelał do pontonu – powiedziała Sara Svenhagen.

Arto Söderstedt roześmiał się i pogładził Sarę Svenhagen po ramieniu.

– Wy nie idziecie – powiedział.

– Co? – krzyknęła.

– Paul nigdy nie puściłby mnie samego. A ja potrzebowałem jego znajomości w rosyjskiej policji. Dopuszczali grupę trzech osób. Wziąłem was w charakterze zakładników. Puszczę was wolno, gdy tylko pomożecie mi napompować ponton. Macie małe dzieci. *Nie wolno wam iść ze mną.* W Opcop widzieliśmy już śmierć rodziców małych dzieci.

– Czy właśnie to tak długo planowałeś w gabinecie lekarza wojskowego w Nowosybirsku? – zapytała Svenhagen.

– Wiesz, że cię powstrzymam, prawda? – zapytał Chavez.

– Wiem, że będziesz próbował – powiedział Söderstedt. – Ale to moje *baby*. To mnie chce dopaść. To ja mam go zatrzymać. Chodźcie.

Odeszli kilkanaście metrów od brzegu. Przynajmniej rosło tu sporo krzewów, za którymi można się było schować. Zgięci wpół zbliżali się do zakola rzeki; za chwilę mieli ujrzeć wyspę pośrodku nurtu.

Söderstedt powiedział:

– „Czy to już Monte Christo? – zapytał podróżny z powagą i głębokim smutkiem. – Tak, wasza ekscelencjo – odparł kapitan – dopływamy”.

Chavez parsknął. Byli na miejscu. Nie dało się znaleźć krótszej trasy na Nazino. To był punkt, z którego mieli rozpocząć przeprawę.

Zeszli do rzeki. Brzeg był stosunkowo łagodny; tu mieli zwodować ponton. Choć prąd wydawał się wyjątkowo silny.

Chavez opróżnił plecak i wyciągnął z niego złożony ponton. Svenhagen wyjęła zbiornik pneumatyczny. Söderstedt musiał wyjąć z plecaka telefon satelitarny, żeby się dostać do składanego wiosła. Napompowanie pontonu zajęło im dwie sekundy, ze zbiornika dmuchnęło powietrze, a Söderstedt, próbując rozłożyć wiosło jedyną sprawną ręką, spojrzał na Chaveza.

– Zostaw – powiedział, kręcąc głową.

– Nie pozwolę ci wsiąść samemu – powiedział Chavez. – Musiałeś to wiedzieć od samego początku.

Söderstedt przeniósł powoli wzrok na telefon satelitarny, który leżał na porośniętym mchem kamieniu. Telefon zadzwonił.

Sygnał przeszył surowy syberyjski zmierzch. Chavez był pewien, że ściszył sygnał dzwonka do minimum. Pamiętał, jak to robił w helikopterze. Przypomniał też sobie, jak Söderstedt wziął go z powrotem i włożył do swojego plecaka. Sara Svenhagen patrzyła na telefon z przerażeniem, ale Söderstedt z absolutnym spokojem. Przechylił lekko głowę, dało się słyszeć chrupnięcie między sygnałami, spojrzał Chavezowi głęboko w oczy i zapytał spokojnie:

– Pozwolisz, że odbiorę?

Chavez zawiesił wzrok na spojrzeniu Söderstedta. Nie był pewien, czy kiedykolwiek wcześniej to widział, ale teraz widział na pewno. I zrozumiał. Przytaknął.

– Arto Söderstedt – powiedział Söderstedt do słuchawki telefonu satelitarnego.

– „Zważywszy na społeczne konsekwencje i na to, że nie można porównać protestu z prawdziwym oporem, należy stwierdzić, że w społeczeństwie kapitalistycznym nikt nie jest niewinny" – odpowiedział mu po szwedzku męski głos.

– Słyszę, że odrobiłeś pracę domową – powiedział Söderstedt.

– Wniosek końcowy pracy z teoretycznego marksizmu obronionej na Uniwersytecie w Uppsali ponad dwadzieścia lat temu – odpowiedział głos. – Z tego, co pamiętam, nosiła tytuł *Marksizm na co dzień*. Tezę tę powtórzyło w zasadzie co do słowa kilka artykułów w lewicowej prasie. Autor, który z czasem został policjantem, nazywał się Arto Söderstedt.

– A ty nazywasz się Wiktor Larsson i zamordowałeś dziesięć osób. Który z nas jest większym bandytą?

– Dziesięć? – powiedział Wiktor Larsson. – A więc Marina umarła?

– A jakie to ma znaczenie? Masz fragment jej ciała.

– To zasadnicze pytanie. Ale jeszcze do tego wrócimy. Odpowiedź na twoje pytanie brzmi oczywiście: *ty*.

– Ja jestem bandytą?

– Poglądy, których byłeś rzecznikiem, w dwudziestym wieku pozbawiły życia więcej ludzi niż nazizm. Znacznie więcej. Ale to „nazizm" jest najbrzydszym znanym słowem – „komunizm" wciąż brzmi czysto, lekko idealistycznie. Chcę, żeby wszyscy, którzy kiedykolwiek głosili ideały społeczeństwa komunistycznego, posypali głowy popiołem i przyznali się, że w sposób bezpośredni albo pośredni nawoływali do ludobójstwa, do najstraszliwszych zbrodni, jakie widziała ludzkość. Wszyscy wiedzieli, że wszędzie tam, gdzie reżimy komunistyczne doszły do władzy, działy się rzeczy takie jak na Nazino. Mimo to duża część lewicy wciąż ulegała totalitarnym ciągotom. I robi to do dziś.

– Czego chcesz?

– Zabiłem dziesięć osób, komunizm zabił setki milionów. Jak myślisz, czego chcę?

– Pewnie zabić mnie.

– Wsiadaj do pontonu i tu przypłyń. Sam.

– Sam? – zapytał Söderstedt i spojrzał na Chaveza. Chavez zamknął oczy i pokręcił głową. Zaczynał rozumieć.

– Sam – powtórzył Wiktor Larsson.

Söderstedt rozłączył się i poprawił kaburę z rosyjskim pistoletem. Svenhagen i Chavez pomogli mu zwodować ponton. Arto Söderstedt wsiadł do środka i wziął do ręki wiosło, które podała mu Sara Svenhagen. Spojrzał na nią uspokajająco i odbił się od kamiennego brzegu.

Nie było łatwo utrzymać wiosło grubo zagipsowaną prawą ręką. Lewa odwalała najgorszą robotę. Z początku czuł się, jakby nurt chciał porwać ponton i przepchnąć go obok Nazino, ale w końcu zapanował nad wiosłami. Powoli posuwał się do przodu, choć po przekątnej. Parę razy ponton o mało co się nie wywrócił, ale udało mu się skontrować napór wody i w końcu dobił do Monte Christo Wiktora Larssona.

Wyskoczył z pontonu i odetchnął głęboko. Wciągnął go pomiędzy topole rosnące wzdłuż brzegu. Położył wiosło w środku i wyjął broń. Dziwnie było trzymać pistolet w lewej ręce, ale poprzedniego wieczoru ćwiczył przez kilka godzin na syberyjskiej strzelnicy. Jeszcze zanim udał się do lekarza, żeby poprawić gips.

Słońce już prawie zaszło podczas tej dzikiej przeprawy, a na Nazino panowała wyjątkowo dziwna atmosfera. Czuło się wyraźnie, że zdarzyły się tu okropne rzeczy. Jakby siła przyciągania była większa właśnie w tym miejscu.

Söderstedt przykucnął za pagórkiem i rozejrzał się. Z każdą minutą robiło się coraz ciemniej. Trudno było cokolwiek zobaczyć.

– Puść broń – usłyszał za plecami.

Opuścił pistolet, teraz celował nim w ziemię. Prosto w jądro ciemności Nazino. Wreszcie wypuścił go z ręki i obrócił się.

Wiktor Larsson stał, celując do niego z broni strzeleckiej z noktowizorem. Na czole miał okulary na podczerwień.

– Tam, gdzie teraz stoisz – powiedział Larsson – wznosiła się góra mąki. Pamiętam minę Diedy, kiedy opowiadał mi o górze mąki i o swojej pierwszej wycieczce na drugi brzeg. Było straszliwie zimno, a on chciał zmieszać tę idiotyczną mąkę z wodą z rzeki. Obiecał Fainie, że spróbuje. W nocy stopy przymarzły jej do ziemi, zrobiły się niebieskie. Kiedy wrócił, zostały już tylko stopy. Rozumiesz? Całą resztę zjedli.

– Rozumiem – powiedział ze spokojem Söderstedt.

– Naprawdę? – krzyknął Larsson. – *Ty*, właśnie ty? Przecież to właśnie tacy jak ty sprowadzili tu Diedę i Fainę. Ludzie twojego pokroju.

– Nic nie wiesz o tym, jakiego pokroju jestem człowiekiem – powiedział Söderstedt.

– Idź – powiedział Wiktor Larsson. – Zejdziemy z brzegu. Żeby nikomu nie przyszło do głowy strzelać z drugiej strony.

Ruszyli. Pierwszy Söderstedt, Larsson kilka metrów za nim z bronią wymierzoną w jego plecy.

– Przygotowałem krzesła – powiedział Larsson. – I stół. Pomyślałem, że usiądziemy sobie na chwilę. I porozmawiamy. Mam nawet trochę rosyjskiej wódki, może masz ochotę.

– Poproszę – powiedział Söderstedt.

Na fragmencie płaskiego terenu nieco dalej rzeczywiście widać było stół kempingowy i dwa krzesełka. Na stole stała butelka wódki i dwa kieliszki. I dobrze mu znana torba.

– Siadaj – powiedział Wiktor Larsson. – Krzesło z prawej.

To, które stoi w odpowiedniej odległości od stołu, pomyślał Söderstedt. Żeby nie przyszło mi do głowy go przewrócić. Usiedli. Larsson, trzymając broń w prawej dłoni, z palcem na spuście, nalał lewą ręką dwa duże kieliszki wódki. Następnie podał jeden Söderstedtowi, a sobie wziął drugi. Jego palec wskazujący ani na sekundę nie zsunął się ze spustu.

– *Na zdorowie!* – powiedział po rosyjsku Wiktor Larsson, unosząc kieliszek.

– Na zdrowie – odpowiedział po szwedzku Arto Söderstedt.

Żaden z nich nie pił na sposób rosyjski. Co najwyżej sączyli. Larsson zauważył, że Söderstedt spogląda na jego broń:

– Tak, to jest broń. Zabrałeś mi nóż.

– Wrzuciłem go do kontenera – powiedział Söderstedt.

– Dobra, dobra – parsknął Larsson. – Dziś jest jubileusz, wiesz o tym, prawda, mój komisarzu? Co prawda nie okrągły, ale dziś mija dokładnie siedemdziesiąt siedem lat od dnia, w którym Dieda został wywieziony z Nazino. Pewnie się zastanawiasz, o co mi tak naprawdę chodzi?

– Niekoniecznie – powiedział Söderstedt. – To nie jest wielka zagadka. Nie myśl, że jesteś jakimś wybitnym myślicielem.

– Być może – odparł Larsson. – Za to wielkie jest pytanie. Jak to możliwe, że wszyscy ci staliniści i maoiści i trockiści mogli dalej działać? Jak to możliwe, że wszystkie te antyhumanistyczne schematy myślowe mogły się dalej rozwijać w obrębie socjalizmu i nie trafiły na tę samą czarną listę co nazizm? Dlaczego mogły być dalej głoszone?

– Zgadzam się, że to jest wielkie pytanie – powiedział Söderstedt, sącząc kolejny łyk wódki. – Osobiście uważam, że mam bardzo czuły radar do wykrywania różnego rodzaju zaburzeń empatii. Niemal jak te twoje okulary na podczerwień, które tak stylowo nosisz na czole. I rzeczywiście zaskakująco duża część lewicy cierpi na zaburzenia empatii, w pełni się z tobą zgadzam, Wiktorze. Przez krótką chwilę sam byłem niebezpiecznie blisko takich poglądów.

– A mimo to nie odżegnałeś się od swoich stwierdzeń, że w społeczeństwie kapitalistycznym nie ma niewinnych – powiedział Larsson. – Jeśli kiedyś miało się tego typu przekonania, trzeba dokonać zadośćuczynienia.

– Przecież ty też miałeś takie przekonania – zauważył Söderstedt. – Prawda, Badde? Przezwisko na cześć Andreasa Baadera.

– To właśnie jest moje zadośćuczynienie – powiedział Larsson, rozkładając ręce. – Wszystko, co tutaj widzisz, to moje zadośćuczynienie.

– Seryjne morderstwa to zadośćuczynienie?

– Nigdy nie byłem zdeklarowanym komunistą – powiedział Larsson. – Byłem słabszym ogniwem w związku z Mariną. Ona była ekstremistką, inelektualistką, siłą napędową. Rzeczywiście byłem „Baddem", za Andreasem Baaderem, ale nie z powodów politycznych, tylko dlatego, że byłem do niego podobny. Potem wydarzył się jedenasty września dwa tysiące pierwszego. Siedziałem w kuchni w instytucie. Na widok samolotu uderzającego w Twin Towers co najmniej pięcioro pieprzonych filozofów zaczęło krzyczeć z radości. Doznałem olśnienia. Zobaczyłem linię prostą prowadzącą od Mariny i jej psychicznie chorego bohatera „Czerwonego Diddego" aż tutaj, na Nazino. W innych okolicznościach oboje bez zastanowienia deportowaliby tutaj Diedę. Potem podejrzałem maile Mariny i zobaczyłem, że potajemnie planują jechać razem do Prowansji. Wspólny lot do Marsylii. Tam była wyspa Edmunda Dantèsa, If. To było jak boski plan. Zemsta Diedy zrodziła się sama, bez mojej pomocy. Zwabiłem tam „Czerwonego Diddego" w nocy, ale to wszystko już wiesz. Inaczej by cię tu nie było, Arto.

– Za to ja przeprosiłem oficjalnie – powiedział Söderstedt. – Przeoczyłeś to w swoich poszukiwaniach? Na pożegnanie napisałem artykuł na łamach tego, co nazywasz lewicową prasą.

– To za mało – powiedział Wiktor Larsson i wychylił kieliszek. – Odchodzisz i udajesz, że nic się nie stało. Nietknięty, po tym jak zatrułeś swoimi artykułami setki, może tysiące dusz. Tak łatwo się nie wywiniesz.

Podniósł się i oparł broń o stolik, tak że lufa celowała prosto w brzuch Söderstedta. Otworzył torbę lewą ręką i wyjął z niej po kolei szczypce, kolbę, wagę – i końską strzykawkę. Söderstedt przyglądał się temu przez chwilę, a potem wychylił swój kieliszek wódki.

– Mam ze sobą list, który miał być do ciebie, Arto – powiedział Wiktor Larsson, stawiając torbę na ziemi – gdybyś był sprytniejszym policjantem. Włożę go do swojej tylnej kieszeni. Jest króciutki.

Söderstedt pokazał na stół zagipsowaną prawą ręką i powiedział:

– Ta strzykawka...

Larsson roześmiał się i zdjął broń ze stolika. Wokół nich panowała głęboka ciemność.

– Otóż to – pokręcił głową. – Ta strzykawka. Musielibyście mnie zatrzymać, żeby się dowiedzieć, jak to było. Niestety wam się nie udało.

Wiktor Larsson chwycił i uniósł broń obiema rękami. Z niemal przepraszającą miną wymierzył ją w Söderstedta i przyłożył noktowizor do oka.

– Pora umierać, panie Söderstedt – powiedział.

Reakcja była oczywista. Ręce do góry, dłonie do przodu. Żałosna, a nawet trochę wzruszająca pozycja obronna, jeszcze sprzed epoki kamienia łupanego. Bezużyteczna wobec nowoczesnej broni.

W tej samej chwili prawa ręka Arto Söderstedta eksplodowała.

Larssona odrzuciło do tyłu. Broń poszybowała w górę, obróciła się w powietrzu i spadła tuż obok niego. Ale Söderstedt zdążył do niej dopaść i kopnąć ją na bok. Z prawego barku zaskoczonego Wiktora Larssona trysnęła krew. Arto Söderstedt wcisnął stopę w ranę i przyłożył swoją dymiącą, zagipsowaną rękę do twarzy Larssona.

– Nawet nie wiesz, jak ciężko jest schować nawet tak mały pistolet w gipsie – powiedział. – Zwłaszcza gdy ma się złamane trzy palce. Ale to wyjątkowo energetyzujący ból, zapewniam cię.

– Potrzebujecie mnie żywego – syknął Wiktor Larsson.

Söderstedt ciągle trzymał gips wymierzony w twarz Larssona. Dawno już adrenalina nie zawładnęła nim tak bardzo jak teraz. Chciał zabić tego dupka.

Wcisnął stopę jeszcze mocniej w postrzelone ramię, starannie wymierzył i znów strzelił.

W ziemię tuż obok prawego ucha Wiktora Larssona.

Prosto w jądro ciemności Nazino.

4

Sztorm

Końska strzykawka

Nowosybirsk – Haga, 28 maja

ARTO SÖDERSTEDT rozwinął list. Nie było to proste, choć gips na prawej ręce był znacznie mniejszy niż jeszcze kilka godzin wcześniej. W końcu przeczytał na głos, po angielsku:

– „Jeśli mnie złapiesz, to będzie twoja nagroda, nieznajomy policjancie. Ten list. Od niego zaczniemy". To od czego zaczniemy, Wiktorze?

Söderstedt siedział przy stole przesłuchań w ascetycznej celi więziennej. Po drugiej stronie, przykuty do stołu kajdankami, siedział ledwo rozpoznawalny mężczyzna z gołym torsem, który niemal w całości pokrywał mocny bandaż wokół prawego barku. Wiktor Larsson był blady i uśmiechał się pod nosem.

– Ciekawa paralela – powiedział po szwedzku. – Ten bandaż jest dokładnie w tym samym miejscu, gdzie był bandaż Diedy siedemdziesiąt siedem lat temu.

– To od czego zaczniemy, Wiktorze? – powtórzył Söderstedt po angielsku. – Mów po angielsku, to jest międzynarodowe przesłuchanie.

Sara Svenhagen stała w głębi celi, zajęta ustawianiem kamery wideo na wysokim statywie przy ścianie. Jorge Chavez siedział obok Söderstedta. Chavez był doświadczonym policjantem, więc zaskoczyło go to czyste, niemal dziewicze uczucie, które go przepełniało. Uczucie absolutnego *podziwu* dla Arto Söderstedta, które zawładnęło nim dokładnie w tej sekundzie.

Było widać, że seryjny morderca Wiktor Larsson odczuwa coś podobnego.

– Kurwa, sprytnie z tym gipsem – powiedział po angielsku. – Moje gratulacje, Arto.

Söderstedt rzucił mu obojętne spojrzenie i skrzywił się, znudzony. Na stole przed nimi leżały ułożone w rządku: torba Larssona, obcęgi, szklana kolba, waga i końska strzykawka. Söderstedt wyciągnął szyję i powiedział:

– Spróbujemy zacząć? Ten list nie wnosi niczego nowego. Wszystko, co zostało w nim napisane, wiemy już od dawna, łącznie z tym twoim obłędnie megalomańskim założeniem, że ustalasz wszystkie moje kroki, że ja tylko realizuję twój plan. Tak naprawdę to ty realizujesz mój plan.

Wiktor Larsson pochylił się nad stołem, na tyle, na ile pozwoliły mu kajdanki.

– Mógłbym opowiadać godzinami, jak planowałem każde morderstwo, jak wybierałem po kolei ofiary i wyspy skazańców, ale pewnie masz to wszystko gdzieś, co?

Söderstedt milczał, pozwolił Sarze Svenhagen, która właśnie usiadła przy stole na czwartym krześle, rozwinąć kartkę. Przysunęła ją do niego. Był to portret mężczyzny z czupryną czarnych włosów i bujnymi czarnymi wąsami.

– Tego przebrania – powiedział Larsson, wzruszając ramionami – użyłem w dwa tysiące czwartym na Ko Tarutao, w dwa tysiące ósmym na Coibie i ostatnio na Caprai. Przy innych okazjach miałem inne przebrania. Ta mała Peruwianka na Coibie – nazywała się chyba Teresa Moy, prawda? – jako jedyna stawiła mi opór. Dużo siły jak na takie małe ciało.

– Zatrzymajmy się przy Caprai – powiedział Söderstedt. – Powiedz coś więcej o zabójstwie Romana Vacka.

– Jeśli chcecie zapytać o tę motorówkę, to nie ja ją ukradłem. Popłynąłem na Livorno w środku nocy. Trochę ciężko się sterowało.

– Nie pytamy o motorówkę – powiedział Söderstedt. – Mamy gdzieś motorówkę. Powtórzę: opowiedz o zabójstwie Romana Vacka.

– Nie ma wiele do opowiadania – powiedział Larsson z uśmiechem. – Przebiegło jak zwykle. Obiecałem mu tajne materiały NATO na temat baz wojskowych w Turcji. Dla kogoś takiego jak on było to atrakcyjne. Kiedy wszedłem do budynku więzienia, zaświecił latarką – dwa krótkie, jeden długi – dokładnie tak, jak miał to zrobić.

– Vacek był większy od pozostałych – powiedział Söderstedt.

– Nic nie jest większe od starannie wymierzonego ciosu nożem – powiedział Larsson.

– Spędziłeś pięć dni w hotelu na Caprai. Co robiłeś?

– Planowałem. Zastanawiałem się, jak zwabić starego Rudiego Schrempfa na Goli Otok. Nad tym, czy i kiedy powinienem napisać list do nieznajomego komisarza policji. Co powinienem zrobić z Mariną Ivanovą. Jak powinienem przygotować Långholmen. I co zrobić, żebyś przyjechał na Nazino, moje Monte Christo, gdzie czeka na ciebie skarb w postaci prawdy. Takie tam.

– Co właściwie wydarzyło się w celi więziennej na Caprai?

Wiktor Larsson się roześmiał, jego twarz wykrzywił grymas, złapał się za zabandażowany bark i podrapał w uchu.

– Szumi mi w uszach. Powinieneś raczej strzelić mi w czoło.

– Nie jestem mordercą – powiedział Arto Söderstedt i był *niemal* pewien, że mówi prawdę.

– Dobra, dobra, wmawiaj sobie – powiedział Larsson. – Byłeś orędownikiem zabijania niewinnych, bo „nie ma niewinnych w społeczeństwie kapitalistycznym”.

– Co takiego wydarzyło się w celi więziennej na Caprai?

– Dlaczego miałbym oddać moją jedyną mocną kartę na samym początku gry?

Teraz to Söderstedt pochylił się nad stołem.

– My tu w nic nie gramy, Wiktorze. Gra się skończyła. Przegrałeś. Teraz możesz już tylko wybrać, jaką cenę jesteś gotów zapłacić. Popełniłeś zbrodnie w kilkunastu krajach. Zażądam ekstradycji do Tajlandii. Ich więzienia są znane na całym świecie. Zastanawiam się tylko, czy Brazylia i Panama nie zapewnią ci równie interesujących doznań w ciągu tego krótkiego czasu, który uda ci się przeżyć w *ich* więzieniach...

Wiktor Larsson pokręcił głową.

– Nie zrobisz tego.

– Jeśli będziesz współpracować, być może trafisz do szwedzkiego więzienia za próbę zabójstwa Mariny Ivanovej.

– To znaczy, że przeżyła? Powinienem się domyślić. Co to za siła nie dopuściła noża do serca? Powinieneś był być całkowicie unieruchomiony, Arto.

Chavez odchrząknął i powiedział:

– Na Robben Island w RPA zabiłeś wysoko postawionego chińskiego urzędnika o nazwisku Hu Yudong. Kontaktowałem się już z władzami chińskimi, chętnie cię przyjmą u siebie.

– Gwarantowana kara śmierci – powiedział Söderstedt i wzruszył ramionami.

Larsson obrócił się do Sary Svenhagen i zapytał:

– Kłamią?

Svenhagen pokręciła głową i powiedziała:

– Jesteśmy teraz w Rosji, na dalekiej Syberii. Lot do Chin zajmie najwyżej kilka godzin. Nikt o tobie więcej nie usłyszy.

– Nie usłyszy twojego śmiechu, twojej prawdy o sprawie Nazino i komunistycznych zbrodniach – dodał Chavez.

– Dziesięć lat planowania na marne – powiedział Söderstedt.

Wiktor Larsson westchnął.

– Potrzebuję jakiegoś rodzaju zabezpieczenia...

Svenhagen wskazała kamerę za plecami i powiedziała:

– Bezpośrednie połączenie z Europolem, Europejskim Urzędem Policji, może słyszałeś.

Larsson spojrzał na nią z powątpiewaniem, ale nie odpowiedział.

– To jest nieoperacyjny urząd policji – dodała ostrożnie po chwili. – *Nadzorujący* urząd policji.

– Skąd mam wiedzieć, że oni tam naprawdę są?

– Słyszymy cię – odezwał się wyraźny głos z głośnika obok kamery. – Mówi Angelos Sifakis, inspektor i grecki łącznik przy Europolu w Hadze. Wraz ze mną jest ponad dziesięć osób, które słyszały wszystko, co do tej pory powiedzieliście. Przesłuchanie jest nagrywane.

– Potrzebuję gwarancji, że stanę przed sądem w Szwecji.

– Państwo policjanci mają rację – odpowiedział oficjalnym tonem Sifakis. – Międzynarodowy charakter twoich zbrodni sprawia, że możesz być postawiony przed sądem w każdym z tych krajów, oczywiście przede wszystkim w Rosji.

– W Rosji? – krzyknął Wiktor Larsson.

– Zamordowałeś przecież rosyjskiego obywatela o nazwisku Paweł Morozow na Isla Dawson w Chile w sierpniu zeszłego roku, prawda? A teraz jesteś w Rosji.

Larsson przetarł ręką czoło, ale nic nie powiedział.

– Czy znasz może więzienie o nazwie OE-256/5? – mówił dalej Sifakis. – Nazywane jest więzieniem Piatak, trafiają do niego najgorsi przestępcy w Rosji. Ma opinię najcięższego zakładu karnego na świecie. Nikt jeszcze nigdy stamtąd nie uciekł, a to dlatego, że to wyspa. Wyspa skazańców.

– Dlaczego twoim zdaniem rosyjska policja była dla nas taka miła? – zapytał Chavez. – Bo obiecaliśmy, że podamy im cię na tacy. Byliby bardzo zadowoleni, gdybyś spędził tych kilka dni, które ci pozostały, w najcięższym więzieniu na świecie, które w dodatku znajduje się na wyspie.

– Czy jeśli opowiem o Romanie Vacku, te gliny zabiorą mnie ze sobą do Szwecji?! – krzyknął Wiktor Larsson do kamery. W jego głosie zabrzmiał ton, którego nikt z obecnych wcześniej nie słyszał.

– Tak łatwo się nie wywiniesz – powiedział chłodno Sifakis. – Na początek musisz powiedzieć, jak dotarłeś do Arto Söderstedta. Skąd wiedziałeś, że to właśnie Söderstedt prowadzi twoją sprawę?

– Przez cały czas sprawdzałem, czy coś się dzieje wokół dawnych morderstw – powiedział Wiktor Larsson. – Dzwoniłem na policję i sprawdzałem postępy. Za którymś razem zadzwoniłem na policję w RPA, podając się za szwedzkiego glinę. Rozmawiałem z jakimś żółtodziobem, któremu przypadkiem wymsknęło się, że jego kolega pojechał zbadać dawne morderstwo na Robben Island. Dostałem od niego nazwisko kolegi i numer komórki, i okazało się jeszcze, że wcześniej kolega był na włoskiej wyspie Capraia. Wyciągnąłem prosty wniosek, że morderstwa zaczęły być ze sobą kojarzone i że Söderstedt jest moim nieznajomym komisarzem policji. Potem zobaczyłem też, że jego nazwisko znajduje się na mojej cholernie długiej liście starych, niereformowalnych *komunistów.*

– Arto Söderstedt ze szwedzkiej policji, tak? – powiedział ostro Sifakis.

– Tak – odpowiedział Larsson. – A niby skąd?

Söderstedt miał wrażenie, że usłyszał westchnienie ulgi nie tylko Sifakisa, lecz również, gdzieś w tle, Paula Hjelma. Nie było przecieku. Nikt nie wiedział o wciąż tajnej działalności jednostki Opcop.

– Możecie kontynuować przesłuchanie – powiedział Sifakis ze stoickim spokojem.

– A ty możesz opowiedzieć o Caprai – powiedział Söderstedt równie spokojnie.

Wiktor Larsson przyglądał mu się przez chwilę. Był wyraźnie wytrącony z równowagi.

– Gdy Vacek zamrugał latarką, wszedłem do celi. Był tam, cholernie podniecony, wielki jak dąb. Powiedział, że jest w stanie zrozumieć konieczność zachowania tajemnicy, ale że to już przesada. Powiedziałem, że mam materiały w torbie. Wyjąłem nóż. Vacek zrobił krok do tyłu i uniósł ręce w śmiesznej pozycji obronnej. Ale wtedy coś się stało. Zamiast się cofnąć jeszcze bardziej, rzucił się do przodu, na nóż. Złapał mnie za przegub ręki. Coś było nie tak. Zza grubych szkieł okularów spojrzał na mnie jakoś tak dziwnie, zaskoczony. Bez problemu wbiłem mu nóż pod żebra, wszedł bardzo miękko. Wtedy jednak mnie złapał, przewróciliśmy się. Uderzyłem plecami o kamienną posadzkę, ten olbrzym upadł na mnie. Zauważyłem, że coś wystaje mu z ramienia.

Wiktor Larsson zamilkł i potarł czoło.

– Dziewięć lat i żadnego wypadku, żadnych niespodzianek – powiedział ściszonym głosem. – I nagle coś takiego. W jego barku tkwiła strzykawka, wielka końska strzykawka. Ta tutaj.

Oczy wszystkich zebranych w pokoju – i prawdopodobnie również tuzina osób w Hadze – powędrowały za palcem wskazującym Larssona w kierunku końskiej strzykawki leżącej na stole.

– To Vacek położył latarkę w oknie, prawda? – zapytał Arto Söderstedt.

– Tak – powiedział Larsson.

– A więc cela była dobrze oświetlona?

– Dosyć.

– Co takiego zobaczyłeś za barkiem Vacka, Wiktorze?

Wiktor Larsson przymknął oczy i przez chwilę siedział w milczeniu. W surowej celi więziennej w Nowosybirsku zapanował kompletny bezruch.

– Mężczyznę – odezwał się w końcu. – Podszedł do mnie, gdy leżałem przygnieciony ciałem Romana Vacka.

– Mężczyznę, który wbił strzykawkę w ramię Vacka?

– Tak. Przez chwilę mi się przyglądał. Potem zniknął. Zabrałem strzykawkę i wykorzystałem ją kilka dni później na Goli Otok. Tyle że pustą. Zawsze to jakaś dodatkowa zagwozdka dla policji.

– Pamiętasz, jak wyglądał ten mężczyzna?

– Wszystko działo się bardzo szybko, czułem cholerny ból, a ten grubas leżał na mnie.

– Ale go widziałeś?

– Tak. Oczywiście, że go widziałem. Spojrzałem mu w oczy. Przyglądał mi się i niemal widziałem, jak nieprawdopodobnie szybko myśli.

– Jak wyglądał?

– Trzydzieści, trzydzieści pięć lat, chyba ciemny blondyn, krótkie włosy. Elegancki. Nic szczególnego.

– Ale pamiętasz, jak wyglądał? Mógłbyś pomóc w opracowaniu jego portretu?

– Tak mi się wydaje – powiedział Wiktor Larsson.

Arto Söderstedt odchylił się do tyłu na krześle i powiedział:

– A *mnie* się wydaje, że właśnie zarezerwowałeś sobie bilet powrotny do Sztokholmu.

Sara Svenhagen wstała i podeszła do kamery.

*

Na elektronicznej białej tablicy w biurze w Hadze pojawiło się zbliżenie Sary Svenhagen. Spojrzała w obiektyw kamery i zamachała ręką. Potem jej miejsce zajął schemat autorstwa Navarra i Sifakisa.

Paul Hjelm wydawał się poruszony. Pokazał ręką na ekran i powiedział:

– Będzie to trzeba zmienić.

Potem nikt nie odezwał się przez dłuższą chwilę.

– Pytanie tylko jak – odezwał się w końcu Hjelm. – Ktoś ma jakąś propozycję?

– Po pierwsze chciałbym cofnąć część tego, co niedawno powiedziałem o Söderstedcie – odezwał się Marek Kowalewski.

– Cóż – powiedział Paul Hjelm z przelotnym uśmiechem. – To stara prawda. Nigdy nie skreślaj Arta.

Z miejsca Jutty Beyer doszedł ich cichy dźwięk. Ten dziwny dźwięk, który pojawia się, gdy ktoś podnosi rękę, a potem nagle ją opuszcza. Spojrzeli w jej stronę.

– Czy to możliwe, że Capraia była punktem przecięcia? – zapytała z naciskiem. – Punktem, w którym dwie serie morderstw nieoczekiwanie się spotkały?

– To odważna hipoteza – powiedział Hjelm. – Nic nie wiemy o żadnej drugiej serii. Z pewnością jednak w przypadku Romana Vacka mieliśmy dwóch morderców. Co w jeszcze większym stopniu każe nam skierować uwagę na tego dziwnego Czecha. Chciałbym, żebyśmy się dokładnie przyjrzeli działalności Vacka w Stanach. Czuję, że to tam znajdziemy rozwiązanie.

– Choć jeśli morderca ma trzydzieści, trzydzieści pięć lat – odezwała się Miriam Hershey – miał najwyżej piętnaście, dwadzieścia, kiedy Vacek wrócił do Europy.

– Czy z tego otwartego małżeństwa były jakieś dzieci? – zapytał Hjelm.

– Nie – odpowiedział Kowalewski. – Z drugiej strony było to otwarte małżeństwo, możliwości spłodzenia dzieci było więc nieskończenie wiele.

– W ramach kary za to, co powiedziałeś, przyjrzysz się temu bliżej. Co jeszcze?

– Genetyka – powiedział Felipe Navarro, przyglądając się swoim stopom.

Odpowiedzieli mu długim spojrzeniem, więc wyjaśnił:

– Roman Vacek był już uznanym na świecie genetykiem, gdy w latach siedemdziesiątych uciekł na Zachód. Potem stał się jeszcze bardziej znany. W tamtych latach genetyka rozwijała się błyskawicznie. Mam wrażenie, że tu chodzi o coś bardzo osobistego.

– Dobra – odezwał się Hjelm. – Navarro, Hershey, Balodis, zajmiecie się działalnością zawodową Vacka w USA, na Uniwersytecie Johnsa Hopkinsa i tak dalej. Czym tak naprawdę zajmował się w Ameryce? Poproście o pomoc przedstawicieli lokalnych. Jedźcie tam, jeśli będzie trzeba.

– Czyli nam zostają czescy komuniści? – zapytała Corine Bouhaddi.

– Dobry pomysł – powiedział Hjelm głosem pozbawionym emocji. – Sifakis, Beyer i Bouhaddi, czescy komuniści. Ale nie tylko. Porozmawiajcie z jego kolegami z Parlamentu Europejskiego, z partii i z opozycji. Spróbujcie zawęzić krąg wokół Vacka. Za bardzo nam się wymyka. Przez kilkadziesiąt lat był w coś zamieszany. Jeszcze nie wiemy, w co, ale musimy to odkryć.

– Teraz to już naprawdę muszę coś powiedzieć – powiedziała Jutta Beyer, cofając rękę.

– Proszę bardzo – powiedział szarmancko Hjelm.

– W ciągu zaledwie kilku dni ginie najpierw jeden z ważniejszych genetyków, a zaraz potem jeden z ważniejszych chirurgów plastycznych. Obaj działają w poufnych strefach UE. To *musi* się ze sobą łączyć. Trzeba wrócić do tak zwanego samobójstwa profesora Uda Massicottego. Byli w podobnym wieku i duża część ich przeszłości jest owiana tajemnicą. Jestem przekonana, że coś ich łączyło.

– Dobra – powiedział Hjelm. – Problem w tym, że sprawę Massicottego przejęła niewspomniana tu instancja.

– Jestem przekonana, że szef może porozmawiać z niewspomnianą tu instancją i sprawdzić, na czym stoją – powiedziała Beyer zaczepnie – jak również że akta sprawy przez przypadek zachowały się w czeluściach niewspomnianego tu twardego dysku wspomnianego szefa.

Paul Hjelm spojrzał z niedowierzaniem na Juttę Beyer. Przez krótką chwilę poczuł się niemal szczęśliwy.

– Jeszcze do tego wrócimy. Niech nic was jednak nie powstrzymuje, jeśli znajdziecie paralele łączące Vacka z Massicottem.

– Ważny chirurg plastyczny, ważny genetyk, ważny handlarz bronią – powiedziała Bouhaddi. – Czyli znowu wracamy do tego Albańczyka ze Sztokholmu? Isliego Vrapiego? Trzeciego, że tak powiem, czołowego gracza zamordowanego w ciągu kilku dni.

– Nikt nie cieszyłby się bardziej ode mnie, gdybyście znaleźli taką paralelę – przyznał Paul Hjelm. – W tej chwili niczego takiego nie widzę, ale powtarzam – gdybyście wpadli na coś, co ich łączy, niech nic was nie zatrzymuje. – Raz jeszcze spróbował zakończyć. – Podsumowując. Z ruin, jakie zostawił po sobie seryjny morderca, wyłonił się inny morderca, na dobrą sprawę od początku to przeczuwaliśmy. Bez przerwy coś nas w tej sprawie uwierało, ugniatało i gryzło. Nic tak naprawdę do siebie nie pasowało. Czas już poukładać wszystko na miejsce. Ruszajcie.

I ruszyli.

Uniwersytet Johnsa Hopkinsa

Baltimore, 28 maja

FELIPE NAVARRO nie był do końca przygotowany na spotkanie z Baltimore. Co prawda w młodości maniakalnie oglądał stary serial telewizyjny *Homicide*, a w ostatnim czasie również jego zaktualizowaną wersję pod tytułem *The Wire*, która była prawdopodobnie najlepszym serialem kryminalnym na świecie, ale nigdy wcześniej nie doszło do bezpośredniego spotkania. Gdy znalazł nazwisko dawnego szefa Romana Vacka na Uniwersytecie Johnsa Hopkinsa, zamówił bilet na samolot i ruszył, zanim jeszcze ktokolwiek zdążył zaprotestować, w kierunku lotniska Schiphol. Teraz było popołudnie w innej strefie czasowej, a on nie nadążał za samym sobą. Przede wszystkim jednak nie nadążał za tym wielkim, szybkim miastem pełnym tak wyraźnych podziałów społecznych. Było tu wszystko, począwszy od megalomańskich pomników, dzięki którym miasto zyskało przydomek Monumental City, poprzez ogromny, zaniedbany port, a skończywszy na niebezpiecznych rogach ulic w zachodnich częściach miasta. Navarro, gliniarz zza biurka, zdążył podczas szalonej jazdy z hotelu odhaczyć niemal każdą klasę społeczną, a na rogach ulic bez wątpienia działo się coś *tajemniczego*, bo pieniądze i narkotyki gładko zamieniały się miejscami.

A teraz jeszcze to. Całkowite przeciwieństwo. Wyszukany dziewiętnastowieczny pałac w środku miasta, Billings Building z historyczną kopułą, z której rozpościerał się widok na szpital i szkołę medyczną imienia Johnsa Hopkinsa.

Nieprawdopodobne miejsce, od co najmniej dwóch dziesięcioleci rokrocznie okrzykiwane najlepszym szpitalem w USA. Widok z gabinetu profesora emeritusa Blaira Blandforda na Patterson Park był również nie do pogardzenia.

– Roman Vacek, tak – zastanowił się starszy mężczyzna z siwą brodą, ubrany w staromodny strój do golfa. – Wielki talent. Nie żyje, mówi pan, inspektorze Navarro?

– Niestety został zamordowany. I to w bardzo dziwnych okolicznościach.

Na ustach Blaira Blandforda pojawił się przelotny, pozbawiony radości uśmiech.

– Wszystko było dosyć dziwaczne w naszym szanownym Czechu.

– Kiedy sprawdzałem dokumenty dotyczące zatrudnienia u was Romana Vacka, zwróciłem uwagę na długie urlopy.

– Zawsze jednak wracał na macierzystą uczelnię – powiedział Blandford z tym samym przelotnym uśmiechem. – Badania podstawowe były jego pasją. Chciał zrozumieć podstawowe mechanizmy rządzące życiem. Musi pan zrozumieć, panie inspektorze, jak przez te lata dramatycznie rozwinęły się badania genetyczne. Zaczynamy już naprawdę zbliżać się do istoty życia. Czym ono jest? To pytanie pobrzmiewa w *Czarodziejskiej górze* Tomasza Manna.

– A potem rzucił to wszystko i został komunistycznym europolitykiem. Zaskoczyło was to?

– Niekoniecznie – odparł Blandford, a jego spojrzenie powędrowało gdzieś daleko.

– Nie?

– Przepraszam – wzdrygnął się stary lekarz. – Nie wiem, czy powinienem o tym rozmawiać z europejskim policjantem. Nie jestem pewien ani pańskich, ani własnych uprawnień.

– Rozmawiamy przecież o naukowcu, a nie o tajemnicach państwowych?

Spojrzenie Blaira Blandforda znów powędrowało gdzieś bardzo, bardzo daleko.

– Gdyby Roman Vacek wytrwał przy badaniach podstawowych, miałby już teraz Nobla. I pewnie by żył.

– Tak się jednak nie stało?

Stary profesor pokręcił głową, długo i z namysłem.

– Były inne czasy, mój młody hiszpański przyjacielu. Świat był głęboko upolityczniony. Żyliśmy w cieniu zimnej wojny i zagrożenia bronią jądrową.

– Rozumiem, że to właśnie temu „upolitycznieniu" poświęcał się Roman Vacek podczas swoich długotrwałych urlopów na uczelni?

Blandford westchnął.

– To było w tysiąc dziewięćset siedemdziesiątym piątym. Roman Vacek przyjechał tu zza żelaznej kurtyny z unikalnymi informacjami na temat stanu zaawansowania badań genetycznych na Wschodzie. Domyślam się jednak, że jest pan zbyt młody, by pamiętać, czym była żelazna kurtyna...

– Ale nie za młody, żeby czytać – odparł Navarro. – Z tego, co pamiętam, Churchill nie wymyślił tego terminu, ale za to użył go w liście do waszego prezydenta Trumana w maju czterdziestego piątego: *An iron curtain is drawn down upon their front. We do not know what is going on behind.* Miał na myśli Europę Wschodnią i Związek Radziecki.

Na ustach Blaira Blandforda znów pojawił się przelotny uśmiech.

– Czasem mam wrażenie, że to wróciło...

– Zależy nam tylko na tym, żeby zatrzymać zabójcę Romana Vacka – powiedział Navarro i pochylił się nad ogromnym biurkiem Blandforda. – Czy to miało coś wspólnego z genetyką?

– Naturalnie wielu z nas kusiła ta myśl – powiedział profesor, a na jego ustach pojawił się wywołany jakimś wspomnieniem eteryczny uśmiech.

– Jaka myśl? – zapytał Navarro.

– Nie będę tu opowiadać historii genetyki, inspektorze Navarro, ale odkąd w tysiąc dziewięćset sześćdziesiątym szóstym Nirenberg, Matthaei, Leder i Khorana złamali kod genetyczny, marzyliśmy o tym, żeby stworzyć idealnego człowieka. I gdy na początku lat siedemdziesiątych Cohenowi i Boyerowi po raz pierwszy w historii udało się zrekombinować DNA, otworzyły się drzwi. W siedemdziesiątym piątym przyjechał tu Vacek z bankiem wiedzy zza żelaznej kurtyny. Przecież to oczywiste, że chciano użyć jego wiedzy do czegoś innego niż do badań podstawowych.

– Mianowicie?

– Mój młody przyjacielu – odparł Blair Blandford, przygnieciony doświadczeniem wielu lat pracy. – Poświęciłem całe życie niezależnym badaniom podstawowym w dziedzinie genetyki. Badaniom podstawowym, samemu sednu, wiedzy, bez ingerencji ekonomistów, wojskowych, pragmatyków i oportunistów. Nawet przez sekundę nie żałowałem tej decyzji. Nawet wtedy, gdy widziałem, jakie wille budowali moi współpracownicy w Howard City. Czasem musiałem tylko pozwolić Romanowi i Andrew zajmować się czymś innym, to wszystko. Jestem przekonany, że Roman w końcu właśnie za to zapłacił życiem. Ale już powiedziałem za wiele.

– Andrew? – zapytał Felipe Navarro.

– Neurolog, partner Romana Vacka. Profesor Andrew Hamilton III. Zawsze brali urlop w tym samym czasie.

– Czy Andrew Hamilton III pracuje nadal na Uniwersytecie Johnsa Hopkinsa?

Profesor Blandford pokręcił głową i spojrzał w górę. Jego jasne spojrzenie stało się jeszcze bardziej wilgotne.

– Nie żyje.

– Nie żyje?

– Od pięciu lat. Został zamordowany.

W tej samej chwili Felipe Navarro doznał wizji. Zobaczył z góry krąg. Z wysoka. Krąg z krzeseł. Wokół kręgu znajdował się inny krąg. Złożony z ludzi. Biegali w kółko. Grała muzyka, głośna i nieskładna. Ludzie śmiali się, wygłupiali, ale nie przestawali biegać. Nagle muzyka zamilkła. Zapadła kompletna cisza. Ludzie rzucili się do krzeseł. Złapali je.

Wszyscy z wyjątkiem jednego.

– Zamordowany? – powtórzył Navarro.

– Przykra historia – stwierdził Blandford.

Felipe Navarro poczuł, że coś dziwnego dzieje się z jego udami. Coś go kłuło. Coś powoli wędrowało w dół.

– Gdzie przebywali Roman Vacek i Andrew Hamilton III, gdy brali wolne?

– Nie wiem. Nie wolno mi było wiedzieć.

Navarro nie mógł nie zapytać. Kłucie w nogach sprawiło, że zapytał:

– Mówimy tutaj o CIA? FBI? Secret Service?

Profesor emeritus Blair Blandford parsknął i uśmiechnął się swoim pozbawionym radości uśmiechem.

– Nie no, skądże – odpowiedział z lekką ironią.

– W takim razie o czym mówimy?

– O niczym. Mam zasznurowane usta.

– Wiem. I gdy stąd wyjdę, będą znów zasznurowane. I nigdy nie widziałem, żeby było inaczej. Teraz jednak muszę się dowiedzieć.

Mina Blandforda, gdy pochylił się nad olbrzymim biurkiem, powiedziała mu już w zasadzie wszystko.

Wszystko, co Felipe Navarro chciał wiedzieć.

– Trzydzieści pięć lat – powiedział mimo to Blandford. – Minęło trzydzieści pięć lat. W średniowieczu to całe życie. Całe życie w wielu krajach w Afryce. Całe życie stania z boku. Bez możliwości uczestniczenia. Bo nie chciało się zrezygnować ze swojej wolności. Z obiektywizmu nauki. Z wiary, że wiedza jest niezależna, a fakty powinny mówić same za siebie. I że wiedza nie ulega politycznym naciskom i jest niezależna od wojskowych sojuszy.

– Wnioskuję z tego, że...

– NATO – uciął Blandford. – *Teraz* moje usta są zasznurowane.

– I nigdy nie było inaczej – powiedział Felipe Navarro i poczuł, jak dziwne kłucie przeniosło się w dół łydki. Gdy jego stopy już niemal oddzieliły się od reszty ciała, dodał: – Dziękuję. – Stopy się oddaliły. – Mam jeszcze jedno pytanie – powiedział Felipe Navarro.

– Moje usta są zasznurowane – powtórzył Blair Blandford.

– Chodzi o coś zupełnie innego. Jakie jest pańskie zdanie na temat mapowania genomu nienarodzonych dzieci?

– Nigdy – powiedział Blandford stanowczo. – Proszę na mnie spojrzeć. Na kogo wyglądam? Na starego bogacza w stroju do golfa. Można o mnie pomyśleć, co się tylko chce, prawda? Profesor w prywatnym szpitalu, partyjki golfa z mafią, majątek ukryty na Kanarach, sponsor dowolnego republikańskiego senatora. Prawda?

Felipe Navarro nie wiedział, co odpowiedzieć. Jego stopy zatrzymały się jednak. Stały nieruchomo.

– Od stu lat żyjemy w świecie, gdzie każda zdobycz powinna być równoważona etyką. Nasze siły są w tej chwili ogromne, przekraczają nas samych wielokrotnie. Musimy myśleć dużo bardziej perspektywicznie niż kiedyś. Spadek, który zostawimy po sobie, będzie miał konkretne skutki – nasze działania mogą mieć wpływ nie tylko na życie naszych dzieci i wnuków, lecz także na życie wszystkich kolejnych ludzkich pokoleń.

Navarro przyglądał się swoim stopom. Obróciły się. W jego stronę.

Blandford mówił dalej:

– Żyjemy w niesamowitych czasach, choć niewielu zdaje sobie z tego sprawę. Naturalnie chciałoby się być przy tym, jak człowiekowi po raz pierwszy udało się rozpalić ogień, gdy nagle zrozumieliśmy, że gardło pozwala nam tworzyć słowa, gdy wynaleziono koło, gdy język pisany ujrzał światło dzienne, gdy zrozumieliśmy, że ziarno zamienia się w ziemi w roślinę, gdy doszliśmy do wniosku, że ziemia jest okrągła, gdy odkryliśmy pierwiastki, gdy pojęliśmy znaczenie fal radiowych, gdy zbudowano pierwszy samochód, gdy człowiek wzniósł się po raz pierwszy w powietrze lub gdy – już w naszych czasach – narodził się internet. Jednak rewolucja, która dokonuje się w tej chwili, jest być może większa od wszystkich tych odkryć. Właśnie w tej chwili odkrywamy *tajemnicę samego życia.* Ni mniej, ni więcej.

Technologia nie zaszła jeszcze tak daleko. Stopniowo dochodzi do nas, jak niewiele rozumiemy. Jeśli już teraz zaczniemy testować nasze przyszłe dzieci, kiedy technologia jest jeszcze na etapie kamienia łupanego, otworzymy drzwi temu, co zawsze i z definicji jest tylko złudzeniem: koncepcji stworzenia idealnego człowieka. Ten człowiek nie istnieje, nigdy nie istniał i nie będzie istniał. Nasza egzystencja opiera się na różnorodności, na tym, że jesteśmy tak odmienni, że każda jednostka jest wyjątkowa i jako taka powinna być traktowana indywidualnie. To jest nauka, jaką udało się wyciągnąć po tysiącach lat ciężkiej ludzkiej pracy.

Stopy Felipe Navarra nie wlokły się powoli z powrotem do jego ciała. Biegły. Wskoczyły na swoje miejsce pod jego nogami. Dołączyły się. Uśmiechnął się lekko i powiedział:

– Właśnie tego chcieli? Stworzyć idealnego człowieka?

– Nie tylko tego – powiedział Blair Blandford. – Chcieli stworzyć *idealnego przywódcę.*

– Ale usta pana profesora są zasznurowane?

– Całkowicie – powiedział Blandford i pokazał, jak zasznurowuje usta.

NATO

Haga – Bruksela, 29 maja

PRZED CHWILĄ minęła północ. W Hadze była sobota, gdy w niewielkim mieszkaniu Paula Hjelma zadzwonił telefon. Mieszkał w nim już półtora roku, ale wciąż nie czuł się tu u siebie. Choć jego konkubina Kerstin Holm (jeśli wciąż mógł tak o niej mówić) została z nim na kilka pierwszych tygodni i pomogła mu urządzić stare, eleganckie mieszkanie w Statenkwartier, nadal nie potrafił pozbyć się zapachu zapuszczonej kawalerskiej nory. Niezależnie od tego, jak jasne, czyste i miejskie było jego nowe mieszkanie, wciąż przypominało mu kawalerkę na Slipgatan na Knivsöder w Sztokholmie, do której wprowadził się po rozwodzie wiele lat temu. Najwyraźniej trudno było uciec przed pojawiającym się czasem uczuciem osamotnienia.

Jak zwykle nie udało mu się położyć przed północą. Siedział w łóżku z komputerem na kolanach i znów przeglądał sprawę. Napływały kolejne materiały dotyczące ofiar Wiktora Larssona, ale na drugiej, nowej flance niewiele się działo. Brak informacji był zastanawiający. Kowalewski nie znalazł niczego na temat ewentualnych owoców „otwartego małżeństwa" Romana Vacka, podróż Sifakisa do Pragi nie przyniosła niczego nowego, Beyer i Bouhaddi kręciły się po Strasburgu, ale nie udało im się wyciągnąć od kolegów Czecha z parlamentu niczego sensownego, i choć Hershey i Balodis prawdopodobnie skorzystały z dawnych znajomości tej ostatniej w MI5, nazwisko Vacka nie pojawiło się ani razu w podejrzanym kontekście. Również kolejne czytanie akt sprawy Massicottego w wykonaniu Hjelma do niczego nie prowadziło. A z nagłym wyjazdem Navarra do Baltimore nie wiązał, szczerze mówiąc, żadnych większych nadziei.

Dlatego zdziwił się, gdy odebrał telefon i usłyszał w słuchawce głos Felipe Navarra.

– NATO – powiedział tylko.

– Słucham? – odpowiedział.

– Roman Vacek był członkiem zespołu badawczego zajmującego się badaniami podstawowymi na Uniwersytecie Johnsa Hopkinsa pod kierunkiem profesora Blaira Blandforda. Pracowali w nim głównie genetycy, ale było też kilku neurobiologów i neurologów. Co jakiś czas dwóch członków zespołu brało wolne. Pierwszym był Roman Vacek. Drugim – neurolog o nazwisku Andrew Hamilton III. Zdaniem Blandforda NATO było w jakiś sposób zamieszane w próby stworzenia „idealnego przywódcy".

Do tego momentu Paul Hjelm siedział już wyprostowany w łóżku.

– O co tu chodzi? O jakiś zespół specjalistów NATO?

– Nie mam pojęcia. Blandford nie miał więcej informacji. Najwyraźniej ciągła nieobecność Vacka i Hamiltona na tyle zaburzyła prace jego zespołu, że nie mógł się powstrzymać i o tym nie wspomnieć, choć miał zasznurowane usta. Andrew Hamilton III został zamordowany osiemnastego stycznia dwa tysiące szóstego w swoim domu na luksusowych przedmieściach Baltimore, Howard County. Siedzę właśnie w hotelu, mam przed sobą materiały z dochodzenia.

– No żeż kurwa! – krzyknął Hjelm. – Jak zginął?

– Został całkowicie zmasakrowany, przynajmniej tak to wygląda – powiedział Navarro. – Są tu zdjęcia, na które lepiej nie patrzeć, kiedy siedzi się samemu, po ciemku, w hotelu, w obcym i trochę groźnym mieście.

– Jak dotarłeś do tych materiałów?

– Przez pewnego uczynnego policjanta z Baltimore, który nie nazywał się ani Jimmy McNulty, ani Frank Pembleton.

– Uczynnego?

– Na moim rachunku z podróży wpiszę to w rubrykę „nieprzewidziane wydatki".

– Świetnie sobie radzisz na polu bitwy, Felipe.

– O kurwa! – krzyknął Navarro.

– Co? – zdziwił się Hjelm.

– Nic, nic, przepraszam. Skoro już mowa o polu bitwy, może zamiast próbować opisać te zdjęcia, zacytuję fragment z materiałów dochodzeniowych: „Niewspółmierne użycie siły sugeruje raczej pobudki osobiste niż czysty sadyzm. Mamy tu do czynienia z *eksterminacją* – *eksterminacja* pisane kursywą – dokonaną w sposób, który w dalszej części poszukiwań skłania do skupienia się na najbliższych ofiary.

– I jak przebiegły dalsze poszukiwania?

– Na przesłuchania wezwano wiele osób, od norweskiej *au pair* po czyściciela basenu, ale po kilku miesiącach dochodzenie tymczasowo zawieszono. Nie udało się wyłonić żadnego podejrzanego. Sprawa jest wciąż otwarta. Domyślam się chyba, jakie będzie następne pytanie szefa.

– Czy ustalono przyczynę śmierci?

– Spodziewałem się raczej: „Czy przeprowadzono badanie toksykologiczne?".

– A to nie to samo?

– No tak, w pewnym sensie. Nie, nie zafundowali sobie tego. Przyczyną śmierci było, jak stwierdzono, „silne uderzenie w głowę".

– Styczeń dwa tysiące szóstego. Cztery i pół roku przed Vackiem. Ten sam sprawca?

– Skoro tak: czy wydarzyło się coś jeszcze w ciągu tych czterech i pół roku?

– Czyli kolejny seryjny morderca? Zza jednego seryjnego mordercy wyłania się drugi? Jutta miała rację?

– Wciąż nie mamy dowodów. Nasuwa się jednak pytanie, czy w zespole, którego celem było stworzenie „idealnego przywódcy", znalazł się również chirurg plastyczny.

– Też mi to przyszło do głowy. Trzeba będzie poszukać powiązań łączących Vacka, Hamiltona i Massicottego. Genetyk, neurobiolog i chirurg plastyczny.

– Wiem, że wnioskuję może zbyt pochopnie, ale czy to nie wygląda na eksterminację tego zespołu?

– Zaczekajmy z wyciąganiem wniosków do czasu, gdy znajdziemy potwierdzenie, że w ogóle istnieje jakiś związek. Ponieważ jednak i tak jestem już dziś umówiony na poranne spotkanie z rzecznikiem NATO, być może odpowiedź dostaniemy bardzo szybko. Niezależnie od wszystkiego, wykonałeś kawał świetnej roboty w USA, Felipe.

– Nie spodziewałeś się, co?

– Nie spodziewałem. Za to twoje pobudki zdają się mieć ten sam charakter, co pobudki zabójcy Andrew Hamiltona III. Jak to określono: pobudki *osobiste*. Choć nie wiem, z czego one wynikają.

W słuchawce zaległa cisza.

– Szef nie myślał nigdy o tym, żeby zostać detektywem? – zapytał po chwili.

– Hm. Dopóki pobudki osobiste nie szkodzą dochodzeniu, mogą być tylko pożyteczne. Choć często bywają kapryśne. Uważaj na nie.

– Dobra. Jest jeszcze coś.

– Tak?

– Czy myśli szef, że udałoby się nie włączać profesora Blandforda do śledztwa?

– Dlaczego?

– Dlatego że go polubiłem.

– Zrobię, co w mojej mocy – odpowiedział Hjelm i rozłączył się.

Naprawdę próbował spać tej nocy, ale gdy telefon zawył o czwartej nad ranem, nie był pewien, czy zdążył choć raz zmrużyć oko. Być może tak. Być może rozmyślania przeszły w sny, tylko on nie zauważył różnicy, bo były wyjątkowo obrazowe. Znalazł się z powrotem w latach siedemdziesiątych, czasach swojego dzieciństwa, jakby przeglądał album fotograficzny. Wyścig zbrojeń. Ślepota zimnej wojny. Dzieciństwo spędzone na sennych przedmieściach Sztokholmu. Tumba, Segersjövägen. Boisko. Ospałe niedziele, kiedy nie poruszały się nawet liście topoli. Niewinny, *nieświadomy* świat, którego obywatele nawet nie zdawali sobie sprawy z towarzyszącego im bez przerwy zagrożenia. Świat przed pojawieniem się internetu. Zanim jeszcze zaczęła rządzić hipermedializacja. W tym świecie, teraz to widział, blok militarny dał się zamroczyć radykalnymi dokonaniami świata nauki. I zebrano dużą grupę międzynarodowych ekspertów, żeby stworzyć w laboratorium idealnego dowódcę. Geny, mózg, wygląd. Genetyk, neurobiolog, chirurg plastyczny.

Paul Hjelm wstał, wziął szybki prysznic, na koniec polał się lodowatą wodą, żeby rozruszać mózg. Przed wyjściem szybko połknął jakąś kanapkę i wychylił filiżankę rozpuszczalnej kawy. Zjechał windą do garażu, reprezentacyjnej karty przetargowej tego budynku. Wsiadł do samochodu i wyruszył do innego kraju.

Wczesne poranne spotkanie w siedzibie głównej NATO w Brukseli, siedemnaście mil samochodem, jeszcze zanim zaczną się korki. Dwie godziny na zebranie myśli – dokładnie tego potrzebował przed spotkaniem z tak zwanym „rzecznikiem" NATO. Próbował się co prawda dowiedzieć, kim tak naprawdę był admirał Brent Lloyd, napotkał jednak równie zastanawiający brak informacji, co w przypadku Romana Vacka. A to z kolei sporo mówiło.

Na E19 w kierunku południowym było praktycznie pusto. Zachmurzony europejski poranek, powoli robiło się coraz jaśniej. Gdy za Rotterdamem zjechał na A16, świat nagle całkiem się spłaszczył. Wciąż nie przestawało go dziwić, jak płaski jest teren w tym rejonie kontynentu. Sam spędzał wakacje w najmłodszych częściach Europy. Gdy przed wieloma laty roztopił się wielki lodowiec, z Morza Bałtyckiego wyłoniły się sztokholmskie szkiery, najliczniejsze i najmłodsze wyspy w Europie. Nagle przypomniało mu się, jak kilka lat temu wrócił na wyspę dzieciństwa w północnych szkierach. Linia brzegowa wyglądała zupełnie inaczej. Nie tylko dlatego, że sprowadzili się tutaj najbogatsi mieszkańcy Sztokholmu, omijając przy okazji wszystkie zakazy zabudowy wzdłuż linii brzegowej, ale również dlatego, że zmieniła się nawet sama geografia. Wynoszenie się lądu, które wciąż trwało, wysuszyło zatokę, w której kąpał się w dzieciństwie, zamieniając ją w kwitnącą łąkę. Przeżycie jak ze snu, a nawet koszmaru. Jakby jego dzieciństwo było zwykłym kłamstwem.

Przez krótką chwilę zastanawiał się, dlaczego do jego zwykle zorientowanej na przyszłość świadomości wciąż powraca dzieciństwo. Potem ta myśl nagle się urwała, a jego designerski i przyjazny środowisku samochód wjechał z europejskiem szykiem na północne przedmieścia Brukseli.

Wszedł do imponujących rozmiarów dziwnego betonowego bunkra, w którym znajdowała się siedziba główna NATO w Brukseli. Żeby wejść do środka, nie tylko trzeba było się umówić, lecz także mieć ze sobą różnego rodzaju dokumenty identyfikacyjne. Spojrzał na mapkę ogromnego budynku, na której zaznaczono mu trasę, i rozpoczął, lekko zrezygnowany, wędrówkę przez opustoszałe w sobotę korytarze.

Po ponad dziesięciu minutach drogi wreszcie stanął przed anonimowymi drzwiami w górnej części budynku. Nacisnął klamkę, wszedł do pustej sali konferencyjnej, a jego wzrok zatrzymał się na tykającym uparcie zegarze ściennym, który pokazywał, że jest cztery minuty przed czasem. Nie najgorszy wynik jak na jazdę z Hagi. I nawet nie musiał przekraczać prędkości.

Była punkt siódma, gdy admirał Brent Lloyd wkroczył do sali konferencyjnej, i Paul Hjelm od razu nabrał podejrzeń. Prawdopodobnie był obserwowany przez całą drogę z recepcji. Mało co potrafiło tak bardzo zirytować relatywistę czasowego jak nadmierna punktualność.

Brent Lloyd był w jego wieku, ale niestety był znacznie bardziej wysportowany. Miał na sobie surowy mundur z imponującą liczbą odznak i stopni. Podał mu rękę, uścisk był zdecydowany, i dopiero potem padła pierwsza kwestia:

– Rozumiem, że ma pan jakieś pytania dotyczące działalności NATO – powiedział admirał z amerykańskim akcentem ze Wschodniego Wybrzeża. – Jako rzecznik jestem gotów na nie odpowiedzieć.

Paul Hjelm potrzebował kilku sekund, żeby zrozumieć sformułowanie użyte przez Brenta Lloyda. Gdy wreszcie mu się to udało, powiedział:

– A jak brzmią moje pytania?

Lloyd przyglądał mu się przez krótką chwilę, po czym powiedział:

– To pan ma je zadać, nieprawdaż?

– Tak, ale pan znał na nie odpowiedź, jeszcze zanim zostały zadane – powiedział Hjelm, choć nie był pewien, czy to na pewno szczęśliwy początek konwersacji. Zależało to od charakteru Brenta Lloyda, a nie od jego dyrektyw.

– Rozumiem pański punkt widzenia – odpowiedział. – Rzeczywiście domyśliliśmy się, której sfery dotyczą pańskie pytania.

Mniej więcej to miał nadzieję usłyszeć Paul Hjelm. Cokolwiek można by powiedzieć o Brencie Lloydzie, przynajmniej nie był sztywniakiem. Dało się z nim porozmawiać.

– Z początku były to dwa pytania – zaczął – ale w nocy zrobiły się trzy. Lub nawet więcej, jeśli doliczyć pytania uzupełniające.

– *Shoot* – powiedział admirał. – Usiądziemy?

Usiedli po obu stronach nudnego stołu konferencyjnego.

– Po pierwsze jestem ciekaw, jak wam idzie sprawa Uda Massicottego.

– Przekazaliście ją nam tydzień temu. Spodziewa się pan już teraz oficjalnego raportu?

– Raczej nieoficjalnego. Niewykluczone, że ta sprawa zahacza o jedną z naszych spraw, o której już wkrótce sporo się naczytacie. Dotyczy Szweda o rosyjskich korzeniach, który przez dziewięć lat mordował komunistów na całym świecie.

– Ciekawe – stwierdził admirał Lloyd, wykrzywiając lekko usta. – Jak to się niby łączy ze sprawą Massicottego?

– Nie mamy jeszcze pewności. Dlatego jesteśmy ciekawi, czy pojawiło się coś nowego w dochodzeniu. Może jakiś przełom?

– Niekoniecznie. Choć nasze dochodzenie koncentruje się oczywiście na wątku terrorystów po liftingu.

– Rozumiem. Czy mógłbym ewentualnie liczyć na coś w rodzaju podsumowania waszych dotychczasowych postępów?

Lloyd skrzywił się lekko, ułożył odpowiednio język w ustach i powiedział:

– Naturalnie z dużym zainteresowaniem przyglądamy się próbom stworzenia przez UE europejskiego FBI; to leży również w naszym interesie. Byłoby jednak dobrze, gdybyście rozumieli zakres waszej działalności. Który w tej chwili jest dosyć wąski.

– Pan admirał chce przez to powiedzieć, że mamy nie wtykać nosa w nie swoje sprawy?

Lloyd roześmiał się, zabrzmiało to nawet dosyć spontanicznie.

– Cóż. Raczej że nie mamy nic do zaoferowania, zanim nie przyjdzie oficjalny raport.

– W takim razie pytanie numer dwa. Czy człowiek o nazwisku Roman Vacek był waszym szpiegiem w czeskiej partii komunistycznej KSČM, Komunistická strana Čech a Moravy?

Oczy Brenta Lloyda lekko się zwęziły. Spojrzał uważnie na Paula Hjelma i powiedział:

– Naprawdę spodziewa się pan, że zdradzimy wam, ot tak, nazwiska natowskich szpiegów?

– Są trzy kwestie. Po pierwsze: Roman Vacek nie żyje, raczej trudno go zdradzić. Po drugie: nie jesteśmy z mediów, obowiązują nas tak samo rygorystyczne zasady zachowania tajemnicy jak was. Po trzecie: znacznie ułatwiłoby nam to śledztwo w sprawie Vacka, gdybyśmy przynajmniej mieli sugestię, że mogło tak być.

Naturalnie z tylnej kieszeni spodni admirała Lloyda rozległo się charakterystyczne wibrowanie telefonu. Admirał wyjął telefon, spojrzał na ekran i powiedział:

– Proszę na chwilę wybaczyć, komisarzu Hjelm.

Nie czekając na odpowiedź, podszedł do drzwi, którymi przed chwilą wszedł do sali.

– Naturalnie. Choć taki sam ze mnie komisarz jak z admirała podporucznik – rzucił.

Lloyd uśmiechnął się krzywo i wyszedł z sali.

Hjelm zaczekał pięć minut, które bardzo powoli przeszły w dziesięć minut, a potem w piętnaście. Zaczął się zastanawiać, czy admirał najzwyczajniej w świecie nie zwiał. Pomyślał, że mógłby mu przynajmniej zaproponować kawę.

Wreszcie drzwi się otworzyły i, co ciekawe, do środka wszedł Lloyd, niosąc tacę z dwiema filiżankami kawy.

– Proszę wybaczyć, że tyle to trwało – powiedział, usiadł i podał filiżankę Hjelmowi, który wziął ją do ręki i podziękował. Upił łyk zaskakująco dobrej kawy i powiedział:

– Przeciwnie, cieszę się, że znalazł pan powód, by raczej przedyskutować pytanie, niż zwyczajnie je zignorować.

Lloyd spojrzał na niego z ukosa.

– Odpowiedź brzmi: tak. Roman Vacek pracował dla nas przez wiele lat, chciał zestarzeć się w ojczyźnie. Dostał proste zadanie, nazwałbym je emeryckim: w razie potrzeby miał raportować, co dzieje się w ostatniej aktywnej partii komunistycznej w Europie. Poza tym mógł poruszać interesujące go kwestie w Parlamencie Europejskim. Był wystarczająco lewicowy, by przekonująco grać komunistę.

– To nie brzmi jak jakieś priorytetowe zadanie szpiegowskie – zauważył Paul Hjelm.

– Bo nim nie było – odpowiedział Lloyd i pokręcił głową. – Była to raczej nagroda za długą i wierną służbę. Wspominał pan, że ma trzy pytania...?

– Zgadza się. Zastanawiam się tylko, czy rzeczywiście powinienem je zadać.

Brent Lloyd spojrzał zaskoczony na Paula Hjelma.

– Naturalnie lepiej jest zadać pytanie i ewentualnie nie dostać na nie odpowiedzi, niż nie zadać go wcale. Przynajmniej będziemy mieli pewność, że nie ma między nami żadnych nieporozumień.

– Rzeczywiście nie chciałbym tego ryzykować – powiedział Hjelm głosem pozbawionym emocji.

– A więc jak brzmi pańskie trzecie pytanie?

– Co takiego robił Roman Vacek dla NATO w czasie swojego pobytu w Baltimore?

Jak się tego można było spodziewać, w tylnej kieszeni Lloyda znów zawibrował telefon. Admirał wyjął komórkę i spojrzał na ekran.

– Niestety w tej kwestii nie możemy pomóc Europolowi – odpowiedział spokojnie.

– Zatrudnialiście go kilkakrotnie w latach siedemdziesiątych i osiemdziesiątych, razem z Andrew Hamiltonem III, neurobiologiem.

– To było tak dawno temu, że jest to poza moim polem widzenia. Nie słyszałem o tego rodzaju sekcji.

– Sekcji?

– Nic nie wiemy o tego typu działalności – powiedział admirał Brent Lloyd, podnosząc się z krzesła. – Czas już się pożegnać. Za chwilę zaczyna się zwykły dzień roboczy.

– Jest sobota – zdziwił się Hjelm.

Lloyd nie zareagował, pożegnał się i zniknął za bocznymi drzwiami.

Gdy Paul Hjelm, zerkając na swoją mapkę, człapał z powrotem przez korytarze siedziby głównej NATO w Brukseli, uznał, że chociaż może nie było to stuprocentowe zwycięstwo, mimo wszystko poszło trochę lepiej, niż mógł się spodziewać. Pomyślał:

Sekcja.

Rozpoczął się kolejny dzień pracy.

Dzień roboczy, sobota.

Götgatan Blues

Haga, 29 maja

PAUL HJELM poczuł lekkie zmęczenie, gdy wszedł do biura i spojrzał na zgromadzonych. Söderstedt był w drodze z Nowosybirska do Sztokholmu w towarzystwie świeżo operowanego Wiktora Larssona, Navarro był jeszcze w Baltimore, Sifakis w Pradze, Beyer i Bouhaddi w Strasburgu, Kowalewski w archiwum genealogicznym w Amsterdamie. Na miejscu zastał tylko Miriam Hershey i Laimę Balodis, ale nie był pewien, czy tematem ich rozmowy rzeczywiście jest dochodzenie. Wyglądało to raczej na pogaduszki o tym, co wolałyby robić w sobotę. W skrócie: pochodzić po sklepach.

– Powinno was być więcej – rzucił.

– Przecież wysłałeś wszystkich poza nami – odezwała się Hershey.

– Wiem, ale powinno was być więcej, czeka nas sporo roboty. Teraz wy dwie traficie na pierwszą linię. Jesteście na to gotowe?

– Oczywiście – powiedziała Balodis, prostując plecy.

– Po pierwsze, czy udało wam się ustalić coś więcej na temat Vacka?

– Wykorzystałam do maksimum swoje znajomości z MI5 – powiedziała Hershey bez ogródek. – Nikt nie zna Vacka.

– To dlatego, że nie pracował dla MI5, tylko dla NATO – powiedział Hjelm. – Posłuchajcie mnie teraz uważnie. To jest to, co wiemy na pewno: genetyk Roman Vacek był członkiem jakiejś supertajnej *sekcji* NATO, razem z neurobiologiem o nazwisku Andrew Hamilton III. Hamilton został zamordowany w styczniu dwa tysiące szóstego. Niewykluczone, że Udo Massicotte również był członkiem tej samej sekcji. W cieniu zimnej wojny pracowali nad tym, żeby stworzyć w laboratorium „idealnego przywódcę". Podejrzewam, że chodziło o wyhodowanie jeszcze skuteczniejszych dowódców wojskowych dla NATO. Prawdopodobnie sekcja rozpoczęła działalność w tysiąc dziewięćset siedemdziesiątym siódmym, bo w lutym tego samego roku Vacek i Hamilton po raz pierwszy wzięli oficjalne urlopy na Uniwersytecie Johnsa Hopkinsa. Potem trwało to do początku lat dziewięćdziesiątych. Co to była za sekcja NATO? Kto był jej członkiem? Czy są jeszcze jacyś naukowcy z dziedzin genetyki, neurobiologii, chirurgii plastycznej, którzy zostali zamordowani w ciągu ostatnich, powiedzmy, dziesięciu lat?

Hershey i Balodis gapiły się na niego z niedowierzaniem. Właśnie tak.

– O żeż kurwa – odezwała się pierwsza Hershey.

– Teraz piłeczka jest po waszej stronie, moje panie. Koniec pogaduszek na temat sklepów, do których nie pójdziecie. Wszystko załapałyście?

Hershey skrzywiła się i powiedziała:

– Czy to dziś miał szef rozmawiać z NATO?

– Owszem.

– Czyli już wiedzą, że wiemy.

– Wiedzieli już, że zajmujemy się Vackiem – przyznali bez ogródek, że był szpiegiem z ramienia NATO – ale teraz wiedzą trochę więcej. Czy to dobrze, czy źle? Czy teraz będą próbowali wszystko zataić? Uznałem, że lepiej im powiedzieć, na czym stoimy, również dlatego, że dzięki temu dostałem dodatkowy trop. Poza tym wydaje mi się, że taka szczerość na dłuższą metę się opłaca. Być może uda nam się szybciej ich przekonać, żeby pracowali *z nami.*

– Pewnie nie obyło się też bez jednego głębszego – wtrąciła Hershey.

Hjelm poruszył głową, jakby chciał wyrazić powątpiewanie, i po chwili powiedział:

– Chciałbym również, żebyście, jeśli to możliwe, spróbowały znaleźć drogę przez to wszystko, o czym mówiłem, do handlarza bronią Isliego Vrapiego, który został zamordowany w Sztokholmie. Zdaje się, że droga ta poszerzyła się nieco wraz z włączeniem się NATO w sprawę. Sojusze wojskowe, handel. Obrót bronią. Coś tam może być.

Hershey i Balodis pokiwały jednocześnie głowami, z czołami zmarszczonymi od myślenia. Hjelm mówił dalej:

– Na wewnętrznych skrzynkach macie krótkie podsumowanie tego, co przed chwilą opowiedziałem. Od tego zacznijcie. Dwa pola. Tak naprawdę możecie się podzielić. Z jednej strony NATO, sekcja, z drugiej – jej członkowie, kim byli, czy zginęło ich więcej? Chcę jak najszybciej zobaczyć efekty. Zbierajcie się.

Następnie Paul Hjelm wrócił do swojego gabinetu i spędził kilka całkowicie straconych minut na obserwowaniu przez szybę ich zsynchronizowanych ruchów. Nie przestawało go to fascynować. Możliwe, że w ciągu tych kilku minut jego myśli nabrały trochę bardziej wstydliwego charakteru.

Gdy już wrócił na ziemię, wysłał SMS do pozostałych członków zespołu. Brzmiał następująco: „Wracajcie jak najszybciej. Nowe tropy". Był ciekaw, kto będzie pierwszy.

Gdy wybierał numer telefonu, próbował w myślach przekonać samego siebie, że utrzymujące się wciąż sygnały zdziecinnienia w jego głowie są oznaką zdrowia. Do końca mu się to nie udało.

– Kerstin Holm, słucham? – odezwał się głos w słuchawce; na dźwięk delikatnego znaku zapytania na końcu zdania zrobiło mu się ciepło na sercu.

– Chyba widzisz, że to ja – powiedział Paul Hjelm.

– Nigdy nie wiadomo, czy twój telefon nie został przejęty przez zoperowanych plastycznie terrorystów – odpowiedziała.

– I tak byś nie zobaczyła, czy są zoperowani. – Ucieszył się jak dziecko. – Co słychać?

– Zwykła sobota w Sztokholmie.

Dzień wolny.

– Dlaczego w takim razie siedzisz na komendzie?

– Nie możesz tego wiedzieć.

– Zainstalowałem na twoim telefonie oprogramowanie, dzięki któremu widzę, gdzie jesteś. Czy na przykład jesteś w domu u jakiegoś młodego kolesia.

– Nie starego?

– Za to trzeba było zapłacić ekstra.

Do tego widział jej uśmiech. Transmisja na żywo, pomyślał i sam się uśmiechnął.

– Jasne. Być może kiedyś nawet ty dorośniesz. Coś się stało?

– Całkiem sporo. Wysłałem ci plik. Jeszcze o tym pogadamy. Jak wygląda sytuacja u ciebie?

– Wiesz już, że Wiktor Larsson był drugi raz operowany w Nowosybirsku? Musieli zostać dłużej, niż planowaliśmy. W ranie postrzałowej było dużo bakterii i brudu.

– Jakby ktoś na niej stanął?

– Nie wiadomo. Rosyjski lekarz wojskowy, który zagipsował pistolet w ramieniu Arta, mówi, że nie jest w stanie tego stwierdzić.

– To niedobrze, że się spóźnią.

– Dlaczego?

– Potrzebujemy od Wiktora Larssona portretu pamięciowego mężczyzny z końską strzykawką.

– To znaczy, że zaczynacie się zbliżać?

– Tak. Sprawdź plik, który ci wysłałem, potem o tym pogadamy.

– Mamy inny portret.

– Tak?

– Masz raport na temat Johnny'ego Råglinda, prawda?

– Oczywiście. Właśnie. Zrobił portret pamięciowy tego – jak on miał? – Wallego?

– Wall-ego. Z przerwą pomiędzy „Wall" i „e", nie pytaj mnie dlaczego. Tak, to on. Właśnie go dostałam. Chcesz powiedzieć, że to może mieć coś wspólnego z końską strzykawką na Caprai?

– Na razie nic na to bezpośrednio nie wskazuje, ale podejrzewam, że Isli Vrapi w taki czy inny sposób ma ze sprawą coś wspólnego. Wyślesz mi ten portret? Na nasz bezpieczniejszy serwer. Nie może wypłynąć.

– Wyślę – odpowiedziała, i Paul Hjelm niemal usłyszał świst lecącego maila.

– Świetnie, dziękuję.

– Wczoraj po południu pojawiło się coś jeszcze, nie wiem, czy to może mieć jakieś znaczenie. Pewnie pamiętasz, że Taisir Karir, kolega Johnny'ego Råglinda, ten, który został zastrzelony na Götgatan, dostał SMS, z którego wynikało, że ich czwórka ma iść do Ljunggrens i Götgatsbacken. To tam spotkali potem Wall-ego.

– Pamiętam – powiedział, próbując sobie przypomnieć.

– Po wielu wątpliwościach technikom udało się wreszcie namierzyć telefon komórkowy na kartę.

– Jak zwykle telefon na kartę...

– Bicz na policję – powiedziała Holm. – Nieważne. Najwyraźniej dotarli również do samej wiadomości, tekstu SMS-a. Nie pytaj mnie, jak oni to robią. Normalnie zaczynam się bać, zwłaszcza że obserwuje mnie mój własny konkubent.

– Ciekawe, myślałem o tym w nocy. Czy z technicznego punktu widzenia wciąż jesteśmy *konkubentami*. Nie mieszkamy razem. Może jesteś moją, czy ja wiem, po prostu *dziewczyną*?

– Od dziesięcioleci nie byłam dziewczyną, podoba mi się. Być może to ostatnia szansa.

– Może powinniśmy coś z tym zrobić?

– Może jednak przełożymy tę rozmowę na choć *trochę* bardziej romantyczną okazję?

– Dobry pomysł – powiedział Paul Hjelm zawiedziony. – Co było w tym SMS-ie?

– „Przyjdź do Ljunggren. Götgatan 36. Niezły bar. W".

– Hm – zastanowił się Hjelm. – Po szwedzku?

– Wiemy przecież, że Wall-e mówił „cholernie niechlujnym szwedzkim". „Nawet gorszym od kuzynów".

– Dokładnie. Przepraszam, trochę dziś wolno myślę. Nie spałem najlepiej.

– Sama wiadomość niewiele daje. Ale w każdym razie dowodzi, że to Wall-e kierował mocną ręką naszymi znajomymi. Podpisane: „W".

– Rzeczywiście interesujące. Patrzę właśnie na portret pamięciowy stworzony przez Johnny'ego Råglinda. Neutralna twarz, żadnych szczególnych cech charakterystycznych, jakieś trzydzieści, trzydzieści pięć lat, ciemny blondyn, krótkie włosy. Ten mężczyzna zainscenizował zaawansowany plan sprzątnięcia handlarza bronią Isliego Vrapiego na Götgatan. Portret pamięciowy zgadza się, co interesujące, z opisem Wiktora Larssona. Ciekawie będzie porównać portret pamięciowy z Caprai z portretem ze Sztokholmu. Czy to ten sam mężczyzna?

– Co to wszystko oznacza, Paul?

– Przeczytaj dokument, który ci wysłałem, i zadzwoń powiedzieć, co myślisz.

– Chciałabym jeszcze powiedzieć, co widzę. Na portrecie, na który teraz oboje patrzymy. Zdaje się, że ty tego nie widzisz.

– Czego?

– Jest przystojny.

– Przystojny?

– Wall-e to bardzo przystojny mężczyzna.

– No to pięknie. Dobrze, że zainstalowałem ten lokalizator na twojej komórce.

– Mówię serio. To jest twarz, która przemawia bezpośrednio do mnie jako do heteroseksualnej kobiety. Jeśli rozumiesz, co mam na myśli.

Teraz Paul Hjelm też to zobaczył. Choć ze swojej perspektywy. Niebezpiecznie przystojny mężczyzna. Taki, który kradnie żony.

– Rozumiem, co masz na myśli – powiedział.

– Nie zamierzam cię z nim zdradzić, serio.

– Ja też mówię serio. Rozumiem, co masz na myśli.

W tej samej chwili ktoś wtargnął do jego gabinetu.

Miriam Hershey i Laima Balodis stały jakieś kilkadziesiąt centymetrów od otwartych drzwi i patrzyły na siebie, jakby przez przypadek zatrzymały się o krok za późno i niechcący popchnęły drzwi.

– Coś znalazłyśmy – odezwała się pierwsza Balodis.

– Wejdźcie, proszę – zaprosił je Hjelm, choć najwyraźniej w jego głosie zabrzmiała ironia, bo obie damy zatrzymały się, choć jeszcze przed chwilą nie powstrzymały ich nawet drzwi.

– Rozmawiasz z Kerstin Holm? – zapytała Hershey.

Hjelm na chwilę zawiesił na niej wzrok i odpowiedział:

– Potraktujmy to jako *force majeure.* Regulamin zawieszony z powodu wyjątkowej sytuacji. Tak, rozmawiam z Kerstin Holm. A co?

– Znalazłyśmy coś, co może mieć związek ze Szwecją – powiedziała Balodis.

– Dokładniej rzecz biorąc, znalazła to Laima – dodała Hershey.

– Włącz głośnomówiący – powiedziała Balodis.

Powolnym ruchem Paul Hjelm włączył tryb głośnomówiący i położył telefon na biurku. Usłyszeli metaliczny głos Kerstin Holm:

– Co się dzieje?

– Odwiedziły mnie właśnie moje dwie podwładne. Włączyłem głośnomówiący.

– Laima Balodis i Miriam Hershey – powiedziała Hershey. – Co słychać w Sztokholmie?

– Dziękuję, świetnie. Znalazłyście, jak rozumiem, coś, co dotyczy Szwecji i Sztokholmu?

– Tak nam się wydaje – powiedziała Balodis. – Gdy sprawdzałyśmy wyciągi z konta Romana Vacka i Andrew Hamiltona III z siedemdziesiątego siódmego i późniejsze, znalazłam rachunek za pobyt trzech osób w hotelu. W Nicei, we Francji. Pobyt pokrywa się czasowo z urlopem Vacka i Hamiltona w kwietniu osiemdziesiątego pierwszego i jest to jedyny raz, kiedy udało nam się znaleźć ich nazwiska w tym samym miejscu i tym samym czasie.

– Był z nimi ktoś jeszcze? – zapytał Hjelm.

– Tak – powiedziała Balodis. – Pomyślałyśmy, że nazwisko brzmi trochę skandynawsko. Że to może być Szwed. Miałyśmy rację. To urodzony sztokholmczyk.

– Po bliższej analizie – mówiła dalej Hershey – okazało się, że ten trzeci mężczyzna jest lekarzem, a dokładniej – genetykiem. W tysiąc dziewięćset sześćdziesiątym szóstym skończył coś, co nazywa się Karolinska Institutet.

Balodis mówiła dalej:

– Działalność naukowa za granicą, w Hamburgu, w Niemczech, i w USA, najpierw na UCLA, potem na

Uniwersytecie Waszyngtońskim w Seattle. Pierwszy urlop na Uniwersytecie w Seattle wypada w tym samym czasie, co urlop Romana Vacka i Andrew Hamiltona III, to znaczy w lutym tysiąc dziewięćset siedemdziesiątego siódmego.

– Trzy lata później zatrzymują się w trójkę w hotelu w Nicei, za pobyt płacą kartą kredytową Andrew Hamiltona III – powiedziała Hershey. – Pewnie przez nieuwagę. Nie mieli przy sobie gotówki, byli trochę wstawieni i nie chciało im się myśleć o zasadach zachowania anonimowości, płaceniu gotówką i zakazie używania kart kredytowych. Nie wydaje wam się, że mogli być w jakiejś podróży służbowej z nieznaną jeszcze sekcją NATO?

– Na to wygląda – powiedział Hjelm. – Powiedziałaś: Nicea?

– Tak. Luksusowy hotel o nazwie Hôtel Palais de la Méditerranée. Jedna noc, potem już żadnych śladów.

Metaliczny głos Kerstin Holm powiedział:

– Trzech zatrudnionych w USA naukowców z misją NATO we Francji? Amerykanin, Czech na emigracji i Szwed?

– Tak to właśnie można rozumieć – powiedziała Hershey.

– A ten szwedzki lekarz? – zapytał Hjelm.

– Udało nam się prześledzić jego życiorys – powiedziała Balodis. – Przynajmniej do czasu, kiedy jeszcze pracował. Dosyć wcześnie się wycofał, w zasadzie już na początku lat dziewięćdziesiątych.

– W czerwcu dziewięćdziesiątego trzeciego – mówiła dalej Hershey – został zwolniony z Uniwersytetu Waszyngtońskiego „z przyczyn zdrowotnych". Jesienią tego samego roku stracił uprawnienia lekarskie, a w kolejnym – opuścił USA. Nie wiadomo, co się z nim potem stało.

– Z przyczyn zdrowotnych? – powtórzył Hjelm. – Domyślam się, że macie gdzieś nazwisko tego oryginała z nordyckich lasów?

– Mamy – odparła Balodis.

– Nazywał się Dahlberg – powiedziała Miriam Hershey.

– Lars-Erik Dahlberg – dodała Laima Balodis.

Znad biurka rozległo się metaliczne jęknięcie.

– Kerstin? – zdziwił się Paul Hjelm.

– Lars-Erik Dahlberg – odpowiedziała już dużo ciszej. – Lars-Erik Dahlberg alias Lasse Dahlis.

OXTR

Sztokholm, 29 maja

MUSIAŁA SIĘ OPANOWYWAĆ, żeby nie przeszkodzić w scenie po drugiej stronie lustra fenickiego. Choć była naprawdę wzruszająca, choć pod wieloma względami podsumowywała ostatnie piętnaście lat jej życia i choć sama tak naprawdę ją zaaranżowała, stała, przestępując z nogi na nogę.

Wyraz ich twarzy, gdy drzwi do pokoju przesłuchań otworzyły się. Ich miny. Tak różne, a mimo to tak podobne. Zupełnie jak sami Arto Söderstedt i Viggo Norlander.

Przez ponad dziesięć lat byli partnerami. Stworzony przez ich duet żargon z czasem zaczął obowiązywać w całej tej dziwnej, krótkotrwałej policyjnej konstelacji nazywanej niegdyś Drużyną A.

Söderstedt otworzył drzwi, Norlander podniósł wzrok znad stołu. Spotkali się spojrzeniami.

Zdziwienie, poczucie winy, zakłopotanie mieszały się z czystą i szczerą radością. Starzy kompani padli sobie w ramiona.

– Viggo, kurwa! – krzyknął Söderstedt swoim dźwięcznym szwedzkim prosto z Finlandii. – Całe wieki!

– To prawda – odpowiedział Norlander. – Całe wieki.

– Tyle razy myślałem, żeby się odezwać. Ale nic nigdy z tego nie wyszło.

– Co ci się stało w rękę? – zapytał Norlander, pokazując na jego prawą rękę w gipsie.

– O wiele za dużo – odpowiedział Söderstedt wymijająco. – Co u ciebie, Viggo? Rozumiem, że już jest lepiej. Rak pokonany?

– Tak. Na tyle, na ile można pokonać raka. A ty, zamiast dożyć swoich dni, wymachując miotełką do kurzu w bibliotece szkoły policyjnej, zostałeś europejskim supergliną.

– Nie była to do końca biblioteka. Pojąłem jednak metaforę.

– Mimo że jej autorem jest koleś z budki z hot-dogami? – zapytał Norlander.

– Mimo tego, tak – uśmiechnął się Söderstedt. – Tyle że w pewnym wieku nie jest się już supergliną. Ja już od dawna jestem w tym wieku. Co ty tu robisz? Miałem dostarczyć więźnia do tego pokoju.

– Kerstin ci tak powiedziała?

– Przywiozłem go tu aż z Nowosybirska.

– Tak się mówi.

– Nie, dosłownie.

– Poprosiła mnie, żebym tu usiadł. To znaczy Kerstin.

– Aha – powiedział Söderstedt.

– Aha – odpowiedział echem Norlander.

– Nietrudna zagadka dla dwóch doświadczonych detektywów – powiedział Söderstedt.

– Choć już trochę podrdzewiałych. Jestem tutaj w charakterze świadka. Nie do końca wiem, czego ode mnie chce.

– Hm – zastanowił się Söderstedt. – Isli Vrapi, tak. Coś słyszałem.

– I mimo to się nie odzywałeś.

– To prawda, bardzo mi przykro. Dużo się działo. Przyznam jednak szczerze, że jestem dość kiepski w odzywaniu się. W Holandii straciłem resztkę kompetencji społecznych.

– Czy w takim razie możemy ci to z Astrid zrekompensować i zaprosić cię na kolację, do nas, na Banérgatan?

Arto Söderstedt uśmiechnął się.

– Bardzo chętnie. U Astrid wszystko dobrze? U Charlotty i Sandry również?

– Cieszę się, bardzo. Pasuje ci około siódmej? Tak, wszystko dobrze. A jak się czuje liczna rodzina Söderstedtów?

– Za dużo by opowiadać o każdym po kolei. Ogólnie rzecz biorąc, czują się dobrze.

Kerstin Holm dłużej nie wytrzymała. Wyszła z ukrycia i wkroczyła do pokoju przesłuchań. Zza drugich drzwi doszły ich nagle odgłosy bójki. Söderstedt otworzył. Chavez przyciskał Wiktora Larssona do podłogi, mierząc w jego prawe ramię ze swojego lewego. Larsson położył się na ziemi, głośno przy tym jęcząc.

– Ile można czekać – zirytował się Chavez.

– Mój błąd, przepraszam – zawołała Holm i podeszła do nich. – Zajmijcie pokój obok.

I nagle zawołała:

– Arto, bohaterze!

Rozpostarła ramiona przed zaskoczonym Arto Söderstedtem, który dopiero po chwili zrozumiał i podszedł się przytulić.

W końcu Kerstin Holm i Viggo Norlander zostali sami. Norlander patrzył na nią z niedowierzaniem.

– Bohaterze? – wydusił w końcu.

– To, co zrobił na Syberii, z pewnością przejdzie do historii policji – odpowiedziała, siadając naprzeciwko niego.

– Syberii? Przecież to tylko takie powiedzenie. „Aż z Nowosybirska".

– To może się przyjąć jako powiedzenie – Kerstin się uśmiechnęła. – Pogadacie sobie o tym wieczorem.

– Lustro fenickie, no jasne. – Teraz z kolei uśmiechnął się Viggo Norlander. – Zaaranżowałaś nasze spotkanie i jeszcze nas podglądałaś. Sentymentalna z ciebie kobieta.

– Teraz musimy porozmawiać o czymś innym, Viggo.

– Tak, tak, zauważyłem, że sentymentalizm równoważą tu maksymalnie wyostrzone zmysły.

– Weźmiemy głęboki oddech i spróbujemy wrócić do pubu na Götgatsbacken o godzinie jedenastej dziesięć wieczorem jedenastego maja. Okej?

– Sporo o tym myślałem. Okej.

– Tym razem jednak skupimy się na czymś innym. Chciałabym, żebyś przypomniał sobie tego starego pijaka, który się ciebie uczepił. W którym momencie zauważyłeś tę grupę pijaczków i jak to się stało?

– Grupę pijaczków? – krzyknął Norlander. – Czemu, do jasnej ciasnej?

– Po prostu wróć. Co pamiętasz?

– Niech mnie... Daj mi minutę.

Ową minutę Kerstin Holm spędziła, próbując skupić się na tym, by nie zacząć tupać nogą. Wreszcie Viggo Norlander przemówił:

– Przeciskałem się do baru dwa razy. Za pierwszym razem było naprawdę dużo ludzi, a cała moja uwaga skupiła się na tym, żeby nawiązać kontakt z barmanem. Dostrzegłem pijaczków. Stali trochę dalej przy barze. Wtedy jednak się nie zauważyliśmy. Szczerze mówiąc, czułem głównie zapach. Za drugim razem było inaczej, było trochę mniej ludzi. Pierwsze, co sobie pomyślałem, to że poznaję zapach starego alkoholika. Potem nie pamiętam. No a potem była strzelanina.

– Teraz jesteś niedokładny, Viggo. Zacznijmy od początku. Drugi raz, kiedy podchodzisz do baru. Na lewo grupa niskich kolesi – banda Johnny'ego Råglinda – na prawo grupa tych dużych – banda Isliego Vrapiego. Okej? Podchodzisz do baru. Rozpoznajesz zapach starego alkoholika. A potem? Kiedy rozmawialiśmy ostatnim razem na Långholmen, powiedziałeś: „Kilku pijaków spierało się o coś przez chwilę, a potem jeden z nich umarł w moich ramionach". Co to znaczy, że się spierali?

Viggo Norlander wydawał się poruszony. Nagle jakby całe jego wnętrze przewróciło się do góry nogami. Musiał spojrzeć na wszystko z innej perspektywy.

– Tak, masz rację – powiedział po dłuższej chwili. – Gadali. Gadali coś o... Gadali o jakimś starym kumplu, który sprzątał dalej swoje mieszkanie, choć już nie żył. Nie zauważył, że umarł, i sprzątał dalej. Policja myślała, że to morderstwo, bo mieszkanie było kompletnie *clean*. Nawet jednego odcisku palca.

– Nazywał się Affe?

– Tak, chyba Affe Anorektyk – rozpromienił się Viggo Norlander. – Był też jeszcze jakiś Agge. Podobno widział świat do góry nogami.

– Słyszeliśmy. Przesłuchaliśmy ich kolegów Rogera Lindego i Olofa Karlssona. Z ich dosyć chaotycznego zeznania poskładaliśmy sobie mniej więcej tę rozmowę.

– Nie pamiętam żadnych twarzy, ale chyba pamiętam głosy. Trzy bardzo różne głosy. Jeden cienki jak dziewczyny. Drugi jakiś dziwnie urywany. I jeszcze jeden, niższy.

– Ten niższy należał do Larsa-Erika Dahlberga. Lassego Dahlisa. To on zmarł w twoich ramionach, Viggo. I to on nas interesuje. Przypominasz coś sobie?

– No, brał udział w tej tajemniczej dyskusji o Affem i Aggem...

– Nic więcej?

– No czy ja wiem, zaczekaj...

Kerstin Holm, jego dawna przełożona, próbowała pozbyć się wrażenia, że zamyślony Viggo Norlander to paradoks. Zamiast tego czekała, patrząc, jak jego twarz marszczy się od wysiłku.

– Było coś jeszcze, co nie do końca łączyło się z tym gadaniem o Affe-Agge – odezwał się w końcu Norlander. – Coś innego, jakiś wtręt. Rozmawiali o *bowel movements*, że to bardziej elegancki sposób powiedzenia, że się zrobiło w gacie.

– Rozmawiali po angielsku? – zapytała z nadzieją Holm.

– Tak, powiedział to ten urywany głos.

– Głos staccato?

– No tak, kurwa, można to tak nazwać... Powiedział: „Nie tak mówiliście na to w Stanach?".

– Zgadza się, Lasse Dahlis pracował w USA. Tylko jak weszli na ten temat?

Viggo Norlander pochylił się do przodu i dotknął odruchowo czoła.

– „Słyszymy tylko twoje *bowel movements*", powiedział ten staccato. Powiedział to dlatego, że ten niższy głos powiedział coś w stylu: „Słyszeliście to?". Tak, właśnie tak było. „Słyszeliście to?".

– Słyszeliście?

– Tak, ale nie wiem, o co mu chodziło. Pamiętam tylko: „Słyszeliście to?".

– Chodziło o coś, co ktoś powiedział przy barze?

– Nie, tam wszyscy wrzeszczeli, nie wydaje mi się, żeby to było to. To musiało być... coś innego...

– Banda Johnny'ego Råglinda, „kuzyni"?

– Nie, to było coś innego...

– Telewizor? Był dalej włączony?

– Za barem między butelkami stał telewizor.

– Może o to chodziło Lassemu Dahlisowi?

– Całkiem możliwe. Pokazywał w tym kierunku. Chyba leciały wiadomości. Nie mam pojęcia, o czym mówili. Ale on powiedział coś jeszcze...

– Spróbuj sobie przypomnieć – powiedziała Kerstin Holm zupełnie niepotrzebnie.

– Powiedział coś o tym, że dopiero teraz to znaleźli, że rozwój poszedł do tyłu.

– Rozwój poszedł do tyłu?

– A potem ten urywany głos powiedział o jego *bowel movements*. A potem zmienił temat i zaczął gadać o tym, że Affe rzeczywiście jest analfabetą. Affe Analfabeta.

– Nie powiedział nic więcej?

– Powiedział – stwierdził Norlander, marszcząc z wysiłku czoło. – Tak, powiedział coś jeszcze. „Ej, ale serio, kurwa". Tak powiedział. I bardzo możliwe, że wtedy na niego spojrzałem. Chyba pokazywał coś palcem.

– Telewizor?

– Tak, kurwa. Wskazywał na telewizor i coś mówił. Zobaczyłem spikera. Nie mam pojęcia, co to był za kanał. Raczej nie szwedzki. Potem zamiast spikera pojawił się napis.

Wbrew wszelkim instynktom Kerstin Holm zaczekała, nie odzywając się nawet jednym słowem. Widziała na własne oczy, jak pamięć sączyła się przez zablokowane kanały wspomnień w starym mózgu. Wreszcie rozsadziła wszystkie tamy i objawiła się swojemu właścicielowi w całej swojej okazałości. Wykrzywiona lekko twarz Viggo Norlandera pojaśniała czystym, połyskującym światłem. Powiedział:

– „My to odkryliśmy już trzydzieści lat temu".

– Dziękuję – powiedziała Kerstin Holm.

*

– To chyba nie było konieczne? – powiedział Wiktor Larsson, pocierając swój prawy bark.

– To była kara za ten twój durny pomysł, żeby zwiać z aresztu – powiedział Jorge Chavez. – Za nami jest dwoje zamkniętych drzwi.

– Nie próbowałem zwiać – powiedział Larsson. – Chciałem tylko, żebyś puścił moje ramię. Bolało.

– Może spróbujemy wrócić do tematu? – westchnęła Sara Svenhagen i spojrzała na ekran. – Nos, okej?

Wzrok Wiktora Larssona powędrował z powrotem w stronę ekranu.

– Tak, teraz jest lepiej. Chociaż czoło powinno być wyższe.

– Ale nos się zgadza? – zapytała Svenhagen i uniosła ostrożnie linię włosów w kolorze ciemnego blondu na ekranie.

– Tak. Teraz to zaczyna jakoś wyglądać. Tylko coś jest nie tak z brodą. Powinna być szersza.

– Jeszcze szersza? – zapytała Svenhagen i poszerzyła ostrożnie szczękę.

– Jesteś pewien, że nie starasz się tu stworzyć ideału mężczyzny? – zapytał Chavez. – Zaczyna wyglądać jak model z reklam Calvina Kleina.

Wiktor Larsson nie zareagował, tylko po chwili krzyknął:

– To on!

Sara Svenhagen puściła myszkę i spojrzała uważnie na portret. Jej mąż miał rację, nawet jeśli modele z reklam Calvina Kleina nie odpowiadali jej ideałowi mężczyzny.

Nie sposób było jednak tego nie zauważyć.

Mężczyzna z końską strzykawką z Caprai bez wątpienia był przystojny.

*

Przenieśli się do pokoju Kerstin Holm na jednym z wyższych pięter budynku Europolu. Bliższa analiza pokazała, że dziesięć po jedenastej wieczorem jedenastego maja tylko jedna stacja w ramach kanałów objętych abonamentem wykupionym przez pub nadawała wiadomości: amerykańska CNN. Bezpośredni kontakt z siedzibą główną CNN Center w Atlancie, w Georgii, zaowocował obietnicą szybkiego dostarczenia im nagrania wspomnianego programu informacyjnego. Kerstin Holm i Viggo Norlander usiedli przed komputerem, czekali. Czekali na charakterystyczny cyfrowy dźwięk przychodzącej poczty.

Choć Norlander tak do końca nie czekał. Dzwonił. Od kiedy syn Holm, Anders, skończył szesnaście lat i komunikował się za pomocą krótkich i rzadkich dyftongów, uważała, że dorośli, którzy rozmawiają z dziećmi – również swoimi – mogą wzbudzać jedynie politowanie. Maraton rozmów Norlandera z córkami, które zwykle były pod jego opieką przez całą dobę, stanowił prawdziwe wyzwanie. Gdy nawet podczas końcowej rozmowy z konkubiną Astrid mówił dalej tym swoim infantylnym głosem, Kerstin Holm podniosła się, żeby wyjść z pokoju. W progu zatrzymał ją charakterystyczny cyfrowy dźwięk.

Viggo Norlander również go usłyszał. Niczym za dotknięciem różdżki wrócił mu dorosły głos i zakończył rozmowę słowami:

– Arto będzie o siódmej. Zrobię zakupy i kupię wino, o nic się nie martw, kochanie. Całuję.

Kerstin Holm otworzyła wiadomość. Załączony był do niej link. Kliknęła. Otworzył się plik wideo.

W prawym górnym rogu chodził zegar oznaczony „UTC+1", co prawdopodobnie oznaczało czas środkowoeuropejski. Pokazywał godzinę dwudziestą trzecią zero osiem nad poruszającymi się bezdźwięcznie ustami prezentera. Zrobiła głośniej i przez chwilę słuchała wiadomości o kocie, który uciekł z El Paso w Teksasie, a odnaleziono go w lasach tropikalnych północno-wschodniej Australii, gdzie został adoptowany przez kazuara; na ekranie pojawiło się słodkie zdjęcie kota w objęciach dziwnie wyglądającego strusia o szponiastych pazurach. Kazuar wydawał się wyjątkowo dumny. Po kilku krótszych wiadomościach prezenter przeczytał wiadomość na temat nowego odkrycia naukowego.

– Zespół naukowców z Uniwersytetu Stanowego Oregonu i Uniwersytetu Kalifornijskiego w Berkeley znalazł nowy odcinek w tak zwanym genie OXTR, który w znacznym stopniu odpowiada za ludzką zdolność do empatii.

Na ekranie pojawił się rysunek przedstawiający spiralę DNA z wyraźnie powiększonym odcinkiem. Wskazywała na niego strzałka z podpisem: „Gen empatii odnaleziony!".

Prezenter pojawił się znów na ekranie, tłumacząc, co takiego oznacza to odkrycie genetyczne. Kerstin Holm zatrzymała obraz. Zegar na ekranie pokazywał godzinę dwudziestą trzecią zero siedem.

– Prawdopodobnie właśnie w tej chwili Johnny Råglind wyjmuje pistolet i rzuca się na Isliego Vrapiego i jego ochroniarzy. Prawda, że to o tym musiał mówić Lasse Dahlis?

– Tak – odparł Norlander. – Prawda. Chyba przypominam sobie nawet ten rysunek DNA.

Kerstin Holm pokiwała głową, zastanawiała się.

„Gen empatii odnaleziony!".

Myślała:

„My to odkryliśmy już trzydzieści lat temu".

Wędrowiec

Haga, 29 maja

PAUL HJELM przyglądał się dwóm twarzom. Wyglądały zaskakująco żywo. Niewątpliwie w ciągu ostatnich lat wiele się zmieniło w warsztacie policyjnych portrecistów. W spojrzeniu obu sportretowanych mężczyzn było *życie*.

Choć tak naprawdę to było to samo spojrzenie. Pierwszy portret był podpisany: „»Wall-e« według Johnny'ego Råglinda", a drugi: „Capraia według Wiktora Larssona", i były do siebie do złudzenia podobne.

Ten elegancki młody mężczyzna – kimkolwiek był – zamordował Lassego Dahlisa i Romana Vacka (choć w ostatnim przypadku podzielił się pracą z Wiktorem Larssonem). W obu przypadkach były to morderstwa z zimną krwią – w przypadku Lassego Dahlisa wyjątkowo subtelne. Jeśli ten młody człowiek rozpoczął swoją karierę od wysłania Andrew Hamiltona III na tamten świat w Howard County w Baltimore, było to zupełnie inne morderstwo. Krwawa rzeźnia. Jeśli to on za nim stał, to wysubtelnił swoją metodę zabijania w ciągu pięciu lat, schłodził rozgorączkowaną głowę i przyspieszył cały proces.

Ci, których mordował, należeli do supertajnej sekcji NATO, która trzydzieści lat temu odkryła gen empatii w czasie swojej pogoni za idealnym przywódcą.

Czy nie brzmiało to zbyt absurdalnie?

Wcale nie, pomyślał. To był czas szaleństwa. To oczywiste, że w ślepej gorączce zbrojeń i bezmyślnej wierze w technologię musiał zrodzić się pomysł *stworzenia nadczłowieka.*

Bo przecież właśnie o to chodziło?

Żeby stworzyć nadczłowieka.

Paul Hjelm zamknął zdjęcia i wyszedł do przestrzeni biurowej. Większość zespołu wróciła w ciągu dnia – odległości na kontynencie były zwykle imponująco małe. Navarro nie zdążył jeszcze wrócić z USA, a Söderstedt dostał kilka dni wolnych, choć było mało prawdopodobne, by zechciał z nich skorzystać. Reszta zespołu Opcop była już na miejscu. Usiadł przy elektronicznej białej tablicy i powiedział:

– Zebranie.

Zebrali się.

– Czy zdążyliście się zapoznać z bieżącym stanem dochodzenia? – zapytał.

Po biurze rozległ się niewyraźny pomruk.

– Przyznam, że nie wiem, jak mam to rozumieć – powiedział Hjelm.

– Bardzo niewiele udało się potwierdzić – odezwał się Kowalewski. – Garść dzikich hipotez, nic więcej.

– Jestem skłonny się z tobą zgodzić – powiedział Hjelm. – Choć z drugiej strony wszystko bardzo ładnie się ze sobą łączy, jeśli zrobimy w myślach krok do przodu.

– Nie rozumiem, o co chodzi ze Sztokholmem – nie odpuszczał Kowalewski. – Jeśli ten człowiek chciał zabić pijaka, po co zorganizował cały ten atak wokół Isliego Vrapiego? Mógł przecież sprzątnąć waszego Lassego Dahlisa, nie ściągając na siebie uwagi.

– Dlatego że on *chce* uwagi – powiedział Hjelm. – To nie jest Wiktor Larsson, jemu nie chodzi o *statement*, polityczne zadośćuczynienie, choć tu również w grę wchodzi coś osobistego, może nawet jeszcze bardziej. Podejrzewam, że ten człowiek jest *bezpośrednio doświadczony.* W jakimś sensie.

Zaczęło się od brutalnej zemsty spowodowanej osobistym cierpieniem, potem już był coraz bardziej opanowany, coraz sprytniejszy, i nawet jeśli przede wszystkim chodziło mu o Lassego Dahlisa, to dlaczego miałby jeszcze nie dorzucić Isliego Vrapiego do tego rachunku. To był znak, rodzaj sygnału ostrzegawczego. Choć to prawda, na razie to tylko spekulacje. Sądzicie, że powinniśmy je zostawić i wrócić na bezpieczny teren?

– W żadnym wypadku – powiedziała Jutta Beyer. – Morderca na pewno istnieje. Podobno mamy jakieś portrety pamięciowe?

– Jeszcze do tego wrócę – powiedział Hjelm. – Najpierw chciałbym, żebyśmy ustalili, na czym stoimy. Rozumiem, że wizyta w Pradze nie zakończyła się sukcesem, Angelos?

– Zaskakujący brak przyjaciół – stwierdził Sifakis. – Nie znalazłem nikogo, z kim mógłbym porozmawiać, z wyjątkiem pani Vacek. A ona okazała się wyjątkowo oporna.

– Strasburg?

– Jedyne, co udało nam się zdobyć, to sugestia francuskiego lewicowego polityka, że Vacek strzelał do dwóch bramek – powiedziała Corine Bouhaddi. – Ale to już wiemy.

– Nie znalazłam nikogo, kto by go lubił – stwierdziła Beyer. – Romana Vacka się obawiano, ale raczej go nie kochano. Zdaniem większości rozmówców był zatwardziałym komunistą starej daty.

– I szpiegiem NATO – powiedział Hjelm i dodał: – Żadnych sukcesów u genealogów w Amsterdamie?

– Nic a nic – Kowalewski pokręcił głową. – Okazali się naprawdę szybcy w wyszukiwaniu krewnych i stwierdzili z całym przekonaniem, że Vacek nie miał nieślubnych dzieci. Mam jednak wciąż wątpliwości co do ich metod.

– Czy możemy powiedzieć, że wyczerpaliśmy dotychczasowe możliwości, i ukierunkować się na nowe? – zapytał Hjelm, by zachować pozory demokracji.

W pomieszczeniu dało się słyszeć niechętne przytakujące mruknięcie.

– Hershey i Balodis zajmują się tym tematem najdłużej – powiedział Hjelm. – Przyjmijcie moje gratulacje za to, że znalazłyście Larsa-Erika Dahlberga na tak wczesnym etapie. Macie coś jeszcze?

– W zasadzie nie – powiedziała Laima Balodis. – Za każdym razem zatrzymujemy się w punkcie ewentualnej sekcji NATO. Nie znajdujemy drogi wejścia. Jest starannie zabarykadowana. Na razie możemy tylko potwierdzić, że urlopy Larsa-Erika Dahlberga na Uniwersytecie Waszyngtońskim w Seattle prawie zawsze pokrywają się z urlopami Vacka i Hamiltona III.

– *Prawie* – powtórzyła Hershey – bo cała działalność Dahlberga rozmywa się pod koniec omawianego okresu, od lutego siedemdziesiątego siódmego do stycznia dziewięćdziesiątego drugiego. Po okresie urlopowym Vacka i Hamiltona w styczniu dziewięćdziesiątego drugiego nie ma niczego, co by wskazywało na ich wzajemne kontakty. Dahlberg odpadł już wtedy najwyraźniej z zabawy, ostatni urlop wziął w marcu dziewięćdziesiątego pierwszego.

– Nie ma też żadnego zauważalnego kontaktu między wspomnianą trójką a Udem Massicottem – dodała Balodis. – Z drugiej strony był wolnym przedsiębiorcą i miał nieregulowany czas pracy, nie musiał brać wolnego. Próbowałyśmy dotrzeć do grafiku Massicottego z ostatnich piętnastu lat, ale to może być trudne. Jego sekretarka nie żyje. Zachowało się bardzo niewiele dokumentów.

– Dahlberg zaniedbywał swoją pracę już w osiemdziesiątym ósmym – powiedział Hershey. – Pojawia się wtedy pierwsza adnotacja. Potem są kolejne: nieusprawiedliwiona nieobecność, niodpowiednie zachowanie podczas zajęć, publiczne pijaństwo. Wreszcie w czerwcu dziewięćdziesiątego trzeciego został zwolniony, a kilka miesięcy później cofnięto mu uprawnienia lekarskie. Krótko później wyjechał do Sztokholmu, żeby skończyć jako pijak w pubie.

– Czy nie przypomina wam to trochę ścieżki Uda Massicottego – zapytała Jutta Beyer – tyle że parędziesiąt lat wcześniej? Czy Massicotte i Dahlberg byli zamieszani w coś, co w końcu ich zniszczyło?

Angelos Sifakis pokiwał głową i powiedział:

– Za to Hamilton był zbyt wyniosły, a Vacek zbyt zatwardziały, aby mogło ich powstrzymać własne sumienie.

– Naturalnie jest to pytanie do byłej żony Lassego Dahlisa – powiedziała Balodis. – Czy zaczął pić, bo dopadły go wyrzuty sumienia?

– Tak się składa, że w obu przypadkach znalazłyśmy rodziny – powiedziała Hershey. – Żona Andrew Hamiltona III sprzedała wielką posiadłość w Howard County jakiś rok po śmierci męża. Nie mieli dzieci. Dahlberg zostawił po sobie amerykańską żonę i dwoje małych dzieci w Seattle. Rozwiedli się jakiś rok przed tym, jak Dahlberg przepadł w oparach alkoholu, a żona przybrała z powrotem panieńskie nazwisko.

– Nie udało nam się zlokalizować żony Hamiltona – powiedziała Balodis. – W każdym razie na pewno nie nazywa się już Hamilton. Szukamy dalej, prawdopodobnie opuściła stan Maryland. Znaleźliśmy jednak byłą żonę Dahlberga, wyszła ponownie za mąż i mieszka na przedmieściach Seattle.

– Pozwoliłyśmy sobie – mówiła dalej Hershey – skontaktować się od razu z naszym człowiekiem w USA. Siedział na lotnisku i teraz, ku swojemu zdziwieniu, oddala się coraz bardziej od naszej strefy czasowej. Coraz dalej od domu.

– Stopy niosą go w niewiadomym dla niego kierunku – powiedziała Corine Bouhaddi i wszyscy spojrzeli na nią zaskoczeni.

– Felipe Navarro jest więc w drodze ze wschodniego wybrzeża USA na zachodnie – podsumował Paul Hjelm. – Tym samym wydaje mi się, że jesteśmy *à jour* z sytuacją. Powinniśmy się teraz wysilić i znaleźć potwierdzenie, że tego rodzaju sekcja NATO rzeczywiście istniała przez piętnaście lat, aż do, no tak, upadku Związku Radzieckiego. Musimy również znaleźć pozostałych członków, a najchętniej osobę odpowiedzialną albo szefa. Potrzebujemy również kogoś, kto dokładnie sprawdzi ewentualne związki handlarza bronią Isliego Vrapiego z NATO. Zajmiesz się tym, Angelos? Jeśli ktoś może to znaleźć, to tylko ty.

– Dziękuję – powiedział Sifakis, nie kryjąc zdziwienia. – Jasne.

– Teraz przejdźmy do naszego sprawcy – powiedział Hjelm. – Kto to jest? Co właściwie robi? Ktoś ma jakieś przemyślenia?

– Wszystko wskazuje na to, że to ktoś bezpośrednio *doświadczony* – powiedział Sifakis. – Tak jak mówiłem. Ktoś, kogo w jakimś sensie bezpośrednio dotknęła działalność NATO. W najgorszym razie mógłby to być...

– Mów śmiało, człowieku.

– Nie wiem, jak to najlepiej ubrać w słowa. Ma jakieś trzydzieści pięć lat, tak?

– Zaczekaj, wyświetlę portrety pamięciowe – powiedział Hjelm.

Na białej elektronicznej tablicy wyświetliły się bliźniacze portrety.

– Około trzydziestki, co? – powiedział Hjelm. – Może trochę więcej.

Sifakis przyjrzał się zdjęciom, zebrał się w sobie i powiedział:

– A może on jest tą *próbą*.

– Próbą?

– Eksperymentem. Próbą stworzenia *idealnego przywódcy*.

W biurze przez chwilę zrobiło się cicho. Coś jakby przez nie przemknęło.

Straszliwie lodowaty wiatr.

– Przecież... – odezwał się nagle czyjś głos.

Gdy jednostce Opcop udało się wreszcie zidentyfikować, która osoba wypowiedziała ostatnie słowo, siedziała już, zakrywając usta ręką, i była blada jak papier.

– O co chodzi, Jutta? – zapytał Paul Hjelm zaniepokojony.

– Przecież ja go spotkałam – powiedziała Jutta Beyer zachrypniętym głosem. – Rozmawiałam z nim.

– Co ty mówisz? – powiedział ostro Hjelm.

– Na Caprai – powiedziała Beyer. – Ludzie Donatelli Bruno odizolowali go w celi w La Mortoli. To ten niemiecki samotny wędrowiec, nazywa się Winfried Baumbach i pochodzi z Wolfsburga.

– Czekaj – powiedział Hjelm. – Był tam w tym samym czasie, co my?

Jutta Beyer pokiwała głową i powiedziała:

– To on znalazł ciało Romana Vacka.

Rainy City

Seattle, 29 maja

FELIPE NAVARRO zawsze uważał, że na północno-zachodnim krańcu USA nic się nie dzieje. Co prawda słyszał o grunge'u i Nirvanie, a temat zamieszek w czasie szczytu WTO w listopadzie dziewięćdziesiątego dziewiątego był mu dobrze znany, jednak dopiero teraz, podczas podróży taksówką na granicy snu z lotniska w stronę centrum, zrozumiał, jak wiele światowych firm miało swoje główne siedziby w Seattle. Amazon, Boeing, Microsoft, Starbucks. Centrum miasta pojawiało się i znikało, gdy zegarek pokazał godzinę piątą. Co znaczyło, że w Hadze i Madrycie była pierwsza w nocy. Kolejna doba.

W domu było już jutro.

Felipe Navarro pogubił się w czasie i nie potrafił ocenić, kiedy ostatnio spał. Tak naprawdę.

Taksówka przyjechała z południa, z Seattle-Tacoma International Airport, przemknęła przez centrum miasta, którego oczywisty punkt orientacyjny stanowiło Space Needle, i wyjechała na drugą stronę w miejscu, które z każdą chwilą coraz bardziej przypominało podmiejską sypialnię nad Morzem Śródziemnym. Od razu poczuł się jak u siebie w Edmonds, w stanie Waszyngton, aż taksówka zatrzymała się przed zdecydowanie najbrzydszym kompleksem wieżowców, jaki widział podczas całej podróży.

Gdy wysiadł, zaczęło padać. Podczas tych dwudziestu metrów, które zostały mu do przejścia do kompleksu budynków, zrozumiał, skąd się wzięło określenie Seattle „Rainy City". Niebo się otworzyło.

Dopiero gdy zadzwonił do drzwi z tabliczką „Smith", zauważył, jak bardzo przemókł. Deszcz przesiąkł przez wszystkie jego stanowczo zbyt lekkie ubrania.

Otworzyła mu kobieta, znacznie starsza, niż się tego spodziewał. Z drugiej strony większość osób zamieszanych w tę sprawę była w słusznym wieku – szczyt ich kariery przypadał na lata osiemdziesiąte. Nie dotyczyło to jednak najwyraźniej tej kobiety. Nie wyglądała, jakby miała w życiu jakikolwiek *peak*. W jej ciemnych, podejrzliwych oczach widać było porażkę.

– Pani Jennifer Smith? – zapytał Navarro, wyjmując legitymację.

Kobieta przeczytała z trudem tekst na legitymacji i powiedziała:

– *Europejski* policjant? To coś nowego. Czy to znaczy, że Bobby popełnił jakieś przestępstwa również w Europie?

– Rozumiem, że Bobby to pani syn Robert Smith ze związku z Larsem-Erikiem Dahlbergiem?

Starsza kobieta rozpromieniła się nieco. Navarro próbował policzyć, ile może mieć lat, ale brak snu i *jet lag* skutecznie mu to uniemożliwiały. Skoro urodziła się w pięćdziesiątym trzecim, to ile miała teraz lat? Na pewno nie tyle, na ile wyglądała.

– Proszę wejść – powiedziała, pokazując ręką.

Navarro wszedł za nią do niewielkiego mieszkania, które najwyraźniej już od dawna nie było sprzątane. I gdzie ani jeden mebel, ani jeden przedmiot nie miał mniej niż dwadzieścia lat. Usiadł na kanapie, kobieta na fotelu naprzeciwko. Pachniało stęchlizną, zaduchem, starością.

– Byliśmy w drodze na szczyt – powiedziała Jennifer Smith, próbując opanować głos. – Larsey był jednym z największych talentów na świecie w swojej dziedzinie.

Otrzymał profesurę na uniwersytecie, wszystko szło wspaniale, byliśmy szczęśliwi, kupiliśmy dom w najelegantszej dzielnicy Edmonds, urodziły nam się dzieci. I nagle – niemal z dnia na dzień – zmieniliśmy klasę społeczną. Bum! Nagle znalazłam się z powrotem w klasie robotniczej, z której pochodzę. Lata spędzone z Larseyem są jak ulotny sen o lepszym życiu. Którego nigdy nie będę miała.

Navarro miał nadzieję, że udało mu się ukryć zaskoczenie przemówieniem starszej damy. Pokiwał ze zrozumieniem głową i powiedział:

– Nie wiem, czy dostała już pani wiadomość ze Szwecji...?

– Od lat nie miałam stamtąd żadnych wieści. Z początku odzywał się kilka razy, pytał – choć nie wiem, na ile go to tak naprawdę interesowało – co słychać u Bobby'ego i Janey. Bardzo szybko zdążył przepić całe swoje życie. A ja zostałam sama, bez wykształcenia, bez doświadczenia zawodowego, z dwójką małych dzieci. Niemal w panice wyszłam ponownie za mąż za kierowcę tira Gilesa pieprzonego Smitha, ale on też dał nogę. Obaj zostawili mnie z niczym. Z wyjątkiem dwójki młodych, nad którymi coraz trudniej mi było zapanować.

– W takim razie muszę niestety przekazać pani, że Lars-Erik Dahlberg nie żyje.

– A to jeszcze żył? – powiedziała Jennifer Smith, udając zaskocznenie, ale Navarro widział wyraźnie, jak w jej oczach zabłysnął smutek.

– Został zamordowany. Przykro mi.

– Komu by się chciało zamordować starego pijaka?

– Próbujemy to właśnie ustalić. Było to tak dobrze zaplanowane, jakby chodziło o coś z przeszłości. Prawdopodobnie jeszcze z czasów, zanim Dahlberg zaczął pić.

– Nie wiedziałam, że ktoś jeszcze interesuje się Larseyem. Albo w ogóle go pamięta.

– Wie pani, dlaczego zaczął pić?
Jennifer Smith spojrzała na niego podejrzliwie.
– Co to za europejska policja?
– Europol – powiedział Navarro i ugryzł się w język. – Policja hiszpańska – poprawił się. – Hiszpańska policja pomaga szwedzkiej policji w sprawie, w której są hiszpańskie wątki. Wie pani, dlaczego pani ówczesny mąż zaczął pić?
– Przez pracę. Niewiele mówił, ale widziałam, że to go niszczy.
– Z tego, co wiem, często wyjeżdżał służbowo.
– Często? Nie było go całymi miesiącami. Nigdy nie wiedziałam, dokąd jedzie. Czasem tylko rzucił: „Europa". A przecież byliśmy ze sobą tak blisko. Larsey i ja kontra cały świat. Nikt nie dawał mi tyle sił, co on. Kurwa, a teraz nie żyje?
– Obawiam się, że tak. Naprawdę nam zależy, żeby znaleźć jego mordercę.
– Dawał mi więcej energii niż ktokolwiek inny, a potem ją zabrał. Z nawiązką.
– Co go właściwie niszczyło? Stres?
– Nie do końca stres. Raczej... hmm, nie wiem... Larsey był z wykształcenia lekarzem. Składał przysięgę Hipokratesa i tak dalej. Przysięgał, że nigdy nikomu nie wyrządzi krzywdy, zawsze będzie się starał uśmierzyć ból i dbać o dobro pacjenta niezależnie od tego, kim on jest, i tak dalej.
– Podejrzewa pani, że złamał przysięgę Hipokratesa?
– To honorowe zadanie, pamiętam, że tak powiedział, kiedy zaczynał, zadanie, za które każdy naukowiec na jego miejscu dałby się zabić. Tak właśnie powiedział. Z lekką ironią.
– Czy często to była Europa?
– Te kilka razy, kiedy udało mi się coś od niego wyciągnąć – tak.
– Nie mówił nic o tym, na czym polegało to zadanie?

– Nie. Tłumaczył się tym, że obowiązuje go tajemnica. Tyle że wcześniej, kiedy był lekarzem, też obowiązywała go tajemnica, a mimo to często rozmawialiśmy o pacjentach. Wówczas wymagał ode mnie „milczenia przypieczętowanego seksem", jak mówił ze śmiechem. Teraz jednak chodziło o jakiś inny rodzaj tajemnicy, tłumaczył. I wcale się przy tym nie śmiał. Larsey tak lubił rozmawiać. W całym swoim życiu to z nim najwięcej rozmawiałam. Zdecydowanie najwięcej.

– A wtedy milczał?

– I zaczął pić.

– Sam?

– Zwykle sam, czasem z Dickiem. Nigdy ze mną. Może nie chciał, żebym widziała, jak się stacza. Biedny skurczybyk.

– Dick?

– Jego dawny kolega, jeszcze z Kalifornii. To tam się poznaliśmy, tak na marginesie, w Los Angeles. Trafił na UCLA z Hamburga, ale szybko przeprowadził się tutaj, do „Rainy City", bo dostał posadę na uczelni. A ja pojechałam za nim, zakochana, młoda i szczęśliwa, widząc w perspektywie świat, którego istnienia wcześniej nawet się nie domyślałam.

– A Dicka też poznał w Los Angeles?

– Wydaje mi się, że znali się już w Hamburgu, byli jedynymi obcokrajowcami w Klinice Uniwersyteckiej Hamburg-Eppendorf. Mówiliśmy na niego Dick, ale tak naprawdę nazywał się Diederick, tak mi się zdaje.

– Czy Dick miał również coś wspólnego z tym zadaniem? Czy był raczej tylko kolegą z przeszłości, kimś, z kim mógł porozmawiać?

– Dick był również lekarzem, genetykiem. Robili razem jakiś projekt badawczy w Hamburgu, który został zauważony. Pojechali do Los Angeles i dostali pracę w UCLA.

Potem jednak Larsey dostał lepszą propozycję w Seattle. Czasem widziałam przez okno, jak Dick przyjeżdżał po Larseya samochodem, kiedy jechał w daleką podróż. Przede wszystkim był jednak dla niego partnerem do rozmów, z czasem ważniejszym ode mnie.

– Wie pani, jak Dick miał na nazwisko? I czy nadal pracuje w UCLA?

– Nie przypominam sobie jego nazwiska. Było dziwne, europejskie. Nie słyszałam o nim ani razu, od kiedy Larsey wrócił do Szwecji, żeby zapić się na śmierć.

Zamilkła. Przez chwilę siedziała nieruchomo, drobna i zgarbiona, zawiedziona życiem. Dotknęła nieba, a potem spadła z powrotem na ziemię. A anioł, który ją niósł, upadł jeszcze ciężej i zamienił się w diabła.

Przynajmniej na to wygląda, pomyślał Felipe Navarro, poprawiając węzeł krawata. Nie miał więcej pytań. Gdy wychodził, siedziała na kanapie, sama ze swoim smutkiem.

W ostatniej chwili obrócił się w drzwiach. Wydała mu się taka drobna i pokurczona, że serce ścisnęło mu się z żalu.

W windzie zadzwonił do Paula Hjelma, do Hagi.

– Wydaje mi się, ża mam imię kolejnego członka sekcji – powiedział bez słowa wstępu.

Hjelm jęknął głośno.

– Jest druga w nocy – powiedział zachrypnięty.

– Przepraszam. Spałeś?

– Wyobraź sobie, że nie. Siedziałem nad sprawą. Śmierdzi.

– Śmierdzi. Nie ma wątpliwości, że to robota w sekcji pociągnęła na dno Larsa-Erika Dahlberga. Miał też kumpla, genetyka, z którym często pił i rozmawiał. I który czasem zawoził go w miejsca, gdzie Dahlberg spędzał swoje tajne urlopy. Lub lotniska, z których lecieli gdzieś dalej.

– Dobra. Brzmi obiecująco. Jak nazywał się ten kumpel?

– Nie mam nazwiska, ale imię brzmi flamandzko. Diederick. Nie powinno być trudno go znaleźć. Razem z Dahlbergiem zrealizowali jakiś projekt naukowy w dziedzinie genetyki w Klinice Uniwersyteckiej Hamburg-Eppendorf, dzięki któremu dostali pracę na UCLA w Los Angeles. Diederick został, a Dahlberg przeprowadził się do Seattle. Powinniśmy sprawdzić, czy brali wolne w tym samym czasie. Wygląda na to, że najczęściej jeździli do Europy.

– Cieszę się, że jesteś taki energiczny, Felipe. Wracaj już do nas. Jeśli uda ci się znaleźć bezpośredni lot na Schiphol, będziesz tu za dziesięć godzin.

– I tak będę spał przez całą drogę – powiedział Navarro i wyszedł na padający intensywnie deszcz.

Obie stopy były mocno przytwierdzone do jego nóg.

Krucyfiks

Haga – Paryż, 30 maja

TRZYDZIESTEGO MAJA była niedziela. Budynek Europolu powinien być pusty. Członkowie jednostki Opcop powinni spacerować wzdłuż brzegu i delektować się cudownie intensywnym morskim powietrzem. Najodważniejsi powinni po raz pierwszy w tym roku zanurzyć się w Atlantyku. Pewnie Kowalewski, pomyślał Hjelm, patrząc na biuro. Na miejscu byli jednak wszyscy z wyjątkiem Söderstedta i Navarra, wszyscy intensywnie pracowali. Czasem przychodzili do niego, przynosząc jakieś nowe wieści – lub też raportując ich brak – i coraz częściej czuł się jak sekretarka. Człowiek od robienia notatek.

Teraz przyszła Jutta Beyer.

– Nie, samotny wędrowiec Winfried Baumbach z Wolfsburga nie istnieje. Nie ma go nigdzie, w żadnym rejestrze, w żadnym spisie płatności kartą.

– Przecież widziałaś jego paszport?

– Widziałam. Wyglądał autentycznie. Musiał jednak być podrobiony. Tożsamość, którą nigdy nie posłużono się w innym kontekście. Nie ma po nim śladu.

– I mówił poprawnym niemieckim?

– Doskonałym. Być może z lekkim akcentem z Zagłębia Ruhry, ale tylko chwilami. *Czysty* niemiecki.

– Nie przyszedł ci do głowy żaden nowy trop z waszej rozmowy?

– Była dosyć krótka i niewiele wnosząca. Od razu wydało mi się, że jest niewinny. Wiem, że szef zna to uczucie.

– Czyli manipulant. Przystojny?

– Przystojny?

– Przystojny, seksowny?

– Wolę starszych mężczyzn – odpowiedziała Beyer i obróciła się na pięcie.

Chwilę potem przywołał do siebie Angelosa Sifakisa.

– I co, żadnych powiązań między NATO i Islim Vrapim?

– No cóż, Vrapi przeżył tyle lat w tej śmiertelnie niebezpiecznej branży, bo go nie widać. Trudno wpaść na jego ślad. *A cash-only person*. A tajne sekcje NATO raczej też nie zostawiają po sobie elektronicznych śladów.

– Dobra – powiedział Hjelm – ale nie o tym chciałem z tobą rozmawiać.

– Nie? – powiedział Sifakis zaskoczony.

– Dlaczego zabójca ryzykował, wcielając się w rolę znalazcy ciała człowieka, którego sam zamordował?

Sifakis zamrugał oczami.

– Pierwsze, co mi przychodzi do głowy, to że chciał sprawdzić, kim jesteśmy. Dzięki temu zobaczył twarze bardzo wielu policjantów, w tym szefa. Na pewno wyglądał ze swojej celi i dobrze się wam przyjrzał. I pewnie rzucało się w oczy, kto z helikoptera jest szefem.

– A gdyby zdecydował się zrobić to z terenu...

– Wówczas ryzyko zdemaskowania byłoby dużo większe. A tak mógł obserwować przez nikogo nienękany. Całkiem sprytnie, jeśli się nad tym zastanowić.

– Dobra. Może być. Czy mógł wyciągnąć jakieś wnioski na temat tego, kim jesteśmy?

– Dostał w każdym razie nazwiska Bruno i Beyer, rozmawiały z nim. Powinny być jednak bezpieczne. Podejrzewam, że najbardziej interesowały go twarze policjantów.

Chciał być pewien, że nas rozpozna, jeśli w ten czy inny sposób będziemy się zbliżać.

Hjelm pokiwał głową i wypuścił Sifakisa. Po nim do gabinetu wtoczył się Marek Kowalewski.

– Ma szef chwilę?

– Jeśli to coś ważnego.

– Coś mi przyszło do głowy. Czy ciało Larsa-Erika Dahlberga jest wciąż w chłodni?

– Dochodzenie nadal trwa. Podejrzewam, że tak. Co ci przyszło do głowy?

– Przed chwilą skończyłem czytać materiały dochodzeniowe ze Sztokholmu. Został pchnięty nożem. Sprawdzali, czy w jego ciele jest trucizna?

– Nie wiem – przyznał Hjelm. Rozumiał, do czego zmierza Kowalewski. – Pogadam ze Sztokholmem.

– Co prawda nic nie wskazuje na to, że morderca używał tej samej metody, co Wiktor Larsson, ale jakoś nie mogę przestać myśleć o tej strzykawce. To dosyć szczególna metoda. Aż do teraz niezidentyfikowana „multitrucizna". W przypadku pozostałych dwóch zamordowanych nie przeprowadzono testów toksykologicznych, bo było jasne, że umarli z innych przyczyn: Andrew Hamilton III w chaotycznej krwawej rzeźni, a Lars-Erik Dahlberg od pchnięcia nożem w serce. Ale obaj mogli przecież zostać wcześniej otruci. Jeśli chodzi o Dahlberga, mogło być tak, że to jeden z tych „kuzynów" wbił w niego nóż. Po tym, jak Wall-e go otruł.

– U Massicottego nie znaleziono żadnych śladów trucizny. Tylko alkohol.

– Nie wiem, czy Massicotte tu pasuje.

– Dopilnuję, żeby zwłoki Dahlberga poddano badaniu toksykologicznemu, jeśli to możliwe. Dobra myśl. Powiedziałeś „aż do teraz"?

– Co?

– „Aż do teraz niezidentyfikowana »multitrucizna«”...

– Racja. Przed chwilą przyszły dokładne wyniki badań organów wewnętrznych Romana Vacka. Chodzi o truciznę, która nie ma jeszcze nazwy, ale która jest rozwiniętą postacią opatentowanego środka o nazwie protobiamid.

– Jak to możliwe, że nie ma nazwy?

– Pracowano nad nią w domowym laboratorium. „Profesjonalista”, jak stwierdził włoski lekarz sądowy.

– Chemik?

– Najwyraźniej.

– Dziękuję, Marku. Świetna robota.

Kowalewski się oddalił, a Hjelm zadzwonił do Kerstin Holm. Gdy tylko dostał potwierdzenie, że ciało Lassego Dahlisa znajdowało się wciąż w chłodni, i zlecił badanie toksykologiczne, do pokoju weszły Miriam Hershey i Laima Balodis.

– Zawsze wszędzie chodzicie razem? – zapytał Hjelm i odłożył słuchawkę.

– Chcesz usłyszeć, co mamy do powiedzenia, czy wolisz sobie pogadać? – wypaliła Hershey.

– Chcę usłyszeć, co macie do powiedzenia – odpowiedział uprzejmie Hjelm.

– Kolega Lassego Dahlisa z UCLA nazywał się Diederick van der Sanden – zaczęła Laima Balodis. – Z Groningen w północnej Holandii. Zawsze brał urlop w tym samym czasie co Dahlberg. Ich wspólny projekt badawczy w Hamburgu dotyczył genów i uczuć. To był jeden z pierwszych projektów – mówimy tu o pierwszej połowie lat siedemdziesiątych – któremu przyświecała myśl, że życiem uczuciowym człowieka mogą sterować geny. Bardzo wówczas kontrowersyjny.

– Ogólnie rzecz biorąc, stwierdzenie Lassego Dahlisa, że już trzydzieści lat temu odkryli gen empatii, jest dosyć zaskakujące – stwierdziła Hershey. – Nauka nie zaszła wówczas jeszcze tak daleko. Ale niektórych rzeczy zaczęto się domyślać.

– Zdaniem eksperta, z którym to konsultowałyśmy – powiedziała Balodis – to niemożliwe, żeby odkryli ten cholerny gen OXTR. Technika nie była jeszcze wówczas na tym poziomie. Nasz ekspert twierdzi jednak, że być może pracowali bardziej intuicyjnie i doszli do mniej więcej tego samego wyniku.

– „Struktura jest logiczna" – powiedziała Hershey. – Tak powiedział nasz ekspret. „Podstawowa wiedza istniała".

– Powiedzmy, że mamy rok osiemdziesiąty – powiedział Hjelm. – Dominuje wiara w przyszłość, radość z wszelkich możliwych odkryć genetycznych. Z takim nastawieniem można czasem przeskoczyć samego siebie. Spójrzcie tylko na siebie, moje panie. Co się stało z Diederickiem van der Sandenem?

Nagła zmiana tematu nie zaskoczyła zgranego duetu.

– Zniknął bez śladu – powiedziała Laima Balodis.

– Jakieś pół roku po zabójstwie Andrew Hamiltona III rozpłynął się w powietrzu – uzupełniła Miriam Hershey. – Hamilton został zamordowany osiemnastego stycznia dwa tysiące szóstego. Ostatni ślad po Diedericku van der Sandenie to jego wypowiedzenie z UCLA z czerwca tego samego roku. Od tego czasu Diederick van der Sanden nie istnieje.

– Hm – zastanowił się Paul Hjelm. – Zamordowany?

– Bardzo możliwe – powiedziała Balodis. – Możliwe też, że zwyczajnie uciekł. Był singlem, było mu stosunkowo łatwo zerwać ze wszystkim i zacząć od nowa, z nową tożsamością.

– Z drugiej strony – powiedziała Hershey – wszyscy znani do tej pory członkowie rzekomej sekcji NATO zostali zamordowani. Roman Vacek, Andrew Hamilton III, Lars-Erik Dahlberg, prawdopodobnie również Udo Massicotte – jeśli go doliczymy – i zapewne Diederick van der Sanden. Tyle tylko, że nie znaleziono ciała.

– Dobra – powiedział Hjelm. – Wrzućcie zdjęcia na *whiteboard*. Rozumiem, że domyślacie się, co was teraz czeka?

– Znaleźć Diedericka van der Sandena? – zapytała Balodis.

– Dokładnie. Jeszcze jedno pytanie, na koniec.

– Aha? – powiedziała Hershey.

– Co myślicie o Winfriedzie?

– Co?

– Naszym mordercy. Wprawdzie wcale nie nazywa się Winfried Baumbach, ale postanowiłem, że będę go nazywał Winfried. Pseudonim „Winfried". Ładne imię dla bestii.

– Co znaczy „co myślimy"? – zdziwiła się Hershey.

– Ciacho?

– Co, do jasnej cholery? – krzyknęły chórem Hershey i Balodis.

Gdy dwie niewątpliwie eleganckie kobiety zniknęły, zastanawiał się, czy rzeczywiście dostał taką odpowiedź, jakiej chciał. Czy coś takiego naprawdę było możliwe? Pod koniec lat siedemdziesiątych?

Czy Winfried został zaprojektowany, żeby wzbudzać pożądanie kobiet? Lub – dlaczego by nie – homoseksualistów? Czy dało się coś takiego zrobić? Czy nie jest tak, że wbrew temu, co nam się wydaje, jesteśmy mniej jednostkami, a bardziej zwierzętami stadnymi? Czy naprawdę wszystkie żądze sterowane są w gruncie rzeczy w ten sam sposób? Czy nie wywołuje ich ten sam bodziec?

Może rzeczywiście próbowali stworzyć człowieka klasy A. Jeśli tak było, brzmiało to okropnie. Idealny przywódca, ze skorygowaną empatią, i oczywisty faworyt z punktu widzenia doboru naturalnego.

A „skorygowana" znaczyła w tym przypadku „zmniejszona".

Zminimalizowana.

Idealnym przywódcą był przystojny, inteligentny mężczyzna pozbawiony zdolności empatii. Nie było w tym nic zaskakującego. Czy nie tak myślały całe rzesze ludzi? I czy już teraz znaczne obszary ziemi nie były rządzone przez właśnie takich ludzi, których, bardziej dosadnie, można by nazwać *psychopatami*?

Czy świat naprawdę potrzebował kolejnych psychopatów?

Paul Hjelm sam był teraz szefem. Mimo wąskiego kręgu podwładnych mógł dojść do pewnych wniosków. Często żeby coś zrobić, konieczne były zdecydowane działania, a żeby je podjąć, trzeba było czasem zignorować efekty uboczne swoich decyzji. Już na tym etapie pojawiała się psychopatyczna pokusa – żeby zrobić coś, nie zważając na konsekwencje. Czasem ją odczuwał. Zrozumiał jednak również, że najlepsze decyzje podejmuje się wtedy, gdy ma się możliwie jak największą świadomość ich wpływu na ludzkie życie.

Być może wynikało to z tego, że jego celem nie były pieniądze ani władza. Oczywiście kwestie finansowe rządziły jego działaniami w irytująco wysokim stopniu i oczywiście walka o władzę znaczyła więcej, niż się tego spodziewał, ale nie był to nigdy cel sam w sobie. Celem było łapanie przestępców. Zastanawiał się, jak dalece inaczej by myślał – a nawet jak dalece inaczej wyglądałby jego mózg – gdyby pracował w sojuszu wojskowym (którego celem była władza) lub w korporacji (której celem były pieniądze). Czy wówczas byłby trochę bardziej psychopatą?

Nie, zadecydował po szefowsku. W dłuższej perspektywie mimo wszystko zawsze wygrywały humanitarnie zrównoważone decyzje, również gdy chodziło o władzę i pieniądze. Na dłuższą metę chciwość się nie sprawdzała. Na dłuższą metę chciwość była kontrproduktywna. Być może jednak to właśnie dłuższa meta już nikogo nie obchodziła.

Z drugiej strony od dawna już kształcono na psychopatów młodych ludzi z klasy wyższej – w szkołach wojskowych i szkołach z internatem, gdzie wyrafinowany system kar pozwalał wyplenić wszystkie przejawy empatii. Młodzi ludzie przechodzili tam podstawowe szkolenie z myślenia hierarchicznego i uczyli się sztuki deptania słabszych bez zbędnych wyrzutów sumienia. To tam wpajano im, że nie ma nic złego w przyjmowaniu gigantycznych premii, gdy połowa pracowników traciła pracę. Czy rzeczywiście to odnoszące sukcesy środowisko mogło być zastąpione produktem genetycznym?

Jak to wyglądało pod koniec lat siedemdziesiątych, gdy NATO (jeśli to byli oni) doszło do wniosku, że potrzebuje tego typu sekcji? Co to była za epoka?

Świat drżał na skutek wyścigu zbrojeń. Dwa fronty trzymające się w szachu ledwo kontrolowanej broni jądrowej. Nastroje były coraz gorsze. Ronald Reagan przygotowywał się do przejęcia władzy w USA, zaczęła się szerzyć myśl ekonomiczna znana pod nazwą „nowy liberalizm". Powstała idea „państwa minimalnego", okrojonego państwa, które powinno się ograniczyć do podtrzymywania wewnętrznego i zewnętrznego bezpieczeństwa. Wszystko inne miało być zarządzane prywatnie.

Nie szczędzono jednak środków publicznych na obronę. Reagan przyczynił się do upadku komunizmu, zwiększając tempo zbrojeń tak bardzo, że sowiecka gospodarka tego nie wytrzymała. Kapitalizm zwyciężył czystą siłą pieniądza. W formie państwowej, publicznej.

Właśnie na początku tamtej epoki NATO stworzyło interesującą ich sekcję. Zebrano czołowych przedstawicieli świata nauk medycznych: trzech genetyków (Vacek, Dahlberg, van der Sanden), neurobiologa (Hamilton) i chirurga plastycznego (Massicotte). Wzorem dla przyszłego idealnego przywódcy miało być połączenie dowódcy wojskowego z kierownikiem przedsiębiorstwa. Nie chciano stworzyć myślicieli demokratycznych, a raczej demagogicznych menedżerów, którzy mają gdzieś demokrację i humanizm.

Przez krótką chwilę Paul Hjelm myślał o dwóch podejściach do człowieka, które zostały ukarane tamtej nocy w opuszczonym więzieniu La Mortola na Capraі. Z jednej strony dyktatura, która lekką ręką wysyłała swoich obywateli na śmierć. Z drugiej strony sojusz wojskowy, który nie wahał się eksperymentować na swoich obywatelach, wypleniając z nich empatię, tak by stali się, jak to się mówi, „bardziej liberalni".

I oba miały drugie dno.

W obu przypadkach pojawiła się spóźniona nienawistna reakcja, jak to zawsze się dzieje, gdy dochodzi do niesprawiedliwości. Wiktor Larsson likwidował komunistów, żeby zemścić się za to, co komunizm zrobił jego dziadkowi. A Winfried mścił się za to, że na nim eksperymentowano. Likwidował po kolei członków sekcji NATO, która go stworzyła.

W tej samej chwili Paul Hjelm doświadczył czegoś w rodzaju wizji i dotarło do niego, jak delikatną konstrukcją było humanistyczne podejście do człowieka. Prawdziwa demokracja była maleńką wyspą otoczoną ze wszystkich stron przez antyhumanistyczne głębokie morza. Sztorm wzmagał się z każdą chwilą, woda się podnosiła.

Humanizm był tylko epizodem w historii.

Gdy siedział pochłonięty tymi mało pocieszającymi myślami, do gabinetu weszła Corine Bouhaddi. Dawno już nie widział jej w tak dobrym nastroju. Od dłuższego czasu wydawała mu się smutna, teraz jednak najwyraźniej znów była w formie. Przyniosła też wiadomość.

– Chyba coś chwyciło – zawołała.

– Chwyciło? – powtórzył Hjelm.
– Nie jestem pewna. Pomożesz mi to rozgryźć?
– Z przyjemnością – odpowiedział uprzejmie.
– Grudzień tysiąc dziewięćset osiemdziesiątego ósmego w Maskacie, w Omanie. Międzynarodowa konferencja medyczna o nazwie „Chemia człowieka". Wśród licznych wystąpień znalazłam jedno zatytułowane „Homunculus? Czy da się stworzyć sztucznego człowieka?". Na scenie trzech mówców: Roman Vacek, Diederick van der Sanden i francuski chemik o nazwisku Pierre Rigaudeau. Kiedy wpisze się do wyszukiwarki samego Pierre'a Rigaudeau, jego nazwisko wyskakuje razem z... no, zgadnij?
– Żadnych zgadywanek. I tak już udało ci się przykuć moją uwagę.
– Massicotte. Kiedy wpisze się do wyszukiwarki samego Rigaudeau, jego nazwisko wyskakuje razem z nazwiskiem Uda Massicottego na rachunku za hotel z listopada osiemdziesiątego trzeciego, co pokrywa się z urlopem Vacka, Hamiltona i van der Sandena. Hotel w Nicei.
– Hôtel Palais de la Méditerranée?
– Skąd wiedziałeś?
– Już raz się na niego natknęliśmy. Vacek, Hamilton i Dahlberg zapłacili tam raz przypadkiem kartą kredytową. Ten sam luksusowy hotel.
– O kurwa.
– A więc Massicotte też? Elegancko, Corine. To zwiększa prawdopodobieństwo, że znajdował się w tym kręgu. Powiedz coś więcej o tym Pierze Rigaudeau.
Bouhaddi przeczytała ze sterty kartek, którą nagle wyczarowała zza pleców:
– Urodzony w latach czterdziestych, podobnie jak pozostali, tylko trochę młodszy. Bardziej kolorowa przeszłość, na pewno nie wybitny student, kryminalna młodość na przedmieściach Paryża Clichy-sous-Bois, wcześnie

zainteresował się chemią, jako młodociany przestępca dostał do wyboru karę pozbawienia wolności albo Legię Cudzoziemską. Wybrał to drugie. Wyróżnił się osiągnięciami wojskowymi w Afryce, przede wszystkim w Dżibuti, a jak wyglądały osiągnięcia wojskowe w ostatnich dniach kolonializmu, można sobie tylko wyobrazić. Na początku lat siedemdziesiątych pracował przez kilka lat w firmie farmaceutycznej Rhône-Poulenc, szybko awansował z asystenta laboratoryjnego na kierownika badań, pierwszego we Francji bez wykształcenia kierunkowego. Przez środowisko międzynarodowe uznany za geniusza w dziedzinie chemii. Zerwał z Rhône-Poulenc i założył własną firmę. Siedział sam w zapuszczonym mieszkaniu w Clichy-sous-Bois i opracowywał w tym domowym laboratorium lekarstwa, które potem patentował. Pierre Rigaudeau posiada, według niepotwierdzonych danych, najwięcej indywidualnych patentów na produkty chemiczne w całej Francji. Ponieważ jest niezależnym przedsiębiorcą, trudniej sprawdzić jego okresy urlopowe, tak jak to się udało w przypadku zatrudnionych na uniwersytecie Vacka, Dahlberga i Hamiltona.

– Czyli bardziej jak Udo Massicotte. Nie wiemy, co robił Pierre Rigaudeau, gdy pozostali mieli urlopy?

– Jeszcze nie. Pomijając najważniejsze, wiemy już, że Pierre Rigaudeau jest wdowcem i ma dwóch synów, z których jeden pracuje jako nauczyciel, a drugi zaginął, i że...

– Chemik, tak? – przerwał Paul Hjelm niepotrzebnie ostro.

– Tak? – powiedziała zaskoczona Bouhaddi.

– Najwięcej patentów na produkty chemiczne w całej Francji?

– Najwięcej *indywidualnych* patentów – odpowiedziała, pokazując na kartki.

– Masz listę tych patentów?

– Mam. Ponad dwieście różnych substancji.

– Czy wśród nich znajduje się coś o nazwie... protobiamid?

Corine Bouhaddi spojrzała na szefa z uniesioną brwią, a potem zabrała się do przeglądania kartek. Po chwili się rozpromieniła.

– Jest. Protobiamid. Patent w tysiąc dziewięćset dziewięćdziesiątym trzecim. Tak zwany detektor proteinowy. Silnie reaguje na proteiny, to znaczy białka. Używany do roku dziewięćdziesiątego czwartego do znajdowania mikrośladów protein w płynach, w których absolutnie nie powinno ich być. Z czasem zastąpiono go nowocześniejszym preparatem.

– No to pięknie – powiedział Hjelm i pochylił się do przodu. – Trujący?

– Tak. Nie nadaje się do spożycia. Powoduje powolną śmierć. Przed śmiercią natomiast silne przywidzenia natury paranoidalnej.

– To jest punkt wyjścia dla tej trucizny w strzykawce. „Multitrucizna" to kolejna wersja protobiamidu opatentowanego przez Pierre'a Rigaudeau.

– O kurwa. Tylko jak to się ze sobą łączy? Jeśli mamy rację, Pierre Rigaudeau był częścią sekcji NATO. Dlaczego morderca miałby użyć jego trucizny?

– Nie wiem, jak to się ze sobą łączy. Ale przepraszam, przerwałem ci, Corine.

– Naprawdę? No tak, powiedziałam, że Rigaudeau jest wdowcem i ma dwóch synów, z których jeden jest nauczycielem, a drugi zaginął, i że mieszka w Paryżu.

– Choć zaczęłaś od „pomijając najważniejsze". Co jest najważniejsze?

– Pierre Rigaudeau żyje – powiedziała Corine Bouhaddi.

*

Lot z Amsterdamu do Paryża był śmiesznie krótki, mimo to Paulowi Hjelmowi i Corine Bouhaddi udało się sporo zrobić na trasie z Schiphol do Charles de Gaulle.

Pierre Rigaudeau mieszkał na problematycznych przedmieściach Paryża, Clichy-sous-Bois, gdzie w październiku dwa tysiące piątego doszło do słynnych zamieszek na tle rasowym. Potem rozpłynął się w powietrzu. Jego syn, oszust i fałszerz Jacques Rigaudeau, zatonął w chaosie zamieszek i już nigdy nie wypłynął. Pierre jednak dalej prowadził eksperymenty chemiczne i wkrótce zdobył kilka kolejnych patentów. I to właśnie przez francuski urząd patentowy udało im się odnaleźć ostatni znany adres Pierre'a Rigaudeau. Ostatni patent uzyskał zaledwie trzy tygodnie wcześniej i wówczas, po raz pierwszy od wielu lat, podał swój adres, prawdopodobnie przez pomyłkę. Było to mieszkanie studenckie gdzieś w rojowisku ulic Dzielnicy Łacińskiej. Pojechali tam taksówką. Paryż był zachwycający tego wczesnoletniego dnia końca maja. Było w nim coś subtelnego, coś nieskończenie lekkiego. Światło wydawało się niemal niebiańskie.

A oni mieli to gdzieś.

Taksówka wjechała posuwiście do Dzielnicy Łacińskiej i przestała sunąć. Reszta drogi była raczej wyboista, niespokojna i głośna. Wbili się w małe uliczki biegnące od Sekwany i Rue de la Huchette, wzięli ostry zakręt, przejechali po bruku. Mijały ich tłumy spacerowiczów i turystów. I nagle zahamowali.

Zabrudzona tablica ze spisem mieszkańców wisząca u wejścia pozwalała sobie wyrobić pewien pogląd na wynajmujących tu lokale studentów. Pod numerem, który Pierre Rigaudeau podał w ostatnim wniosku patentowym, mieszkała niejaka Amelie Dumont. Czwarte piętro bez windy.

Ruszyli. Studenci biegali po schodach, trzymając pod pachą książki. Nikt nie zwrócił uwagi na dwójkę policjantów. Gdy skręcili we właściwy korytarz, strumień młodych ludzi nagle zniknął. Korytarz był pusty. Smugi magicznego światła wdzierały się do środka przez zabrudzone okna i zakrzywiały się na wirujących drobinach kurzu.

Również i to mieli gdzieś.

Hjelm i Bouhaddi stanęli pod drzwiami, na których wisiała tabliczka z nazwiskiem Amelie Dumont. Rozejrzeli się, odbezpieczyli broń, ale jej nie wyjęli. Zapukali.

Cisza. Nie usłyszeli najmniejszego dźwięku ani odgłosu ruchu.

Zapukali raz jeszcze, tym razem głośniej. Wciąż cisza. Bouhaddi wyjęła pęk wytrychów i otworzyła drzwi w ciągu mniej niż minuty. Wyjęli broń i weszli do środka.

Mieszkanie okazało się zaskakująco duże i przesiąknięte chemiczną wonią, która tłumiła wszystkie inne, potencjalne zapachy. Nie to ich jednak uderzyło. Nie zdziwiło ich też wyposażenie laboratorium – od wszelkiego rodzaju substancji w kolbach i pojemnikach po sprzęty chemiczne i rozpoczęte eksperymenty. Tym, co zwróciło ich uwagę, była natomiast zamrażarka na końcu mieszkania. Sprawdzili po kolei każde pomieszczenie – najwyraźniej Pierre Rigaudeau wynajął wszystkie pokoje studenckie w korytarzu przez pośredników, a potem wyburzył ściany – i z każdym kolejnym zbliżali się coraz bardziej do wielkiej zamrażarki ze szklanymi drzwiami. Ze środka wydobywało się światło i gdy podeszli bliżej, zrozumieli, co takiego oświetlało.

Człowieka.

Zabezpieczyli najbliższe otoczenie i stanęli przed zamrażarką, a potem trwali tak jeszcze przez co najmniej minutę, jak wierni podczas adoracji.

Pierre Rigaudeau stał wyprostowany za szklanymi drzwiami zamrażarki. Był kompletnie ubrany, łącznie z białym fartuchem laboratoryjnym, a jego skóra była bladoniebieska i głęboko zamrożona. Oczy miał zamknięte, twarz pochyloną, jak Jezus na najbardziej kiczowatych krucyfiksach. Pozornie pogodną twarz oświetlała od spodu lampa, przydając twarzy cieni, przez co jeszcze bardziej kojarzyła się z krucyfiksem.

Do tego obrazu nie pasowało tylko to coś, co zostało wepchnięte w jego usta.

Hjelm pierwszy przerwał ten hipnotyczny stan, spoglądając na Bouhaddi. Po kilku sekundach ona również na niego spojrzała i skrzywiła się lekko.

Włożyli lateksowe rękawiczki i otworzyli szklane drzwi. Fala chłodu wylała się na nich, kiedy złapali całkowicie zamrożone ciało. Ułożyli je z wysiłkiem na podłodze, sztywne jak miotła, choć dalej przywodzące na myśl krucyfiks.

Paul Hjelm dotknął ostrożnie tego, co wystawało z ust Pierre'a Rigaudeau. Była to mocno zgnieciona kula papieru, również zamarznięta, choć nie tak mocno jak ciało. Sucha, jakby nietknięta przez ślinę Rigaudeau. Lub inny płyn, który potrafi zamarzać.

Ostrożnie spróbowali mocniej rozchylić zamarznięte szczęki, tak by dało się wyciągnąć kulę. Hjelm jej dotknął, wyglądało na to, że szybko się rozmrozi. Kartki papieru pokrywał tekst wydrukowany na drukarce.

– Spójrz tutaj – powiedziała Bouhaddi zachrypniętym głosem.

Hjelm powiódł wzrokiem za jej palcem wskazującym, w górę białego fartucha i w kierunku lewego ramienia. Wystawała z niego końska strzykawka, głęboko wbita w bark.

Hjelm pokiwał ciężko głową i zaczął ostrożnie rozwijać papierową kulę. Nie szło mu najlepiej. W żadnym wypadku nie wolno mu jej było zniszczyć.

Przysunął lampę stojącą na biurku i ogrzał kulę, po chwili udało mu się rozprostować kartki. Były zszyte w cztery pliki.

– Raporty – powiedział. – Cztery raporty.

– Na jaki temat? – zapytała Corine Bouhaddi, wstając.

– Nie wiem – powiedział, przeglądając pierwsze strony. – Najwyraźniej na temat jakiejś rodziny dyplomatów o nazwisku Berner-Marenzi. I kogoś nazywanego „W".

– W jak Winfried? Winfried Baumbach z Wolfsburga?

– Na to wygląda.

– Przeczytaj na głos.

Raport czwarty

Nazwa umowy: Raport CJH-28509-B452
Numer umowy: A-MC-100318
Cel: Aktualizacja, oczekiwanie na odpowiedź
Data bieżącego roku: 24 maja
Poziom: The Utmost Degree of Secrecy

Fakt, że dopiero na tak późnym etapie toczącego się dochodzenia możemy poinformować zleceniodawcę o pewnych istotnych uwarunkowaniach, należy uznać za wysoce niekorzystny. Gdy zleceniodawca poinformował nas wreszcie o tym, że Sekcja przez wiele lat zapewniała „W" opiekuna, rzuciło to nowe światło na całe śledztwo. Zwłaszcza jeśli weźmiemy pod uwagę, kim był ów opiekun.

Sekcja dokonała logicznego wyboru. Przeszłość Pierre'a Rigaudeau w Legii Cudzoziemskiej idealnie tu pasowała. Nie wzięto jednak pod uwagę relacji, jakie zawiązały się między „W" i Rigaudeau, pośrednio poprzez jego syna Jacques'a, znanego również jako „Le Chameau", „Wielbłąd". „W" od swojego przyjazdu do Paryża w wieku dziesięciu lat był, na rozkaz Sekcji, częstym gościem w domu Rigaudeau. Dzięki temu Sekcja mogła go mieć bez przerwy na oku.

Tego jednak nie musimy referować zleceniodawcy. Jako były szef Sekcji zleceniodawca jest świadomy wszystkiego, o czym napisaliśmy powyżej. Niemniej jednak dzięki temu wiele spraw trafiło na swoje miejsce i mogliśmy zrobić decydujący krok, by odnaleźć „W".

„W" przyjeżdża z rodziną do Paryża w roku 1990, w wieku dziesięciu, jedenastu lat. Pierre Rigaudeau aranżuje „przypadkowe" spotkanie z „W" i zaprasza go do siebie do domu – dzięki temu może w prosty sposób wywiązać się ze swojego zadania nadzorowania „W". Jego syn Jacques, któremu ojciec za pomocą środków chemicznych usunął garbowate zniekształcenie na plecach, zaprzyjaźnia się z „W". W tym czasie Pierre Rigaudeau pracuje między innymi nad preparatem o nazwie protobiamid, na który otrzyma patent w roku 1993. Sekcja wówczas już nie istnieje – zostaje rozwiązana wraz z upadkiem Związku Radzieckiego w styczniu 1992 – a Pierre nie ma już obowiązku nadzorowania „W". Przekształcenie Sekcji jeszcze się nie zaczęło – dochodzi do niego dopiero parę lat później. „W" jest zafascynowany pracą Pierre'a i pod jego wpływem zaczyna interesować się chemią. W wieku dwunastu lat kradnie próbkę protobiamidu, by przeprowadzić swoją wyrafinowaną zemstę na gospodyni Anaïs Criton. Następnie morduje swoją matkę, Marię Berner-Marenzi.

Potem wszystko się komplikuje. Na tę chwilę nie mamy jasności co do tego, czy syn Rigaudeau, Jacques, postarał się o nową tożsamość dla „W" bez wiedzy ojca, czy może Pierre również był zaangażowany w próbę wyrwania się „W" spod nadzoru Sekcji i odzyskania wolności. Do „W" przychodzi z wizytą Udo Massicotte, który wyjawia mu prawdę na temat jego przeszłości, próbując w ten sposób zabezpieczyć kluczowe wyniki badań dla przekształconej Sekcji. Z pomocą Rigaudeau – syna albo syna i ojca – „W" staje się „Rimbaud", czyli Waltierem Petit, który następnie zakłada popularną stronę z grami online w Monako. Reszta to już historia.

Niewykluczone, że „W" podczas swojego pobytu w USA utrzymywał kontakt z Pierre'em Rigaudeau i że ten pomagał mu w dalszych pracach nad protobiamidem. Jest jednak równie prawdopodobne, że „W" oczyścił substancję na własną rękę, nauczony fachu przez mistrza Rigaudeau.

Podsumujmy raz jeszcze, żeby w dalszej części przejść do punktu, w którym naszym zdaniem może się znajdować „W".

W wieku piętnastu lat „W" dowiaduje się, kim tak naprawdę jest. Winą obarcza swoją ukochaną matkę, Marię. Zabija ją, zmienia tożsamość na Waltiera Petit i włącza się w drobną działalność przestępczą Jacques'a „Wielbłąda" Rigaudeau do czasu, gdy „Wielbłąd" pomaga mu znów zmienić tożsamość – tym razem będzie się nazywał William Bernard. Pod tym nazwiskiem „W" zbija fortunę na grach online, między innymi dzięki temu, że na przełomie wieków udaje mu się sprzedać firmę dużemu amerykańskiemu koncernowi gier. William Bernard zostaje obywatelem amerykańskim i znika, by powrócić już jako Walter Thomas, zatrudniony w banku inwestycyjnym Antebellum, jednym z zewnętrznych fundatorów Sekcji. Zostaje asystentem dyrektora banku Colina B. Barnwortha i tą drogą, jak się zdaje, dociera do wielu informacji na temat Sekcji. Gdy Antebellum przestaje istnieć po *nine-eleven*, Walter Thomas po raz kolejny zapada się pod ziemię. Najwyraźniej wpadł już na jakiś ślad Sekcji, nie wiemy jednak, czym dokładnie zajmuje się w ciągu tych czterech lat. Z pewnością jednak zbliża się stopniowo do tych członków Sekcji, którzy działali w niej w czasie powstania „W". W 2005 roku zaczyna wprowadzać swój plan w życie. Zaczyna od wymazania wszystkich swoich śladów, między innymi pozbywa się „Wielbłąda", Jacques'a Rigaudeau. Być może już wtedy próbuje dorwać ojca Pierre'a, ale po zabójstwie Jacques'a Pierre zapada się pod ziemię. Być może domyśla się, że „W" wrócił, aby się zemścić.

Nie mamy pewności, czy „W" zdaje sobie sprawę z podwójnej gry Pierre'a Rigaudeau, z tego, że on również był członkiem Sekcji. W każdym razie nie zaczyna od niego. Zaczyna od neurobiologa. Pierwszy z gry wypada Andrew Hamilton III w Baltimore, w USA. Jest styczeń 2006 roku, czyn jest wyjątkowo krwawy, być może wylewa się z niego dziesięć lat skumulowanej nienawiści. Podejrzewamy, że już wcześniej zaaplikował Hamiltonowi swoją ulepszoną wersję protobiamidu, ale nie mamy co do tego pewności. Pół roku później znika genetyk Diederick van der Sanden. Składa wymówienie na UCLA w Los Angeles i znika bez śladu. Wszystko wskazuje na to, że zostaje zamordowany.

„W" przechodzi teraz do Roberta M. Aldricha, neurobiologa z Oksfordu, który znika bez śladu w drodze z uczelni do domu.

Dzieje się to ponad rok po śmierci pierwszej ofiary, Hamiltona, w marcu 2007. Gdy trzy miesiące później jego ciało zostaje odnalezione w trzcinach w Themsen, rozkład jest zbyt daleko posunięty, by można je było poddać analizie toksykologicznej, oczywiście gdyby komuś przyszło do głowy, żeby ją przeprowadzić.

Gdy w grudniu 2007 roku w swoim domu w Hanowerze umiera wskutek otrucia ortopeda Heinrich Schultz, reszta dawnych członków Sekcji zaczyna się domyślać, co tak naprawdę się dzieje. Podczas rozmowy ze zleceniodawcą pada sformułowanie, że sytuacja już teraz wydaje się niebezpieczna i że temat powraca w rozmowach dawnych członków Sekcji. Stworzono potwora, który wpadł w szał. NATO nie ma jednak możliwości ani nawet ambicji, żeby chronić swoich dawnych współpracowników, i w październiku 2008 ginie genetyk Stephen Hays podczas koncertu muzyki klasycznej w Radio Music Hall w Nowym Jorku, tym razem również w wyniku działania „multitrucizny".

Nikt spoza dawnych członków Sekcji nie łączy ze sobą tych zabójstw.

Potem następuje dłuższa przerwa. Pozostali przy życiu – Roman Vacek, Lars-Erik Dahlberg, Juan Flores-Domingo, Pierre Rigaudeau, Udo Massicotte, Michael Dworzak – po upływie ponad roku zaczynają czuć się trochę bezpieczniej. (Z wyjątkiem Dahlberga, z którym nikt nie miał kontaktu).

Potem nadchodzi jednak czwarty marca tego roku, kiedy to wszyscy zainteresowani (z wyjątkiem Dahlberga) zaczynają rozumieć, jak poważna jest sytuacja. Tu naprawdę chodzi o eksterminację. O zabawę, w której biega się wokół krzeseł do muzyki, a gdy muzyka cichnie, trzeba jak najszybciej usiąść. Dla jednej osoby brakuje krzesła.

Życie jednej osoby się kończy.

Za każdym razem krzeseł jest coraz mniej i w końcu zostaje tylko jedno.

Jeśli go nie powstrzymamy, zostanie tylko „W".

Gdy czwartego marca w czasie porannego spaceru po Barcelonie umiera neurolog Juan Flores-Domingo, otruty „multitrucizną", wszyscy uświadamiają sobie, że celem tego projektu jest eliminacja, ostateczne wykluczenie, jak w tej popularnej zabawie. Gdy zleceniodawca kontaktuje się z naszą organizacją już następnego dnia, to znaczy piątego marca, a my rozpoczynamy poszukiwania – pierwszy raport ma datę dwudziestego pierwszego marca – projekt otrzymuje nazwę MC.

Musical Chairs.

Nasze poszukiwania przebiegają szybko, ale nie wystarczająco szybko. Bo nagle „W" postanawia dramatycznie przyspieszyć. Wszystko dzieje się błyskawicznie. Ósmego maja zabija Uda Massicottego w jego domu w Charleroi, pozorując samobójstwo (być może po to, by nie wywołać paniki u pozostałych). Jedenastego maja przychodzi kolej na Larsa-Erika Dahlberga, który ginie w knajpie w Sztokholmie. Następny jest Roman Vacek na włoskiej wyspie Capraia czternastego maja. W ciągu jednego tygodnia *Musical Chairs* przyspieszają, a przy okazji ginie dobrze znany naszej organizacji handlarz bronią Isli Vrapi, którego, przynajmniej na razie, nie udało nam się dodać do równania.

W tej chwili przy życiu zostało już tylko dwóch z pierwotnych jedenastu członków Sekcji. Zdaje się, że najsmaczniejsze kąski „W" zachował sobie na sam koniec. Na tym etapie powinien też już wiedzieć, że jego dawny dobroczyńca, Pierre Rigaudeau, również należał do Sekcji, a nawet został wyznaczony na jego opiekuna. Dołożymy wszelkich starań, żeby odnaleźć Rigaudeau.

Prawdopodobnie „W" świadomie zachował szefa Sekcji na sam koniec.

A szefem Sekcji jest zleceniodawca. To pan – Michael Dworzak.

Rozumiemy, że oczekuje pan, że nie zaprzestaniemy dalszych poszukiwań. Czy możemy również zasugerować solidną ochronę w ramach dodatkowego zlecenia?

The Utmost Degree of Secrecy

Paryż – Haga, 30 maja

– WOW – powiedziała Corine Bouhaddi. – Nie myliliśmy się.

– Przynajmniej nie do końca – powiedział Hjelm i poczuł, jakby stracił głos. I to nie tylko dlatego, że dawno już nie czytał głośno tak długiego tekstu.

Łagodne, niemal sakralne światło przepływało z pokoju do pokoju połączonych mieszkań studenckich Pierre'a Rigaudeau. Z jakiegoś powodu Hjelm przypomniał sobie dom Goethego w Weimarze, drzwi i znów drzwi, i znów drzwi. Również tutaj płomień twórczości płonął jasnym, samowypalającym się płomieniem. A na ziemi leżał geniusz chemii, zamrożony i bardziej sztywny niż zwykły trup.

– Jedenastu – powiedziała Bouhaddi. – Został już tylko jeden.

– Jeśli to prawda – powiedział Hjelm.

– Co masz na myśli?

– Te cztery raporty są bardzo dziwne. Kto je napisał? Co to za dziwna organizacja, która twierdzi, że prowadzi sprawę?

– I dlaczego wciśnięto te raporty w usta Rigaudeau?

– Możliwe – zaczął Hjelm – że „W" jakimś sposobem do nich dotarł i włożył je w usta swojej ofiary jako wiadomość do tej organizacji.

– Wiadomość, z której wynika, że przez cały czas jest o jeden krok do przodu.

Hjelm skinął głową i wybrał numer w telefonie. Powiedział tylko jedno:

– Angelos, wyślij techników. I zarządź poszukiwania Michaela Dworzaka, prawdopodobnego szefa naszej sekcji NATO.

Rozłączył się i powiedział do Bouhaddi:

– Za dziesięć minut będzie tutaj francuski zespół techników. Co powinniśmy zrobić do tego czasu?

– Czwarty i ostatni raport był datowany na dwudziestego czwartego maja. Niecały tydzień temu. Choć Rigaudeau mógł stać w tej zamrażarce już od bardzo dawna.

– Pewnie tak. Mogłabyś sfotografować wszystkie strony tego dokumentu? Powinniśmy przekazać go technikom. Potrzebujemy jednak treści.

Bouhaddi skinęła głową i zabrała się do pracy. Hjelm mówił dalej:

– Nie ma czasu do stracenia. Szef sekcji nazywa się Michael Dworzak. Znalezienie go to nasz priorytet numer jeden. Powinniśmy się też zastanowić, kto napisał te raporty.

– Organizacja, której Isli Vrapi jest „dobrze znany" – powiedziała Bouhaddi, robiąc kolejne zdjęcie komórką.

– Postaraj się, żeby były czytelne.

– Dobrze, że mi zwróciłeś uwagę. Zamierzałam zrobić wszystkie nieczytelne.

– Ja również zwróciłem uwagę na ten związek z Islim Vrapim. Organizacja, która „dobrze zna" nielegalnego handlarza bronią. To zaczyna pachnieć trochę... no właśnie, znajomo... Ponieważ NATO nie chce chronić dawnych współpracowników, Michael Dworzak jest zmuszony zwrócić się do, jak się domyślam, prywatnej firmy ochroniarskiej. Prywatnych detektywów kształconych w Legii Cudzoziemskiej.

– Mnie również wiele z tego, co czytałeś, wydało się znajome. Antebellum Invest Inc. i dyrektor banku Colin B. Barnworth.

– Tak. Bardzo dziwne. Fundatorzy sekcji. Jedni z dysponentów, którzy wyszli cało z zeszłorocznej sprawy, a potem rozpłynęli się w powietrzu. Sprawy, którą nieoficjalnie nazywamy „Głuchym Telefonem". Czyli asystent dyrektora banku Colina N. Barnwortha, Walter, to nasz morderca Winfried. Być może to zwykły przypadek, jeszcze zaczekajmy.

– Myślałam też o pozostałych członkach rodziny Berner-Marenzi. Co stało się z ojcem Luigim i siostrami Uną i Verą?

– Dobra – powiedział Hjelm, wyjmując komórkę. – Zaraz wyślę wiadomość do Sifakisa. Coś jeszcze?

– Nie wiem. Być może motyw „W". Co tak naprawdę robi? Czy jest zwyczajnie wściekły na ludzi, którzy eksperymentowali na nim, gdy był jeszcze płodem, a potem noworodkiem? Czy może chodzi o coś więcej?

– To się wydaje dosyć proste. W najgorszym wypadku piętnastoletni „W" dowiedział się od Uda Massicottego nie tylko, że jest adoptowanym dzieckiem i nie ma rodziców, lecz także że cierpi na poważne zaburzenia empatii. Celowo wywołane zaburzenia empatii. Co może zrobić w takiej sytuacji? Oczywiście nie wytrzymuje i już w wieku piętnastu lat zaczyna planować zemstę. Muszą umrzeć, wszyscy po kolei.

– *Musical Chairs* – powiedziała Corine Bouhaddi.

– Gorące krzesła – powiedział Paul Hjelm.

*

Gdy Hjelm i Bouhaddi weszli do kwatery głównej Europolu w Hadze, był już wieczór. Na miejscu byli wszyscy z wyjątkiem Felipe Navarra, Miriam Hershey i Laimy Balodis, których spodziewali się dopiero następnego dnia rano. Wrócił natomiast Arto Söderstedt, a wraz z nim Sara Svenhagen.

Na biurku Söderstedta stały kwiaty.

Hjelm spojrzał na kwiaty, a potem na Arta. Söderstedt wzruszył ramionami i uśmiechnął się.

Nie mógł się tym teraz zajmować. Podszedł prosto do białej tablicy, nie musiał nawet mówić: „Zebranie". Jednostka Opcop zebrała się sama. Angelos Sifakis podszedł, żeby zająć się elektroniką. Hjelm powiedział:

– Czy zgodzicie się nie traktować tego wieczoru jako niedzielnego, tylko zostać tu tak długo, aż będziemy mieli pełny obraz sytuacji?

Nie usłyszał, żeby zaprotestowali.

– W takim razie zaczynamy. Rozumiem, że Miriam i Laima poleciały na hiszpańskie Słoneczne Wybrzeże?

– Udało im się zlokalizować emerytowanego profesora genetyki sir Michaela Dworzaka w Esteponie w zachodniej części Costa del Sol – odezwał się Sifakis. – Mieszkał tam od momentu przejścia na emeryturę osiem lat temu. Anglik ze słowackimi korzeniami. Profesor w Cambridge, to między innymi dzięki niemu genetyka tak bardzo rozwinęła się w ostatnich dziesięcioleciach. Ponieważ nigdy nie dostał Nagrody Nobla, do której kandydował od piętnastu lat, dwa lata temu brytyjski dwór królewski postanowił w zamian nadać mu tytuł szlachecki. Stąd *sir* Michael Dworzak.

– Czy Miriam i Laimie udało się z nim spotkać? – zapytał Hjelm. – Rozmawiały z nim?

– Nie – odpowiedział Sifakis. – Najwyraźniej zapadł się pod ziemię, być może z pomocą organizacji, od której pochodzą raporty. Są w drodze na południe, żeby pogadać z rodziną, sąsiadami i przyjaciółmi. Z wszystkimi bliskimi.

– W takim razie czekamy na wiadomości od Miriam i Laimy, a teraz przechodzimy do wyników z Paryża. Pierwsze, co otrzymaliśmy, dotyczy „multitrucizny". Istnieje najwyraźniej, cytuję, „nadające się do użytku antidotum, wyjątkowo szybko działające", koniec cytatu, odtrutka, która przeciwdziała, kolejny cytat, „omawianej grupie trucizn", koniec cytatu. Przysłali nam nawet dwa iniektory, tak zwane *jet injectors*, zawierające odtrutkę, którą podaje się bezpośrednio do krwi.

Paul Hjelm uniósł wspomniane iniektory, schował je do kieszonki na piersi i mówił dalej:

– Znacznie ważniejsze są jednak raporty z ust Pierre'a Rigaudeau. Zdążyliście się z nimi zapoznać?

– Trochę kiepska jakość – odezwał się Kowalewski.

Bouhaddi łypnęła na niego.

– Da się przeczytać – powiedział Hjelm. – Macie jakieś uwagi?

– Czytałem je w samolocie – powiedział Söderstedt. – Ciekawe jest móc zobaczyć, jak ostatecznie wyglądała konstelacja sekcji: pięciu genetyków, trzech neurobiologów, jeden chemik, jeden chirurg plastyczny i jeden ortopeda. Czyli właśnie tego trzeba do stworzenia nowego człowieka.

– Lub raczej nowej wersji starego, dobrze znanego psychopaty – stwierdził Kowalewski.

– Najciekawsze, co udało nam się zdobyć, to informacje o tym, co stało się z rodziną Berner-Marenzi – powiedział Sifakis. – Po kolejnym roku spędzonym w Paryżu ojciec Luigi wraz z córkami Uną i Verą przeprowadzili się do Moskwy, gdzie latem dwa tysiące siódmego Luigi został ambasadorem Włoch. Zostali tam na tyle długo, że obie córki wyszły za mąż za Rosjan. Vera mieszkała podobno przez jakiś czas za granicą, po tym jak rozpadło się jej małżeństwo, później jednak wróciła do Rosji. Teraz jednak najważniejsze: kilka dni przed świętami w dwa tysiące piątym roku Luigi podjeżdża po Unę i jej męża Sergieja limuzyną z ambasady, żeby zawieźć ich do teatru Bolszoj, gdzie zamierzają zobaczyć operę Michaiła Glinki *Rusłan i Ludmiła*. Droga jest oblodzona, limuzyna wpada w poślizg w centrum Moskwy i uderza w cysternę. Giną w morzu ognia.

– Coś podejrzanego? – zapytał Hjelm.

– Tylko moment zdarzenia – powiedział Sifakis. – Dzieje się to w czasie pomiędzy zniknięciem „Wielbłąda", Jacques'a Rigaudeau, na przedmieściach Paryża, w Clichy-sous-Bois, w październiku i pierwszym morderstwem z serii MC, czyli zabójstwem Andrew Hamiltona III w styczniu.

– Czyli w czasie, w którym, jak wynika z raportu, „W" zajął się wymazywaniem swoich śladów – powiedział Kowalewski.

– Co się stało z drugą córką? – zapytał Hjelm. – Z Verą?

– Nie wiadomo – odpowiedział Sifakis. – Rozwiodła się nieco później, moim kontaktom w Rosji nie udało się jej namierzyć. Naturalnie ona również może nie żyć. Zaginiona zwykle oznacza martwa, niestety.

– Było tu takie *jedno* sformułowanie... – powiedział Söderstedt, przerzucając kartki. – W dzienniku matki, chyba w drugim raporcie? O, jest: „Uśmiechnął się jeszcze bardziej, kiedy Vera go przytuliła, to jego ukochana siostra". W zasadzie to jedyna wzmianka na temat relacji między rodzeństwem. Być może można z tego rozumieć, że istnieje szczególna więź między „W" i Verą, i dlatego nie zdecydował się jej zabić.

– Użyj wszystkich możliwych środków i szukaj dalej, Angelos – powiedział Hjelm. – Zgadzam się, że Vera może być dla nas ważna.

Angelos Sifakis pokiwał głową.

– Coś jeszcze zwróciło waszą uwagę? – zapytał Hjelm prosto przed siebie.

– Nicea – powiedziała pewnym głosem Corine Bouhaddi. – Miasto Nicea.

– Słucham.

– Fakt, że dwie przypadkowe wpadki z kartą prowadzą nas dokładnie w to samo miejsce, musi mieć jakieś znaczenie. Moim zdaniem hotel Palais de la Méditerranée w Nicei jest z jakiegoś powodu ważny.

– A jakiego dokładnie? – zapytał Hjelm.

– Była żona Lassego Dahlisa z Seattle – chyba Jennifer Smith, prawda? – powiedziała, że Lasse, jeśli już mówił, dokąd jedzie, to właśnie „do Europy". Wydaje mi się, że Sekcja NATO prowadziła swoją tajną działalność gdzieś w okolicy Nicei we Francji.

– Sprawdzisz to, Corine?

– Jasne.

– No dobrze, moi drodzy. Coś wam jeszcze nie pasuje?

– Być może mnie – Jutta Beyer zawiesiła głos. – Mam problem z chronologią. Sekcja istnieje od lutego siedemdziesiątego siódmego do stycznia dziewięćdziesiątego drugiego, przez piętnaście lat, prawda? Zostaje rozwiązana tuż po upadku Związku Radzieckiego. Wtedy to również Pierre Rigaudeau przestaje być opiekunem „W". Najwyraźniej NATO porzuca wówczas cały projekt. Zostawia go samemu sobie, jak gdyby nigdy nic.

– Mam to samo uczucie – powiedział Hjelm. – I?

– Potem przychodzi jednak jesień dziewięćdziesiątego czwartego, gdy Udo Massicotte odszukuje „W" w Paryżu, żeby opowiedzieć mu całą jego historię. Czyli ponad dwa lata później. Dwa i pół roku po rozwiązaniu sekcji. Dlaczego to robi? Chce ulżyć swojemu sumieniu?

– Nie wierzysz w to, prawda?

– Nie pasuje mi to do niego, nie.

– W takim razie co myślisz? Że Massicotte kręci swój własny biznes?

– Niekoniecznie własny – powiedziała Jutta Beyer. – Choć gdy się czyta ostatni raport nieco dokładniej, to w dwóch miejscach jest mowa o tym, że sekcja *nie umarła do końca*. Pozwólcie, że zacytuję: „Przekształcenie Sekcji jeszcze się nie zaczęło – dochodzi do niego dopiero parę lat później". I dalej jeszcze: „Do »W« przychodzi z wizytą Udo Massicotte, który wyjawia mu prawdę na temat jego przeszłości, próbując w ten sposób zabezpieczyć kluczowe wyniki badań dla przekształconej Sekcji".

– Tak – Hjelm pokiwał głową. – Rzeczywiście tak jest napisane. Jak to rozumiesz, Jutta?

– Tak naprawdę to nie wiem. Dorastałam w NRD, w tamtym czasie cieszyliśmy się jeszcze z dopiero co odzyskanej wolności. Dlatego nie mam szczególnie negatywnego stosunku do tego, co czasem określane jest „nowym liberalizmem". Czy to jednak nie w tym czasie kwitła na Zachodzie prywatyzacja? Pod koniec lat osiemdziesiątych i na początku lat dziewięćdziesiątych?

– Chcesz powiedzieć, że sekcja NATO... została sprywatyzowana?

– Tak mi się wydaje. Choć oczywiście starzy naukowcy już się w niej nie znaleźli. Był to raczej rajd solo – czy też raczej w towarzystwie grupy biznesmenów – chirurga plastycznego Uda Massicottego, który założył całą masę firm w trudnych krajach, takich jak Brazylia czy Tajlandia. Zaprawiony kapitalista, który dostrzegł okazję, żeby przejąć wyniki badań sekcji, gdy NATO przestała ona obchodzić. I zrobić na tym biznes.

– A niech mnie diabli! – zawołał Arto Söderstedt. – Znalazłaś to wreszcie. Massicotte tu nie pasuje. Mówiłem to od samego początku.

– Zaczekajcie – przerwał Hjelm. – Jeśli Massicotte przerobił sekcję na firmę, to było to coś poważnego. Dlaczego prawie nie wspomina się o tym w raportach?

– Dlatego że dla „W" nie ma to żadnego znaczenia – powiedziała Beyer. – Ma gdzieś to, czy istnieje jakaś firma. Chodzi mu o sekcję. Poza tym to Michael Dworzak jest „zamawiającym", a on nie ma nic wspólnego z firmą. Firma to Massicotte.

– A Massicotte został zamordowany w inny sposób niż reszta ofiar „W" – powiedział Söderstedt. – Wymieńmy raz jeszcze na szybko wszystkie morderstwa w porządku chronologicznym. Hamilton: rzeź, brak badania toksykologicznego. Schultz: trucizna. Hays: trucizna. Flores-Domingo: trucizna. Massicotte: „samobójstwo". Dahlberg: pchnięcie nożem, być może trucizna. Vacek: trucizna. Rigaudeau: trucizna.

– Niewykluczone, że wszyscy zostali otruci – zauważył Hjelm. – Z wyjątkiem Massicottego. Jego ciało przeszło badanie toksykologiczne.

– Może być też tak – powiedział Arto Söderstedt – że Udo Massicotte *nie zginął.*

W otwartej przestrzeni biurowej w budynku Europolu w Hadze zaległa cisza. Pierwszy odezwał się Paul Hjelm:

– Co chcesz przez to powiedzieć? Przecież wisiał na krótkim sznurze w swojej willi w Charleroi. Widzieliśmy stamtąd mnóstwo zdjęć, niektórzy z nas widzieli również ciało. Trudno być bardziej martwym, niż był Massicotte.

– Dacie radę wysłuchać mojej hipotezy? – zapytał Söderstedt.

– Masz naszą całkowitą uwagę – zapewnił Hjelm.

– Jutta i ja byliśmy w willi w Charleroi. Przeszliśmy przez cały dom. Wszystko wyglądało bardzo *normalnie*. Zaciekawiło nas to od samego początku. Ta *przesadna normalność* przekonała nas do hipotezy o morderstwie, pomimo wszystkich plotek na temat depresji i alkoholizmu. Pół roku wcześniej rozwiódł się z żoną, która następnie przepadła gdzieś na Fuerteventurze. Już wtedy przygotowywał się do tego, żeby zapaść się pod ziemię, również po to, by uciec przed zemstą „W". Zadbał, żeby zdjęcie przedstawiające go wiszącego na sznurze dotarło gdzie trzeba. Samobójstwo miało nie być zaskoczeniem dla policji. Rozwód, alkohol, pracoholizm, samotność, marne kompetencje społeczne, niechęć do przebywania w towarzystwie innych.

Wszystko to, co podobno zagraża tylu białym, heteroseksualnym mężczyznom w średnim wieku.

– No dobra, a ciało? – powiedział Hjelm.

– Wróćmy do Charleroi – odpowiedział Söderstedt. – Willa była dosyć zaniedbana i zakurzona. Z wyjątkiem jednego pomieszczenia w piwnicy, które wyglądało, jakby ktoś dopiero co je wysprzątał. Możliwe, że przez kilka miesięcy mieszkał tam mężczyzna, starannie wybrany alkoholik, bezdomny, cierpiący na marskość wątroby, któremu prawdopodobnie zapewniono ile tylko chciał jedzenia, telewizji i pornosów w zamian za to, że przejdzie operację plastyczną. Żeby całkowicie upodobnić się do Uda Massicottego. W tym pomieszczeniu Massicotte stworzył swojego sobowtóra. Gdy mężczyzna był porządnie napruty, Massicotte go powiesił. Na krótkim sznurze. I zapadł się pod ziemię, a potem dołączył gdzieś w dalekim świecie do swojej byłej żony. Skąd prawdopodobnie dalej prowadzi firmę, tyle że z ukrycia, przez pośredników.

Znów zapadła cisza. Koła zębate zaczęły się obracać, sznurki – łączyć ze sobą. Całościowe obrazy zmieniały swój charakter. Pierwszy odezwał się Paul Hjelm:

– Ciało Massicottego nie zostało nigdy poddane testom DNA, ponieważ nikt nie wątplił, że to on. Musimy możliwie jak najszybciej przeprowadzić test, ciało powinno być wciąż w chłodni. Musimy też przycisnąć policję na Fuerteventurze, żeby wreszcie znaleźli panią Mirellę Massicotte. Kurwa, Arto, ile czasu nad tym myślałeś?

– Ani przez sekundę. Wszystko trafiło na miejsce w chwili, gdy Jutta powiedziała o prywatyzacji sekcji.

– Bardzo elegancko, zarówno Jutta, jak i Arto – powiedział Hjelm. – Co czyni informację, która właśnie przyszła od lekarza sądowego z Paryża, wyjątkowo interesującą. Fakt, że raporty znaleziono w ustach Pierre'a Rigaudeau, skłonił nas do myślenia, że „W" jakimś sposobem dotarł do raportów, a potem w napadzie wściekłości wsadził je do ust zdrajcy, Pierre'a. Jednak jak Bouhaddi stwierdziła już na miejscu w Paryżu, kartki były zaskakująco *suche*. Nie było na nich żadnego śladu, choć przecież zostały wciśnięte w usta. A teraz zbadano pęknięcia wokół ust, które sugerują, że kulka papieru została wciśnięta *później*, gdy twarz i wszystkie płyny, łącznie ze śliną, były już głęboko zamrożone. Morderstwo zdarzyło się więc w określonym *momencie* – „W" jako jedyny jest w posiadaniu substancji stworzonej w oparciu o protobiamid, a więc to on popełnił to morderstwo i włożył Rigaudeau do zamrażarki – ale kulka z papieru trafiła tam *w innym momencie*, co najmniej sześć godzin później, sądząc po stopniu zamrożenia. A więc ktoś wszedł już po wszystkim do mieszkań studenckich w Paryżu i włożył raporty do ust zamrożonego na kamień Pierre'a. W takim razie wracamy do pytania o raporty. Kogo zatrudnił Michael Dworzak? I kto włożył ich raporty do ust Rigaudeau?

Spojrzeli po sobie. Nie wyglądali, jakby któreś z nich miało gotową odpowiedź.

– „W" mógł dotrzeć do raportów później – odezwała się w końcu Bouhaddi. – Wtedy wrócił do mieszkania Rigaudeau i z furią wepchnął mu je do gardła.

– To jedna możliwość – powiedział Hjelm. – Oczywiście tak mogło być. Choć to chyba raczej nie w jego stylu wracać na miejsce zdarzenia. I jak ten samotny myśliwy miałby wydobyć dokumenty zaklasyfikowane jako „The Utmost Degree of Secrecy" od szczelnie zamkniętej, prywatnej firmy? Trudno mi w to uwierzyć.

– Czyli widzisz też inną możliwość? – powiedział Söderstedt.

– Głowię się nad tymi raportami, od kiedy przeczytałem je po raz pierwszy – przyznał Hjelm. – Przez ostatnie miesiące prowadzone więc było prywatne dochodzenie policyjne. Sprawdziłem oznaczenia, które rozpoczynają każdy raport. Patrzę na numer umowy „A-MC-100318", przy czym wiemy, że „MC" oznacza *Musical Chairs*. „A" może oczywiście po prostu oznaczać „priorytet A", ale jeśli połączymy to z indywidualną nazwą każdej umowy, przykładowo „CJH-28347-B452", to przyznam, że zaczyna mnie to niepokoić.

– Chyba nie nadążam – przyznał Marek Kowalewski.

– Sam nie wiem, czy nadążam – powiedział Paul Hjelm. – Dajcie mi tylko chwilę. Cyfra pomiędzy myślnikami rośnie z raportu na raport: 28347, 28401, 28467 i 28509. W ciągu dwóch miesięcy mamy więc wzrost o jakieś sto pięćdziesiąt. Pomiędzy tymi czterema raportami znajduje się więc potencjalnie sto pięćdziesiąt innych. Nie mówimy tu więc o *małym* biurze detektywistycznym, tylko o działalności śledczej na szeroką skalę, która, jak wszystko na to wskazuje, znajduje się w prywatnych rękach. Mowa jest o fakturach, pojawia się też kilka innych klasycznych znaków prywatnej przedsiębiorczości. To jest równoległa siła policyjna o dużej przepustowości dostępna tylko dla oferujących najwyższą stawkę.

– Ach – odezwała się Jutta Beyer. – Dlatego martwi cię skrót „CJH"...

– Tak – powiedział Paul Hjelm i spojrzał na Beyer. – Dlatego że w moich uszach litery „CJH" brzmią jak inicjały Christophera Jamesa Huntingtona, przy okazji wcześniejszej sprawy znanego jako Ray Hammett.

– I podejrzewasz – powiedział Arto Söderstedt – że „A" nie oznacza już „priorytet A", tylko...

– No właśnie – powiedział Hjelm. – Być może A oznacza „Asterion". Jak w Asterion Security Ltd.

– Chcesz powiedzieć, że znowu wpadliśmy na tych skurwysynów? – powiedział Kowalewski.

– Być może – powiedział Hjelm. – Choć jeśli tak, to jest jeszcze gorzej. Jeśli to nie „W" wrócił, żeby wcisnąć raporty do gardła zamarzniętego trupa Pierre'a Rigaudeau, to musiała to zrobić sama agencja ochroniarska. Ewentualnie Asterion. A jeśli tak, to mogą one być skierowane tylko do jednej instancji.

– Ach – powiedziała Jutta Beyer i pobladła. – Rozumiem.

– Tak – powiedział Paul Hjelm. – Skoro tak, raporty skierowane są do *nas*.

Słoneczne Wybrzeże

Estepona, 31 maja

POMIMO WCZESNEJ GODZINY słońce mocno już grzało nad Esteponą w Andaluzji. Miriam Hershey i Laima Balodis siedziały jednak w klimatyzowanym wynajętym samochodzie i marzły, przeglądając notatki z poprzedniego wieczoru. Ich wzrok ani razu nie powędrował w kierunku kuszącego morza ani nawet w kierunku luksusowego kompleksu budynków na wzgórzu należącego do sir Michaela Dworzaka. Posiadłość była opuszczona – stwierdziły to już poprzedniego dnia – a szczegółowe przesłuchania sąsiadów ze znacznie skromniejszego szeregu domów wzdłuż drogi, przy której teraz stały, niczego nie wniosły. Nikt nie wiedział, gdzie aktualnie może przebywać sir Michael.

– Asterion – powiedziała Miriam Hershey i dotknęła końcówki swojego nosa, który wciąż był lekko przekrzywiony – ponad rok po konfrontacji na komendzie New Scotland Yardu w Londynie. Konfrontacji z prywatną agencją ochroniarską o nazwie Asterion.

– To wcale nie jest takie pewne – powiedziała Laima Balodis. – Na razie to tylko zwykła hipoteza Hjelma.

– Choć jeśli to oni, to na pewno przenieśli już Dworzaka do niedostępnego *safe house*. A wtedy podróż tutaj nie miała sensu.

– Skomplikuję to jeszcze bardziej. Gdyby przenieśli Dworzaka do niedostępnego *safe house*, nie zostawiliby nam tych raportów.

– Chcesz powiedzieć, że oferują nam sir Michaela? Za co? Za lepszą ofertę?

– Czytałaś przecież raport z Hagi wczoraj wieczorem. Jest tylko *jeden* koleś, który ma poważne zaplecze finansowe. Udo Massicotte. Przecież wiadomo, że byłoby lepiej dla Massicottego i tej jego firmy, gdyby Dworzak *nie* mógł nam opowiedzieć tej historii.

– Kiedy przeczyta się dokładnie te raporty, sir Michael wydaje się nieźle przestraszony – przyznała Hershey. – Zapomina opowiedzieć o różnych rzeczach, zalicza dziwne wpadki. Na pewno wyśpiewałby nam wszystko, gdybyśmy tylko uratowali mu życie i włączyli go do programu ochrony świadków.

– A tego właśnie nie chce Massicotte – pokiwała głową Balodis.

Hershey poprawiła się w fotelu kierowcy i powiedziała:

– Jeśli to wszystko się zgadza, zniknięcie Massicottego zostało cholernie dobrze przygotowane, nie tylko dlatego, że udało mu się zrobić wrażenie zapitego i załamanego rozwodnika, lecz także dlatego, że zniknęły jego pieniądze. W chwili jego rzekomej śmierci na jego kontach zostało bardzo niewiele. Nie tylko z depresją, ale i bankrut, można było pomyśleć.

– Podejrzewasz, że pomogła mu w tym prywatna agencja ochroniarska?

– Której teraz Massicotte zlecił uciszenie Dworzaka?

W niewielkim wypożyczonym samochodzie zrobiło się cicho. Słychać było tylko powtarzające się regularne kołatanie wydawane przez klimatyzację.

– Czy to rzeczywiście najlepszy pomysł, czekać teraz na tego sąsiada? – zapytała Laima Balodis.

– Jeśli wierzymy w najnowszą hipotezę – powiedziała Hershey – i w to, że Asterion *nie* umieścił Dworzaka w *safe house*, tylko że go teraz szuka, to tak, to jest bardzo dobry pomysł. Wczorajsze zeznania świadków były jednoznaczne.

– Owszem, w swojej powtarzalności. Jeśli ktoś może wiedzieć, gdzie on się podziewa, to tylko ten Duńczyk.

– Najlepszy kumpel sir Michaela. W podróży służbowej, wraca „jakoś jutro rano", jak twierdzą sąsiedzi. Teraz wylegujemy się więc przed jego ślicznym szeregowym domkiem.

– „Wylegujemy" to jest właściwe słowo – powiedziała Balodis i skręciła klimatyzację.

W tej samej chwili pojawił się Duńczyk. W dużo bardziej stylowym samochodzie niż jego szeregowy dom. Jakby ważniejsze było dla niego robić wrażenie na zewnątrz niż w domu. Jeszcze nie zdążył wysiąść, a już stały przy jego aucie.

– Morten Poulsen? – powiedziała Laima Balodis, wyjmując legitymację.

Morten Poulsen westchnął znużony. Miał jakieś sześćdziesiąt, może trochę więcej lat, i wyglądał jak karykatura podstarzałej gwiazdy, która spodziewa się, że w każdej chwili może pojawić się policja. I która być może powinna być bardziej wystraszona, widząc policję przed swoim domem.

– Co tym razem? – wydusił wreszcie.

– Proszę się nie obawiać – odezwała się Miriam Hershey. – Nie jesteśmy z wydziału gospodarczego. Szukamy sir Michaela Dworzaka.

– Mieszka tam – powiedział Poulsen i pokazał szybko palcem na wzgórze.

– Wiemy – powiedziała Balodis. – Czy widział go pan ostatnio?

– Ostatni raz widziałem go wczoraj rano. Przecież już...

– W jakich okolicznościach? – zapytała Hershey.

– Pomachał mi przecież, kiedy przejeżdżał obok...

– Przejeżdżał?

– Jak już mówiłem, to było trochę dziwne – Morten Poulsen podrapał się po głowie. – Nie jechał własnym samochodem, tylko starym gratem swojego ogrodnika. Jechali od strony jego posiadłości.

– Ogrodnika?

– Tak, ma chyba na imię José.

– Jak wyglądał Dworzak?

– Jak wyglądał? Czy ja wiem, trochę smutny, jak już mówiłem. Zmęczony.

– Dlaczego wciąż powtarza pan „przecież" i „jak już mówiłem"?

– Nie koordynujecie swojej pracy? – zapytał zaczepnie.

– Czy to znaczy, że już pan o tym mówił? – zapytała Balodis.

– Na lotnisku jakieś pół godziny temu. Waszym kolegom.

Miriam Hershey i Laima Balodis spojrzały szybko na siebie.

– Proszę wszystko dokładnie powiedzieć – powiedziała Hershey.

– Dwóch mężczyzn z podobnymi legitymacjami, co panie. Pytali o to samo. I to samo im odpowiedziałem.

– To znaczy?

– Że bawiliśmy się tam przed polowaniem na *javali* w zeszłym roku. Niezła dziczyzna, serio. To znaczy dziki.

– Gdzie?

– W chacie José. Pewnie tam pojechali.

Odjechały. Hershey wciskała gaz do dechy, a Balodis próbowała rozczytać niedbale naszkicowaną mapę Poulsena.

– A więc Dworzak pojechał tam z ogrodnikiem w charakterze ochroniarza – powiedziała Hershey.

– Asterion najwyraźniej nie ma zamiaru go chronić – powiedziała Balodis. – Za to pewnie chce go zabić. Właśnie w tej chwili.

– A jak myślisz, dlaczego tak jadę? – powiedziała Hershey i wjechała w ostry zakręt. Po drugiej stronie drogi grań opadała prosto w bezdenną przepaść. Wjeżdżały górską serpentyną w imponującym tempie.

– Wiesz, co nas teraz czeka? – powiedziała Hershey i zakręciła kółkiem. – Jeszcze nigdy nie brałyśmy razem udziału w bezpośredniej wymianie ognia, Laima.

– Zastanawiasz się, czy dam radę? – zapytała Balodis i pokazała na coraz węższe boczne drogi odchodzące w prawo. Teraz ciągle balansowały na granicy przepaści.

– Nie – odpowiedziała Hershey. – Nie, nad tym nie.

– W porządku – powiedziała Balodis. – Bo ja też nie.

Ostatnia boczna droga była trudna do zauważenia. Żwirowa ścieżka. Unosiła się nad nią lekka chmura kurzu. Jakby niedawno jechał tędy jakiś samochód.

Balodis skrzywiła się i wyjęła pistolet z kabury.

Tuż przy samej granicy lasu stała stara chata. Prowadziło do niej dwoje drzwi, jedne wychodzące na las, drugie na werandę.

Jedne i drugie były szeroko otwarte.

Hershey zahamowała i zjechała samochodem na bok. Uniosła broń, jeszcze zanim puściła kierownicę. Balodis rzuciła się za nią. Obie wytoczyły się z auta przez drzwi kierowcy i schowały się za samochodem z pistoletami wycelowanymi w dom.

Nigdzie nie było widać drugiego samochodu.

Hershey i Balodis rozejrzały się w największym skupieniu. Żadnych znaków życia.

Z uniesioną bronią pobiegły w kierunku domu. Otwarte szeroko drzwi wyglądały jak szeroko otwarte oczy trupa.

Asekurowały się nawzajem z taką precyzją, jakby nigdy niczego innego nie robiły. Pokrywały sobie nawzajem sektory ogniowe jak w jakimś układzie choreograficznym. Wciąż żadnych znaków życia.

Stanęły po obu stronach drzwi, na werandzie. Rzuciły sobie szybkie, potwierdzające spojrzenie i Hershey wpadła pierwsza do środka. Balodis tuż za nią. Chroniła ją.

W środku nie było nikogo. Nie było nawet dwóch ciał, których się spodziewały. Za to cała chata ogrodnika przedstawiała opłakany widok. Ani jedna szuflada nie znajdowała się na swoim miejscu, wszystkie szafy zostały całkowicie opróżnione. Wyglądało to, jakby przez dom przeszło wyjątkowo silne tornado.

W pewnym sensie tak właśnie było.

I nagle zauważyły dziecko.

Chłopiec, około dwunastoletni. Stał tam z pustym kubkiem w dłoni i z otwartymi ustami przyglądał się temu makabrycznemu bałaganowi.

– Przyszedłem pożyczyć oliwę – powiedział niewyraźnie po hiszpańsku.

Spojrzenie Balodis przykuło Hershey do ściany. Schowała szybko broń za plecami, próbując sobie przypomnieć zapomniane w dziewięćdziesięciu procentach hiszpańskie słówka:

– José nie ma w domu. Wiesz, gdzie może być?

– Nie – odpowiedział chłopiec. – Chociaż...

– Chociaż?

– José ma chatę myśliwego wysoko w górach. Czasem chodzę się tam bawić.

– Pokażesz nam drogę? Dostaniesz to. To dużo lepsze od oliwy.

Chłopiec spojrzał chciwie na banknot o nominale dwudziestu euro.

– Okej – powiedział i poszedł pierwszy.

Poruszał się w gęstej roślinności jak andaluzyjski muflon. Miriam Hershey dziękowała swojej szczęśliwej gwieździe za to, że nie włożyła swoich butów Salvatore Ferragamo, tylko parę porządnych nike'ów. Zerknęła przez ramię na Laimę

Balodis i stwierdziła, że koleżanka zużywa znacznie mniej energii. Balodis w ogóle nie poruszała górną częścią ciała, za to dolną – we wszystkich możliwych kierunkach, dopasowując się do nierówności terenu. Choć były dla siebie kimś więcej niż koleżankami, tak, nawet przyjaciółkami, przez ponad rok nie były wystawione na żadną poważną próbę, nigdy razem. Teraz dawna agentka MI5 zobaczyła, z czego zrobiona jest jej bałtycka koleżanka. Podobnie jak zobaczył to Jorge Chavez na ławce w Berlinie w ubiegłym roku.

Powoli dawało się poznać, że zbliżają się do szczytu. Nie dlatego, że nachylenie się wypłaszczało, przeciwnie, tworzyło ostatnie wzniesienie. Były już na jego krawędzi.

Las rozstąpił się, tworząc polanę. Na jej skraju, jakieś trzydzieści metrów dalej, tyłem do wzniesienia stała chata myśliwego. Jedyne drzwi wychodziły na polanę. Były zamknięte.

Zatrzymali się na skraju lasu, stali nieruchomo, przyglądali się. Z wnętrza chaty nie dobiegał żaden dźwięk. Hershey obróciła się do chłopca i podała mu banknot.

– Biegnij szybko do domu – powiedziała szeptem. – Prosto do domu. Okej?

Chłopiec przytaknął i pobiegł. Hershey i Balodis schowały się na skraju lasu.

– Są tam – szepnęła Balodis. – Prawdopodobnie dwóch amatorów z bronią myśliwską.

– Myśliwi są cholernie dobrymi strzelcami – odpowiedziała Hershey.

– Potrafią strzelać, ale nie są strategami. Musimy być od nich lepsze. Martwe pola?

– Od tyłu pewnie nie ma okna. Gorsze pole widzenia na prawo niż na lewo. Ale to wszystko.

– Rozdzielimy się. Manewr odejścia. Ściągnę na siebie ewentualny ogień z lewej. Podejdź z drugiej strony najbliżej, jak możesz.

Hershey przytaknęła. Balodis ruszyła. Zniknęła w lesie, bezgłośnie. Hershey ruszyła w drugą stronę, powoli zbliżała się do punktu, z którego można ją było zobaczyć z chatki myśliwskiej. Nagle dobiegł ją z oddali dźwięk łamanej gałęzi. Głośne echo rozeszło się po lesie. Potem usłyszała strzał, trafił w kamień. Kolejny strzał, trochę inny dźwięk. Strzelba myśliwska i karabin wyborowy. Dwa strzały z wnętrza chatki. Z karabinu. Szybkie kroki gdzieś w lesie. Kolejne strzały. Hershey posuwała się dalej ze swojej flanki, dopóki nie ustały odgłosy broni. Zatrzymała się jakieś pięć metrów od chaty, schowana w krzakach. Powinna być poza zasięgiem wzroku. Znów czyjeś szybkie kroki. Coraz szybsze strzały. I coraz szybsza Miriam Hershey. Dopadła do drzwi. Zabarykadowane? Otwierały się do środka. Nawet jeśli się zabarykadowali, powinien wystarczyć jeden porządny kopniak. W chatce raczej nie było niczego wielkiego ani ciężkiego, czym mogliby zastawić drzwi, najwyżej stół. Potrzebowała jeszcze tylko kolejnej salwy strzałów. Usłyszała, jak w lesie łamie się kolejna gałąź, znów strzały. Dzięki Laima, pomyślała Hershey, skupiła wszystkie siły w prawej nodze i kopnęła w drzwi. Rzeczywiście, wpadły do środka.

Przy obu oknach kucało dwóch mężczyzn z bronią do połowy wystawioną na zewnątrz. Niezbyt to było profesjonalne.

– Stop! – krzyknęła Hershey, mierząc do nich z pistoletu.

Pierwszym był zarośnięty Hiszpan około czterdziestki. Drugim musiał być sir Michael Dworzak.

– Policja – dodała nieco ciszej. – To nie nas się boicie, Dworzak. Odłóżcie broń. Musimy stąd szybko uciekać. Na pewno słyszeli strzały.

Do środka weszła Laima Balodis z krwawiącym prawym ramieniem.

– Rykoszet – westchnęła. – Moja wina.

– W porządku? – zapytała Hershey. Pistolet w jej ręku nawet nie drgnął.

Balodis machnęła ręką i również wycelowała broń w strzelców.

– Naprawdę jesteście z policji? – zapytał sir Michael Dworzak i odłożył broń. To samo zrobił ogrodnik José.

Dworzak był przystojnym mężczyzną około siedemdziesiątki, o którym można by pomyśleć, że poluje na lisy na angielskiej prowincji.

– Tak – powiedziała Hershey. – Ale ci, którzy słyszeli wasze strzały i już tu idą, nie są policjantami. Choć może kiedyś nimi byli. To pan ich zatrudnił, sir Michael, a teraz pan za to płaci. I José. I my.

– Cholerny Dennis Ellroy – warknął sir Michael.

– Czyli dalej używa tych swoich pseudonimów z kryminałów – powiedziała Balodis. – W rzeczywistości nazywa się Christopher James Huntington, byłoby dobrze, gdyby wszyscy o tym wiedzieli. No już, szybko.

– Chciałem tylko uciec przed pełnokrwistym psychopatą – powiedział Dworzak i podniósł się ociężale z podłogi.

– Którego sami stworzyliście – powiedziała Hershey. – Chcieliście przecież, żeby „W" zachowywał się właśnie tak, jak się zachowuje. Tyle że wobec waszych przeciwników.

– Watkin, mój syn – powiedział sir Michael Dworzak i wyprostował się w całym swoim szalonym majestacie króla Leara. – Nadałem mu imię Watkin, „dowódca wszystkich armii". Potem został Watkinem Bernerem-Marenzim. Kto może przegrać, mając takie nazwisko? Ale potem ten dupek Udo postanowił sprywatyzować nasze osiągnięcia. I opowiedział całą historię młodemu Watkinowi, żeby przeciągnąć go na swoją stronę. Tylko co ten chciwiec Udo rozumiał z tego, co Pierre, Larsey, Andy i Dick stworzyliśmy razem? Chirurg plastyczny? Nie wiedział, że skierował broń na samego siebie, na *nas*.

W tej samej chwili głowa sir Michaela Dworzaka oderwała się od ciała. Spadłaby głucho na ziemię, gdyby nie to, że nie było już miejsca na żadne dodatkowe dźwięki. Salwa z pistoletu maszynowego zamieniła w proch chatę myśliwską. José opadł na ziemię z wyrazem wiecznego zdziwienia na twarzy i z kilkunastoma pociskami w ciele. Hershey i Balodis rzuciły się na podłogę. Hershey poczuła, jak nieprawdopodobny ból przewierca się przez jej świadomość. Spojrzała na Balodis, leżała nieruchomo na plecach między José i Dworzakiem, skąpana w krwi. Hershey podpełzła pod uchylone drzwi. Zauważyła ruch na zewnątrz i strzeliła w jego kierunku. Jakiś mężczyzna upadł w poświacie wystrzałów z karabinu maszynowego. W tej samej chwili ktoś nadepnął na jej pistolet. Palec na spuście został przygwożdżony do podłogi. Ludzkie cienie przebiegły przez zrujnowaną chatę. Tylko jeden się nie poruszył. Ten, który towarzyszył stopie wciskającej dłoń Hershey w podłogę. Zostało jej akurat tyle świadomości, by mogła powędrować wzrokiem po zakamuflowanym ciele w kierunku twarzy. Była dziwnie pozbawiona profilu, z szeroką szczęką i żarliwym brązowym spojrzeniem. Mężczyzna odezwał się uprzejmie:

– Niech się pani nie boi, nie zabijamy policjantów.

W tej samej chwili Hershey poczuła, jak ogarnia ją rezygnacja. Jakby na wszystko było już za późno.

– Muszę zadzwonić – powiedział spokojnie mężczyzna z szeroką szczęką. – Zajmiesz się tym, Greg?

Pojawiła się kolejna postać w stroju kamuflującym i zajęła się bronią Hershey. Mężczyzna z szeroką szczęką zdjął stopę z jej ręki i wybrał skrótem numer telefonu na komórce:

– Mówi Chris. Chata zabezpieczona. Dworzak wyeliminowany.

Mężczyzna o imieniu Chris wyszedł powoli z chaty i rozmawiał dalej spokojnie przez telefon. Hershey czuła, jak ból doprowadza ją na granicę przytomności. Spojrzała w kierunku Balodis, leżała bez życia w kałuży krwi między José i tym, co zostało z Dworzaka. Nad ciałem Balodis stało dwóch mężczyzn w strojach kamuflujących. Jej pozycja nie zmieniła się nawet o milimetr.

Miriam Hershey ślizgała się po granicy świadomości. Wszystko było wywrócone, wykrzywione. Przez szparę w drzwiach widziała, jak mężczyzna z szeroką szczęką rozmawia przez telefon, ale nie docierały do niej żadne słowa, przynajmniej żadne zrozumiałe. Rozbrzmiała w niej jakaś dziwna, nieprzyjemna muzyka, coś jak dysharmoniczna wersja pieśni *Anim Zemirot* albo *Yedid Nefesh*. Leżała na surowej drewnianej podłodze w chacie José i patrzyła, jak świat faluje w nieznanych jej czerwonych odcieniach, przybierając asymetryczne kształty. Chwilami widziała swojego ojca, żydowskiego złodziejaszka z londyńskiego East Endu, jak sprawnymi palcami kradnie portfele w metrze przez specjalną kieszonkę nasuniętą na dłoń, chwilami widziała młodą spoconą kobietę z przymocowanym do brzucha ładunkiem wybuchowym, wchodzącą na rynek w Manchesterze, chwilami widziała tę samą kobietę patrzącą na nagie, czarne ciało młodego mężczyzny, chwilami była z powrotem w New Scotland Yardzie i otwierała bez zastanowienia drzwi do gabinetu inspektora. Wszystkie nieprzepracowane wspomnienia chciały się teraz wydostać i połączyć z resztą krzywizn rzeczywistości.

Nad nią, w wielkich butach po obu stronach jej głowy, stał mężczyzna o lodowatym spojrzeniu z karabinem maszynowym w ręku. Greg, racja, przebiegło jej przez myśl. Mężczyzna z szeroką szczęką dalej rozmawiał przez telefon, odwrócony. W którymś momencie Hershey udało się obrócić głowę w kierunku Laimy Balodis. Leżała wciąż w tej samej pozycji, pomiędzy ciałami Dworzaka i José, skąpana w krwi, a nad nią stało dwóch mężczyzn w strojach kamuflujących. Leżała z nogami w kierunku Hershey, z twarzą widoczną, ale zniekształconą w tej perspektywie, z zamkniętymi oczami.

Hershey zrozumiała, że Balodis nie żyje. Jej przyjaciółka nie żyła, a ona sama też za chwilę umrze.

Wszystko się skończyło.

Gdy jej tata wyciągnął portfel z ucha jakiegoś mężczyzny, a zgromadzenie w synagodze zaczęło obierać banany w rytm pieśni, Laima Balodis otworzyła oczy. Hershey nie wiedziała, czy to się dzieje naprawdę. Wszystko było przekrzywione. I nagle spojrzenie Balodis wyostrzyło się. Wbiło się w nią ponaglająco. Naprawdę tam było. I czegoś od niej chciało. Miriam Hershey poczuła nagle, jak mała jest w obliczu kosmosu. Próbowała znaleźć choćby okruch racjonalności, którego mogłaby się uchwycić. Próbowała na trzeźwo ocenić swoje obrażenia. Bez wątpienia została postrzelona. Nie wiedziała jednak gdzie. Była krew, dużo krwi, ale nie na tyle dużo, by całkiem straciła przytomność. Zrozumiała, że falujące kolory były zdominowane przez czerwień. Pewnie krew dostała jej się do oczu. Widocznie została postrzelona w głowę. Nie wiedziała jednak, jak poważnie.

Nagle pytanie wydało jej się proste. Czy uda jej się przewrócić Grega? Mężczyzna ważył z pewnością ponad sto kilo, jego stopy były stabilnie zakotwiczone po obu stronach jej głowy. Poczuła zapach tytoniu. Klasyczny przejaw męskiej nieuwagi. Greg zapalił papierosa. Zerknęła na dwóch mężczyzn stojących nad Balodis i ciałami Dworzaka i José. Rozmawiali. Nikt nie zauważył, że Balodis otworzyła oczy. Nie patrzyli w tę stronę.

Teraz jednak Miriam Hershey i Laima Balodis spotkały się wzrokiem. Krótka, szybka, mocna wymiana spojrzeń. Skupienie. Powinno jej się udać z Gregiem. Uda się.

Przymknęła na chwilę oczy. Zebrała całą świadomość w jeden świecący punkt, w którym koncentrowała się jej siła woli. Znów otworzyła oczy. Przytaknęła.

Następnie mocno wbiła czubki palców w dół podkolanowy Grega. Na chwilę ugięły się pod nim nogi. Zobaczyła Balodis.

Laima Balodis wyciągnęła pistolet z morza krwi, ociekał nią, kiedy strzeliła żołnierzowi z lewej w twarz i żołnierzowi z prawej w krocze. Obaj upadli bezwładnie w miejsce, gdzie jeszcze przed chwilą leżała. Ale jej już tam nie było. Była na kolanach. Hershey poczuła, że Greg odzyskuje równowagę. Ryknął i chwycił za broń maszynową, ale Balodis była szybsza. Strzeliła mu prosto w czoło. Hershey widziała ten strzał z podłogi, widziała, jak mózg wypada zza zaskoczonej twarzy Grega. Widziała, jak Balodis znów strzela do leżących mężczyzn, po jednym strzale dla każdego, a potem zobaczyła – to było ostatnie, co widziała, być może ostatnie, co miała zobaczyć w życiu – jak Laima Balodis wyskakuje przez otwarte okno.

5

Orkan

Raport piąty

Nazwa: Raport CJH-28703-B484
Numer umowy: A-MC-100211a
Cel: Aktualizacja, zakończenie
Data bieżącego roku: 31 maja
Poziom: The Utmost Degree of Secrecy

Wraz z przejęciem kontraktu na projekt Musical Chairs (MC) numer umowy zostaje opatrzony dodatkowym „a". Wcześniejsze raporty oznaczone numerem A-UMI-100211 dotyczyły przygotowań i przejścia do stanu incognito zleceniodawcy (UMI). Zadanie to uznajemy za zakończone. Tym samym zastępujemy oznaczenie UMI oznaczeniem MC w numerze umowy. Numer umowy pozostaje niezmieniony.

W związku z zakończoną właśnie umową oznaczoną A-MC--100318 kilka klauzul ulega zatem zmianie. Po pierwsze następuje zmiana zleceniodawcy. Po drugie celem projektu nie jest już likwidacja, tylko przejęcie, jako że działalność komercyjna nowego zleceniodawcy zakłada zabezpieczenie dalszej egzystencji „W". Aspekt ochronny umowy nie ulega zmianie, zostaje jedynie przeniesiony na nowego zleceniodawcę i rozciąga się na fundatora w sąsiedniej posiadłości.

Tym samym raport należy rozpocząć od informacji, że działania dotyczące Michaela Dworzaka zostały zakończone. Ponieważ to, co było pomyślane jako prosta likwidacja, spotkało się z nieoczekiwanie silnym oporem, można się spodziewać powodzenia planu B, który tym samym wchodzi w życie. Nieograniczona zdolność „W" do ciągłego wymykania się nam wymaga zastosowania nadzwyczajnych środków. Założyliśmy podsłuch w głównej jednostce funkcjonującej w obrębie policji międzynarodowej – kobiecy duet, z którym starliśmy się w Andaluzji, dał świadectwo wysokich policyjnych umiejętności tej grupy. Krótko rzecz biorąc, będziemy mogli z bliska śledzić dochodzenie prowadzone przez wspomnianą jednostkę policji i dzięki temu wyprzedzić ich i zatrzymać „W".

Ponieważ jest to nasz ostatni raport, musimy przejść do końcowej fazy projektu. Podzielimy się na dwa zespoły, z czego jeden będzie ofensywny, a drugi defensywny. Zespół defensywny stawi się w ciągu dnia w posiadłości zleceniodawcy na obrzeżach Morsiglii – w tej sprawie będziemy naturalnie w kontakcie telefonicznym. Zespół ofensywny założy kwaterę główną w Nicei i wyśle kilkoro ludzi do Hagi w celu prowadzenia bezpośredniej obserwacji.

Naturalnie kontynuujemy poszukiwania „W" z niezmniejszoną intensywnością, jednak w tej chwili naszym głównym zadaniem jest śledzenie postępów wspomnianej jednostki policji i czerpanie z nich korzyści.

Wraz z poszerzeniem zakresu działań o dodatkową ochronę (i z uwagi na poniesione podczas akcji dotyczącej Dworzaka straty, które jednak w żaden sposób nie obciążają zleceniodawcy) jesteśmy zmuszeni zwiększyć stan osobowy i zatrudnić kolejnych współpracowników. Załączamy ofertę dotyczącą ochrony fundatora w sąsiedniej posiadłości w Morsiglii i mamy nadzieję, że zostanie ustnie potwierdzona najszybciej, jak to możliwe. W naszej branży nie brakuje siły roboczej, mimo to rekrutacja musi się rozpocząć możliwie jak najprędzej.

Ponieważ już niedługo spotkamy się osobiście, kończymy tym samym raportowanie pisemne. Projekt UMI – Udo Massicotte Incognito – należy mimo wszystko uznać za sukces; jest wysoce niepewne, czy „W" w ogóle podejrzewa, że zamawiający wciąż żyje. Najprawdopodobniej „W" uważa, że zabawa w gorące krzesła dobiegła końca. Z 80-procentowym prawdopodobieństwem „W" sądzi, że muzyka przestała grać wraz ze śmiercią Pierre'a Rigaudeau i że nie ma już żadnych krzeseł.

Sądzi, że zemsta się dokonała.

Na tym etapie jesteśmy zdania, że to, co stworzyła Sekcja w 1979 roku, było czymś wyjątkowo niebezpiecznym. Niewątpliwie jest to szczególnie kompetentna osoba, choć raczej nie idealny przywódca. Tutaj akurat zbyt wiele poszło nie tak.

Pozostaje mieć nadzieję, że to, co tworzycie w tej chwili wraz z waszym fundatorem Colinem B. Barnworthem, będzie lepszej jakości.

Do zobaczenia niebawem.

E35

Haga, 31 maja

POPOŁUDNIE. Równolegle z zapętlonym pokazem slajdów na elektronicznej białej tablicy w biurze rozbrzmiewała rozmowa telefoniczna. Pierwszy głos należał do Paula Hjelma i chociaż trudno go było rozpoznać, to jeszcze trudniej było skojarzyć drugi z Laimą Balodis:

Balodis: Sześciu zabitych.

Hjelm: Co ty, do diabła, wygadujesz?

Balodis: Sześciu zabitych i ciężko ranna Miriam. Założyłam jej opatrunek na głowę. Nie wydaje mi się, żeby kula przedostała się do mózgu, ale na pewno wbiła się w czaszkę. Próbowałam poskładać, co się da. Silnie krwawi. Wysyłaj helikopter ratowniczy, *natychmiast*. Dokładne koordynaty masz z komórki. Da się tu wylądować.

Hjelm: Musisz wyjaśnić „sześciu zabitych", Laima.

Balodis: Był tu Asterion. Chyba postrzeliłam Christophera Jamesa Huntingtona w nogę, ale nie jestem pewna. Za to jestem pewna, że stąd odjechał, słyszałam, jak uruchamia silnik i odjeżdża.

Hjelm: Wydaje ci się, że postrzeliłaś Christophera Jamesa Huntingtona w nogę?

Balodis: Dupek.

Hjelm: Co się stało?

Balodis: Michael Dworzak nie żyje. I jego ogrodnik José. Zastrzelili ich.

Hjelm: Kurwa mać. Ale sześć minus dwa daje cztery.

Balodis: Sprzątnęłyśmy czterech z Asterionu, czy jak oni się tam, do cholery, teraz nazywają.
Hjelm: Co ty mówisz, Laima? Sprzątnęłyście czterech?
Balodis: Czterech pieprzonych najemnych żołnierzy, tak.

Równolegle do tej dziwnej wymiany zdań wyświetlał się pokaz slajdów ukazujący na zmianę z zewnątrz i od wewnątrz całkowicie zdemolowaną górską chatę myśliwską w okolicach Estepony w Andaluzji – zdjęcia zrobione przez lokalną hiszpańską jednostkę Opcop. Pewien dysonans tworzył oczywiście obraz zdekapitowanego sir Michaela Dworzaka, jednak członkom grupy Opcop naprawdę trudno było patrzeć na zupełnie inne zdjęcie. Za każdym razem, gdy się pojawiało, zmieniało się ciśnienie w biurze. Powietrze stawało się gęstsze. Było to zdjęcie ciała wnoszonego do helikoptera ratowniczego. Oczywiście strasznie było patrzeć na Miriam Hershey z całkowicie obandażowaną głową, jednak to widok postaci na drugim planie był naprawdę trudny do zniesienia. Była kompletnie zalana krwią, a w jej ręce wciąż tkwiła broń, z której także kapała krew. Ale najgorsza była twarz Laimy Balodis. Blada jak papier skóra przebijała spod czerwieni, była kompletnie zdruzgotana. Jej wzrok był zawieszony gdzieś w oddali, a na twarzy rysowała się mieszanina całkowitej rezygnacji i nieludzkiej wściekłości.

W końcu Jutta Beyer nie wytrzymała i krzyknęła:

– Wyłączcie to wreszcie.

Angelosa Sifakisa nie trzeba było długo prosić. Natychmiast zatrzymał pokaz slajdów. W sali zapanowała głucha cisza.

Pierwszy odezwał się Paul Hjelm zza katedry:

– Musimy zdać sobie sprawę, z czym mamy tu do czynienia.

– Są już jakieś wieści ze szpitala? – zapytał Marek Kowalewski.

– Miriam i Laima trafiły do Hospital Universitario Virgen de la Victoria w Maladze. Z Laimą wszystko w porządku, ma kilka odłamków w lewym przedramieniu. Miriam jest w tej chwili operowana. Wciąż nie wiadomo, czy kawałki kości nie uszkodziły mózgu.

– Kurwa – jęknęła Jutta Beyer.

– Rzeczywiście spotkały tego Christophera Jamesa Huntingtona? – zapytał Marek Kowalewski.

– Wygląda na to, że w tej kwestii mieliśmy rację – powiedział Hjelm. – Wszystko wskazuje na to, że zarówno Udo Massicotte, jak i sir Michael Dworzak zatrudnili Asterion, czy jak się teraz nazywa ta agencja ochroniarska. To oni pomogli Massicottemu zniknąć, pozorując jego samobójstwo i transferując jego pieniądze w bezpieczne miejsce. W ten sposób umknął aniołowi zemsty „W". Nieco później również Dworzak zatrudnił Asterion, choć bardziej w panice, w celu unieszkodliwienia Watkina. Ale Massicotte wykupił tę umowę. Widział, że działania „W" mogą się przyczynić do zatarcia prawdy o sekcji. Dlatego Dworzak miał nie rozmawiać z policją. Musiał zostać wyeliminowany.

– Pojawia się tu kilka istotnych pytań – odezwał się Arto Söderstedt. – Pierwsze: Gdzie jest Udo Massicotte? Drugie: Gdzie jest „W" – czy jest w drodze do Massicottego, czy podobnie jak my wie już, że Massicotte wciąż żyje? Trzecie: Jaką firmę Massicotte założył na bazie dawnej sekcji? Czwarte: Dlaczego Asterion (a pośrednio Massicotte) przekazał nam te cztery raporty? I czy to właśnie nam miał zamiar je przekazać?

– Chciałbym jeszcze dorzucić wątek rosyjski – powiedział Angelos Sifakis i wszyscy spojrzeli na niego zaskoczeni. Dlatego dodał: – Piąte: Gdzie jest pozostała przy życiu siostra, Vera Berner-Marenzi? Na to pytanie akurat znamy już odpowiedź. Zatrudniłem rosyjską firmę ochroniarską, żeby ją znaleźć – to znacznie szybsza droga niż szukanie za pośrednictwem rosyjskiej policji.

– „Rosyjska firma ochroniarska" znaczy prawdopodobnie „mafia" – powiedział Hjelm.

– Prawdopodobnie – powiedział Sifakis. – To grupa dawnych agentów KGB.

– Do czego to doszło – powiedział Hjelm. – Międzynarodowa policja zatrudnia rosyjską mafię, żeby poszło szybciej.

– W tym wypadku liczy się przede wszystkim efekt.

– Zgadzam się – powiedział Hjelm. – To nie była krytyka. Mów dalej.

– Udało im się w każdym razie znaleźć Verę Berner-Marenzi w obwodzie kaliningradzkim – rosyjskiej eksklawie. Obecnie nazywa się Vera Volkova i jest pracowniczką socjalną w dawnym Królewcu. Mają ją pod obserwacją i czekają na dalsze instrukcje. Mogłaby się nam przydać, na przykład pomóc nam odgadnąć, co zamierza „W". Jeśli „W" jest tylko inteligentną, ale całkowicie pozbawioną empatii maszyną do zabijania, zostawimy ją w spokoju. Ale jeśli się okaże, że chodzi tu raczej o jakąś formę autoterapii, konfrontacji ze swoim, no cóż, nieistniejącym „genem empatii", wtedy siostra może być dla nas ważna. Być może jest to jedyna żyjąca osoba, z którą udało mu się związać emocjonalnie.

– Przywieźcie ją tutaj tak czy inaczej – powiedział Hjelm. – Może powie nam o „W" coś, czego nie wiemy. Cofnijmy się na liście pytań Söderstedta. Czwarte: Dlaczego Asterion zostawił raporty w ustach Pierre'a Rigaudeau? Arto?

– Dwie możliwości – powiedział Arto Söderstedt. – Zastanówmy się, co zawierają te raporty? Potwierdzenie istnienia sekcji, informację o liczbie zamordowanych członków sekcji, o których wcześniej nie wiedzieliśmy, potwierdzenie istnienia firmy i informację o tym, że o działalności sekcji opowiedział „W" Massicotte. To jednak zwykła drobnica – większość i tak znaleźliśmy sami – najważniejsze jest powiadomienie nas o tym, że Udo Massicotte nie żyje.

– Dlatego że to jest ich nadrzędny cel? – zapytał Hjelm. – Chcą chronić informację, że Massicotte żyje? Dostaliśmy właśnie potwierdzenie, że ciało w domu Massicottego rzeczywiście nie należało do niego. Próbki pobrane z ciała zawierały inne DNA. Być może powinniśmy to byli sprawdzić od razu.

– Zdaje się, że to ich nadrzędny cel, tak – powiedział Söderstedt. – Potrzeba było rozbudowanego planu, żeby pomóc Massicottemu zapaść się pod ziemię jako rzekomo martwemu. On musi pozostać martwy.

– Ale mówiłeś też, że istnieje inna możliwość?

– Tak. Potrzebują naszej pomocy.

Paul Hjelm zamilkł i spojrzał uważnie na swojego starego przyjaciela i kompana. Söderstedt siedział biały jak kreda i wyglądał dokładnie tak jak zawsze. Ale to, co mówił, nie było takie jak zawsze. Hjelm powędrował wzrokiem po zdziesiątkowanej jednostce, która ograniczała się do Beyer, Kowalewskiego, Bouhaddi, Sifakisa, Navarra. I ta żałosna zbieranina zaspanych funkcjonariuszy miała, zgodnie z teorią Söderstedta, wspomóc wielką agencję ochroniarską Asterion?

– Naszej pomocy? – powiedział tylko.

– W najlepszym wypadku zdołają połączyć możliwość pierwszą z drugą – powiedział Söderstedt. – Utrzymają istnienie Massicottego w tajemnicy *oraz* wykorzystają wyniki naszego dochodzenia.

– Ale żeby wykorzystać wyniki naszego dochodzenia, muszą się przecież podpiąć – powiedział Hjelm. – Tutaj. Do tego pokoju. Do jednego z nas.

Hjelm przebiegł wzrokiem po zebranych. Nikt nie odpowiedział mu spojrzeniem. Söderstedt wzruszył ramionami i powiedział:

– Niekoniecznie. Wystarczy jakaś forma kanału elektronicznego, dzięki któremu mogą nas podsłuchiwać i czytać nasze maile. Coś naprawdę *super-high-tech*.

– Do jasnej cholery! – krzyknął Hjelm. – Jak mieliby to zrobić? Jesteśmy, kurwa, częścią Europolu, sercem europejskiej policji, czy nie powinniśmy być dobrze strzeżeni?

– Wolisz, żeby ktoś z nas okazał się wtyczką? – zapytał łagodnie Söderstedt.

– Angelos – powiedział Hjelm. – Zostaw wszystko, czym się teraz zajmujesz, i skorzystaj z pomocy techników wszystkich wydziałów. Znajdź przeciek za wszelką cenę. Zrozumiano?

Sifakis pokiwał głową i powiedział:

– Zrobię, co się da.

– Zrób więcej – powiedział Hjelm. – Zaskocz samego siebie. Trzecie – dodał po chwili. – Co to za firma, którą założył Massicotte? Czy w tej kwestii mamy jakiś postęp, Felipe? Co to za cholerna firma?

Navarro nie podnosił wzroku znad komputera. Jego spojrzenie było przyklejone do monitora.

– Udo Massicotte jest właścicielem bardzo wielu firm – powiedział. – Pierwsze prywatne kliniki chirurgii plastycznej zakładał już w latach siedemdziesiątych. Potem była Brazylia, Tajlandia, Europa Wschodnia. Gmatwanina międzynarodowych przedsiębiorstw, z których wiele zarejestrowanych jest w najróżniejszych rajach podatkowych.

– Dwa pytania – powiedział Hjelm ze wzorową precyzją. – Pytanie numer jeden: Wiemy całkiem dokładnie, kiedy Massicotte odwiedził „W" w Paryżu. Prawdopodobnie było to w październiku dziewięćdziesiątego czwartego.

Czy mniej więcej w tym czasie powstało jakieś przedsiębiorstwo?

– Sprawdziłem to – powiedział Navarro. – Nie ma żadnej nowej firmy zarejestrowanej na nazwisko Massicottego na rok przed i na rok po tym wydarzeniu. Choć oczywiście mogła powstać w jakimś raju podatkowym.

– Pytanie numer dwa – powiedział Hjelm. – Co się stało z „gmatwaniną międzynarodowych przedsiębiorstw" po rzekomej śmierci Massicottego? Kto je po nim odziedziczył?

– Nie było spadkobierców – powiedział Navarro. – Ale udało nam się namierzyć coś w rodzaju jego ostatniej woli, jeśli nawet nie regularnego testamentu. Wszystkie znane firmy zostały przejęte przez fundację charytatywną, w której najwyraźniej trochę się udzielał.

– Żartujesz? Fundacja charytatywna?

– Tak, tak zwana organizacja non profit, NGO, z siedzibą w Nicei. Nazywa się Visio i przekazuje pieniądze biednym pilnie potrzebującym zabiegu chirurgii plastycznej. *Visio* po łacinie znaczy „twarz", najwyraźniej zajmują się naprawianiem zdeformowanych twarzy mieszkańców Trzeciego Świata.

– A teraz są właścicielami międzynarodowego konsorcjum klinik chirurgii plastycznej?

– Wyobraźcie sobie naszego drogiego Uda Massicottego, który na starość został filantropem – wtrącił Kowalewski. – Zapadł się pod ziemię, żeby uciec przed mordercą „W", a teraz w spokoju poświęca się działalności humanitarnej. W ramach pokuty za dawne czyny. Żeby dostać się do nieba.

– Mam jednak wrażenie, że firma, która zrodziła się z sekcji podejmującej genetyczne próby stworzenia „idealnego przywódcy", nie jest na wskroś humanitarną organizacją – zauważył Hjelm.

– Czekajcie! – krzyknęła Jutta Beyer. – Nicea? Czy w tym przypadku wszystkie drogi nie prowadzą do Nicei?

– Rzeczywiście, mieliśmy tam dwie wpadki z kartami kredytowymi – zastanowił się Hjelm. – Ten sam hotel. Za pierwszym razem Vacek, Hamilton III i Dahlberg, karta kredytowa Hamiltona. Za drugim Rigaudeau i Udo Massicotte. Hôtel Palais de la Méditerranée.

– Czy to mogło być miejsce, gdzie spotykali się przed rozpoczęciem prac sekcji? – zapytała Beyer.

– Nicea – Corine Bouhaddi zawiesiła głos. – Riwiera. A teraz Visio ma tam swoją siedzibę główną. Nowobogacka fundacja charytatywna. Czy to możliwe, że firma przejęła dawne laboratoria sekcji? I że znajdują się one w okolicy Nicei? I że Massicotte ukrywa się gdzieś w okolicy, żeby doglądać dzieła swojego życia?

– W każdym razie nie jest to wykluczone – powiedział Hjelm. – Powinniśmy wnikliwie sprawdzać wszystko, co pojawi się na tym terenie. Jeszcze jakieś propozycje?

– Co się zalicza do tego terenu? – zapytała Bouhaddi.

Paul Hjelm zamilkł i spojrzał na nią.

– Co masz na myśli?

– No, okolice. Byliśmy przecież na tym terenie.

– Terenie?

– Capraia – wyjaśniła Bouhaddi.

– Ale to przecież Wiktor Larsson ściągnął tam Romana Vacka. „W" tylko pojechał tam w ślad za Vackiem. A dla Larssona była to tylko jedna z wysp skazańców.

– Tylko że... – zaczęła Jutta Beyer.

– Tak? – zapytał Hjelm.

– Tylko że kiedy przesłuchiwałam tego samotnego wędrowca, Winfrieda Baumbacha z Wolfsburga, odniosłam wrażenie, że był tam już od jakiegoś czasu.

– Dlaczego?

– Pewnie to właśnie dlatego wydał mi się taki wiarygodny. Brudne włosy, nieciekawy zapach. Jakby od kilku dni nocował na dworze. Był absolutnie przekonujący w roli niemieckiego trapera.

– Nie było to znowu tak wiele dni – powiedział Kowalewski. – Zabił Lassego Dahlisa w nocy z jedenastego na dwunastego maja, a Romana Vacka – z czternastego na piętnastego.

– Jeśli udał się tam prosto ze Sztokholmu, mógł w każdym razie spędzić kilka dni na Caprai – zauważyła Bouhaddi.

– No, ale teraz to już spekulacje na całego – powiedział Hjelm. – Dlaczego nie również Goli Otok albo pieprzona Robben Island? Poza niewielkimi obszarami wokół portu cała Capraia objęta jest rygorystyczną ochroną, jako park narodowy. I jest niezamieszkana.

– Dlatego świetnie nadawałaby się na lokalizację laboratorium NATO – nie odpuszczała Bouhaddi. – Zarówno Francja, jak i Włochy były wśród członków założycieli NATO. W dodatku Capraia znana jest jako nawiedzona wyspa, wyspa duchów. Może to właśnie z laboratoriów wydobywały się dźwięki i błyski, przez które zyskała taką sławę. Poza tym, jeśli ktoś chce się dostać niezauważony na zachodnie wybrzeże Caprai, powinien na nią płynąć z zachodu, z Nicei.

– Coś w tym jest – powiedział Söderstedt. – Trudno mi jednak uwierzyć, że Massicotte zaszył się na Caprai. Nie dałby rady się tam ukrywać. Najwyraźniej jest miliarderem, raczej nie mieszka w chatce w pobliżu La Mortoli. Jeśli zszedł do podziemia, to zrobił to z fasonem. Cokolwiek, byleby jak najdalej od Charleroi.

– A więc raczej Nicea? – powiedział Hjelm. – Riwiera francuska? Luksus i splendor, Cannes i Saint-Tropez?

– Raczej tak. Choć to może lekka przesada. Musi tam być zarówno luksusowo, jak i zacisznie. Być może Ameryka Południowa. Pod skrzydłami jakiegoś dyktatora. Choć tam nie ma ich tak wielu. Raczej Afryka. Tylko to byłoby już bardziej skomplikowane.

– Widzę, że znaleźliśmy się przy pytaniu pierwszym – powiedział Hjelm. – Gdzie jest Massicotte?

– W pobliżu Nicei i Caprai – powiedziała pewnym głosem Bouhaddi. – Nie ma innego wyjścia. Musi być blisko zarówno laboratorium, jak i finansów.

– Ale nie wiemy przecież, czy laboratorium znajduje się na Caprai – powiedział Kowalewski. – Są przesłanki, ale słabe. Musimy iść dalej.

– Jestem zmuszony się zgodzić – przyznał Paul Hjelm. – Capraia to ciekawa *propozycja*, ale to wszystko. Jednocześnie wydaje mi się, że nasze zadanie w pierwszej kolejności nie jest związane z firmą na Caprai, lecz z odnalezieniem „W". Musimy go powstrzymać przed popełnieniem kolejnej zbrodni i aresztować za już popełnione. A Massicottego za poważne oszustwo oraz potrójne morderstwo na menelu, hiszpańskim ogrodniku i sir Michaelu Dworzaku. Jak na razie nie mamy ani „W", ani Massicottego. Nie ma ich na Caprai. Gdzie więc mamy ich znaleźć? Jak ich szukać? Skoncentrujcie się, działamy, próbujemy.

– Nigdy nie natrafiliśmy na żaden ślad „W" – powiedział Söderstedt. – Nawet jeden. Ani Asterion, ani my nie mamy pojęcia, gdzie może się ukrywać. Jest jak Latający Holender, ulotny cień, idealny wojownik.

– Czy to znaczy, że najpierw musimy znaleźć Massicottego, a potem próbować dopaść „W"? – zapytał Hjelm.

– Niestety muszę wam przypomnieć domek myśliwski – powiedział Söderstedt. – Przecież widać, że ludzie z Asterionu krążą wokół Massicottego jak jastrzębie. Tylko że oni są wojownikami, a my nie jesteśmy, kurwa, żadnymi wojownikami. Jesteśmy policjantami i jesteśmy od nich mądrzejsi. Nie możemy więc iść prosto do Massicottego, nawet jeśli go znajdziemy. Powinniśmy zatrzymać „W" w drodze do Massicottego. Tylko jak?

– Brakuje fragmentu układanki – powiedział nagle Sifakis. – Isli Vrapi. Handlarz bronią, którego „W" z dużym wysiłkiem zwabił do ulubionego pubu Lassego Dahlisa w Sztokholmie, żeby upiec dwie wyjątkowe pieczenie na jednym ogniu. Po co ten cały wysiłek?

– Daj mi znać, jak będziesz miał odpowiedź – mruknął Hjelm.

– Być może mam. Nawet jeśli to żaden dowód, myślę, że wszystkie przesłanki płynące z międzynarodowych dochodzeń dotyczących Vrapiego prowadzą w kierunku hipotezy, że mógł on być głównym dostawcą broni do kilku międzynarodowych agencji ochrony.

– Być może również Asterionu? – powiedział Hjelm, marszcząc brwi.

– Jak mówiłem, dowodów brak. Ale w takim wypadku wyszukane zabójstwo Isliego Vrapiego może być bezpośrednim komunikatem dla Asterionu: „Wiem, że tam jesteście, ale mam was gdzieś".

– W takim razie nie podejdzie do Massicottego w tradycyjny sposób – powiedział Hjelm. – Rzeczywiście musimy go złapać *w drodze.* Tylko jak to, kurwa, zrobimy?

W pełnej skupienia ciszy słychać było, jak całe biuro trzeszczy. Znaleźć maleńki haczyk, na którym mogła zawisnąć cała ta szalona konstrukcja. Nieprzerwany szum pędzących myśli. Szukanie po omacku. I nagle może nie zapalająca się żarówka, ale w każdym razie nikły płomień nadziei. Z głębi biura, z obszaru przeznaczonego dla przedstawicieli lokalnych, zabrzmiał głos Sary Svenhagen:

– Sztokholm.

– Tak? – powiedział Hjelm.

– Ogólnie rzecz biorąc, „W" nie zrobił do tej pory żadnego kiksu – wyjaśniła. – Z drugiej strony nigdy się z nikim nie komunikował. To było jego największą siłą. Żadnych elektronicznych śladów. Z wyjątkiem jednego. Wysłał SMS do bandyty Taisira Karira, żeby poszedł do konkretnej restauracji w Sztokholmie. Istnieje choćby minimalna szansa, że wciąż ma ten telefon.

– Telefon na kartę?

– Da się go namierzyć, jeśli jest włączony. Zastanawiając się nad sposobem działania „W", za punkt wyjścia przyjęliśmy wyrafinowaną metodę stosowania kart SIM przez Wiktora Larssona. To jedyny raz, kiedy mieliśmy kontakt telefoniczny czy internetowy. Kiedy go sprawdzali ze Sztokholmu, był wyłączony albo nie działał. Być może znów go włączył.

– Powinien dać się namierzyć – powiedział Sifakis. – Pamiętacie numer?

Hjelm gorączkowo wystukał coś na swoim komputerze, znalazł numer i przekazał go Sifakisowi.

– Byłoby nieźle, gdyby udało nam się go namierzyć w tak banalny sposób – odezwał się Kowalewski.

Sifakis rozpoczął wyszukiwanie, a Paul Hjelm powiedział:

– Tylko że nie mamy bladego pojęcia, gdzie znajduje się „W". Równie dobrze może być, kurwa, na księżycu.

– Nie jest – powiedziała Corine Bouhaddi. – Jest w drodze nad Morze Śródziemne, *zobaczycie*.

Czas płynął. Powietrze stanęło w bezruchu. Bloki zamarzniętego czasu, który coraz bardziej ciążył im w dłoniach.

– A niech to – powiedział Sifakis. – Ta komórka jest w Niemczech. Nie da się określić dokładnie, ale wszystko wskazuje na to, że gdzieś na drodze E35, na południe od Darmstadt. I jedzie na południe.

– Do diabła! – krzyknął Hjelm, dorzucając do tego serię niewerbalnych odgłosów.

– *Shit* – powiedział Kowalewski. – Na południe... nad Morze Śródziemne?

– Nie da się określić, w którym samochodzie siedzi – powiedział Sifakis – a biorąc pod uwagę ruch i prędkość na autostradzie, dorwanie go będzie raczej niemożliwe.

– Tego zresztą nie chcemy – powiedział Paul Hjelm. – Będziemy go za to śledzić i uderzymy we właściwym momencie. Kiedy już będziemy dokładnie wiedzieli, dokąd zmierza. Świetna robota, Angelos. I przede wszystkim Sara.

Sara Svenhagen wyprostowała się lekko na krześle.

Haute-Corse

Haga – Nicea, 31 maja – 1 czerwca

DZIEŃ CHYLIŁ SIĘ ku końcowi, gdy Angelos Sifakis wdarł się do gabinetu Paula Hjelma i zdyszany wyrzucił z siebie:

– Znalazłem.

Hjelm przyglądał mu się przez chwilę i w końcu odpowiedział:

– Rozwiń, proszę.

Sifakis spojrzał na niego zdumiony.

– Przeciek – powiedział, jakby to było coś najbardziej oczywistego na świecie.

– Okej...? – odpowiedział Hjelm wyczekująco.

– Trust mózgów techników w sklepieniach piwnicznych. Godziny skrupulatnego sprawdzania komunikacji całej jednostki Opcop. I wreszcie mała, maleńka anomalia, lekkie wygięcie na bezpośrednim łączu między tobą a kierownictwem. Nawet nasza najmłodsza i najszybsza specjalistka od IT tego nie znała, ale i tak znalazła.

– Innymi słowy, to nie ty to znalazłeś?

– Przedstawiłem ci tylko streszczenie.

– Mógłbyś to zrobić jeszcze raz?

– Gdy wysyłasz swoje raporty na temat postępów w śledztwie bezpośrednio na komputer kierownictwa, są one również przesyłane dalej, do nieznanej nam instancji. Wyjątkowo wyrafinowany koń trojański przedarł się przez wszystkie nasze zapory antywirusowe i zagnieździł się *tutaj.*

Pokazał palcem na komputer stojący przed Paulem Hjelmem.

– Tutaj? – powtórzył Hjelm i położył dłoń na ekranie komputera.

– Nie do końca. Na twoim dysku. Tam i tylko tam. Technicy twierdzą, że z łatwością go usuną.

– Może zaczekajmy jeszcze chwilę.

Sifakis rzadko kiedy okazywał silne emocje i dopiero teraz zauważył, jak bardzo demagogicznie to zabrzmiało. Hjelm widział wyraźnie, jak próbuje opanować ekscytację i zmobilizować intelekt.

– Czy to znaczy, że ten koń trojański znajduje się *tylko* na tym komputerze? Czy to znaczy, że aktywuje się *tylko* wtedy, kiedy wysyłam raporty do kierownictwa?

– Tak. Odizolowaliśmy go.

– Czy poza tym cała nasza korespondencja jest bezpieczna?

– Tak. Chodzi ci o to, że...?

– Chodzi mi o to, że moglibyśmy uzyskać pewną przewagę nad Asterionem, gdybyśmy w odpowiednim momencie podesłali im materiał dezinformujący.

– Dobra! – krzyknął Sifakis, w którym znów zaczął wzbierać entuzjazm. – Musimy dokładnie sprawdzić, ile w tej chwili wiedzą, a potem wykorzystać ten kanał do dezinformacji. Ważna sprawa: czy zdążyłeś już wysłać raport z informacją, że być może namierzyliśmy „W" przez komórkę?

– Nie, właśnie go piszę.

– Doskonale. Kiedy skończysz, nie wysyłaj go do dyrekcji. Będziesz musiał go dostarczyć w inny sposób. Od tej chwili do kierownictwa wysyłaj tylko fałszywe raporty.

– Dobra. Będzie z nich wynikać, że nie czynimy prawie żadnych postępów w sprawie „W". Tylko jak to wykorzystamy do zrobienia kolejnego kroku?

– Musimy mieć równoległą historię, że „W” udał się w innym kierunku, i w określonym momencie wyślemy sfałszowany przekaz. Na przykład po to, żeby wywieść najemników w pole. I nieco osłabić ochronę Massicottego.

– Wyślemy tę informację, gdy już będziemy wiedzieli, gdzie jest Massicotte – powiedział Hjelm. – Dobra. Jeśli założymy, że są gdzieś w pobliżu Nicei, to Paryż będzie w porządku. Musimy aktywować komórkę francuską i zmontować jakąś dobrą historię.

– Zajebiście – powiedział Sifakis. – Dajemy.

*

Wszystko zdarzyło się w czasie, gdy migający na elektronicznej białej tablicy punkt zatrzymał się na dwie godziny. Dochodziła ósma wieczorem i dokładnie w chwili, w której Paul Hjelm zebrał jednostkę Opcop wokół wielkiego ekranu, trzasnęły drzwi. Spojrzenia wszystkich skierowały się w tę stronę. Do środka weszła drobna postać, ściągając na siebie spojrzenia wszystkich. Lewą rękę miała na temblaku. Zatrzymała się kilka metrów od grupy.

– Co? – zdziwiła się Laima Balodis. – Naprawdę sądziliście, że pozwolę sobie to przegapić?

Nikt nic nie powiedział. Dopiero gdy doszła do swojego krzesła, odezwały się oklaski. Ustały, gdy Balodis, zupełnie jakby to jej nie wzruszyło, powiedziała:

– Chętnie sama będę biła brawo, kiedy ta sprawa się wyjaśni, ale jeszcze nie teraz.

– Jak się czuje Miriam? – zapytał Paul Hjelm.

– Jak wiecie, operacja się udała. Nie znaleziono żadnych odłamków kości w mózgu. Chciała ze mną przyjechać, musiałam ją siłą zawrócić do łóżka. Prosiła jednak, żeby coś wam przekazać.

– Niech zgadnę – powiedział Hjelm. – „Naprawdę myślicie, że zamierzam tu leżeć? Gorsze rzeczy mi się przydarzały".

Laima Balodis uśmiechnęła się i powiedziała:

– Mniej więcej. Choć nie wiem, czy to nadal aktualne. Ja sama mam coś, co można nazwać *unfinished business* z człowiekiem o nazwisku Christopher James Huntington.

– Mimo wszystko oczekuję, że powstrzymamy się od indywidualnych akcji – powiedział Hjelm. – Najważniejszy jest teraz „W", względnie Udo Massicotte. Dopiero potem Asterion. Zrozumiano?

Przez salę przeszedł niezbyt radosny odgłos wyrażający akceptację, a Laima Balodis powiedziała powoli:

– Watkin Berner-Marenzi. „Dowódca wszystkich armii".

– Co ty mówisz? – zdziwił się Hjelm.

– Michael Dworzak powiedział to na kilka sekund przed śmiercią. „W" nazywa się Watkin, co według Dworzaka oznacza „dowódca wszystkich armii".

Hjelm skinął głową i pokazał na białą tablicę elektroniczną:

– Migający punkt stoi od dwóch godzin w miejscu o nazwie Fresonara w północnych Włoszech. Oznacza to nie tylko, że „W", jak wszystko na to wskazuje, zatrzymał się na noc, lecz także że wybrał już trasę. Godzinę wcześniej znajdował się na A7 na południe od Mediolanu i nie było wiadomo, czy wybierze wschodnią drogę w głąb Włoch, w stronę Livorno, czy zachodnią przez granicę z Francją i dalej w kierunku Nicei. Wynajmiemy samochody parami. Ja i Bouhaddi, Beyer i Söderstedt, Balodis i Kowalewski. W Hadze zostaną Sifakis i Navarro, którzy między innymi zajmą się dostarczaniem Asterionowi fałszywych raportów. Znaleźliśmy wtyczkę Asterionu w naszym obszarze IT i ją wykorzystamy. Teraz to my mamy wtyczkę w Asterionie.

Angelos i Felipe dostaną asystentów spośród obecnych tu przedstawicieli lokalnych.

– Wtyczkę w Asterionie? – zapytała z powątpiewaniem Balodis.

– Długa historia – powiedział Hjelm. – A samolot mamy za półtorej godziny z Schiphol. W skrócie: spreparowaliśmy fałszywy trop, który ma prowadzić do „W", do Paryża. Jutro będziemy się niby przyglądać sprawie, ewentualnie udamy się bezpośrednio do Paryża. Ponieważ Huntington wie o istnieniu jednostki Opcop, na pewno ma swoich ludzi na Raamweg. Musimy stworzyć pozory, jakbyśmy wszyscy byli w budynku Europolu, a więc musimy z niego wyjść potajemnie. Powinno dać się to zrobić dzięki podziemnemu przejściu dostępnemu z piwnic. Sifakis i Navarro nie mogą w ogóle wychodzić z budynku do naszego powrotu.

– No to ładnie – powiedziała Laima Balodis.

Z tymi przykazaniami dźwięczącymi w uszach oddalili się. Rzeczywiście znaleźli tajemne przejście pod budynkiem prowadzące na odosobniony parking. Czekał tam już na nich cywilny radiowóz, który zawiózł ich do Amsterdamu, na Schiphol. Jedno po drugim, żeby niepotrzebnie nie zwracać uwagi, weszli do budynku lotniska.

Paul Hjelm wszedł pierwszy. Po drodze miał jeszcze coś do załatwienia. Skierował się do lokalu o nazwie Bubbles Seafood & Wine Bar. W nieoświetlonym kącie siedziała kobieta z kieliszkiem szampana w dłoni. Gdy Hjelm się zbliżył, podniosła wzrok. Wiedział, że ma trzydzieści dwa lata, i choć wyglądała na czterdzieści dwa, w jej oczach pojawił się błysk, który kontrastował z ostrymi zmarszczkami wokół ust.

– Vera Volkova? – zapytał Hjelm.

Uśmiechnęła się, a przez szorstką powierzchowność pracownika opieki społecznej przebił uśmiech, który zawdzięczała wychowaniu w kosmopolitycznej rodzinie dyplomatów. Vera, średnia siostra w rodzinie Berner-Marenzi.

– Paul Hjelm, jak się domyślam?

Skinął głową, wyciągnął rękę i powiedział po angielsku:

– Proszę mi pozwolić zapłacić za tego szampana. I czy zechciałaby pani pojechać ze mną do Nicei?

– Chciałabym częściej słyszeć coś takiego od mężczyzn – powiedziała wybornym angielskim i uśmiechnęła się smutno.

Weszli razem na pokład samolotu do Nicei. Członkowie jednostki Opcop siedzieli osobno i nie rozmawiali ze sobą. Paul Hjelm rozmawiał za to z Verą Volkovą.

– A więc chodzi o Watkina? – powiedziała, kiedy zakończyło się wznoszenie i zgasła lampka „Zapiąć pasy".

– Tak – odpowiedział Hjelm. – Czy miałaś okazję go spotkać, od kiedy opuścił rodzinę w listopadzie dziewięćdziesiątego czwartego?

– Nie pojawił się nawet na pogrzebie taty i Uny – powiedziała Vera ze smutkiem w głosie. – Nie przyszedł też na pogrzeb w Paryżu. Nie spotkałam go, od kiedy skończył piętnaście, a ja siedemnaście lat. Po prostu zniknął.

– Jak go zapamiętałaś?

– Był bardzo inteligentny i trochę dziwny, ale był też moim młodszym bratem. Próbowałam zawsze brać jego stronę. Przede wszystkim przed ojcem, który ciągle na niego nastawał.

– Co masz na myśli, mówiąc „dziwny"?

– Dziwny – powtórzyła Volkova. – Potrafił być naprawdę złośliwy, również w stosunku do mnie. Robił eksperymenty na moich lalkach, to akurat pamiętam bardzo dobrze. Zamieniał im głowy i tak dalej. Tata wściekał się, kiedy to widział. Nigdy się jednak na niego nie poskarżyłam. Ani razu.

– Lubił cię?

– Watkin raczej nie lgnął do innych. Zawsze wybierał samotność. Lub swoich głupkowatych kolegów, jak tego cholernego „Wielbłąda", choć nie wiem, jak często tak naprawdę się z nimi *spotykał*. Ze mną też nie miał zbytnio kontaktu. Choć jeśli był na świecie ktokolwiek, kogo lubił, byłam to chyba ja. Wydaje mi się też, że lubił naszą gospodynię, kiedy był trochę młodszy. Miała chyba na imię Anaïs. Ona również zniknęła dosyć... nagle.

– Nie lubił waszej mamy Marii?

– Nie wydaje mi się... A pod sam koniec, przed jego zniknięciem, mieli bardzo napięte stosunki, to pamiętam. Być może to przyczyniło się do obłędu mamy, czy ja wiem?

– Pamiętasz może, czy Watkina tamtej jesieni odwiedził jakiś mężczyzna?

– Mężczyzna? Dorosły mężczyzna? Nie, nie przypominam sobie.

– Czy myślisz, że Watkin, dziś, ponad piętnaście lat później, mógłby czuć się z tobą emocjonalnie związany?

Vera Volkova spojrzała na niego zamyślona.

– Teraz, gdy tak mówisz... Rzeczywiście powiedział coś takiego... to musiało być tuż przed jego zniknięciem. Siedzieliśmy przy stole, jedliśmy obiad. Mama była w klinice, tata ledwo się trzymał. Kompletny chaos. Watkin pochylił się w moją stronę i powiedział z dziecięcą powagą, jak to tylko on potrafił: „Będę cię zawsze chronił, Vera". Zabrzmiało to trochę dziwnie, a nawet groźnie, ale kiedy spojrzałam mu w oczy, było w nich coś, co chyba trzeba określić jako miłość.

– A potem zniknął?

– Tak. Co takiego zrobił?

Paul Hjelm odchylił się w fotelu i westchnął.

– Watkin stał się bardzo niebezpiecznym człowiekiem. To ważne, żebyś o tym pamiętała, Vero.

Pokiwała powoli głową.

– Tak przypuszczałam. A więc jest teraz w Nicei?
– Niedługo będzie.
– A jaka jest moja rola? Mam być przynętą?
Hjelm westchnął jeszcze głębiej i powiedział:
– Nie będziemy cię narażać. Obiecuję ci.
– Hm – powiedziała Vera Volkova i przymknęła oczy.
Mijały kolejne minuty. Gdy zdało mu się, że zasnęła, sam również zamknął oczy. Spał już, gdy jej głos przedarł się przez gęste mgły jego snu:
– Miałam ciężkie życie. Teraz zresztą też, próbuję doprowadzić do ładu wszystkich ćpunów z Kaliningradu. Być może robię to, żeby wyrównać rachunek za dzieciństwo spędzone w przepychu, być może próbuję tylko uciec od swojego byłego, potwora. Jeśli chcecie mnie wystawić na niebezpieczeństwo, żeby złapać mordercę, poradzę z tym sobie. Tylko tyle chciałam powiedzieć.
– Mordercę? – powtórzył Hjelm i otworzył oczy.
Oczy Volkovej wciąż były zamknięte.
– Przecież to jasne, że Watkin mordował ludzi.
Sen z powrotem zawładnął znużoną świadomością Paula Hjelma, jeszcze zanim samolot wylądował w Porcie Lotniczym Nicea-Lazurowe Wybrzeże. Na lotnisku Hjelm, Beyer i Kowalewski udali się do różnych wypożyczalni samochodów i wynajęli każdy swój samochód, po czym oddzielnie pojechali w kierunku centrum Nicei.
Gdy na rozległym parkingu przed majestatyczną, rozświetloną fasadą w stylu art déco hotelu Palais de la Méditerranée zatrzymał się dosyć luksusowy granatowy mercedes, panowała już od dłuższego czasu ciemność. Paul Hjelm wybrał tę markę, żeby nie wyróżniać się zbytnio spośród innych aut zaparkowanych przed ekskluzywnym hotelem. Poza tym miał ze sobą osobistego szofera i tłumaczkę w osobie Corine Bouhaddi. Na tylnym siedzeniu tkwiła Vera Volkova, spała. Prawdopodobnie była zwyczajnie przepracowana.

Wynajęli pokoje, w rzędzie, z balkonami wychodzącymi na anielską zatokę, La Baie des Anges. Paul Hjelm dał się zwabić na balkon Morzu Śródziemnemu i Lazurowemu Wybrzeżu, które połyskiwały niebiańsko w świetle księżyca przez półprzezroczyste zasłonki z tiulu. Było ciepłe lato, cudowna, bezwietrzna noc. Delikatne zmarszczki biegły chaotycznie po ciemnej powierzchni wody, rozpraszając odbicie pełnego księżyca. Niemal całkowita flauta. Cisza przed burzą, a może nawet spokój przed orkanem. Hjelm przyglądał się swoim dłoniom. Były spokojne, nieruchome. Jakby jutrzejszy dzień, który właśnie się rodził, nie istniał. Pierwszy czerwca. Dzień, w którym wszystko miało zwalić się z hukiem. Roześmiał się, z jego ust wydobyło się lekkie parsknięcie, a kiedy podniósł wzrok znad swoich dłoni, na balkonie obok dostrzegł stojącą Bouhaddi.

– Co cię tak rozśmieszyło?

– Jutrzejszy dzień, choć wiem, że to dziwne.

– Jak myślisz, co się wydarzy?

– Nie wiem. Naprawdę nie wiem. Wiem tylko, że „W" jest wybitnie nieprzewidywalny. Na dobrą sprawę może się zdarzyć wszystko. Podejrzewam jednak, że będzie niezła zawierucha.

– No tak. Orkan.

Stali jeszcze przez chwilę w zachwycającym świetle księżyca. Potem weszli do swoich pokojów i położyli się spać. Ku swojemu zaskoczeniu Paul Hjelm zasnął głębokim snem, ledwie się położył. Wydawało mu się, że ciągle jeszcze idzie w stronę łóżka, gdy do jego uszu dotarł bezlitosny, świdrujący dźwięk. Trudno powiedzieć, że odebrał, ale w każdym razie podniósł telefon i nacisnął „odbierz".

– Tu Sifakis – odezwał się głos w słuchawce. – „W" znowu się przemieszcza. Kilka minut temu wyjechał z Fresonary i skręcił na południe na E25, która prowadzi prosto nad Morze Śródziemne.

Hjelm wciąż nie potrafił wydobyć z siebie głosu. Rzucił tylko okiem na zegarek na komórce. Pokazywał 7.47. Udało mu się przespać ponad siedem godzin. Pierwszy raz od bardzo dawna.

– Navarro i ja spaliśmy w nocy na zmianę – mówił dalej Sifakis niczym idealny zastępca, który w lot rozumie ciężkie położenie swojego szefa.

Najwyraźniej tak właśnie było, bo po kolejnej długiej pauzie zaczął mówić dalej:

– Możliwe, że w oczach Asterionu jesteśmy zbyt pasywni. Napisałem dwa fałszywe raporty i wysłałem do kierownictwa. Wynika z nich między innymi, że stoimy w miejscu. Nie potrafię napisać kolejnego, żeby nie brzmiał podejrzanie. Być może niedługo będziemy musieli aktywować opcję paryską.

– *Teraz* już mogę mówić – powiedział Hjelm.

– To miło – powiedział Sifakis. – Zaczynało mi brakować słów.

– Jesteście gotowi aktywować Paryż, gdyby zaszła taka potrzeba?

– Tak. Odezwiemy się, gdy „W" dotrze nad morze. Jeśli będzie tam jechał najprostszą drogą, powinien u was być za niecałe trzy godziny.

– Aktywujemy opcję paryską już teraz – postanowił Hjelm. – Wydaje mi się, że jesteśmy blisko. Dobrze by było, gdyby udało nam się pozbyć choć kilku najemników z otoczenia Massicottego.

– W takim razie wydam francuskiej komórce jednoznaczne dyspozycje – powiedzial Sifakis. – I wyślę ten fałszywy raport, który ty i ja napisaliśmy razem.

– Tak zróbmy – powiedział Hjelm.

Rozmowa dobiegła końca. Zostały niecałe trzy godziny do przyjazdu „W". Jeśli wszystko się zgadzało. Jeśli to był on. Hjelm poszedł do Bouhaddi. Zdążyła już wstać i jadła obfite śniadanie w pokoju.

– Kropelka w morzu naszego budżetu – powiedziała. – Dla ciebie też zamówiłam. Chcesz?

Wspólnymi siłami wynieśli stolik na balkon Bouhaddi. Gdy wyszli, zauważyli, że dwa balkony dalej ktoś siedzi na leżaku i się opala. Vera Volkova uniosła swoje okulary przeciwsłoneczne i zamachała w ich stronę. Hjelm również pomachał.

– Zabrała bikini? – zapytała szeptem Bouhaddi, gdy już usiedli.

Hjelm wzruszył ramionami i zadzwonił do Jutty Beyer i Marka Kowalewskiego. Beyer i Söderstedt już nie spali.

– Co za nora – powiedział Söderstedt.

– Rozumiem cię – odpowiedział Hjelm, zaciągając się powietrzem znad Morza Śródziemnego.

– Syf i malaria – powiedział Kowalewski.

– Taki mamy budżet – odpowiedział Hjelm. – Jesteście gotowi?

– Już zaczęliśmy. Wiesz, jak wygląda robota z Laimą. Stoimy przed siedzibą fundacji charytatywnej Visio. Bardzo to wszystko charytatywnie wygląda.

– Serio?

– Nie wyglądają, że tak powiem, jakby zajmowali się uszkodzeniami twarzy biednych obywateli Trzeciego Świata.

– Zakładam, że jesteście niewidoczni?

– Jesteśmy profesjonalistami – odparł Kowalewski. – No, przynajmniej Laima.

Hjelm się rozłączył i spojrzał na Morze Śródziemne. Słońce świeciło mocno. Musiał kupić okulary.

– Czyli czekamy? – zapytała Corine Bouhaddi, wbijając zęby w croissanta z dżemem truskawkowym.

– Czekamy.

Pierwsza godzina upłynęła spokojnie, druga była już cięższa, a gdy zaczęła się trzecia, Paul Hjelm był pewien, że skoczyło mu ciśnienie i słońce spaliło mu nos.

Zadzwonił telefon.

– Właśnie wjeżdża do Nicei – odezwał się głos Sifakisa. – Przekazuję wyszukiwanie na wasze komórki. Pamiętajcie, że taka triangulacja...

– ...nie jest dokładna – przerwał mu Hjelm. – Wiem.

Hjelm nacisnął przycisk „Szukaj". Migający punkt na mapie Nicei sunął z kierunku północnego. Powiększył obraz na tyle, na ile się dało, i wybrał przycisk telekonferencji.

– W samochodach gotowi? – zapytał.

– Tak – odpowiedziała Laima Balodis z fotela pasażera Kowalewskiego.

– Tak – odpowiedział Arto Söderstedt siedzący obok Jutty Beyer.

– Czy Sifakis przekazał wam wyszukiwanie?

Z obu samochodów otrzymał potwierdzenia. Jechali przez miasto po trasie migającego punktu. Prosto na południe, na Boulevard Risso. Minęli centrum kongresowe Nice Acropolis, po lewej stronie Rue Barla.

– Chyba jedzie do portu – powiedział Hjelm.

W prawo na Rue Arson, obok potężnego budynku szkoły Saint-Vincent de Paul, w dół, w kierunku stojących w porcie jachtów we wszystkich możliwych rozmiarach, i dalej w stronę terminalu promowego nieco z boku.

– Wy, tam w porcie, jesteście? – zapytał Hjelm.

– Jesteśmy, jesteśmy – odpowiedział Söderstedt. – Migający punkt jest na naszej wysokości. Gęsty ruch, nie da się stwierdzić, który to samochód.

– Próbujcie się utrzymywać w pobliżu znikającego punktu.

– Migającego – poprawił go Söderstedt.

Migający punkt minął port i zatrzymał się przy wodzie.

– Chyba go, kurwa, widzę – odezwał się Söderstedt. – Podjedź trochę bliżej, Jutta. O tam, ten koleś w kapturze. Zatrzymaj się.

– W kapturze? – powiedział Hjelm z balkonu.

– Mężczyzna w bluzie, z kapturem naciągniętym na głowę. To na pewno on. Wysiada z samochodu.

Hjelm miał złe przeczucia. To nie była pogoda na bluzę z kapturem. Raczej na T-shirt.

– Musicie się zbliżyć na tyle, żeby zobaczyć jego twarz. Musicie potwierdzić, że to on.

– Nie wyślę Jutty. Przesłuchiwała go przecież na Caprai. Jeśli to on.

– Zróbcie zdjęcie, jeśli się da. Ale nie ryzykujcie.

– Jutta przejmuje raportowanie – powiedział Söderstedt.

– Dużo tu ludzi – powiedziała Beyer. – Powinno dać się wmieszać między tych niemieckich turystów. Nasz człowiek idzie w stronę łodzi. Arto jest na zewnątrz. Dołączył do grupy turystów, rozmawia z nimi. Ma na wierzchu komórkę. Trochę to dziwnie wygląda – ręka w gipsie i komórka.

– Co robi mężczyzna w kapturze?

– Zniknął nam z pola widzenia. Arto idzie z dwójką turystów w stronę nabrzeża. Widzę mężczyznę w kapturze. Stoi i rozmawia z kimś, kto wygląda na marynarza.

– *Yes* – powiedział Hjelm i zacisnął pięść. – Powiedz, że to kierowca taksówki wodnej, a nie kolega.

– Nie wydaje mi się, żeby „W" miał aż tak wielu kolegów – powiedziała Beyer. – Może chodzić o taksówkę. Chyba o jakiś szybszy i większy model. Podają sobie ręce. Coś ustalili. Arto śmieje się głośno i pokazuje coś na mapie turystycznej. Niezły aktor, w tym gipsie wygląda jak jakiś staronordycki pijaczyna nad Morzem Śródziemnym. Mężczyzna w kapturze idzie w jego stronę. Arto trzyma komórkę w górze. Tamten go mija, w odległości jakichś trzech metrów. Arto dalej rozmawia z turystami. Mężczyzna w kaputrze podchodzi z powrotem do samochodu. To srebrnoszara... tak, chyba mazda. Zarejestrowana w Holandii, przejeżdża koło mnie, schylam się, żeby mnie nie zauważył. Zapisuję numer. Czy znikający punkt się poruszył?

– Migający – poprawił ją Hjelm. – Tak, rusza się. Drugi zespół, jesteście?

– Jesteśmy – powiedziała Balodis. – Migający punkt rusza się w kierunku centrum. Czekamy przy jachtach. Niech Marek jedzie za nim, nie za blisko. Kurwa, że też nie mogę prowadzić samochodu przez to ramię.

– Prześlę wam SMS-em numer rejestracyjny – powiedziała Beyer. – Arto wrócił do samochodu. Przeglądamy zdjęcia. Kiepskie. Na wielu nie widać twarzy. Ten kaptur go nieźle chroni. Jest. Tak, tu widać twarz.

– Aha, aha – powiedział Söderstedt.

– Aha, aha?! – wrzasnął Hjelm. – Co to, kurwa, znaczy?

– To znaczy „aha, aha" – powiedział Söderstedt. – Zdjęcie wysłane.

Gdy Paul Hjelm wyświetlał obraz, zauważył, że jego dłoń naprawdę drży. Kilka promieni słońca dotarło pod kaptur i oświetliło twarz.

Nie było wątpliwości. Nawet mina była taka sama jak na portretach pamięciowych sporządzonych na podstawie zeznań Wiktora Larssona i Johnny'ego Råglinda.

Mężczyzną w kapturze był „W".

– Tak! – krzyknął Hjelm.

– Tak – powiedziała Jutta Beyer. – Przesłuchiwałam go. To ten samotny wędrowiec Winfried Baumbach z Wolfsburga.

– A przynajmniej jedno z jego wcieleń – powiedział Hjelm. – Choć rzeczywiście jest jakimś typem wiecznego wędrowca, *Ahasverus*. Laima?

– Marek trzyma właściwy dystans – powiedziała Balodis. – Kto by się spodziewał. Wjeżdżamy do miasta. Jedziemy na zachód. Sprawdziliście numer tablicy?

– Tak – powiedziała Bouhaddi, która siedziała obok Hjelma na balkonie. – Samochód skradziono w Rotterdamie. Co on, kurwa, robił w Holandii? Obserwował nas?

– Albo obserwował Asterion, któremu z kolei się wydaje, że obserwuje nas – powiedział Hjelm. – Jutta i Arto, podążacie za marynarzem. Nie spuszczajcie go z oczu. Możecie się dowiedzieć, czy to jest taksówka wodna?

– Jest na jednym z moich *profesjonalnych* zdjęć – powiedział Söderstedt. – Na których nie ma „W". Na szyldzie nad łódką jest wyraźnie napisane „*bateau-taxi*".

– Złap go *teraz*, zanim zdąży odpłynąć – powiedział Hjelm. – Sprawdźcie, czego chciał „W". Co takiego ustalili.

– *Will do* – powiedział Söderstedt.

Hjelm usłyszał, jak otwierają się drzwi samochodu.

– Mazda się zatrzymała – powiedziała Balodis. – Przed jakimś zawszonym hotelikiem. Hôtel Les Poux Morts. Wchodzi do środka. Ciągle ten cholerny kaptur.

– Zaparkujcie tak, żeby nie widział was przez okno. Zatrzymajcie się. Kontrolujcie wejście.

Cisza w telefonach. Hjelm spojrzał na Bouhaddi. Gryzła paznokcie, ale przerwała, kiedy zorientowała się, że patrzy. Zamiast tego spojrzała naburmuszona na balkon w głębi. Vera Volkova opalała się wciąż na swoim balkonie, tym razem jednak stał przy niej kieliszek szampana. Pomachała im ręką i zawołała:

– Jest fantastycznie. Dziękuję.

– Tak, fantastycznie – mruknął pod nosem Hjelm i również pomachał.

– Okej – zabrzmiał głos Beyer w słuchawce. – Pora na wiadomości.

– *Shoot* – powiedział Hjelm.

– „W" wynajął szybką jak strzała, ekskluzywną taksówkę wodną na nazwisko Walter Thomas – dawny pseudonim, prawda? – i powiedział, że będzie, cytuję, „w ciągu czterech godzin". Zapłacił dodatkowo za to, żeby nie umawiać się na dokładną godzinę, tak twierdzi kapitan Rouzier.

– Walter Thomas – powiedział Hjelm – tak się nazywał, gdy był asystentem dyrektora banku Colina B. Barnwortha w Antebellum Invest Inc., który poszedł z dymem wraz z Twin Towers. Dlaczego używa dawnego pseudonimu?

– Niezależnie od wszystkiego oznacza to kolejne cztery godziny czekania – jęknęła Bouhaddi.

– A tak nam dobrze szło – powiedział Söderstedt do słuchawki.

– Czy powiedział kapitanowi, dokąd popłyną? – zapytał Hjelm.

– I tu jest haczyk – powiedział Söderstedt. – „W" poda dokładny kierunek dopiero, gdy będą na morzu. Kapitan Rouzier uparł się jednak, że musi go znać chociaż w przybliżeniu. „W" odpowiedział: Korsyka.

– Korsyka? – zdziwił się Hjelm.

– Luksusowo i na uboczu – powiedział Söderstedt. – Nie ma wątpliwości. Udo Massicotte jest na Korsyce.

– To duża wyspa – powiedział Hjelm. – Jakaś połowa Sycylii, który mafioso się tam nie ukrywał? Musimy mieć dokładne współrzędne.

– No tak – powiedział Söderstedt – haczyk. Poznamy je tylko w jeden sposób.

– Zajmiecie się tym, ty i Jutta?

– Nasze wojowniczki Hershey i Balodis już się, niestety, zużyły – powiedziała Beyer.

– Wszystko słyszałam – powiedziała Balodis. – Zawsze możesz użyć gipsu, Arto.

– Bardzo śmieszne – powiedział Söderstedt szorstko.

– Choć Laima ma też rację – przyznał Hjelm. – Jak tam twoja ręka?

– Palce prawej ręki są wciąż złamane – powiedział Söderstedt. – Nie jestem idealnym kandydatem do obezwładnienia nadczłowieka „W" na pokładzie rozkołysanej łodzi. Mam też chorobę morską.

Hjelm roześmiał się.

– Mamy zdziesiątkowane siły.

– Nie przeszkadzają mi za bardzo te odłamki – stwierdziła Balodis. – Zajmiemy się tym z Markiem.

– Tak zrobimy – powiedział Hjelm. – Ale jesteś pewna, Laima...?

– Jestem pewna – odparła Balodis.

– No to czas na bezpieczną wymianę załogi – powiedział Hjelm. – Zmieńcie się, ale nie spuszczajcie nawet na sekundę kapitana Rouziera ani hotelu Les Poux Morts z oczu. Znikający punkt chyba się zatrzymał. „W", zdaje się, odpoczywa w tym zawszonym hotelu.

– Migający – poprawił go Söderstedt.

Tempo drastycznie spadło. Hjelm i Bouhaddi siedzieli dalej na balkonie. Bouhaddi powiedziała:

– Wszystko pasuje. Korsyka leży między Niceą a Capraią, bliżej Caprai, ale należy do Francji, podobnie jak Nicea. Massicotte trzyma pieczę tak nad laboratorium na Caprai, jak nad fundacją w Nicei. Poza tym Korsyka oferuje zarówno odosobnienie, jak i luksus. Idealne miejsce, żeby zapaść się pod ziemię.

Hjelm pokiwał głową i powiedział:

– Tylko *gdzie* na Korsyce?

W ciągu kolejnych dwóch godzin wydarzyły się w zasadzie tylko dwie rzeczy. Najpierw Hjelm nagle wstał i krzyknął:

– Dlaczego mówi o sobie Walter Thomas?

A potem – odezwał się Angelos Sifakis, by przekazać, że opcja paryska została uruchomiona, a fałszywy raport – wysłany. Z pomocą lokalnego francuskiego zespołu Opcop opracowali rozbudowaną intrygę, która – jak się spodziewali – zatrzyma choć na jakiś czas najemne siły Asterionu w stolicy Francji.

Potem to się stało.

Minęło dwie i pół godziny, gdy nagle migający punkt zaczął się ruszać, a chwilę potem „W" wyszedł z Hôtel Les Poux Morts i zakapturzony wskoczył do mazdy na holenderskich numerach.

Beyer i Söderstedt pojechali za nim, utrzymując odpowiedni dystans.

Na przystani dla taksówek wodnych Laima Balodis mierzyła nieco krytycznym wzrokiem Marka Kowalewskiego. Sprawdzała bakistę na kamizelki ratunkowe, jedyny schowek, jaki znajdował się na pokładzie. Kamizelki przeniesiono na inną z łodzi kapitana Rouziera, a skrzynia była pusta.

– Ile właściwie masz wzrostu, Marek? – zapytała.

– Metr dziewięćdziesiąt jeden, dziewięćdziesiąt cztery kilo – odpowiedział Kowalewski bezradnie.

– Polska chłopska krew – mruknęła Balodis. – Wskakuj. Spróbuję się potem wcisnąć. A ty, Rouzier, zamkniesz za nami luk. Tylko nie na klucz. Musimy móc je otworzyć bez problemu. Jasne?

Mrukliwy kapitan Rouzier przytaknął niechętnie. Gdy Kowalewski zdołał się już wcisnąć do ciasnej bakisty, Balodis kontynuowała:

– Masz jeszcze trzy zadania, Rouzier. Pierwsze: nie daj po sobie poznać, że o nas wiesz. Drugie: trzymaj pasażera z dala od luku na kamizelki. Trzecie: daj nam sygnał, gdy tylko poznasz cel podróży. Po prostu zapukaj w luk. Jasne?

Kolejny niechętny ruch głową kapitana. Balodis zerwała temblak i wrzuciła go do Morza Śródziemnego. Poprawiła broń w kaburze na piersi i spojrzała na Kowalewskiego, wciśniętego w ciasną wnękę. Pokręciła głową i weszła do środka. Rouzier zamknął klapę.

Było naprawdę ciasno. Balodis była zmuszona zgiąć się i wcisnąć w krocze Kowalewskiego. W dole pleców czuła jego penis, miała nadzieję, że „W" nie będzie długo zwlekał z informacją o celu podróży. Spojrzała na komórkę. Migający punkt zwolnił. „W" zatrzymał się tuż przy łodzi. Oddychała spokojnie, czując napór ciała Kowalewskiego, gdy łódź się zakołysała. Schowała telefon do kieszeni i wsłuchiwała się w kroki, które niosły się po konstrukcji trapu.

Usłyszała, jak kapitan Rouzier rozmawia po francusku. Drugi, niższy głos odpowiedział równie płynną francuszczyzną. Mniej więcej tak Balodis wyobrażała sobie głos „W".

„W" był na zewnątrz. Seryjny morderca, specjalnie zaprojektowana maszyna bojowa, znajdował się zaledwie kilka metrów od niej. Czuła, jak krew płynie szybciej, nie tylko przez jej ciało, ale również przez ciało Kowalewskiego. Przez krótką chwilę wydawało jej się, że tworzą jeden krwiobieg.

Problem polegał na tym, że nie rozumiała ani słowa z tego, co mówili. Dopiero Kowalewski pochylił się do przodu i wyszeptał cicho i lekko wilgotno do jej ucha:

– Odpływają w kierunku Korsyki, dokładne współrzędne zostaną podane na otwartym morzu.

Laima Balodis skinęła głową. Gdzieś tam za burtą znajdował się morderca. W bakiście było kompletnie ciemno, nie było nawet szpary wokół luku, ale słyszała kroki „W" chodzącego tam i z powrotem, zanim silnik zabrzmiał ogłuszającym rykiem. Potem nic już więcej stamtąd nie słyszeli. „W" mógł stać tuż nad lukiem. W każdej chwili mógł się dostać do środka, a oni nie mieliby najmniejszej szansy się bronić.

Już kiedyś to czuła. Czuła, że żyje. O pewnych zdarzeniach ze swojej przeszłości nigdy nie mówiła, o przeszłości dywersantki w najgorszej portowej dzielnicy Kłajpedy. Całe miesiące w tym samym co teraz poczuciu, że w każdej chwili luk może zostać otwarty. W końcu przyzwyczaiła się do bliskości śmierci i gdy wreszcie porzuciła zadania infiltracyjne, nie umiała już wrócić do zwykłego życia. Laima Balodis nigdy nie przyznałaby się do tego oficjalnie, ale potrzebowała sytuacji śmiertelnego zagrożenia, by poczuć, że żyje. To właśnie czuła, gdy leżała zalana krwią innego człowieka w chatce myśliwskiej w Andaluzji. To właśnie narastało w niej w ciągu tych pierwszych perwersyjnych minut w bezpośredniej bliskości śmierci. I właśnie to czuła teraz.

Żądza życia płynąca ze śmierci.

Kowalewski, gliniarz zza biurka, który stanął oko w oko ze śmiercią w Nowym Jorku rok temu, teraz też wyraźnie wyczuwał jej obecność. W innej sytuacji czułby się zażenowany swoją erekcją, lecz w ciemności, w piekielnym ryku silnika łodzi, dawało to nawet swoiste poczucie bezpieczeństwa. Pochylił się do przodu i wyszeptał jej do ucha:

– Przepraszam.

Zaskoczona poczuła, że się uśmiecha. Pokręciła głową i wysunęła broń. Kowalewski zrobił to samo.

Rozmawiali o tym już wcześniej. Że muszą poruszać mięśniami, wykonywać drobne ruchy. Że w pierwszych sekundach słońce oślepi ich niemal do nieprzytomności, jak zamieć śnieżna, choć próbowali rozbijać ciemność światłem ekranów swoich komórek. Że najważniejsze będzie natychmiastowe zlokalizowanie „W", niezależnie od tego, jak bardzo będzie ich raziło słońce. Nie mogli mu dać więcej niż jednej sekundy.

Czas płynął. Pełzł przez ciała. Balodis poczuła, że Kowalewskiemu cierpnie noga. Poruszał nią lekko, mikrotrening.

Dźwięk silnika niósł się po bakiście jak po pudle rezonansowym. Kowalewski się pocił, czuła, jak jego koszula robi się mokra. Czas dudnił, wszystko się kołysało.

Dźwięk, który w końcu się rozległ, ledwo dało się wyróżnić. Mogło to być stukanie w luk albo tylko lekkie zaburzenie pracy silnika. Nie powtórzyło się. Gwałtowne zakłócenie mapy hałasu, które równie dobrze mogło pozostać zupełnie niezauważone. Kowalewski uszczypnął ją delikatnie w ramię. On też to słyszał.

To musiało być stukanie.

Balodis wzięła głęboki oddech i przytaknęła. Próbowała stanąć na nogach, pochylona. Kowalewski podkulił nogi, był gotów. Ich ciała ułożyły się w klin.

Balodis wypchnęła luk i wypadła na zewnątrz. Światło oślepiło ją, jednak dostrzegła dwie majaczące postacie stojące przy sterze pięć metrów dalej. Lecz w chwili, gdy znalazła się na pokładzie, poczuła, że jej prawe ramię nie działa. Zobaczyła jak na zwolnionym filmie, że broń wylatuje jej z dłoni. Rzuciła się na bok i uderzyła w podłogę, zanim zrobił to pistolet. Ze swojej żałosnej leżącej pozycji widziała, jak Kowalewski mija ją w biegu. Patrzyła, jak skokiem rugbisty rzuca się na jednego z dwóch mężczyzn przy sterze i jak twarz zaatakowanego uderza o szybę i zalewa się krwią. Widziała, jak Kowalewski macha ramionami, chwytając swój pistolet. Dostrzegła, że jego zwykle tak rumiana twarz świeci kredową bielą wokół szeroko otwartych oczu. Skinęła w stronę mężczyzny przyciśniętego przez Kowalewskiego do ziemi. Twarz zakrwawiona, wykrzywiona, zszokowana, nie do końca świadoma. Skierowała w jego stronę pistolet, a Kowalewski stanął na nogach, wpatrzony w swoje pokrwawione kostki.

Balodis wyjęła komórkę lewą ręką, próbując wyświetlić zdjęcie Söderstedta przedstawiające „W". Lamentujący mężczyzna był co prawda trochę podobny do tego na zdjęciu, ale o jakieś pół dekady młodszy. Miał najwyżej dwadzieścia pięć lat.

– Mówił mi, że coś takiego może się wydarzyć – powiedział po angielsku, plując i sycząc.

– Jak się nazywasz? – ryknęła Balodis.

– Armand Jonquet. Sprawdźcie w portfelu. Jestem z Lyonu. Mieszkam w Hôtel Les Poux Morts. Kurwa, chyba straciłem dwa zęby. Ty pierdolony szajbusie!

Balodis spojrzała na Kowalewskiego. Chodził w kółko i przeklinał po polsku, wymachując przy tym prawą ręką. Kapitan Rouzier stał przy sterze, blady jak trup. Zdusił silnik i patrzył bezradnie na całą trójkę.

Z najwyższą niechęcią Balodis przyznała, że Armand Jonquet nie jest „W". Wyrwał im się.

– Powiedz, jak to się stało – powiedziała, nie opuszczając broni.

– Dostałem kupę kasy, a na Korsyce miałem dostać drugie tyle. Miałem włożyć tę bluzę, naciągnąć kaptur na głowę i pojechać srebrnoszarą mazdą, która stała pod hotelem, do nabrzeża z taksówkami wodnymi. Miałem to zrobić w określonym momencie. Narysował dokładny szkic. Wiedziałem dokładnie, dokąd mam iść.

– On? – zapytała Balodis. – To on?

Uniosła w jego stronę komórkę ze zdjęciem „W" zrobionym przez Söderstedta.

– Tak – odpowiedział Armand Jonquet, bo tak rzeczywiście się nazywał.

Balodis wyciągnęła mu portfel z wewnętrznej kieszeni i rzuciła Kowalewskiemu, który powoli dochodził do siebie. Pokazał Balodis prawo jazdy Jonqueta. Było lepkie od krwi.

Zastanawiała się, zbierała myśli.

– Kiedy to się stało?

– Dwie godziny temu, może więcej. Cholera, no zobacz, ząb.

– I miałeś podać współrzędne kapitanowi Rouzier, gdy już będziecie w drodze?

– Tak, kurwa. O określonej godzinie. Morsiglia na Korsyce.

– Zgadza się? – zapytała Balodis Rouziera.

– Tak – odpowiedział Rouzier zachrypniętym głosem. – Morsiglia, północna Korsyka, departament Haute-Corse, Górna Korsyka.

Balodis przeszukała kieszenie Jonqueta. Wyjęła komórkę i uniosła ją w dłoni.

– To też dostałeś? – zapytała.

– Tak – zachrypiał Jonquet. – Miał zadzwonić, kiedy dopłynę na Korsykę.

Balodis obejrzała telefon. W tej samej chwili aparat zawibrował. O mało co go nie upuściła, za dużo upuszczonych przedmiotów jak na jeden dzień.

To był SMS. I tylko jedno słowo: „Morsiglia". Z nieznanego numeru.

– Zawróć łódź – powiedziała Balodis.

Kapitan Rouzier uruchomił taksówkę, wykonał łagodny nawrót i przyspieszył do maksymalnej prędkości.

– Nie do końca nadążam – powiedział Kowalewski, przestał chodzić i stanął przy Balodis.

– „W" chce, żebyśmy tam pojechali – powiedziała Balodis. – Ale chce mieć przewagę czasową. Jakieś dwie i pół godziny. Dlatego dał temu ćpunowi telefon i kurtkę z kapturem.

– Czyli przez cały czas wiedział, że go śledzimy?

– To dlatego zachował telefon po tym, jak wysłał SMS w Sztokholmie. *Chciał*, żeby policja go śledziła. Chce, żebyśmy znaleźli Massicottego. Jednak dopiero wtedy, gdy już będzie martwy.

– Massicottego, który przebywa w Morsiglii na północnej Korsyce?

– Tak. W obstawie tuzina najemników z Christopherem Jamesem Huntingtonem na czele.

– Musimy tam jechać – powiedział Kowalewski.

– Musimy zgarnąć resztę – powiedziała Balodis.

– „Ćpuna", powiedziałaś?

– Ma trzy torebki białego proszku w kieszeniach. Ale nie róbmy z tego zagadnienia. Już i tak wymierzyłeś mu karę, mój ty pod każdym względem wielki Polaku.

– Przewróciłaś się. – Kowalewski wyraźnie się zawstydził.

Balodis się skrzywiła i powiedziała:

– Nie mów nikomu.

– Pod warunkiem, że ty też nie powiesz.

– Czego nie powiem?

Kowalewski odchrząknął.

– No wiesz. Tego tam w bakiście.

Laima Balodis roześmiała się i położyła dłoń na pachwinie Kowalewskiego.

– To będzie moja tajemnica.

Markowi Kowalewskiemu od razu wrócił kolor na twarzy. I co więcej świadomość.

Gorące krzesła

Morsiglia, Korsyka, 1 czerwca

SZYBKA JAK WIATR taksówka wodna była w drodze już od wielu godzin, kiedy Paul Hjelm zebrał swój zdziesiątkowany zespół. Na pokładzie znaleźli się Corine Bouhaddi i Laima Balodis, Jutta Beyer i Marek Kowalewski, Arto Söderstedt i Vera Volkova. Promienie letniego słońca migotały w to gorące popołudnie na epoksydowej powierzchni szybkiej łodzi, a Hjelm nie mógł się opędzić od myśli, że nie była to najbardziej elitarna jednostka. Znajdowali się wśród nich wyjątkowi policjanci, właściwie kilkoro z najlepszych w Europie, ale z wyjątkiem Balodis, i może jeszcze Bouhaddi, pod żadnym względem nie dorównywali siłom szybkiego reagowania. Co więcej, wieźli ze sobą cywila. Z drugiej strony to właśnie ta osoba mogła być ich najmocniejszą kartą.

– Naturalnie nie zamierzamy przeprowadzać ataku na Massicottego – powiedział Paul Hjelm. – Powiadomiliśmy francuską policję, ale biurokracja zajmuje trochę czasu. Dysponują ciężkimi siłami szybkiego reagowania, ale muszą dokładnie wiedzieć, co mają robić. A to niełatwo powiedzieć.

– Czy Navarro i Sifakis coś znaleźli? – zapytała Beyer.

– Właśnie o tym chciałem z wami porozmawiać. Przed chwilą kontaktowałem się z Angelosem. Morsiglia to niewielka miejscowość na zachodnim wybrzeżu półwyspu Korsyki Górnej zwanego Cap Corse albo „wyspa na wyspie”, *l'île dans l'île*. Najwyżej stu pięćdziesięciu mieszkańców. Ale całkiem niedawno na obrzeżach tej miejscowości, nad morzem, zbudowano nawet nie jedną, lecz dwie sąsiadujące ze sobą wille. Prawdziwe zjawisko. Należą do amerykańskiej fundacji, której nic nie łączy z Visio w Nicei. A w każdym razie *wydawało się*, że nic ich nie łączy. Przed chwilą to się zmieniło. Gdy Sifakis podrążył temat tej fundacji, znalazł dokumenty z bieżącego dochodzenia FBI. Dotyczy ono podejrzanego zniknięcia obywatela amerykańskiego w zeszłym roku. Fundacja nie odgrywa głównej roli w ich dochodzeniu, ale gdy Sifakis dotarł do prowadzącego sprawę śledczego w J. Edgar Hoover Building w Waszyngtonie, ten bardzo się zainteresował naszymi tropami. Od dawna się domyślał, że wspomniany Amerykanin, który był jednym z zewnętrznych fundatorów sekcji, przebywa w Europie.

– Czekaj, czekaj – powiedział Arto Söderstedt, który nie wyglądał, jakby podróż drogą morską mu służyła. – Mówisz o Antebellum, banku, z którym prowadziliśmy potyczki w zeszłym roku?

– I który również dokładał się do finansowania sekcji, tak. Mówię o jednym spośród tych wszystkich, którzy umknęli w zeszłym roku. Dyrektor banku Colin B. Barnworth. Sifakis ma teorię, że był on również sponsorem nowej firmy Massicottego, nowej, komercyjnej wersji sekcji. Uważa, że Barnworth i Massicotte zeszli pod ziemię i przetransferowali swoje aktywa do fundacji. I że teraz zarządzają swoją nową firmą za pośrednictwem dwóch fundacji, na dwóch kontynentach, z niewielkiej miejscowości na Korsyce.

– To by oznaczało, że Asterion ochrania dwie duże posesje – powiedziała Jutta Beyer. – Musi w to angażować porządne siły.

– Miejmy nadzieję, że udało nam się zwabić część z nich do Paryża – powiedział Hjelm.

– No to jak, kurwa, robimy? – zapytał Kowalewski.

– Podejdziemy do Cap Corse od południa, żeby uniknąć ryzyka, że zostaniemy dostrzeżeni. Morsiglia leży w zatoce, a zaraz na południe od zatoki znajduje się przylądek. Możemy zakotwiczyć od południowej strony przylądka, gdzie będzie czekać na nas taksówka. Dostałem zdjęcia satelitarne tych posiadłości. Otoczone murem luksusowe wille, połączone ze sobą plażą. Ładna lokalizacja. I bardzo dobrze zabezpieczona. Jak dwie średniowieczne twierdze.

– No to jak wejdziemy do środka? – zapytała Balodis.

– Nie wejdziemy – powiedział Hjelm. – Będziemy je jednak obserwować. Do czasu gdy Francuzi uporają się z biurokracją. Przez całą noc, jeśli zajdzie taka potrzeba. Zaraz wyślę zdjęcia satelitarne na wasze komórki.

Siedzieli w równo turkoczącej taksówce wodnej, ze spojrzeniem utkwionym w komórkach. Wzrok Hjelma powędrował po powierzchni niekończącego się Morza Śródziemnego. Czuł się jak Odyseusz na wyprawie przeciwko nadnaturalnym stworzeniom. Niebezpiecznym, tajemniczym, brutalnym. Olbrzym, cyklop – trzeba było być sprytniejszym. „Jestem Nikt". Być może to właśnie był klucz. Udawać, że jest się mniejszym, niż się jest. Wykonywać działania pozorujące w oczekiwaniu, aż będzie można wbić płonącą żagiew w oko jednookiego olbrzyma.

– Przecież wiemy, że „W" już tam jest – nie odpuszczała Balodis. – Nie możemy po prostu stać z boku, gdy on będzie próbował zamordować Massicottego.

– I prawdopodobnie również Barnwortha – powiedziała Bouhaddi.

– W środku jest co najmniej piętnastu najemników – powiedział Hjelm. – Nie mam zamiaru znów posyłać swoich ludzi na śmierć. Obserwujemy i czekamy. To ostateczna decyzja.

– Podobno wszystko się może zdarzyć – powiedział Arto Söderstedt i zwymiotował przez reling.

Paul Hjelm spojrzał na niego surowo i odezwał się niczym dawny odkrywca:

– Zdaje się, że widać już ląd.

Tak rzeczywiście było. W oddali coś wydzieliło się z błękitnej toni. Jakby nieznany wcześniej kontynent wyłonił się z morza, gotów do zrodzenia nowych form życia. I w pewnym sensie tak właśnie było. Na rosnącej powoli wyspie na Morzu Śródziemnym czekało coś, z czym nigdy wcześniej nie mieli do czynienia.

Wyspa rosła z imponującą szybkością, aż zupełnie przestała przypominać wyspę. Wybrzeże rozciągało się od najdalszego kąta jednego oka po najdalszy kąt drugiego. W końcu ukazał się przylądek sterczący prosto w morze. To tam, w zatoce u nasady przylądka, zatrzymała się taksówka. Kotwica rzucona. Serpentyna wiła się w górę zbocza, po którego koronie biegła droga krajowa. Na nabrzeżu czekała na nich duża taksówka z miejscem dla siedmiu osób.

A było ich siedmioro.

Zeszli na ląd. Paul Hjelm musiał pomóc Verze Volkovej wyjść na nabrzeże. Najwyraźniej już zatęskniła za balkonem w Nicei, a butelka wody mineralnej w jej dłoni wyglądała jak marny substytut kieliszka szampana. Potoczył spojrzeniem po swoich ludziach. Z wyjątkiem Söderstedta wydawali się w dosyć dobrej formie, mimo wszystko. Wgramolili się do taksówki, droga serpentyną pod górę stanowiła wyjątkowe preludium do tego, co ich czekało. Rozglądali się dookoła, patrzyli w dół w nieustannie pogłębiającą się przepaść i w końcu wjechali na drogę krajową.

Już po jakimś kilometrze taksówka zwolniła i zjechała na pobocze. Przed nimi roztaczał się boski widok w dół w kierunku następnej zatoki, gdzie leżała malutka, lecz niezmiernie piękna wioska Morsiglia. Rozciągała się, nieco wydłużona, w kierunku nasady przylądka, a najbliżej taksówki, najdalej na południe, znajdowały się dwie sąsiadujące ze sobą duże posesje. Otoczone były szczelnymi murami schodzącymi aż do brzegu morza.

Wyszli na pobocze i dokładnie przyglądali się zabudowaniom. Arto Söderstedt pomimo swojego stanu wyciągnął lornetkę i skierował ją w dół, w stronę budynków.

– Zgadza się – powiedział. – To jest lornetka kapitana Rouziera.

– Nic nie widać – powiedziała Jutta Beyer.

– W zbliżeniu też nie – powiedział Söderstedt. – Trzymają się poza polem widzenia.

– Będziemy musieli przejść w poprzek zbocza – powiedział Paul Hjelm.

Udało im się pokonać kilka kolejnych metrów. Roślinność była kolczasta, a urwisko niewątpliwie przerażające. Mimo to zdołali zejść zboczem bez większych obrażeń. Hjelm prowadził Verę Volkovą, ale nie musiał się wysilać. Volkova okazała się silną kobietą, nie potrzebowała męskiej eskorty. Sporadyczne spojrzenia przez lornetkę pokazywały dwa bliźniacze budynki, które najwyraźniej zostały zbudowane w tym samym czasie. Oznaczało to tyle, że Massicotte w momencie ucieczki Barnwortha rok wcześniej miał już gotowy plan własnego zniknięcia. Należało go jedynie udoskonalić, co uczynił z pomocą dotychczas niezidentyfikowanego menela w piwnicy swojej willi w Charleroi w Belgii.

Schodzili coraz niżej. Wkrótce znaleźli się na wysokości muru. W dalszym ciągu żadnych oznak ludzkiej obecności. Jedynie ostry, charakterystyczny zapach Morza Śródziemnego i jeszcze ostrzejrzy zapach gnijących glonów mieszający się z rażącym smrodem poważnej przestępczości gospodarczej.

Niemal nad samym brzegiem morza, tam gdzie mur nagle skręcał w stronę czegoś, co musiało być bramą, zatrzymali się. Siedem osób w dziwnej grupie. Ukradkowe spojrzenie za róg. I pierwsze oznaki ludzkiej obecności. Jakiś mężczyzna, chyba strażnik, wystawił głowę przez ażurową furtkę. Hjelm schował szybko głowę za narożnik.

– Są tutaj. To nie przywidzenie.

Najdziwniejsze było to, że gdy minutę później znów wyjrzał, natknął się na dokładnie ten sam widok. Znowu cofnął szybko głowę.

– Lornetka – powiedział i Söderstedt wcisnął mu skradziony przedmiot do ręki.

Hjelm odetchnął głęboko i wyjrzał za róg. Gdy zobaczył dokładnie to samo, co przed chwilą, przyłożył lornetkę do oczu. Opuścił ją i powiedział:

– Musimy tam iść. Bouhaddi i Balodis – za mną. Reszta zostaje tutaj.

Trójka oddzieliła się od reszty i ruszyła z uniesioną bronią w kierunku furtki. Szli blisko muru, rozglądając się, czy nie widać gdzieś kamer. W końcu stanęli pięć metrów od furtki. Strażnik ciągle trzymał twarz między prętami bramy. Dało się teraz dostrzec, że miał jasną skórę, był potężny i ubrany w khaki. I jeszcze coś.

Nie ruszał się z miejsca.

Byli tak blisko, że dokładnie widzieli ciało strażnika przez metalowe sztachety. Wisiał bezwładnie na bramie. Gdyby nie to, że tkwił tak już od kilku minut, wyglądałoby to jak zwykła, niedbała pozycja stojąca. W obstawie Balodis i Bouhaddi Hjelm przysunął się do furtki. Jeśli były tu kamery – a na pewno były – cała trójka już dawno została zauważona. Podjęli jednak świadome ryzyko. Coś było naprawdę nie tak.

Paul Hjelm stał teraz oko w oko ze strażnikiem. W jego oczach nie było jednak spojrzenia. Gdy przyjrzał mu się dokładniej, zobaczył, że w postawie strażnika nie było śladu ospałości, tylko panika. Znieruchomiały strach, jakby próbował uciec i przywarł do kraty, przy której przeżył swoje ostatnie straszliwe sekundy życia.

Gdy Hjelm dotknął ręką szyi strażnika, poczuł puls, choć bardzo słaby, a cała furtka razem ze strażnikiem uchyliła się do środka. Zajrzał do ogrodu za murem. Zza co najmniej dwóch krzewów wystawały czyjeś nogi. Wojskowe buty. Jakby ktoś zaciągnął tam ciała, żeby nie były widoczne z drogi.

Doskoczył do muru przy bramie i przywarł do niego mocno. Balodis i Bouhaddi zrobiły to samo. Wyjrzał za róg i zobaczył twarz Jutty Beyer. Pokazał jej na migi, żeby przyszła. Tuż za nią szedł Söderstedt, Kowalewski, Volkova. Hjelm zamachał na Verę i powiedział szeptem do grupy:

– Tam leżą żołnierze, są nieprzytomni. Furtka jest otwarta.

– Musimy wejść – wyszeptała Balodis.

– Niestety masz chyba rację – powiedział Hjelm. – Idę ostatni z Verą. Wy dwie idźcie przodem, Laima?

Balodis i Bouhaddi wymieniły się szybko spojrzeniami i przytaknęły. Minęły róg i weszły za mur. Tuż za nimi szli Beyer, Kowalewski i Söderstedt z bronią w lewej ręce. Hjelm objął Verę Volkovą i ruszył za nimi.

Szli powoli przez ogród w kierunku głównego budynku, jakieś sto metrów w stronę skarpy. Co jakiś czas mijali leżących ochroniarzy, ukrytych pod krzewami, nieprzytomnych. Poza tym żadnego ruchu, żadnego samochodu na drodze. Absolutna cisza. Flauta. Blade popołudniowe słońce, niemal wieczorne. I ten nietknięty świat.

Mieli wrażenie, że przemieszczają się przez szczątki cywilizacji po ostatecznej katastrofie. Ciała ostatnich niedobitków powoli stygły w opuszczonym wszechświecie. Bezruch był odurzający.

Aż usłyszeli ciche kliknięcie.

Paul Hjelm zrozumiał, co się dzieje, gdy zobaczył dłonie Balodis unoszące się w stronę gardła. Ujrzał zastygłą twarz Beyer i jej szeroko otwarte oczy. Bouhaddi opadła na kolana obok Balodis.

Gdy Söderstedt również padł nieprzytomny trzy metry przed nim, Hjelm poczuł, jak elektryczne sygnały przebiegają między synapsami w jego mózgu. Zobaczył przerażoną twarz ochroniarza wiszącego na furtce, pomyślał: „W", pomyślał: „multitrucizna", nieoczekiwanie termin *jet injectors* wdarł się w nurt szybkiego jak strzała ciągu skojarzeń. A gdy poczuł, jak wiotczeją mięśnie w lewym ramieniu Very Volkovej, prawą ręką sięgnął do kieszeni na piersi. Rozerwał zębami opakowanie i w tej samej chwili poczuł suchy ból przeciskający się wzdłuż gardła. Wbił iniektor z antidotum w ramię Volkovej i niemal nieprzytomny wbił drugi przez własną kurtkę. Ból w gardle ustąpił. Członki Very Volkovej ożyły. Odkaszlnęła. Odkaszlnęła z samej głębi płuc.

Hjelm widział wielkie ciało Kowalewskiego, które zatrzymało się w pozycji siedzącej, z jednym kolanem opartym na żwirowej ścieżce. Kowalewski podniósł wzrok na swojego szefa ze śmiertelnym przerażeniem w oczach. Hjelm nie wiedział, co powiedzieć. W końcu wydusił z siebie:

– To nie jest śmiertelne, Marek.

Kowalewski upadł na bok, wszystko znieruchomiało. Leżeli jak w grupie rzeźbiarskiej, przedstawienie okropności wojny Callota albo Goi. Balodis i Bouhaddi leżały splątane ze sobą, Beyer upadła na Söderstedta, a zesztywniałe ciało Kowalewskiego zastygło w skuleniu.

Ale Vera Volkova się podniosła. Oczy miała szeroko otwarte, a jej oddech świszczał. Hjelm przymknął oczy, czuł, jak ustępuje paraliżujący ból. Jeszcze nigdy życie nie wydawało mu się aż tak kruche. Zsunął rękę z ramienia Volkovej i spojrzał na swoje ręce. Czuł, jak siła jego woli rozlewa się po ramionach, miał nadzieję, że drobne mięśnie rąk są w stanie precyzyjnie kierować palcami. Wziął głęboki oddech i spojrzał na Volkovą.

– Wszystko okej?

– Tak.

– Potrafisz posługiwać się bronią?

– Tak.

Schylił się i podniósł pistolet Jutty Beyer. Volkova wzięła go do ręki i odbezpieczyła z zaskakującą wprawą. Hjelm wyjął swój pistolet z kabury. Poszli w stronę luksusowej willi.

Nic więcej się nie wydarzyło. Bezruch nadal był odurzający, czy jednak nie zmieszał się ze stygnącym wieczornym powietrzem? Gdy dotarli do werandy, Paul Hjelm poczuł na policzku bryzę. Drzwi zewnętrzne były zamknięte. Hjelm stanął przed nimi, Volkova za nim. Zbliżył rękę do klamki i powoli nacisnął. Zaskoczyła go precyzja własnej dłoni. Niezwykła precyzja życia.

Drzwi były otwarte. W całkowitej ciszy pozwolił, by się odchyliły. Pokazał Volkovej na migi, żeby się zatrzymała, przytaknęła. Wszedł do środka z uniesionym pistoletem.

Wewnątrz luksusowej willi panował szczególny cienisty półmrok. Zatrzymał się w przestronnym holu z licznymi drzwiami prowadzącymi w różnych kierunkach. Nasłuchiwał. Tak, słychać było głosy. Urywki rozmowy po angielsku. Tylko za którymi drzwiami?

Poruszył się w najbardziej prawdopodobnym kierunku. Udawało mu się iść zupełnie bezgłośnie.

Dwoje drzwi, nie potrafił zdecydować które. Były tuż obok siebie. Wyostrzył słuch do granic możliwości. Panowała cisza. Czy mimo to go słyszeli? Czy przygotowywali się właśnie do ataku? Czy huk broni automatycznej miał być ostatnią rzeczą, którą Paul Hjelm usłyszy w życiu? Co niby miałby wynieść z tego ostatniego doświadczenia?

A może nie. Kolejne fragmenty rozmowy, niewyraźne słowa. Dwóch mężczyzn, co najmniej dwóch mężczyzn. I cichy kobiecy szloch. Sądząc po sile głosu, niezbyt głęboko w pokoju, ale też nie bezpośrednio przy samych drzwiach. Drzwi otwierały się do środka. Jeśli je wyważy, powinien móc wymierzyć broń w mówiącego w ciągu ułamka sekundy. Pytanie tylko, czy to wystarczy.

Jeśli „W" udało się przedostać, to teraz groził Massicottemu i jego żonie, ale nie miał ze sobą broni automatycznej; to nie było w jego stylu. Jeśli jednak głosy należały do Christophera Jamesa Huntingtona i jego najbliższego człowieka, który przygotował ostatnią linię obrony, prawdopodobnie mieli karabiny gotowe do strzału przy piersiach. Gdy przycisnął ucho do drzwi, jeden z głosów zabrzmiał głośniej, lecz z wyraźnym drżeniem:

– *Oczywiście*, że da się zrobić operację plastyczną małemu dziecku.

Wtedy Paul Hjelm podjął decyzję. Wyważył drzwi z pistoletem gotowym do strzału.

Na kanapie siedziały obok siebie trzy osoby – dwóch mężczyzn i jedna kobieta – i o żadnym z tej trójki nie można było powiedzieć, że jest jeszcze młode. Obok nich stał elegancki, ciemnowłosy mężczyzna około trzydziestki z pistoletem w ręku, który z imponującą szybkością wymierzył w kierunku Hjelma.

„W" wyglądał jednak na lekko zbitego z tropu.

– Policja – powiedział Hjelm. – Rzuć broń.

– Ani myślę – powiedział „W" z niemal arystokratycznym brytyjskim akcentem.

Klincz. Broń wymierzona w broń. Wyścig zbrojeń.

– To ty odłóż broń – powiedział „W". – No już!

Hjelm poczuł, jak jego pistolet zadrżał. Skierował go w bok i położył na podłodze.

– Wybornie, inspektorze – powiedział „W". – Nie mam najmniejszej ochoty cię zabijać. I nie wiem, jak udało ci się przedostać przez trującą zasłonę. Obejmuje cały teren. Miło jest jednak czasem spotkać dla odmiany równego przeciwnika.

– Antidotum – powiedział Hjelm, bo nic lepszego nie przyszło mu do głowy. – Jest już odtrutka na protobiamid.

– No proszę – powiedział „W". – Ale koledzy leżą? Nie martw się, obudzą się za dwadzieścia minut z lekkim bólem głowy. Najemnicy natomiast będą spać jeszcze przez godzinę. Udoskonaliłem protobiamid na tyle, że teraz wszystko zależy od wielkości dawki.

– Chciałeś, żebyśmy ich zatrzymali? To dlatego nas tu zwabiłeś?

– Mam wrażenie, że ta twoja organizacja nie działa do końca legalnie. Przerwałeś jednak pewną opowieść, inspektorze. Siedzący tutaj Udo miał właśnie zamiar przywołać jedną historię, którą opowiedział pewnemu młodemu człowiekowi w Paryżu piętnaście lat temu, niszcząc mu w ten sposób życie. Czyli zrobiłeś operację plastyczną dziecku, ty sukinsynu. Ile miałem wtedy lat?

Siedzące na kanapie trzy postacie stanowiły osobliwy widok. Wszyscy byli mu dobrze znani, choć wyglądali inaczej niż na zdjęciach ze śledztwa; Udo Massicotte był bez wątpienia sprawnym chirurgiem plastycznym. Mężczyzny na prawo Hjelm nie widział na zdjęciu od ponad roku i gdyby wpadł na niego na mieście, raczej by go nie poznał. Jednak w tych okolicznościach nie było wątpliwości, że ma przed sobą dyrektora Colina B. Barnwortha z banku inwestycyjnego Antebellum Invest Inc. Równie jasne było, że kobietą po licznych operacjach plastycznych była Mirella Massicotte, tak zwana wdowa. Najmniej jednak do siebie podobny był mężczyzna siedzący pośrodku, ponieważ jednak odpowiedział na pytanie zadane przez „W", nie było wątpliwości, że to Udo Massicotte. Wydawał się kompletnie zdruzgotany, kiedy mówił:

– Podczas pierwszej operacji miałeś nieco ponad dwa lata, Watkin. Potem twoja świadomość byłaby już na tyle dojrzała, że mógłbyś coś zapamiętać, a na to nie mogliśmy sobie pozwolić. Przyszedł czas, żeby cię wypuścić.

– A więc hodowaliście mnie i eksperymentowaliście na mnie przez dwa lata?

– Trzy – poprawił go Massicotte.

– Trzy?

– Wcześniej jeszcze przez dziewięć miesięcy w brzuchu twojej matki surogatki, Watkin. W tamtych czasach musieliśmy użyć prawdziwej macicy. Dziś jest już łatwiej. Musisz zdawać sobie sprawę, jak imponująca była to kadra genetyków. Dworzak, naturalnie, maestro, ale również młodzi geniusze, Vacek, van der Sanden, Dahlberg, Hays. Nie wspominając już o neurobiologach i neurochirurgach, sami pionierzy, Aldrich, Flores-Domingo, choć może przede wszystkim Hamilton III. Co za mózg był z tego arystokraty. Bardzo nieładnie go potraktowałeś, Watkin.

– Rozumiem, że to Hamilton przeprowadził ostatnią operację na mózgu – powiedział „W". – Tę, która w największym stopniu zmieniła moją osobowość.

– Mimo wszystko trochę zbyt długo czekaliśmy – powiedział Massicotte. – Andrew musiał odciąć niektóre synapsy, żeby zlikwidować wszystkie twoje wspomnienia z laboratorium.

– Z laboratorium sekcji na Caprai? – zapytał Paul Hjelm.

„W" obrócił się do niego. Jego oczy się zwęziły.

– Czyli wiesz? – zapytał.

– To było śmiałe posunięcie, zagrać niemieckiego wędrowca – powiedział Hjelm. – Winfried Baumbach z Wolfsburga. Litera „W" nawet w nazwie miasta.

– Tylko ten jeden raz wydarzyło się coś nieoczekiwanego – powiedział „W". – Roman Vacek nie był sam. Ktoś tam był i go zasztyletował. Musiałem się dowiedzieć, o co chodzi. Najlepszym rozwiązaniem było udać, że sam znalazłem ciało. Wciąż jednak nie wiem, kto to był.

– Ale rzeczywiście *byłeś* wędrowcem – powiedział Hjelm. – Byłeś już od kilku dni na Caprai. W dziczy. Pachniałeś ziemią i potem. Ciekawe, co tam robiłeś.

– Jeszcze do tego wrócimy – powiedział „W" chłodno. – Wiesz, dlaczego jestem taki zafiksowany na literze W?

– Nie – powiedział Paul Hjelm. – Na początku był Watkin Berner-Marenzi. Potem Waltier Petit po zabójstwie twojej matki, William Bernard po tym, jak dorobiłeś się fortuny na grach online, Walter Thomas, gdy zostałeś asystentem tego człowieka w Twin Towers, Barnwortha – żeby można go było namierzyć, przedstawiłeś się jako Walter Thomas, gdy wynajmowałeś taksówkę wodną od kapitana Rouziera. Na temat dalszych twoich losów nie wiemy już zbyt wiele, aż do momentu, gdy zostałeś Wall-em w Sztokholmie i Winfriedem Baumbachem na Caprai.

– Na początku nie był Watkin Berner-Marenzi – powiedział „W", uśmiechając się z uznaniem. – Na początku był „W". Prototyp W, prawda, Udo? Nie panowaliście jeszcze nad gametami i w zasadzie wszystkie poprzednie próby, od A do przynajmniej T, zakończyły się poronieniem. Płody były uszkodzone. Ile nieudanych eksperymentów to daje, Udo? Dwadzieścia? Ile ludzkiego cierpienia? Za dwudziestym trzecim razem się udało. Zdrowy płód. To było elementem planu, że zabiję swoją matkę, prawda? Trochę jak Orestes.

– Nie dlatego cię odnalazłem – powiedział Massicotte. – Musieliśmy zabezpieczyć niektóre wyniki badań. Nasz genialny chemik, szaleniec Pierre Rigaudeau, puścił cię luzem. Miałem nadzieję, że uda mi się włączyć cię z powrotem do projektu.

– Ale za dużo mu powiedziałeś – powiedział Paul Hjelm. – Lepiej było skorzystać z pomocy psychologa.

Udo Massicotte się roześmiał i powiedział:

– Nie ma psychologów, którzy zajmowaliby się tego rodzaju mózgiem.

„W" wykrzywił twarz w grymasie klauna i pokazał na swoją głowę. Następnie obrócił się z powrotem do Massicottego i powiedział:

– Miałeś nadzieję włączyć mnie znów do projektu? Nie było, kurwa, żadnego projektu, był tylko pomysł na biznes. I ten biznes kręci się na Caprai bardzo intensywnie. Właśnie teraz wyniki badań są zamieniane na gotówkę, na wielką kasę. Ale o tym pewnie wiecie, czyż nie, szwedzki policjancie? Prawda, że jesteś Szwedem? Przyjechałeś tu za mną dzięki komórce, którą dałem na przechowanie tamtemu ćpunowi. Mam nadzieję, że nie wrzuciliście go do zatoki, sprytny, ale i okrutny szwedzki policjancie?

– Odpowiadając na twoje właściwe pytanie – powiedział Hjelm – tak, wiemy o tym.

– I co szwedzka policja ma zamiar z tym zrobić?

– Kiedy już tu skończymy, pojedziemy prosto na Capraię.

„W" się roześmiał.

– A tak, powodzenia. Czyli jesteś szwedzkim policjantem?

– Zauważyłem, że się powtarzasz. Tak, jestem Szwedem. I jestem policjantem.

– Ale czy jesteś *szwedzkim policjantem*?

– Zabójstwo Larsa-Erika Dahlberga było wyjątkowo subtelne – powiedział Hjelm. – Zaangażowaliśmy poważne środki, żeby to uporządkować. Ale do tej pory nie ustaliliśmy, pomijając twoje zręczne wykorzystanie ludzi z otoczenia Johnny'ego Råglinda i Taisira Karira, jak na nich wpadłeś. Dlaczego zabiłeś Isliego Vrapiego?

– Ach – powiedział „W" i skinął głową. – Bardzo ładnie. Niezła strategia.

– To była wiadomość dla Asterionu? Oszukałeś mnie poprzednio. Bardzo dobrze wiesz, jaka organizacja cię ściga. Dopilnowałeś, żeby Christopher James Huntington znalazł się wśród chłopców, którzy leżą tam w krzakach? Żeby nie czaił się gdzieś z karabinem wyborowym?

– Fantastycznie się z tobą rozmawia – powiedział „W". – A ja właśnie skreśliłem wszystkich policjantów za to, że tak ciężko myślą. Łącznie z FBI, które nawet nie jest w stanie znaleźć tego idioty. – „W" wskazał ręką siedzącego na kanapie Colina B. Barnwortha.

– Cóż, jak widać niewiele mówi – powiedział Paul Hjelm.

– Wciąż odczuwa niepokój na myśl o tym urlopie na Bahamach we wrześniu dwa tysiące pierwszego – powiedział „W". – To najważniejszy moment jego życia, jeśli nie liczyć wszystkich przekrętów finansowych, których się dopuścił.

– Te wakacje uratowały życie również tobie – powiedział Hjelm. – Miałeś urlop, kiedy zawaliły się Twin Towers.

– To prawda – powiedział „W". – Parafrazując jednak to, co powiedziałeś: odpowiem na twoje właściwe pytanie. Likwidacja Isliego Vrapiego była więcej niż wiadomością. Po jego śmierci Asterion miał duże problemy z dostawami broni. Teraz już musisz odpowiedzieć na *moje* właściwe pytanie.

– Nie wiem tylko, które to było.

– Wiesz, wiesz, wybrałeś sobie ładną strategię, żeby się wywinąć, ale to nie wystarczy. Jesteś *szwedzkim policjantem*?

– Dwadzieścia minut, powiedziałeś. Moi koledzy powinni się już chyba za chwilę wybudzić, prawda?

– Masz nadzieję, że uda ci się mnie przetrzymać. Przyznaję, potrzebuję rozmowy. Mam wiele ludzkich potrzeb, których nigdy nie mogłem zaspokoić. Próbowałem *stać się człowiekiem*. Zrozumieć, co to znaczy być szczęśliwym, zakochać się, rozmawiać z przyjaciółmi i być smutnym. Naprawdę *mam* taką potrzebę, dobrze myślisz. Ale mnie oszukać ci się nie uda. Spytam więc raz jeszcze, jesteś *szwedzkim policjantem*?

Paul Hjelm przyglądał się „W". Nie było sensu tego dłużej ciągnąć.

– Nie – powiedział. – Pracuję w jednostce europejskiej. Prowadziłem międzynarodowe dochodzenie w sprawie twojej serii zabójstw. Nazywam się Hjelm. Paul Hjelm.

– Doskonale – powiedział „W". – Przynajmniej wiem, że się nie okłamujemy. Tak się składa, że widziałem, jak wysiadasz z helikopteru na Caprai. Przyznam, że zrobiły na mnie wrażenie twoje próby uczynienia z siebie bardziej prowincjonalnego policjanta, niż nim jesteś w rzeczywistości. Chylę czoła.

– Zapomniałeś jednak o pytaniu – powiedział Hjelm. – Huntington.

– Nie ma go tutaj – powiedział „W" z nonszalancją. – Wydobyłem od któregoś z jego pajaców, że jest w Paryżu. Być może dał się nabrać na zostawiony przez kogoś sprytnie fałszywy trop, czy ja wiem?

Paul Hjelm poczuł, że się uśmiecha. Choć nie powinien tego robić.

– Czego chcecie od Watkina, Udo? – zapytał ze wzrokiem utkwionym w Massicottego. – Dlaczego jest taki ważny dla firmy?

Udo Massicotte wyciągnął rękę do żony. Ujęła ją. Ściskał ją przez chwilę, patrząc jej w oczy. Potem obrócił się do Barnwortha, który siedział sztywny jak kołek, a potem znów do Hjelma.

– On daje nam wgląd w przyszłość – powiedział. – Ile aspektów genetycznych, neurologicznych, anatomicznych, chemicznych, chirurgicznych jesteśmy w stanie kontrolować? To, co nazywamy życiem, wciąż jest tajemnicą.

– Czyli firma zajmuje się tym samym, czym kiedyś sekcja? – zapytał Hjelm. – Tyle że komercyjnie?

Massicotte milczał. Barnworth milczał jeszcze bardziej. Pierwszy odezwał się „W":

– Tak jest. Jeszcze przez jakieś trzy godziny.

– Co masz na myśli?

– Pogadaliśmy już sobie – powiedział „W" i wyjął etui z wewnętrznej kieszeni swojej luźnej kurtki. Z etui wyciągnął końską strzykawkę, ani na chwilę nie obniżając przy tym pistoletu, z którego mierzył w pierś Paula Hjelma. Na końcu igły zebrała się kropla przezroczystego płynu. „W" spojrzał na nią i uśmiechnął się.

– Gorące krzesła – powiedział i przyłożył strzykawkę do ramienia Massicottego.

W tej samej chwili usłyszeli charakterystyczny dźwięk, niezbyt daleko. Helikopter schodzący do lądowania. Francuskie siły szybkiego reagowania najwyraźniej przestały dłubać w nosie.

„W" zastygł i spojrzał na Hjelma, który korzystając z okazji, powiedział:

– Mówisz, że próbowałeś stać się człowiekiem. Pewnie to było w czasie twojego pobytu w USA, w ciągu tych lat, o których nic nie wiemy. Okresu, kiedy zniknąłeś. Nie szukałeś członków sekcji. Przecież znalazłeś ją już wtedy, gdy pracowałeś u Barnwortha. Potem minęły cztery lata, zanim wyjechałeś do Paryża, żeby wymazać swoją przeszłość, zamordować „Wielbłąda" i zacząć eliminować członków sekcji.

– Nie zamordowałem Jacques'a – powiedział „W" ponuro.

– Bo nigdy nie zabiłeś nikogo, kto jest niewinny, prawda?

– Niestety to nie do końca prawda. Moja mama była niewinna.

– Miałeś piętnaście lat – powiedział Hjelm. – Nie wiedziałeś, jak silny jest protobiamid. Jeśli nie zamordowałeś Jacques'a Rigaudeau, co w takim razie z nim zrobiłeś?

– Został hipisem na jakiejś polinezyjskiej wyspie. Do czego zmierzasz?

– Zamordowałeś swojego ojca i siostrę? Pamiętasz, ta cysterna w Moskwie?

– Nie. To był straszny zbieg okoliczności. Rosyjskie drogi są niebezpieczne.

– Nie jesteś maszyną do zabijania – powiedział Hjelm. – Nie jesteś żadnym ślepym psychopatą. Nie udało im się do tego doprowadzić. *Masz* uczucia. Przez cztery lata w USA próbowałeś stać się człowiekiem. Z jakiegoś powodu to się nie udało. Wtedy podjąłeś chorą decyzję, żeby zabrać się za sekcję.

– Chciała mieć dzieci – powiedział „W" i opuścił strzykawkę. – A ja nie mogłem mieć dzieci.

– Kto? – zapytał Hjelm.

– Vera – powiedział „W" i teraz opuścił również pistolet.

Paul Hjelm zamknął oczy. Synapsy w jego mózgu zaświeciły. Nagle poczuł coś zimnego na skroni i spojrzał prosto w lufę pistoletu Very Volkovej.

– Dzięki za odtrutkę, Paul. Miałam co prawda swój własny iniektor w kieszeni, ale uratowała wiele ludzkich istnień. Bo *nikt* tutaj nie zginie.

„W" wpatrywał się w Verę. Jego oczy się ożywiły. Wypełniła je... tak, właśnie, miłość.

– Vera – powiedział tylko.

– Nie musimy mieć dzieci, Watkin. Ale musimy stąd jak najszybciej uciekać. Za chwilę ci na zewnątrz się obudzą.

„W" wciąż stał ze strzykawką w dłoni. Vera popchnęła Hjelma przed siebie i posadziła go na kanapie. Następnie wyjęła strzykawkę z rąk swojego przyrodniego brata. Położyła ją na stole przed Massicottem i Barnworthem.

– Można *przerwać* koło – powiedziała. – Zabawa się skończyła. – Mierząc wciąż w kanapę, pociągnęła „W" do wyjścia. W drzwiach zapytała go: – Została ci jeszcze jedna?

„W" przytaknął i wyjął niewielką ampułkę z kieszeni kurtki. Podał jej. Spojrzała na nią i pokręciła głową z lekkim uśmiechem.

– Ty i te twoje chemiczne eksperymenty.

Obróciła się w stronę czterech osób siedzących na kanapie.

– Dwadzieścia minut snu, Hjelm. Dziękuję za pomoc.

Następnie ścisnęła ampułkę i rzuciła ją w stronę kanapy. Gdy Paul Hjelm poczuł paraliżujący ból przedzierający się przez gardło, ku swojemu zdziwieniu stwierdził, że się uśmiecha.

Fabryka

Morsiglia – Capraia, 1 czerwca

ZZA ZASŁONY dziwnej *żółtej* mgły powoli wyłoniła się twarz. Była biała, znajdowała się niezwykle blisko i zdecydowanie za bardzo przypominała twarz anioła. Archanioła. Chyba właśnie to połączenie było najbardziej przerażające.

Anioł o twarzy Arto Söderstedta.

– Paul? – przemówił anioł.

– „W"? – wycharczał Paul Hjelm. – Vera?

– Podobno odlecieli helikopterem – powiedział anioł, który coraz bardziej *stawał się* Arto Söderstedtem.

Hjelm się rozejrzał. Pokój dzienny, kanapa. Na kanapie spało troje staruszków po licznych operacjach plastycznych. Nasiliło się w nim uczucie absolutnej nierealności. Na stoliku leżała nietknięta końska strzykawka.

Czuł, jak pali go w płucach, a głowę rozsadza potworny ból.

– Podobno? – wydusił wreszcie.

– *Podobno* odlecieli helikopterem, tak – powiedział Söderstedt. – Marek obudził się, gdy do niego wskakiwali. Tu, na dole, przy plaży. Ukryte lądowisko. Marek jest pewien, że to byli „W" i Vera, ale nie wie, w którą stronę odlecieli. Znów stracił przytomność.

– Nie widzę zespołu – powiedział Hjelm, wciąż oszołomiony. – Wszyscy dobrze się czują?

– Wszyscy czują się dobrze, ale są zajęci – powiedział Söderstedt. – Zabezpieczyliśmy wystarczająco dużo liny, żeby związać wszystkich najemników leżących w ogrodzie. Teraz właśnie ich wiążą w najlepsze. A Sifakis melduje z Hagi, że francuskie siły szybkiego reagowania są już w drodze. Wystarczy, jeśli te półgłówki wytrzymają kilka minut. Angelos aktywował też wszystkie możliwe radary w okolicy, na razie żaden chyba nie namierzył helikoptera. Mógł odlecieć dokądkolwiek. Czy to naprawdę byli oni? „W" i Vera?

– Obawiam się, że tak – powiedział Hjelm i wstał akurat w chwili, gdy Colin B. Barnworth zaczął się lekko wiercić na kanapie.

– Wyglądają jak trzy animowane wersje jednej osoby – powiedział Söderstedt i pokazał na Barnwortha i małżonków Massicotte. – Czeka nas dłuższa pogawędka. Ale teraz powiedz coś o „W". Co się stało?

– Długa historia – powiedział Paul Hjelm, prostując szyję. – Vera i „W" mieszkali razem w USA. On próbował stać się człowiekiem. Nie udało się. Rozstali się. Teraz znów próbują.

– Tak myślałem – powiedział Söderstedt.

– Nieprawda – powiedział Hjelm.

– Owszem, kiedy Marek powiedział o helikopterze. Wcześniej nie. Nie przyszło mi do głowy, że Vera mogłaby nas oszukać.

– Czekaj, czekaj! – krzyknął Hjelm. – Powiedział coś ważnego.

– Spróbuj sobie przypomnieć – powiedział Söderstedt.

– „Jeszcze przez trzy godziny" – powiedział Hjelm. – Spojrzałem wtedy na zegarek. Było za dziesięć piąta. Która jest teraz?

– Dwadzieścia pięć po piątej – powiedział Söderstedt, zerkając na przegub swojej ręki.

– Musiało chodzić o ósmą. Punkt ósmą.

– Musisz spróbować komunikować się z otoczeniem – powiedział Söderstedt. – W końcu jesteś szefem. Jakie znów „jeszcze przez trzy godziny"?

– Na Caprai działa komercyjne przedsiębiorstwo – jeszcze przez trzy godziny. Tak powiedział „W". Teraz zostało dwie i pół. Potrzebujemy helikoptera.

– Francuzi już prawie stoją w drzwiach – powiedział Söderstedt. – Co próbujesz powiedzieć?

– „W" wałęsał się po Caprai przez kilka dni, zanim zamordował Romana Vacka. Przez ten czas pewnie zainstalował w laboratorium bombę z opóźnionym zapłonem. Tak właśnie musiało być.

– Niech to szlag. Co może być w tym laboratorium?

– Wiesz, czym oni się zajmują. Nigdy nie mówiliśmy o tym głośno, ale wiemy, o co w tym chodzi. Produkują to, o czym wszyscy ciągle marzą. Im słabsze jest społeczeństwo, tym silniejsze staje się to marzenie. A nasze społeczeństwo jest teraz bardzo słabe.

– Chcesz powiedzieć, że ta firma produkuje...?

– Tak – powiedział Hjelm. – Silnych samców alfa. Panuje ogólny konsensus, że świat potrzebuje psychopatów.

– Za to my potrzebujemy helikoptera – powiedział Arto Söderstedt.

– Przecież już mówiłem – stwierdził Paul Hjelm.

Wyszli. Przez pierwszych kilka metrów Söderstedt podtrzymywał szefa, potem Hjelm szedł już sam.

Zmierzch jeszcze nie zapadł, ale ciemność zaczynała być wyczuwalna. Balodis i Kowalewski ułożyli najemników na ziemi, w równym rządku, z zawiązanymi porządnie rękoma i nogami. Chyba tylko zamachali do swojego szefa.

Spojrzał na niebo, na którym zniknął „W". Lepsze to, niż gdyby zginął. Ta myśl go zaskoczyła, jednak lepiej było, że „W" żył, niż żeby miał umrzeć. Bo chyba właśnie tak to sobie zaplanował: najpierw zabić tych troje na kanapie, a potem wymierzyć broń w siebie? Żeby już nigdy nie móc się stać obiektem „badań". Vera go powstrzymała. Świadomie w to weszła i uratowała mu życie. Niezwykła kobieta.

Tylko skąd miała pieniądze na wynajęcie prywatnego helikoptera? Przecież była pracowniczką socjalną w Kaliningradzie, prawdziwym piekle na ziemi. Jakim cudem było ją stać na wynajęcie helikoptera na potrzeby nielegalnej działalności? To się nie zgadzało.

Jego myśli przerwał odgłos nadlatujących helikopterów. Dwie sztuki, wyższy model. Wylądowały imponująco blisko siebie na doskonale ukrytym lądowisku tuż nad wodą. Hjelm i Söderstedt ruszyli w ich kierunku. Przy furtce stały Beyer i Bouhaddi, próbując wyplątać strażnika z prętów furtki. Gdy Bouhaddi przycisnęła go trochę mocniej, jęknął. Puściły go i szybko związały mu ręce i nogi.

– Chcesz lecieć na Capraię? – zapytał Hjelm Bouhaddi obojętnym tonem. Policjantka spojrzała na niego z błyskiem w oku.

Hjelm i Söderstedt poszli dalej w stronę potężnych maszyn, których śmigła opadły, łagodnie się wyginając.

Chwilę później znów lecieli z maksymalną prędkością. Corine Bouhaddi jako ostatnia z kobiet wskoczyła do helikoptera. Powoli oddalali się od bliźniaczych pałaców Massicottego i Barnwortha, od Morsiglii, od Górnej Korsyki i od całej wyspy, aż jedynym, co widzieli, był nieskończony lazur Morza Śródziemnego. Po raz kolejny Paul Hjelm doświadczył uczucia podróżowania w czasie. To było bardzo dziwne.

Dokładnie w chwili, gdy na horyzoncie pojawiły się niewyraźne słupy dymu, przez warkot silnika przebił się nieznany dźwięk, słaby, lecz natarczywy. Laima Balodis przeszukała kieszenie i wyjęła niepozorny telefon komórkowy. Spojrzała na niego podejrzliwie i widać było, że dopiero po chwili go rozpoznała. Gdy podała go Paulowi Hjelmowi, również on zrozumiał. To za tym telefonem podążali znad Morza Bałtyckiego nad Morze Śródziemne, ze Sztokholmu do Nicei, i jeszcze trochę dalej. To z tej komórki wysłano SMS do bandziora Taisira Karira w Sztokholmie i ćpuna Armanda Jonqueta w zatoce w pobliżu Nicei, a dźwięk był odgłosem przychodzącej wiadomości.

Hjelm przeczytał SMS. Wiadomość była krótka. Brzmiała:

„Skłamałem co do czasu. Przepraszam. Nie miałem wyboru".

Podpis był jeszcze krótszy. Litera „W".

Oczy Paula Hjelma uniosły się znad ekranu w stronę niewyraźnych słupów dymu daleko przed nimi. Spojrzał na nie bardziej świadomie. To był dym, który unosił się nad wyrocznią delficką. To był dym, który widział Odyseusz nad pieczarą cyklopa. To był dym płonącej Biblioteki Aleksandryjskiej po najeździe Cezara.

To był dym z płonącej fabryki na Caprai.

Wyspa zdawała się przedłużeniem dymu. Surowe kontury Caprai rozdzierały powierzchnię morza. Dym unosił się nad zachodnim brzegiem wyspy, wyglądał jak cienkie sznurki wydobywające się z otworów w grocie i splatające się w jeden masywny słup dymu. Zanim helikopter zszedł do lądowania, skręcił na wschód, tak że przez krótką chwilę było widać ściany La Mortoli. Potem więzienie zniknęło, a pilot powoli opuścił maszynę ku stromym klifom zachodniego wybrzeża.

Wysiedli niedaleko zadziwiająco jednolitego słupa dymu, który powstawał z połączenia wielu małych smug dziesięć metrów nad ziemią. Podeszli tak blisko, jak tylko starczyło im odwagi. Patrzyli w dół na przyboje jakieś dwadzieścia metrów niżej. Niektóre z dymiących dziur znajdowały się nad samą wodą, inne trochę wyżej, lecz razem wszystkie smugi dymu znaczyły elementy systemu podziemnych przejść ukrytego, niewidocznego budynku. Wewnętrznej fabryki. Przedsiębiorstwa, które działało w tajemnicy od dziesiątków lat. I które teraz poszło z dymem, zniszczone, wymazane, tak jak niewidzialne były jego intencje, całe jego istnienie. Nic nie miało z niego zostać.

Nic.

Prowadzono tu zaawansowane eksperymenty, wysoko rozwiniętą działalność badawczą najpierw na rzecz armii, potem międzynarodową, w końcu prywatną, komercjalizującą wyniki. A teraz wszystko, co znajdowało się w środku, w tych podziemnych korytarzach i tajnych archiwach, wszystkie wyniki i produkty końcowe, zniknęło, zniszczone, zlikwidowane.

Arto Söderstedt stanął obok Paula Hjelma, przy samej krawędzi. Zaciągnął się lekko przesyconym dymem powietrzem i pokręcił głową.

– Nie – powiedział.

– Nie – zgodził się Hjelm.

– Dokumenty – powiedział Söderstedt. – Drewno. Plastik.

– Może jakieś chemikalia – powiedział Hjelm.

– Ale nie to – powiedział Söderstedt.

– Nie – powiedział Hjelm. – Nie zapach palonego ciała.

– W porządku – powiedział Söderstedt i ruszył w kierunku helikoptera.

6

Sztil

Reditus domum

Sztokholm – Haga, 2 czerwca

SZEDŁ CIEMNYMI KORYTARZAMI. Choć znajdował się na ósmym piętrze, a łagodne skandynawskie światło letniego poranka wlewało się przez każde okno, miał uczucie, jakby znalazł się w korytarzach piwnic, korytarzach więziennych. Było tu jak na wyspie If nieopodal Marsylii. Brakowało tylko przestronnej celi więziennej.

Nie do celi jednak przyszedł. Co prawda osoba, którą odwiedzał, była zupełnie sama i do tego wiele przeszła, ale czuła się coraz lepiej. Mimo wszystko.

Mimo noża wbitego w jej ciało, który został zatrzymany centymetr od serca.

Zatrzymany mimo wszystko.

Spała. Wężyki wystające z jej ciała sprawiały, że wydawała się krucha, delikatna. Jednak oczy, które otworzyły się, gdy usiadł na krześle dla gości, nie miały w sobie nic delikatnego. Były krystaliczne. Szaroniebieskie i krystaliczne.

Przyglądała mu się w milczeniu. On również patrzył na nią, nic nie mówiąc. Nagle poczuł się jak bandyta, który przyleciał tu prosto z toskańskich szkierów, tylko po to, by pochwalono go za to, jakim okazał się zdolnym chłopcem – lub rozgrzeszono za to, że jednak nie był aż tak zdolny. W helikopterze z Caprai wypił ogromne ilości szkockiej whisky, a potem nagle go naszło. Jakby to było, z jakiegoś powodu, absolutnie konieczne.

– Arto Söderstedt – odezwała się pierwsza.

Skinął głową i odpowiedział, utrzymując konwencję:
– Marina Ivanova.
Potem milczeli jeszcze przez chwilę. Wreszcie odezwała się Ivanova:
– Tą latarką mógł zamigać każdy. To nie musiałam być ja.
Söderstedt zmarszczył czoło i powiedział:
– Zaślepiło nas. Nie doceniliśmy Wiktora Larssona.
– Przyszedłeś tutaj, żeby przeprosić czy odebrać laur zwycięstwa?
Od razu trafiła w czuły punkt. Wiedział, że tak będzie.
– Chyba ani jedno, ani drugie, tak myślę. Choć to, co się myśli na swój temat, rzadko kiedy jest prawdziwe.
– Możliwe, że to podstawowy warunek rozwoju człowieka. Choć trochę skrzywiony obraz samego siebie.
– Też tak czuję.
– Różnica między nami jest taka, że nic z tego, co ja robię, nie opiera się na czuciu. Jak *sądzisz*, dlaczego tu jesteś, Arto? Żeby pooddychać tym samym powietrzem, co życie, które uratowałeś? Bo to święte powietrze?
– Możliwe, że podświadomie tego chcę. Świadomie jestem tu raczej z powodu *Hrabiego Monte Christo.*
– Książki czy osoby?
– Książki. *Nieświadoma struktura rewolucyjna w* Hrabim Monte Christo. Sporo ostatnio latałem, poczytałem więc trochę na temat powieści Dumasa. Nie znajduję żadnej nieświadomej struktury rewolucyjnej.
– I dlatego tu przyszedłeś?
– Oczywiście również po to, żeby zobaczyć, jak się czujesz.
– Podobno to, co zrobiłeś w tej celi na Långholmen, było fizycznie niemożliwe. Twoje ciało powinno być sparaliżowane. Wszyscy lekarze to powtarzają. Pewnie uważasz, że powinnam ci być wdzięczna.
– Powinnaś być wściekła.

– Chyba raczej jestem ci wdzięczna, zwłaszcza temu drugiemu, który przycisnął głowę do rany. Chavezowi. To było jeszcze bardziej widowiskowe. Ale on do mnie nie przyszedł.

– Jest dużo skromniejszy ode mnie.

Przez chwilę przyglądali się sobie. Pierwsza odezwała się Marina Ivanova:

– Uwielbiam książki, które niby mówią o jednym, a tak naprawdę – o czymś zupełnie innym. To, co zrobiliście na Långholmen, ty i Chavez, miało niewątpliwie nieświadomą strukturę rewolucyjną.

– Czy nie było jej również w twoim i „Czerwonego Diddego" radosnym tańcu na widok walących się wież Twin Towers?

– Nie – odpowiedziała Ivanova i pokręciła głową, aż wężyki zadrżały niepokojąco. – Tak nam się wydawało, ale przemoc jest zawsze reakcyjna, bezwartościowa. Edmund Dantès stosuje przemoc w *Hrabim Monte Christo.* Nie o to jednak w tym chodzi. Chodzi o aktywizm. O to, by przekroczyć swoje ograniczenia, przemóc to, co wydaje się prawem natury. Właśnie to robi Dantès. Zemsta jest wtórna, w tej kwestii Wiktor się pomylił. Dantès staje się za to swego rodzaju uosobieniem *absolutnej sprawiedliwości.* Coś takiego istnieje – instynktownie wszyscy to czujemy – to ten instynkt sprawił, że ty i Chavez zareagowaliście, tak jak zareagowaliście. Wszyscy czujemy, gdy coś się nie zgadza, a zwłaszcza czują to sami niesprawiedliwi. O tym była moja książka. O bezwarunkowym instynkcie nakazującym wyrównywać niesprawiedliwości. Mamy to w genach – tyle tylko, że żyjemy w czasach, gdy nie podąża się za wartościami konstytutywnymi dla człowieka. Jednak za każdym razem, kiedy się dorobimy albo oszukamy kogoś, sami na tym zyskując – a w naszych czasach właśnie tego się nas uczy – odzywa się w nas ten instynkt. Czas chciwości to tylko historyczny epizod, świat po nas wystawi naszym dziesięcioleciom surową ocenę...

– Przecież nie obchodzi cię ani przeszłość, ani przyszłość – powiedział Söderstedt. – Podobno pracujesz nad filozofią życia w teraźniejszości.

To był pierwszy i jedyny raz, gdy zobaczył uśmiech na twarzy Mariny Ivanovej.

– To jedyne, czego do dziś nie udało nam się na Zachodzie osiągnąć. To najtrudniejsze wyzwanie, jakiego się kiedykolwiek podjęłam. Książka jest niemal skończona. Będzie nosiła tytuł *Carpe diem*, po prostu. „Chwytaj dzień". Myślę, że teraz będzie mi ją dużo łatwiej skończyć. Mój dzień o mało co nie zakończył się nocą.

Gdy Marina Ivanova zamknęła oczy, Arto Söderstedt zrozumiał, że audiencja dobiegła końca. Podniósł się z krzesła i pogłaskał ją po policzku. Wyszedł. W progu po raz ostatni usłyszał jej głos.

– Gdy tylko dostanę pierwszy egzemplarz z drukarni, od razu ci go wyślę, Söderstedt.

Postanowił, że się nie odwróci.

W Sztokholmie miał sporo do zrobienia.

Było już od dawna ciemno, gdy włożył klucz do zamka drzwi wejściowych w Hadze. Tak cicho, jak tylko potrafił, odwiesił kurtkę i zajrzał do jedynego pokoju córki, jaki jeszcze mu pozostał. Mała Lina nie była już taka mała, ale spała wciąż tak samo jak wtedy, gdy miała cztery lata. Ta sama pozycja, tak samo wtulona w swoją starą maskotkę Allana, pluszaka nieznanego gatunku. Gdy zamknął drzwi i przeszedł w głąb mieszkania, poczuł, jak wypełnia go ciepło. Wszedł na palcach do sypialni i gdy zobaczył zarys ciała swojej żony Anji pod podwójną kołdrą, którą we śnie zawsze próbowała skopać, coś w jego wnętrzu zaczęło się składać. Łzy z całego ciała napłynęły mu do oczu z nieujarzmioną siłą.

Gdy zdejmował ubrania, Anja się poruszyła. Spod pomarszczonej kołdry dobiegł go głęboki głos:

– Udało się?

– Trudno powiedzieć. Chyba.

Był nagi. Skulił się w łóżku, tuż przy Anji, wzdrygnęła się i powiedziała:

– Ale jesteś zimny.

– Na dworze jest zimno – powiedział Arto Söderstedt i dodał: – *Reditus domum*.

– Do tego w środku nocy gadasz po łacinie i masz ochotę na seks – powiedziała, obracając się do niego.

– Czytasz w moich myślach – powiedział Arto.

– Co znaczy *reditus domum*?

– Powrót do domu. Wróciłem.

Endgame

Haga, 3 czerwca

W CZWARTEK trzeciego czerwca w Hadze eksplodowało lato. Ptaki wyśpiewywały trele, słońce mocno świeciło, powietrze było czyste i orzeźwiające, a niebo niewiarygodnie niebieskie, tak jak potrafi być tylko niebo nad morzem. Jutta Beyer przyjechała tu z Berlina, gdzie niebo świeci jedynie swoją nieobecnością, zadowolona pędziła swoim wspaniałym kalkhoffem, precyzyjnie nawigując między niereformowalnymi holenderskimi młodocianymi cyklistami.

Wszystko było tak bardzo inne. Nawet te ogromne ilości szkockiej whisky, które wypili w helikopterze w drodze powrotnej do Hagi, przestały już działać. Kac, który utrzymywał się przez ponad dobę, ustąpił miejsca światłu.

W zasadzie zaczęło się już, gdy helikopter wylądował na Caprai, gdzie dym unosił się z płonących podziemnych korytarzy i gdzie znajdowała się fabryka genetyczna Uda Massicottego. Dym zamienił się w radosną melodię, pieśń pochwalną dla życia. Fabryka przestała istnieć, „W" ją unicestwił. Pierwszy człowiek genetycznie zmodyfikowany na Caprai trzydzieści lat później zniszczył całe laboratorium. W tej myśli, której Beyer nie miała siły analizować, było coś napawającego nadzieją.

Zresztą nastroju Jutty Beyer chwilowo nie mogła zepsuć nawet najmroczniejsza myśl – myśl, że prawdopodobnie istniała cała masa ludzi zmodyfikowanych genetycznie, którzy prowadzili całkiem normalne życie. Możliwe, że najstarsi z nich zajmowali w tej chwili najwyższe stanowiska kierownicze, rozsiani po całym świecie, podczas gdy najmłodsi przechodzili ciężki trening. Wszyscy z empatią ograniczoną do minimum.

Absolutna potrzeba Jutty Beyer, żeby myśleć wyłącznie o sprawach radosnych, sprawiła, że niemal nie zauważyła, kiedy znalazła się w pomieszczeniach zajmowanych przez Opcop. Nie było w nich nikogo.

Nie tracąc animuszu, poszła w kierunku Katedry. Wydawało się, że upłynęło dużo czasu, odkąd ostatni raz siedzieli w dużej sali zebrań. Naturalnie wszyscy tam byli.

Cała jednostka Opcop.

– Świetnie – powiedział Paul Hjelm zza katedry. – Teraz jesteśmy już wszyscy.

Przez chwilę Jutta Beyer myślała, że w pierwszym rzędzie obok Laimy Balodis siedzi sikh. Upłynęło trochę zbyt wiele sekund, zanim rozpoznała tę postać. Podbiegła do niej i przytuliła ją w spontanicznym przypływie uczuć. Miriam Hershey wydawała się nieco zaskoczona pod swoim, niemal całkowicie ją zakrywającym, bandażem.

– Witaj w domu – powiedziała Jutta Beyer i zajęła miejsce obok Arto Söderstedta.

– Dziękuję – powiedziała Hershey. – Dziękuję, Jutta. Dziękuję wam wszystkim. Przez cały czas spędzony w MI5 ani razu nie byłam ranna. Tutaj jak na razie kończę każdą sprawę w opatrunkach. I w dodatku na koniec omija mnie najlepsze.

– Na szczęście czujesz się już lepiej – powiedział Hjelm.

– Na lekach przeciwbólowych, owszem – przyznała Hershey. – Nie da się ukryć, że pocisk odłupał mi kilka kawałków czaszki.

– Trochę ta cała sprawa kosztowała – odpowiedział. – Pokażę wam krótki film.

Na ekranie zwisającym nad jego głową wyświetlił się obraz, nieco rozmazana fotografia. Wokół stołu w ogrodzie siedziała grupa osób. Zdjęcie zrobiono z tak dużej odległości i było tak marnej jakości, że nie dało się rozpoznać żadnej twarzy. Widać jednak było tort na stole. A na torcie – zapalone świeczki.

– Dwadzieścia trzy świeczki – powiedział Hjelm i włączył film.

Kamera się zbliżyła. Nie było dźwięku, więc piosenka śpiewana na filmie zdawała się jeszcze bardziej dziwaczna. Nie ulegało bowiem wątpliwości, że obywatele najwyraźniej amerykańscy, siedzący w najwyraźniej amerykańskim ogrodzie, śpiewali *Happy birthday to you*. Mężczyzna, który na koniec wstał i nieco sztywno się ukłonił, był wyjątkowo eleganckim dwudziestotrzylatkiem. Gdy kamera zbliżyła się jeszcze bardziej, a on pochylił się do przodu, żeby zdmuchnąć świeczki, nagle podniósł wzrok i spojrzał w obiektyw. Jego oczy przepełniał głęboki smutek.

Hjelm zatrzymał obraz i powiedział:

– To jedna z jego prób stania się człowiekiem. Prawdopodobnie gdzieś w USA, prawdopodobnie w roku dwa tysiące drugim, nieco ponad trzy lata przed początkiem serii morderstw. W tle, ze wzrokiem skierowanym na „W", widzicie Verę. Nie wiemy gdzie, kiedy ani jak został nakręcony ten film, ale przynajmniej z zewnątrz wyglądają na dobrze zaadaptowanych Amerykanów, prawda?

– A potem Vera chciała mieć dzieci – odezwała się Corine Bouhaddi.

– Film został zabezpieczony w opuszczonym przez Verę mieszkaniu w Kaliningradzie – powiedział Hjelm. – Na jej rosyjskim koncie nie było żadnych większych oszczędności. Hipoteza brzmi następująco: dobrze zainwestowane pieniądze w momencie separacji częściowo trafiły do rąk Very, prawdopodobnie na konto w raju podatkowym, i to stamtąd pochodziły środki na helikopter. Musiała go zamówić z pokoju hotelowego, dokładnie w momencie, gdy dostaliśmy współrzędne Morsiglii i myśleliśmy, że tylko sobie siedzi i opala się na balkonie, sącząc szampana. Wciąż jeszcze nie udało nam się zidentyfikować helikoptera, nie wiem też, dokąd odlecieli „W" i Vera. Ale możemy być pewni, że oboje mają już nową tożsamość.

– Być może dołączyli do „Wielbłąda", Jacques'a Rigaudeau, na jakiejś małej polinezyjskiej wyspie – podsunął Marek Kowalewski.

– Najemnicy zatrzymani na Korsyce korzystają z przysługującego im prawa milczenia – mówił dalej Hjelm. – Christopher James Huntington trzyma krótko swoich ludzi. On sam niestety pojechał do Paryża, wskazanym przez nas tropem. Już po fakcie zrozumiał najwyraźniej, że trop był fałszywy, i wtedy się ulotnił. Żeby go złapać, potrzebowalibyśmy, niestety, zupełnie innych zasobów niż te, którymi dysponujemy. Nasi francuscy koledzy skoncentrowali się na rozsiewaniu fałszywych tropów, nie na ściganiu Huntingtona. Tak na marginesie, wykonali świetną robotę.

– To znaczy, że jest na wolności? – zapytała Laima Balodis.

– Przynajmniej na razie. Mamy jednak Massicottego i Barnwortha. Czeka nas wiele ciekawych przesłuchań. Nieoficjalnie rozmawiałem z nimi wczoraj wieczorem, zanim wyjechaliśmy. Są pod kontrolą policji w Nicei.

– Jaki tak naprawdę jest Massicotte? – zapytał Angelos Sifakis.

– Rozmowny, inteligentny, całkiem rozsądny. Kiedy zobaczył, co zamierza „W", zrozumiał, że musi chronić siebie i firmę. Nawiązał kontakt z Asterionem, a Huntington zaproponował to rozwiązanie z menelem po operacji plastycznej.

– Co powiedział na temat firmy? – zapytała Jutta Beyer. – Co się stało z tymi wszystkimi niemowlakami?

– Massicotte był głęboko wzburzony, gdy NATO zdecydowało się zlikwidować sekcję zaraz po upadku ZSRR.

Zrozumiał, jak wiele lat specjalistycznych badań na licznych polach medycyny pójdzie na marne, jeśli nic z tym nie zrobi. Poza tym była to bardzo dochodowa działalność. Wiele organizacji, a nawet państw, było gotowych zapłacić duże pieniądze za bezwzględnych przywódców wojskowych i gospodarczych, którym brakuje słynnego genu empatii. Ogólnie rzecz biorąc, ograniczano zdolność do odczuwania żalu i współczucia, talenty artystyczne i inne równie zbędne rzeczy. Nie do końca jest tak, że świat zmierza w stronę absolutnego humanizmu i międzyludzkiej zgody. To, co produkowano w fabryce, miało być zasobem na przyszłość, szansą Zachodu na zrównoważenie potęgi Chin. Ale co się stało z dziećmi i jak firma rozwiązała sprawę nagłego zamknięcia i opróżnienia fabryki, pozostaje do wyjaśnienia. Prowadzone są dokładne badania pozostałości spalonej fabryki na Caprai, dostaliśmy już kilka wstępnych wyników. Nie znaleziono tam żadnych szczątków ludzkich. Co oznacza, że pracownicy na wyspie prawdopodobnie po prostu znaleźli bombę „W" i opróżnili pomieszczenia. Co z kolei oznacza niestety, że fabrykę przeniesiono w inne miejsce. Skoro tak, Massicotte i Barnworth z pewnością wiedzą dokąd, a jeśli wiedzą, to z nich to wyciągniemy, co do tego nie mam wątpliwości. Najważniejsze, że podczas eksplozji nikt nie zginął. Na pewno wiemy tylko, że zarodki, które mogły już zostać wyhodowane w fabryce, czeka trudna do przewidzenia przyszłość. Całe szczęście jeszcze nie jesteśmy na tym etapie. Jak powiedział Massicotte, „to, co nazywamy życiem, wciąż jest tajemnicą".

– Geny czy środowisko? – powiedział Arto Söderstedt. – Klasyczne pytanie, na które, miejmy nadzieję, nigdy nie znajdziemy ostatecznej odpowiedzi. Czy ewentualne zarodki z Caprai skazane są na życie pozbawionych empatii psychopatów? Czy w wieku pięciu lat będą wyrywały nóżki muchom, niezależnie od tego, jak szczęśliwe będzie ich dzieciństwo? Czy tylko w twardych warunkach walki o przywództwo odnajdą swoje prawdziwe ja? Czy może jest tak, że środowisko, wychowanie, cóż – *miłość*, mogą przezwyciężyć efekty programowania genetycznego?

– A może przyszłość jest inna, a wolność od empatii jest prawdziwą wolnością? – powiedział Felipe Navarro. – I dopiero gdy sumienie przestanie nam ciążyć, staniemy się naprawdę ludźmi?

Paul Hjelm spoglądał na niego w milczeniu. Potem zebrał kartki i powiedział:

– W każdym razie możemy się spodziewać poważnych zawirowań, gdy te informacje ujrzą światło dzienne. Miejmy nadzieję, że uwaga mediów utrzyma się dłużej niż zwyczajowy tydzień.

– Czy nie będzie tak jak zwykle, że wszystko zostanie utajnione? – zapytała Miriam Hershey.

– Zostało utajnione w nocy – przytaknął Hjelm – ale dziś rano naszego czasu zdarzyło się coś ciekawego. Skontaktował się ze mną reporter z „New York Timesa", który otrzymał niecodzienną wiadomość prasową z anonimowego źródła, prowadzącą do rzecznika NATO, admirała Brenta Lloyda w Brukseli. Coś czuję, że naszego znajomego Brenta czekają ciężkie dni.

– „Wiadomość prasowa z anonimowego źródła"! – krzyknął Kowalewski.

– Tak twierdzi reporter – powiedział Hjelm. – Nic więcej nie chciał powiedzieć.

– Czy to znaczy, że istnienie Opcop również przestało być tajemnicą? – zapytała Beyer ze ściśniętym gardłem.

– Niekoniecznie – odpowiedział Hjelm.

– Chcesz powiedzieć, że „wiadomość prasową" wysłał „W"? – zapytała Hershey. – I że nic o nas nie powiedział?

– Jeśli *nikt z nas* tego nie zrobił – powiedział Hjelm i potoczył wzrokiem po audytorium.

W Katedrze zapadła cisza.

– Ale – powiedział Hjelm po chwili – zakładam, że to „W" i Vera wysłali informacje do prasy. A oni wiedzieli tylko, że jesteśmy „jakimś rodzajem europejskiej policji". Tak więc wydaje mi się, że jesteśmy bezpieczni.

– Ale wie o nas nasz przyjaciel Huntington – powiedział Navarro. – Oddawał się lekturze raportów szefa do kierownictwa. Tych tajnych przez poufne.

– Ujawnienie naszej jednostki nie leży w interesie Huntingtona – powiedział Hjelm. – Będzie raczej wolał zatrzymać to dla siebie i wykorzystać w odpowiednim momencie. Jestem przekonany, że nie usłyszeliśmy jeszcze ostatniego słowa Asterionu.

Zamilkł i po raz kolejny spojrzał na swoich ludzi. Wyglądali na zmęczonych, każde po kolei. Wziął głęboki oddech i powiedział:

– Udało nam się odnaleźć dwóch wcześniej nieznanych seryjnych morderców. Przez ostatni miesiąc wykonaliście doskonałą robotę. Zatrzymaliśmy Wiktora Larssona. „W" nam się wymknął i to jest oczywiście bolesne, ale on już skończył z zabijaniem. Osiągnął swój cel. Najważniejsze, że pozwolił żyć Massicottemu. Widziałem nadzieję w jego oczach, kiedy Vera zmusiła go, by odłożył strzykawkę na stół. Oczywiście dochodzenie trwa nadal i będziemy próbować go znaleźć, ale prawdopodobnie nie stanowi już zagrożenia.

W Katedrze zapanowała atmosfera rozprężenia. Nie było zbyt wiele do dodania. Być może z wyjątkiem tego, że nadarzała się okazja do wykorzystania skumulowanych podczas tej sprawy nadgodzin.

– Tak naprawdę chciałem jeszcze powiedzieć tylko jedno – powiedział Paul Hjelm. – Jestem z was wszystkich nieziemsko dumny.

Polinezyjska koda

Polinezja, 8 czerwca

STARY HIPIS BYŁ ZAJĘTY zbieraniem drewna wyrzuconego na brzeg. Gdyby ktoś zakotwiczył na wyspie właśnie w tej chwili, prawdopodobnie tak właśnie by to opisał: „Jakiś stary hipis zbiera wyrzucone na brzeg drewno". I pewnie dodałby jeszcze: „Tragedia".

Dla starego hipisa nie była to jednak w najmniejszym stopniu tragedia, tylko idealne życie. Co prawda była zima, ale temperatura spadała najwyżej o kilka stopni. Wciąż było przyjemnie ciepło.

Poza tym nie był jeszcze aż tak stary. Niebywałe, ile lat mogła dodać zaniedbana broda. Idealnie się składało. Tutaj mógł być sobą, w pełni sobą.

Czasem stary hipis myślał o swoim ojcu. Staruszek przynajmniej naprawił mu plecy, dzięki czemu nie wyglądał już jak wielbłąd. Zastanawiał się, czy jeszcze żyje.

Zebrał już pełne naręcze drewna. Jeszcze jeden kawałek i wszystko wypadłoby mu z rąk. Pobiegł w górę do swojego bungalowu jakieś dwadzieścia metrów od plaży i zrzucił wszystko na stos obok ogniska. Na wieczór wystarczy. Usiądzie tu sobie, jak zawsze, wypali jointa, zaciągnie się pięknem wszechświata, a potem zaśnie przy ognisku. Jak co wieczór.

Przez chwilę przyglądał się stercie drewna. Na pewno wystarczy.

Następnie ruszył z powrotem przez plażę, do morza. Jego ogorzałe stopy zanurzyły się w krystalicznie czystej wodzie, zaczął płynąć w kierunku nowego bungalowu. Miał wrażenie, jakby budynek nagle po prostu się tam pojawił. Dwie postaci, które go zbudowały, wydawały mu się znajome, lecz minęło kilka dni, zanim odważył się zbliżyć na tyle, by móc dokładniej im się przyjrzeć.

Budowali swój bungalow obok bungalowu tej starszej kobiety, która od początku wydawała mu się znajoma. Jednak dopiero teraz, kiedy zobaczył nową parę w towarzystwie starszej kobiety, dotarło do niego, że naprawdę ich znał. Wszystkich troje.

To było jak powrót do dzieciństwa. A zarazem wcale nim nie było. To rzeczywiście był jego dawny przyjaciel, a z nim jego cudowna siostra, zresztą starsza kobieta również była jego siostrą. Tylko bardzo się postarzeli. Nie pamiętał ich imion. Próbował sobie przypomnieć, jak ich nazywał ich ojciec. Nie były to prawdziwe imiona.

Teraz siedzieli razem nad wodą, na zrobionych własnoręcznie leżakach, z palcami stóp zamoczonymi w wodzie, i gdy stary hipis podszedł do nich bliżej, mężczyzna podniósł wzrok.

W jego spojrzeniu malował się bezbrzeżny smutek.

I wtedy stary hipis wszystko sobie przypomniał. To był przecież „W".

I „V".

I jeszcze „U".